히어라이트 **지학사**

개념 학습과 정리가 한번에 끝나는 기본서

개념풀

정치와 법

개념책

- 핵심 개념을 흐름으로 쉽게 풀어 가는 개념 학습법 도입
- 시험에 자주 출제되는 자료를 완벽하게 분석한 특강 구성
- 내신과 수능 대비를 위한 다양한 유형의 단계별 문제 수록

개념을 학습하고 노트에 스스로 정리하는 사과탐 기억 학습법 구현!!

 **개념책** + **정리노트**

교재 구성
- 개념을 쉽게 풀어 이해가 잘되는 **개념책**
- 학습한 개념을 정리해 보는 개념책 맞춤 **정리노트**

사과탐 기억 학습법이란?
핵심 단어-주제어 기억법과 PQ4R 학습법을 적용하여 사과탐 공부를 효과적으로 할 수 있도록 구성된 개념풀만의 학습법입니다.

개념책을 보며 나만의 스타일로
노트 정리~

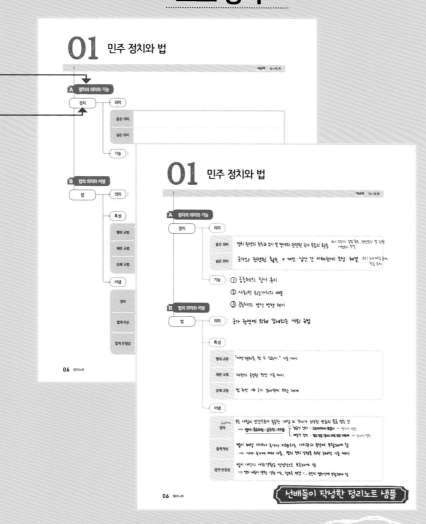

선배들이 작성한 정리노트 샘플

정리가 막막하다면?

선배들이 작성한
정리노트를 참고해 봐~

선배들의 노트 바로 가기

선배들의 정리노트
활용법 동영상

군더더기 없이 핵심만
정리한 선배의 노트

자신만의 팁을 많이
제시한 선배의 노트

정리노트를 다시 쓰고 싶다면?

빈 노트 바로 가기

개념책을 보지 않고
노트 정리에
도전해 볼까?

개념책+정리노트 제대로 활용하기

개념 학습과 정리가 한번에 끝나는 기본서

개념풀

정치와 법

궁금하지~옹?
이 장을 넘겨와~옹~

개념 학습과 정리가
한번에 끝나는 개념풀이면,
정치와 법의 모든 개념은
완벽하게 끝!!!

쉽게 풀어 이해가 빠른 개념책으로
개념 학습~

개념풀 TIP

중요한 내용은 '한눈에 정리'로
휘리릭 점검하면
학습 속도가 빨라져.

01 ~ 민주 정치와 법

❶ 사회 규범의 종류
• 관습: 일정한 행위가 사회 구성원 사이에서 오랫동안 반복됨에 따라 사회적 행위의 기준으로 인정된 행위의 준칙
• 도덕: 인간의 양심에 바탕을 두고 선(善)의 구현 및 사회의 존속과 평화를 위하여 필요하다고 인식되는 가치의 기준
• 법: 사회 구성원의 행위를 규율하고 질서를 유지하기 위하여 국가가 만든 사회 규범

A 정치의 의미와 기능

1. 정치의 의미
(1) 좁은 의미: 정치권력의 획득과 유지 및 행사와 관련된 국가 특유의 활동
(2) 넓은 의미: 국가와 관련된 활동을 포함하여 개인이나 집단 간의 다양한 이해관계를 합리적으로 조정하고 해결하는 과정

2. 정치의 기능
(1) 공동체의 질서 유지: 개인이나 집단 간의 다양한 이해관계와 갈등을 조정하고 문제를 해결하여 공동체의 질서를 유지함
(2) 사회적 희소가치의 배분: 사회적 희소가치를 합리적으로 배분할 수 있는 규칙과 제도를 만들고 구성원들이 이를 수용할 수 있도록 함
(3) 공동체의 발전 방향 제시: 사회가 지향해야 할 가치와 목표를 제시하고 이에 대한 합의를 이끌어 냄

B 법의 의미와 이념

1. 법의 의미와 특성
(1) 법: 국가 권력에 의해 강제되는 사회 규범
(2) 법의 특성

행위 규범	사회 구성원에게 어떤 행위를 할 수 있는지에 대한 기준을 제시함
재판 규범	분쟁 발생 시 재판의 공정한 판단 기준을 제시함
강제 규범	법을 위반하면 국가의 강제력에 의한 제재를 받음

2. 법의 이념
(1) 정의
① 의미: 모든 사람이 인간으로서 동등한 대접을 받고 각자가 노력한 만큼의 몫을 얻는 것 → 법이 추구하는 궁극적 이념
② 종류

| 평균적 정의 | 차이를 고려하지 않고 누구에게나 똑같이 대우하는 것으로 형식적 평등을 통해 실현됨 |
| 배분적 정의 | 개인의 능력과 상황, 필요 등에 따른 차이를 반영하여 '같은 것은 같게, 다른 것은 다르게' 대우하는 것으로 상대적 평등을 통해 실현됨 |

(2) 합목적성
① 의미: 법이 해당 시대나 국가가 지향하는 가치관과 목적에 부합해야 한다는 이념
② 특징: 시대나 국가의 지배적인 가치관에 따라 다르게 나타남, 법이 정의를 실현할 수 있도록 구체적인 기준을 제시함

(3) 법적 안정성
① 의미: 법이 개인의 사회생활을 안정적으로 보호해야 한다는 이념
② 요건: 법의 내용이 명확하고 실현 가능해야 하며, 함부로 변경되지 않고 국민의 법의식에 부합해야 함

❷ 정의의 여신상

정의의 여신상에서 저울은 형평성을, 같은 법을 어긴 자에게 처벌을 가한다는 의미를 담고 있다.

★ 한눈에 정리
법의 이념

정의	모든 사람이 동등한 대접을 받고 각자가 노력한 만큼의 몫을 얻는 것
합목적성	법이 시대나 국가가 지향하는 가치관과 목적에 부합해야 함
법적 안정성	법이 개인의 사회생활을 안정적으로 보호해야 함

공부할 때는
스트레칭
필수~

개념과 정리가 한번에 끝나는 기본서

개념풀

정치와 법

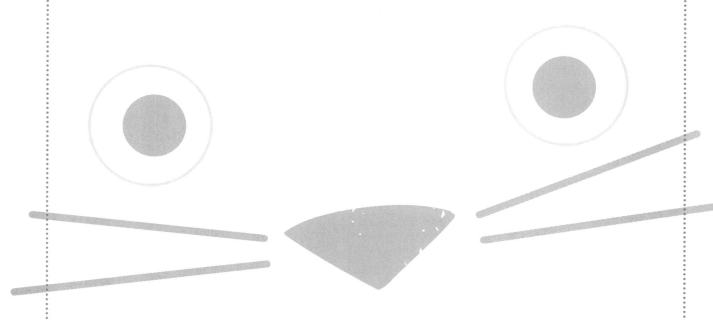

교재 구성과 학습 시스템

교재 구성

개념과 정리를
한번에!

쉽게 풀어
이해가 잘 되는
개념책

학습한 개념을
정리해 보는 나만의
정리노트

의구심이
남지 않는 완벽한
정답과 해설

학습 시스템

1st 개념을 익힌다.

정치와 법에 나오는 모든 개념을 친절하고 상세한 내용 정리로 술술 익힌다.

 개념책

읽으면, 나도 모르게
개념이 쏙쏙
들어온다~옹!

2nd 개념을 적용한다.

단계별 문제 풀이로 학습한 개념을 적용하고 실력을 다진다.

 개념책, 정답과 해설

개념을 적용해서
문제를 풀면 만점도
맞을 수 있다~옹!

3rd 개념을 완성한다.

정리노트에 학습한 개념을 자기만의 스타일로 정리하여 개념을 완성한다.

 개념책, 정리노트

내 입맛대로
노트를 정리하면,
개념 공부는 끝이다~옹!

개념풀 정치와 법
교재 특징

쉽게 풀어 이해가 잘 되는 **개념책**

이해하기 쉬운 개념 학습

• 술술 읽히는 개념과 자료 정리

5종 교과서를 철저하게 비교·분석하여 이해하기
쉽게 풀어 정리했습니다.

❶ **한눈에 정리** 꼭 알아야 할 핵심 내용을 표나 도
식으로 한눈에 파악

❷ **교과서 자료 모아보기** 교과서 알짜 자료를 분석
하고 자료별 핵심 내용을 한 문장으로 제시

❸ **자료 확인 문제** 자료를 읽고 간단한 문제로 이해
도 점검

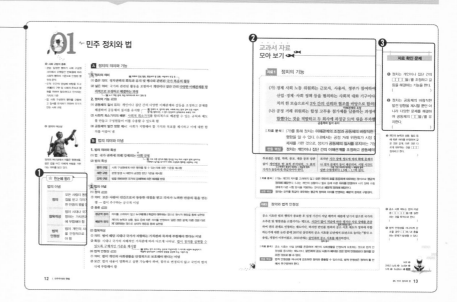

• 수능 자료로 개념 완성 수능 POOL

수능 기출 자료 분석을 통해 개념을 완성하고 동시
에 수능 대비까지 할 수 있습니다.

❶ **수능풀 Guide** 수능풀의 핵심 주제 안내

❷ **PLUS 분석** 기출 자료의 핵심 내용 분석은 물론
개념 이해에 필요한 추가 분석 내용 제시

❸ **기출 선택지로 확인하기** 수능 기출 문제의 선택
지를 통해 자료에 대한 이해도 확인

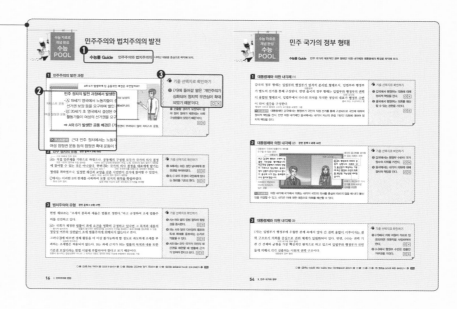

쉽게 풀어 이해가 잘 되는 **개념책**

다양한 유형의 단계별 문제

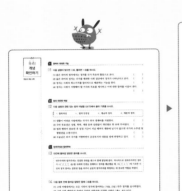

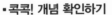

▪ 콕콕! 개념 확인하기

앞에서 정리한 주요 개념을 다시 확인할 수 있습니다.

▪ 탄탄! 내신 다지기

학교 시험 난이도로 구성된 다양한 유형의 문제로 내신에 대비할 수 있고, 출제율이 높아지고 있는 서답형 문제를 연습할 수 있습니다.

▪ 도전! 실력 올리기

고난도 문제와 수능 기출 변형 문제로 내신뿐 아니라 수능에도 대비할 수 있습니다.

실전에 대비하는 대단원 학습

▪ 한눈에 보는 대단원 정리

주요 내용을 중단원별로 정리하여 핵심 내용을 한눈에 파악할 수 있습니다.

▪ 한번에 끝내는 대단원 문제

대단원을 아우르는 문제로 중간·기말 고사에 대비할 수 있으며, 출제율이 높아지고 있는 서답형 문제를 연습할 수 있습니다.

학습한 개념을 직접 써 보는 나만의 **정리노트**

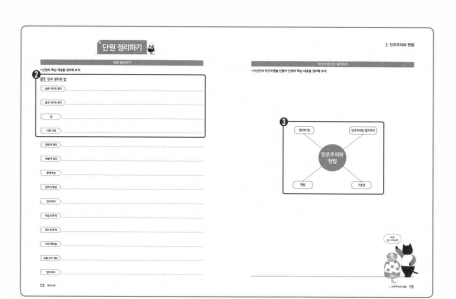

❶ 중단원 내용 구조가 한눈에 보이도록 구성하여 개념책과 교과서를 보면서 빈 공간에 나만의 노트 정리를 할 수 있습니다.

❷ 대단원에서 꼭 알아둬야 할 개념이나 용어를 정리하여 들고 다니며 틈나는 대로 익힐 수 있습니다.

❸ 마인드맵을 그려 보면서 대단원의 전체적인 내용과 흐름을 제대로 알고 있는지 확인해 볼 수 있습니다.

선배들의 정리노트
다운로드 바로 가기

차례

I
민주주의와 헌법

01. 민주 정치와 법 12

02. 헌법의 의의와 기본 원리 22

03. 기본권의 보장과 제한 32

대단원 마무리 42

II
민주 국가와 정부

01. 민주 국가와 우리나라의 정부 형태 50

02. 국가 기관의 구성과 역할 60

03. 지방 자치의 의의와 과제 70

대단원 마무리 80

III
정치 과정과 참여

01. 정치 과정과 정치 참여 88

02. 선거와 선거 제도 96

03. 다양한 정치 주체와 시민 참여 106

대단원 마무리 116

IV
개인 생활과 법

01. 민법의 의의와 기본 원리 ·································· 124

02. 재산 관계와 법 ·································· 132

03. 가족 관계와 법 ·································· 142

대단원 마무리 ·································· 152

V
사회생활과 법

01. 형법의 이해 ·································· 160

02. 형사 절차와 인권 보장 ·································· 170

03. 근로자의 권리 보호 ·································· 180

대단원 마무리 ·································· 190

VI
국제 관계와 한반도

01. 국제 관계와 국제법 ·································· 198

02. 국제 문제와 국제기구, 우리나라의 국제 관계 ·································· 208

대단원 마무리 ·································· 218

무엇을 공부할지 함께
확인해 볼까~옹?

대단원	중단원	소단원	개념풀	지학사	교학사	미래엔	비상교육	천재교과서
I 민주주의와 헌법	01 민주 정치와 법	A 정치의 의미와 기능	12	11~12	11	12~13	11~12	11~13
		B 법의 의미와 이념	12	13~14	12~13	14~15	13~14	14~15
		C 민주주의와 법치주의	14	15~18	14~18	16~22	15~20	16~17
	02 헌법의 의의 와 기본 원리	A 헌법의 의의와 기능	22	21~23	21~23	24~27	23~24	19~21
		B 우리 헌법의 기본 원리	22	24~28	24~28	28~32	25~28	22~27
	03 기본권의 보 장과 제한	A 기본권의 의미와 유형	32	31~34	33~35	34~38	31~32	29~36
		B 기본권의 충돌과 제한	34	35~36	36~38	39~42	35~36	37~39
		C 국민의 의무	34	-	-	-	33	-
II 민주 국가와 정부	01 민주 국가와 우리나라의 정부 형태	A 민주 국가의 정부 형태	50	45~50	45~47	48~51	45~47	45~48
		B 우리나라의 정부 형태	52	51~52	48~50	52~54	48~50	49~51
	02 국가 기관의 구성과 역할	A 국회	60	55~58	53~55	56~59	53~55	53~55
		B 대통령과 행정부	60	59~61	56~57	60~63	56~58	56~58
		C 법원과 헌법 재판소	62	62~66	58~59	64~68	59~62	59~63
	03 지방 자치의 의의와 과제	A 지방 자치와 지방 자치 제도	70	69~72	67~69	70~74	65~66	65~68
		B 우리나라 지방 자치의 현실과 과제	72	73~74	70~72	74~76	67~68	69~73
III 정치 과정과 참여	01 정치 과정과 정치 참여	A 정치 과정의 이해	88	83~84	79~81	82~83	77~79	79~80
		B 시민의 정치 참여	88	85~88	82~84	84~86	80~82	81~85
	02 선거와 선거 제도	A 선거의 의미와 기능	96	91~93	87	88	85~86	87~89
		B 선거 제도의 유형	96	94~95	88~89	89~91	87~89	90~92
		C 우리나라의 선거 제도	98	96~98	90~92	92~94	90	93~97
	03 다양한 정치 주체와 시민 참여	A 정당을 통한 시민 참여	106	101~102	95~96	96~99	95~97	99~101
		B 이익 집단, 시민 단체, 언론을 통한 시민 참여	108	103~106	97~100	100~106	98~100	102~107

우리 학교 교과서가
개념풀의 어느 단원에
해당하는지 확인하세요!

교과서랑 비교하며
공부할때 유용하다~옹!

대단원	중단원	소단원	개념풀	지학사	교학사	미래엔	비상교육	천재교과서
IV 개인 생활과 법	01 민법의 의의와 기본 원리	A 민법의 의의와 기능	124	115~116	109	112~113	109~110	113~114
		B 민법의 기본 원리	124	117~118	110~112	114~116	111~112	115~121
	02 재산 관계와 법	A 계약의 이해	132	121~122	115~117	118~121	115~116	123~124, 126
		B 미성년자의 계약	132	123	117	121	117	125
		C 불법 행위와 손해 배상	134	124~127	118~120	122~126	120~122	127~131
	03 가족 관계와 법	A 부부간의 법률관계	142	131~134	125~127	128~131	127~129	133~135
		B 부모와 자녀 간의 법률관계	144	135~136	128~130	132~133	130~131	136~137
		C 유언과 상속	144	137~138	-	134	132	138~141
V 사회생활과 법	01 형법의 이해	A 형법의 의의와 기능	160	147	137	140	139	147, 149
		B 죄형 법정주의의 의미와 내용	160	148~149	138~139	141	140~141	148
		C 범죄의 의미와 성립 요건	162	150~151	140	142~144	142~144	150~154
		D 형벌과 보안 처분	162	152	141~142	144~145	145~146	155~157
	02 형사 절차와 인권 보장	A 형사 절차의 이해	170	155~157	145	148~151	149~152	159~160
		B 형사 절차에서의 인권 보장 원칙과 제도	172	158~160	146~148	152~154	153	161~165
		C 범죄 피해자 보호와 형사 구제 제도	172	161~162	149~150	155~156	154	166~167
	03 근로자의 권리 보호	A 노동법과 근로자의 권리	180	165~166	155~157, 158	158~161	159~162	169~174
		B 근로자의 권리 침해와 구제	182	167~168	157	159~161	164	175
		C 청소년 근로자의 권리 보호	182	169~170	159	162~163	163	176
VI 국제 관계와 한반도	01 국제 관계와 국제법	A 국제 관계의 변화	198	179~181	167~169	170~173	171~174	183~186
		B 국제법의 이해	200	182~184	170~172	174~176	175~178	187~189
	02 국제 문제와 국제기구, 우리나라의 국제 관계	A 국제 문제의 이해	208	187~189	175~176	178~181	181~183	191~194
		B 국제기구의 역할	208	190~192	177~180	182~185	184~186	195~199
		C 우리나라의 국제관계와 외교 정책	210	195~198	183~188	188~194	191~194	201~207

I
민주주의와 헌법

배울 내용 한눈에 보기

01 민주 정치와 법

정치와 법
- 정치의 의미와 기능
- 법의 이념 → 정의
  → 합목적성
  → 법적 안정성
- 민주주의와 법치주의

02 헌법의 의의와 기본 원리

헌법
- 헌법의 의의와 기능
- 입헌주의의 발전
- 우리 헌법의 기본 원리 → 국민 주권주의
  → 자유 민주주의
  → 복지 국가의 원리
  → 국제 평화주의
  → 평화 통일 지향
  → 문화 국가의 원리

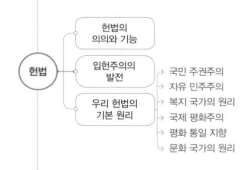

03 기본권의 보장과 제한

기본권
- 기본권의 유형 → 인간으로서의 존엄과 가치 및 행복 추구권
  → 평등권
  → 자유권
  → 참정권
  → 사회권
  → 청구권
- 기본권의 제한과 한계
- 국민의 의무

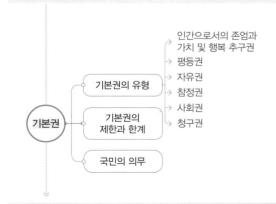

01 ～ 민주 정치와 법

❶ 사회 규범의 종류

- 관습: 일정한 행위가 사회 구성원 사이에서 오랫동안 반복됨에 따라 사회적 행위의 기준으로 인정된 행위의 준칙
- 도덕: 인간의 양심에 바탕을 두고 선(善)의 구현 및 사회의 존속과 평화를 위하여 필요하다고 인식되는 가치의 기준
- 법: 사회 구성원의 행위를 규율하고 질서를 유지하기 위하여 국가가 만든 사회 규범

❷ 정의의 여신상

정의의 여신상에서 저울은 형평성을, 칼은 법을 어긴 자에게 처벌을 가한다는 의미를 담고 있다.

★ 한눈에 정리

법의 이념

정의	모든 사람이 동등한 대접을 받고 각자가 노력한 만큼의 몫을 얻는 것
합목적성	법이 시대나 국가가 지향하는 가치관과 목적에 부합해야 함
법적 안정성	법이 개인의 사회생활을 안정적으로 보호해야 함

A 정치의 의미와 기능

1. 정치의 의미

예 의회의 입법 활동, 행정부의 법 집행, 사법부의 판결 등 ┐

(1) **좁은 의미**: 정치권력의 획득과 유지 및 행사와 관련된 국가 특유의 활동

(2) **넓은 의미**: 국가와 관련된 활동을 포함하여 개인이나 집단 간의 다양한 이해관계를 합리적으로 조정하고 해결하는 과정
└─ 예 노사 대립 중재, 학급 회의에서의 의사 결정 등

2. 정치의 기능 [자료1]

(1) **공동체의 질서 유지**: 개인이나 집단 간의 다양한 이해관계와 갈등을 조정하고 문제를 해결하여 공동체의 질서를 유지함 ┌─ 뜻 경제적 부, 정치적 권력, 사회적 위신 등과 같이 모든 사람이 얻기를 원하지만, 그 양이 한정되어 상대적으로 부족한 가치

(2) **사회적 희소가치의 배분**: 사회적 희소가치를 합리적으로 배분할 수 있는 규칙과 제도를 만들고 구성원들이 이를 수용할 수 있도록 함

(3) **공동체의 발전 방향 제시**: 사회가 지향해야 할 가치와 목표를 제시하고 이에 대한 합의를 이끌어 냄

B 법의 의미와 이념

1. 법의 의미와 특성

(1) **법**: 국가 권력에 의해 강제되는 사회 규범 ❶

(2) **법의 특성**
└─ 뜻 서로 다른 생각과 행동 방식을 지닌 여러 사람이 함께 살아가는 사회에서 질서를 유지하기 위해 구성원의 행위를 규율하는 규범

행위 규범	사회 구성원에게 어떤 행위를 할 수 있는지에 대한 기준을 제시함
재판 규범	분쟁 발생 시 재판의 공정한 판단 기준을 제시함
강제 규범	법을 위반하면 국가의 강제력에 의한 제재를 받음

2. 법의 이념 ❷

(1) **정의** [자료3]

① **의미**: 모든 사람이 인간으로서 동등한 대접을 받고 각자가 노력한 만큼의 몫을 얻는 것 → 법이 추구하는 궁극적 이념

② **종류** [자료2]

평균적 정의	차이를 고려하지 않고 누구에게나 똑같이 대우하는 것으로 형식적 평등을 통해 실현됨
배분적 정의	개인의 능력과 상황, 필요 등에 따른 차이를 반영하여 '같은 것은 같게, 다른 것은 다르게' 대우하는 것으로 상대적 평등을 통해 실현됨

(2) **합목적성**

① **의미**: 법이 해당 시대나 국가가 지향하는 가치관과 목적에 부합해야 한다는 이념

② **특징**: 시대나 국가의 지배적인 가치관에 따라 다르게 나타남, 법이 정의를 실현할 수 있도록 구체적인 기준을 제시함
└─ 왜 정의는 법이 추구하는 궁극적 이념이지만 그 의미와 내용이 추상적이기 때문에 합목적성이 구체적인 방향을 설정해 주는 기준이 됨

(3) **법적 안정성** [자료3]

① **의미**: 법이 개인의 사회생활을 안정적으로 보호해야 한다는 이념

② **요건**: 법의 내용이 명확하고 실현 가능해야 하며, 함부로 변경되지 않고 국민의 법의식에 부합해야 함

자료 확인 문제

자료1 정치의 기능

(가) 경제 사회 노동 위원회는 근로자, 사용자, 정부가 참여하여 노동 정책 및 이와 관련된 산업·경제·사회 정책 등을 협의하는 사회적 대화 기구이다. 이를 통한 협의 과정은 정치의 한 모습으로서 3자 간의 신뢰와 협조를 바탕으로 합의를 끌어낸다.
_{이해관계의 조정}

(나) 공정 거래 위원회는 합성 고무용 첨가제를 납품하는 과정에서 A사와 B사가 가격을 담합했다는 것을 적발하고 두 회사에 과징금 51억 원을 부과했다.
_{공동체의 질서 유지}

| **자료 분석** | (가)를 통해 정치는 이해관계의 조정과 공동체의 바람직한 발전 방향을 제시하는 기능을 수행함을 알 수 있다. (나)에서는 공정 거래 위원회가 시장 질서 확립을 목적으로 법에 따라 제재를 가한 것으로, 정치가 공동체의 질서를 유지하는 기능을 수행함을 알 수 있다.

> **한줄 핵심** 정치는 개인이나 집단 간의 이해관계를 조정하고 공동체의 질서를 유지하는 기능을 한다.

❶ 정치는 개인이나 집단 간의 □□□□을/를 조정하고 갈등을 해결하는 기능을 한다.
(   )

❷ 정치는 공동체의 바람직한 발전 방향을 제시할 뿐만 아니라 다양한 문제를 해결하여 공동체의 □□을/를 유지한다.
(   )

자료2 평균적 정의와 배분적 정의

(가)	(나)
「국민 투표법」 제2장 제7조에서는 19세 이상의 국민은 투표권이 있다고 명시하고 있다. 투표권은 성별, 학력, 종교, 계층 등과 상관없이 개인별로 한 표씩 부여되며, 그 표의 _{누구에게나 똑같이 대우 → 평균적 정의} 가치가 동등하게 취급되어야 한다.	대학 수학 능력 시험에서 시각 장애 수험생은 일반 수험생과 똑같은 내용의 시험을 치르지만 시각 장애 정도에 따라 확대 문제지나 점자 문제지 등이 제공되며, 시험 시간도 _{다른 것은 다르게 대우 → 배분적 정의} 일반 수험생보다 1.5배 ~ 1.7배 길다.

| **자료 분석** | (가)는 개인의 차이를 고려하지 않고 모든 국민의 표를 동등하게 대우하는 것이므로 평균적 정의에 해당한다. (나)는 개인의 상황이나 필요 등에 따른 차이를 반영하여 시각 장애 수험생에게 다른 시험 방식을 적용하는 것이므로 배분적 정의에 해당한다.

> **한줄 핵심** 정의는 모두를 똑같이 대우하는 평균적 정의와 차이를 반영하는 배분적 정의로 구분된다.

❸ 개인의 능력과 상황, 필요 등에 따른 차이를 반영하여 같은 것은 같게, 다른 것은 다르게 대우하는 것을 □□□ 정의라고 한다.
(   )

자료3 정의와 법적 안정성

공소 시효란 범죄 행위가 종료한 후 일정 기간이 지날 때까지 재판에 넘기지 않으면 국가의 소추권 및 형벌권을 소멸시키는 제도로, 시간이 많이 지남에 따라 생겨난 사실 상태를 존중하여 권리 관계로 인정하는 제도이다. 하지만 반인륜 범죄의 공소 시효 제도가 정의에 부합
_{법적 안정성 중시}
하는가에 대한 논란 끝에 2007년 살인죄의 공소 시효를 15년에서 25년으로 늘리는 「형사 소송법」 개정이 이루어졌고, 2015년에는 살인죄의 공소 시효를 폐지하였다.
_{정의 중시}

| **자료 분석** | 공소 시효는 사실 상태를 존중하여 개인의 사회생활을 안정되게 보호하는 것으로 법적 안정성을 중시하는 제도이다. 살인죄의 공소 시효가 폐지된 것은 법적 안정성보다 정의를 강조한 것으로 볼 수 있다.

> **한줄 핵심** 법적 안정성을 지나치게 강조하면 정의와 충돌할 수 있으므로, 법적 안정성은 정의의 틀 안에서 추구되어야 한다.

❹ 공소 시효 제도는 법의 이념 중 □□ □□□을/를 실현하는 것을 목적으로 한다.
(   )

❺ 법적 안정성을 지나치게 강조할 경우 □□와/과 충돌하는 문제가 발생할 수 있다.
(   )

정답 ❶ 이해관계 ❷ 질서
❸ 배분적 ❹ 법적 안정성
❺ 정의

④ 아테네의 민주 정치 제도

민회	오늘날의 의회로서, 모든 시민이 참여하여 법률을 제정하고 주요 정책을 심의·결정함
평의회	500인으로 구성된 행정 기구로서, 추첨제와 윤번제를 통해 참여함
재판소	사법 기구로서, 배심원에 의한 재판을 실시함

⑤ 천부 인권 사상
인간은 태어나면서부터 누구에게도 양도하거나 빼앗길 수 없는 권리를 하늘로부터 부여받았다는 사상으로, 시민 혁명에 영향을 주어 시민의 자유와 권리가 확대되는 데 이바지하였다.

⑥ 차티스트 운동
19세기 초 영국 노동자들이 재산에 따른 참정권 차별에 반대하여 의원의 재산 자격 철폐, 21세 이상 모든 성인 남성의 선거권 보장 등을 요구한 참정권 확대 운동이다.

★ **한눈에 정리**
형식적 법치주의와 실질적 법치주의

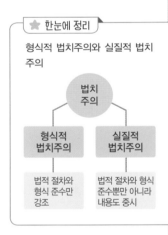

⑦ 민주주의와 법치주의의 목적
민주주의와 법치주의는 '인간의 존엄성 실현'이라는 최고 이념을 목적으로 하고, 구체적으로는 '기본권 보장'을 위해 작용한다.

C 민주주의와 법치주의

1. 민주주의의 의미와 발전 과정
(1) **민주주의**: 시민의 뜻에 따라 운영되는 정치 형태이자, 인간의 존엄성 및 자유와 평등을 실현하기 위한 정치 이념

(2) **민주주의의 발전 과정**

추첨제와 윤번제를 통해 누구나 공직에 참여할 수 있음

④ 고대 아테네 민주 정치	• 정치 형태: 모든 시민이 정치에 직접 참여하는 직접 민주제 실시 • 한계: 성인 남성만을 시민으로 한정하여 여성, 노예, 외국인 등은 정치에 참여하지 못함 → 제한적 민주주의
⑤ 근대 민주 정치 _{자료 4}	• 등장 배경: 천부 인권 사상, 사회 계약설 등을 바탕으로 일어난 시민 혁명을 통해 시민의 자유와 권리가 확대됨　예 영국 명예혁명(1688), 미국 독립 혁명(1776), 프랑스 혁명(1789) 등 • 정치 형태: 시민이 선출한 대표를 통해 의회를 구성하여 간접적으로 정치에 참여하는 대의 민주제 실시 • 한계: 재산·인종·성별 등에 따라 참정권을 차등 부여하여 여성, 노동자, 농민 등은 정치에 참여하지 못함 → 제한적 민주주의
⑥ 현대 민주 정치	• 등장 배경: 차티스트 운동, 여성 참정권 운동 등의 참정권 확대 운동이 활발하게 일어남　통 성별, 신분, 재산 등의 제한 없이 모든 사회 구성원에게 선거권을 부여하는 제도 • 정치 형태: 대의 민주제를 바탕으로 보통 선거 제도 확립 • 한계: 시민의 의사를 정치에 반영하지 못하거나, 시민의 정치적 무관심을 초래할 수 있음 → 국민 투표제, 국민 소환제, 국민 발안제 등 직접 민주 정치 요소의 도입이 필요함

2. 법치주의의 의미와 발전 과정
(1) **법치주의**: 국가의 운영이 의회가 미리 제정한 법률에 근거하여 수행되어야 한다는 민주 정치의 원리

(2) **법치주의의 발전 과정**
① **근대: 형식적 법치주의 등장** _{자료 5}
 • 의회가 적법한 절차를 거쳐 제정한 법에 따른 통치를 강조함
 • 법의 목적이나 내용은 문제 삼지 않아 국민의 자유와 권리를 침해하고 독재 정치를 정당화하는 수단으로 악용될 수 있음
② **현대 민주 국가: 실질적 법치주의 강조**
 • 형식적인 합법성을 갖춰야 할 뿐만 아니라 법의 목적과 내용도 정의와 헌법 이념에 부합해야 함
 • 실질적 법치주의의 실현을 위해 대부분의 현대 민주 국가에서는 법률의 내용이 헌법에 위반되는지를 심사하는 제도를 두고 있음

3. 민주주의와 법치주의의 관계
(1) **대립적 관계**: 민주주의는 변화하는 국민의 의사를 확인하여 정책에 반영하는 것을 중시하는 반면, 법치주의는 법이라는 제도적 틀 안에서의 사회 질서 유지를 강조함
(2) **상호 보완적 관계**: 법치주의는 민주주의의 이념을 보장하고 민주주의로 인한 다수의 횡포를 막을 수 있으며, 민주주의에 기초한 시민의 정치 참여는 잘못된 법을 견제할 수 있음
(3) **민주주의와 법치주의의 조화**: 법치주의는 민주주의의 실현을 목적으로 하고 민주주의는 법치주의의 틀 안에서 운영됨으로써 양측이 조화롭게 발전할 수 있음

교과서 자료 모아 보기 ◧✦━━━━━━━━━━∿━━━━━━━━━━

자료4 사회 계약설

(가) '만인의 만인에 대한 투쟁 상태'인 자연 상태에서는 인간이 자연권을 보장받을 수 없다.
홉스
이에 이성을 가진 존재인 사람들은 자기 보존을 위해 계약을 맺어 국가를 수립하였다.
통치자가 가지는 <u>주권은 신이 아닌 국민의 동의로부터 유래한다.</u> 그런데 <u>국민은 국가의</u>
국민 주권주의
<u>보호를 받는 대가로 복종 계약에 동의했으므로 통치자의 권력에 절대 복종해야 한다.</u>
절대 군주제 주장

(나) 자연 상태에서 인간은 자유롭고 평등하지만 이성의 불완전함, 빈부 격차 등으로 인해
로크
자연 상태에서는 자연권 침해의 가능성이 크다. 이에 <u>사람들은 생명과 자유, 재산을 보</u>
<u>호하기 위해 정부 수립의 계약을 맺고 대표에게 주권 행사를 위임하였다.</u> 그런데 <u>정부가</u>
대의 민주제, 입헌 군주제 주장
<u>국민의 자유와 권리를 침해한다면 국민은 정부를 폐지하고 새로운 정부를 수립할 수 있다.</u>
저항권 인정

(다) 개인은 자유롭고 평등한 삶을 온전히 보전하기 위해 계약을 맺고 국가를 형성한다. 그
루소
러나 그 과정에서 개인은 자신의 주권을 다른 누군가의 손에 넘기는 것이 아니라 모두가
참여하여 형성한 일반 의지, 즉 이기적인 사욕을 버리고 공공의 선과 이익을 추구하려는
의지에 따라 국가를 운영하고 국가를 통해 일반 의지를 실현한다. <u>주권은 양도할 수 없</u>
<u>는 권리이기 때문에 인민에 의한 직접 민주제가 실현되어야 한다.</u>
직접 민주제 주장

| 자료 분석 | (가)는 홉스, (나)는 로크, (다)는 루소의 주장으로 세 학자는 모두 사회 계약설을 강조하였
다. 그 중 홉스는 절대 군주제, 로크는 대의 민주제와 입헌 군주제, 루소는 직접 민주제를
주장하였다. 사회 계약설은 국가가 개인의 자연권 보장을 위한 계약을 통해 성립되었다고
보는 이론으로, 국가가 국민의 자유와 권리 보장을 위한 수단적 장치임을 강조하여 시민 혁
명의 사상적 토대가 되었다.

한줄 핵심 ▶ 사회 계약설은 개인의 자유와 권리 보장을 위하여 계약을 통해 국가가 수립되었다고 주장
한다.

자료5 독일의 수권법

제1조 라이히 법률은 라이히 헌법이 규정하고 있는 절차에 의하는 외에, 라이히 정부에 의
해서도 의결될 수 있다.

제2조 라이히 정부가 의결하는 법률에는 라이히 헌법과는 다른 규정을 둘 수 있다.

제4조 독일과 외국과의 조약도 …… 입법에 영향을 미치는 기관들과의 합의를 필요로 하지
않는다.

| 자료 분석 | 수권법이란 행정부에 광범위하고 포괄적인 법률을 제정할 수 있는 권한을 위임하는 법률이
다. 독일의 수상이 된 히틀러는 의회를 통해 「민족과 국가의 위난을 제거하기 위한 법률」이
라는 수권법을 제정하도록 하였다. 이 법에 따라 행정부는 국민의 기본권을 침해하는 법률
을 아무런 견제 없이 제정·집행할 수 있었는데, 이는 형식적 법치주의로 인해 독재가 정당
화되었음을 보여 준다.

한줄 핵심 ▶ 형식적 법치주의는 국민의 인권을 침해하고 독재를 정당화하는 수단으로 악용될 수 있다.

자료 확인 문제

❻ □□ □□□은/는 자유와
권리의 보장을 위해 사회 구
성원들이 합의하여 계약을
통해 국가를 형성하였다는
사상이다.
(   )

❼ 사회 계약론자 중 국민의 권
리를 위임받은 통치자가 그
권력을 올바르게 행사하지
않을 경우 국민이 저항권을
행사할 수 있다고 주장한 사
람은?
(   )

❽ □□□□은/는 국가의 운영
이 의회가 제정한 법률에 근
거하여 수행되어야 한다는
민주 정치의 원리이다.
(   )

❾ □□□ 법치주의에 따르면
통치의 합법성만을 강조하
여 독재를 정당화하는 문제
가 발생할 수 있다.
(   )

정답 ❻ 사회 계약설 ❼ 로크
❽ 법치주의 ❾ 형식적

민주주의와 법치주의의 발전

수능풀 Guide 민주주의와 법치주의의 발전 과정을 제시문에 나타난 내용을 중심으로 파악해 보자.

1 민주주의의 발전 과정

> A와 B가 발생하게 된 공통적인 배경은 무엇일까요?

민주 정치의 발전 과정에서 발생한 A와 B

- Ⓐ 19세기 영국에서 노동자들이 중심이 되어 21세 이상 남성의 선거권 보장 등을 요구하며 벌인 운동
  └ 차티스트 운동
- Ⓑ 20세기 초 영국에서 결성된 여성 사회 정치 동맹(WSPU)의 활동가들이 여성의 선거권을 요구하며 벌인 활동
  └ 여성 참정권 운동

➡ A와 B가 발생한 공통 배경은 (가)이다.

✎ PLUS분석 근대 민주 정치에서는 노동자, 여성 등에게 참정권이 부여되지 않아 차티스트 운동, 여성 참정권 운동 등의 참정권 확대 운동이 일어났다.

⚫ 기출 선택지로 확인하기

❶ (가)에 들어갈 말은 '개인주의가 심화되어 정치적 무관심이 확대되었기 때문'이다. ○×

❷ (가)에 들어갈 말은 '국민의 대표를 선출할 권리가 보장되지 않아 정치 참여가 제한되는 사회 구성원들이 있었기 때문'이다. ○×

2 민주 정치의 유형   관련 문제 ▶ 21쪽 05번

Ⓐ는 직접 민주제를 기반으로 하였으나, 공동체의 구성원 모두가 국가의 의사 결정에 참여할 수 있는 것은 아니었다. 한편 Ⓑ는 국가의 의사 결정을 대표에게 맡기는 형태를 취하였으나, 일정한 재산과 교양을 갖춘 시민만이 선거에 참여할 수 있었다. Ⓒ에서는 이러한 B의 한계를 극복하여 보통 선거의 원칙을 확립하였다.

└ 고대 아테네 민주 정치 / 모든 시민이 정치에 직접 참여함 / 시민이 성인 남성에 한정되어 여성, 노예, 외국인의 정치 참여가 제한됨
└ 근대 민주 정치 / 국민 주권주의를 바탕으로 대의제가 확립됨 / 노동자, 여성, 농민의 정치 참여가 제한됨
└ 현대 민주 정치 / 일정 연령 이상의 모든 국민에게 선거권을 부여함

⚫ 기출 선택지로 확인하기

❸ A에서는 모든 성인 남녀에게 참정권을 부여하였다. ○×

❹ B, C 모두 주권이 국민에게 있다는 원리를 기초로 한다. ○×

3 법치주의의 유형   관련 문제 ▶ 21쪽 07번

헌법 제59조는 "조세의 종목과 세율은 법률로 정한다."라고 규정하여 조세 법률주의를 선언하고 있다.

Ⓐ는 국회가 제정한 법률이 과세 요건을 명확히 규정하고 있다면 그 목적과 내용의 정당성 여부와 상관없이 조세 법률주의에 위배되지 않는다고 본다.
└ 형식적 법치주의 / 법률의 형식적인 합법성만을 강조하여 인권을 침해하고 독재 체제를 정당화할 수 있음

그러나 Ⓑ에 따르면 경제 활동을 더 이상 불가능하게 할 정도로 과도하게 조세를 부과하는 조세법은 허용되지 않는다. B는 과세 근거가 되는 법률의 목적과 내용 또한 기본권 보장이라는 헌법 이념에 부합되어야 한다고 보기 때문이다.
└ 실질적 법치주의 / 법률의 형식적인 합법성뿐만 아니라 그 목적과 내용도 정의와 헌법 이념에 부합해야 정당성을 가짐

⚫ 기출 선택지로 확인하기

❺ A는 B와 달리 입법 절차의 합법성을 중시한다. ○×

❻ B는 A와 달리 다수당의 횡포와 독재 체제를 옹호하는 논리로 악용될 수 있다. ○×

❼ A와 B는 모두 국가가 국민의 재산권을 제한할 때 법률에 근거가 있어야 한다고 본다. ○×

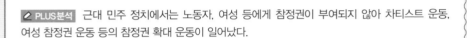

정답 ❶×(국민의 정치적 무관심이 확대되었음) ❷○ ❸×('아동', '노예', 외국인의 정치 참여가 제한됨) ❹○ ❺○ ❻×(A가 B와 달리) ❼○

A 정치의 의미와 기능

01 다음 설명이 맞으면 ○표, 틀리면 ×표를 하시오.

(1) 좁은 의미의 정치에서는 정치를 국가 특유의 활동으로 본다. ( )

(2) 넓은 의미의 정치는 국가를 제외한 사회 집단에서 정치가 나타난다고 본다. ( )

(3) 정치는 사회적 희소가치를 합리적으로 배분하는 기능을 한다. ( )

(4) 정치는 사회가 지향해야 할 가치와 목표를 제시하고 이에 대한 합의를 이끌어 낸다.

( )

B 법의 의미와 이념

02 다음 설명과 관련 있는 법의 이념을 〈보기〉에서 골라 기호를 쓰시오.

보기 ㄱ. 합목적성 ㄴ. 법적 안정성 ㄷ. 평균적 정의 ㄹ. 배분적 정의

(1) 생활이 어려운 사람에게는 국가가 최저 생계비를 지원한다. ( )

(2) 국민 투표권은 성별, 학력, 계층 등과 상관없이 개인별로 한 표씩 부여된다. ( )

(3) 범죄 행위가 종료한 후 일정 기간이 지날 때까지 재판에 넘기지 않으면 국가의 소추권 및 형벌권을 소멸시킨다. ( )

(4) 오늘날은 복지 국가를 지향하면서 공공복지의 내용을 법에 반영하고 있다. ( )

C 민주주의와 법치주의

03 빈칸에 들어갈 알맞은 용어를 쓰시오.

> 민주주의와 법치주의는 밀접한 관련을 맺으며 함께 발달해 왔다. 역사적으로 권위주의적인 정부가 (1)□□□□을/를 내세워 인권을 침해하고 정의를 훼손했을 때, (2)□□□□에 기초한 시민의 정치 참여는 잘못된 법을 바꾸어 실질적 법치주의를 확립하는 데 중요한 역할을 하였다.

04 다음 괄호 안에 들어갈 알맞은 말에 ○표를 하시오.

(1) 고대 아테네에서는 모든 시민이 정치에 참여하는 (직접, 간접) 민주 정치를 실시하였다.

(2) 근대 사회 계약론자 중에서 국민의 저항권을 인정한 사람은 (홉스, 로크)이다.

(3) 사람은 태어나면서부터 하늘이 부여해 준 권리를 가진다는 것은 (국민 주권주의, 천부 인권 사상) 이다.

(4) 19세기 초 영국 노동자들은 (산업 혁명, 차티스트 운동)을 통해 재산에 따른 참정권 차별에 반대하였다.

(5) (보통 선거, 평등 선거) 제도는 성별, 재산, 신분 등과 관계없이 일정 연령 이상의 모든 국민에게 선거권을 부여하는 제도를 말한다.

(6) 독일 나치 시대의 수권법은 (형식적, 실질적) 법치주의의 사례로 볼 수 있다.

(7) (형식적, 실질적) 법치주의의 실현을 위해서 현대 민주주의 국가에서는 법률의 내용이 헌법에 위반되는지를 심사하는 제도를 두고 있다.

A 정치의 의미와 기능

01 갑과 을이 정치를 이해하는 관점에 대한 설명으로 옳은 것은?

> 갑: ○○ 사건에 대한 국정 조사가 실시된다고 해. 그동안 정치가 실종됐다는 말들이 많았는데 이번엔 정치가 본격적으로 행해지려나 봐.
>
> 을: 정치는 회사에서도 이루어지고 있어. 이번에 우리 회사 노사가 임금 협상하는 과정을 보니 개인이나 집단에서도 정치가 이루어지고 있었어.

① 갑에 따르면 정치는 국가의 성립을 전제로 한다.
② 을에 따르면 정치는 민주 정치 체제에서만 나타난다.
③ 을보다 갑의 입장에서 정치 활동의 주체는 더 광범위하다.
④ 을은 갑과 달리 행정부의 법 집행을 정치가 아니라고 본다.
⑤ 갑과 을은 모두 정치를 집단 간 이해관계의 조정으로 본다.

02 다음 사례에서 공통적으로 나타난 정치의 기능으로 가장 적절한 것은?

> • ○○ 여행사는 매주 경영진과 직원 대표들이 모여 회사의 현안을 협의하는 간담회에서 직원들의 요구 사항을 협의하여 해결책을 마련한다.
> • 국회 정치 개혁 특별 위원회 여야 4당 위원들은 각 당의 의견을 조정하여 선거제 개혁과 관련한 합의안을 마련했다.

① 구성원의 행위 규범을 정립한다.
② 공동체의 발전 방향을 제시한다.
③ 공권력으로 사회 질서를 유지한다.
④ 다양한 이해관계를 조정하고 해결한다.
⑤ 사회적 희소가치를 합리적으로 배분한다.

B 법의 의미와 이념

03 다음 사례가 주는 교훈으로 가장 적절한 것은?

> 갑국은 교통사고를 줄이기 위해 모든 도로의 최고 속도를 30km 이하로 정하고, 이를 단속하기 위해 거의 모든 도로에 경찰을 투입하였다. 그러자 도로는 경찰과 차로 꽉 막히면서 도시 기능이 마비될 지경에 이르렀다. 범죄 현장에 경찰이 신속하게 출동할 수조차 없게 되어 치안이 엉망이 되자 대규모 폭동이 일어났다. 결국 갑국은 도로의 최고 속도 규정을 개정하기로 했다.

① 법의 내용이 명확해야 법 생활에 안정이 온다.
② 지위에 상관없이 벌금은 균등하게 부과되어야 한다.
③ 법이 실제로 실현 가능해야 법의 안정적인 운용이 보장된다.
④ 범법자에게는 반드시 규범을 어긴 대가를 치르게 해야 한다.
⑤ 벌금 부과는 정의롭지 못하나 질서 유지라는 목적에는 효과적이다.

04 다음 법 조항에서 강조하고 있는 법이념에 대한 옳은 설명만을 〈보기〉에서 고른 것은?

> **독립 유공자 예우에 관한 법률 제2조** 대한민국 임시 정부의 법통을 계승한 대한민국은 독립 유공자의 희생과 공헌을 바탕으로 이룩된 것이므로 … 그 희생과 공헌의 정도에 상응하여 독립 유공자와 그 유족의 영예로운 생활이 유지·보장되도록 실질적인 보상이 이루어져야 한다.

> **보기**
> ㄱ. 법이 실현하고자 하는 궁극적 목표를 의미한다.
> ㄴ. 법의 잦은 변동으로 인한 피해를 최소화하고자 한다.
> ㄷ. '같은 것은 같게, 다른 것은 다르게' 대우하는 것을 말한다.
> ㄹ. 법에 따라 안심하고 생활할 수 있도록 하기 위한 것이다.

① ㄱ, ㄴ   ② ㄱ, ㄷ   ③ ㄴ, ㄷ
④ ㄴ, ㄹ   ⑤ ㄷ, ㄹ

05 배분적 정의의 사례로 적절한 것만을 〈보기〉에서 고른 것은?

<보기>
ㄱ. 대통령 선거에서 모든 유권자에게 1표씩 준다.
ㄴ. 야간 당직 근무에서 여성 배제 원칙을 철폐한다.
ㄷ. 빈곤 가정 자녀에게 우선적으로 기숙사를 배정한다.
ㄹ. 18세 미만의 연소 근로자에게는 야간 근로를 제한한다.

① ㄱ, ㄴ ② ㄱ, ㄷ ③ ㄴ, ㄷ
④ ㄴ, ㄹ ⑤ ㄷ, ㄹ

06 다음 글에서 강조하는 법의 이념은?

사회가 급변하면서 법의 제·개정이 빈번하게 일어나고 있다. 법의 잦은 제·개정으로 기존의 법을 신뢰하고 행동한 자에게 손해가 발생하거나 사회적 혼란이 유발된다면, 법에 대한 시민들의 신뢰가 추락할 것이다.

① 강제성 ② 합목적성 ③ 법적 안정성
④ 평균적 정의 ⑤ 배분적 정의

C 민주주의와 법치주의

07 다음은 근대 사회 계약론자인 갑, 을의 주장이다. 이에 대한 설명으로 옳은 것은?

갑: 자연 상태에서는 자신을 보존하려는 인간들 사이에서 폭력과 전쟁이 발생한다. 이러한 혼란 상태를 극복하기 위해 개인은 강력한 통치자에게 자기 보존에 대한 권리를 양도해야 한다.
을: 자연 상태에서는 권리의 보장이 확실하지 않으므로 인간은 계약을 맺어 국가를 구성하고 자연권의 일부를 정부에 맡긴다. 만약 정부가 시민의 신탁을 배반하고 자연권을 침해하면 시민은 정부를 재구성할 수 있다.

① 갑은 통치자의 권력이 분립되어야 한다고 보았다.
② 을은 시민들이 저항권을 행사할 수 있다고 보았다.
③ 갑은 을과 달리 정치 형태로 대의 민주제를 옹호하였다.
④ 갑과 달리 을은 주권을 국가에 전부 양도해야 한다고 보았다.
⑤ 갑과 을은 모두 국가를 수단이 아닌 목적으로 이해하였다.

08 표는 A~C의 공통점과 차이점을 나타낸 것이다. 이에 대한 옳은 설명만을 〈보기〉에서 있는 대로 고른 것은? (단, A~C는 각각 고대 아테네 민주 정치, 근대 민주 정치, 현대 민주 정치 중 하나이다.)

A	B	C
㉠		보통 선거가 확립되었다.
추첨제, 윤번제가 존재했다.	㉡	

<보기>
ㄱ. A와 B는 정치 참여에 제한을 두었다.
ㄴ. C에 비해 A는 정치 참여자의 전문성을 중시하였다.
ㄷ. ㉠에는 '직접 민주주의를 기본으로 하였다.'가 들어갈 수 있다.
ㄹ. ㉡에는 '입헌주의에 입각한 통치 체제였다.'가 들어갈 수 있다.

① ㄱ, ㄴ ② ㄱ, ㄹ ③ ㄷ, ㄹ
④ ㄱ, ㄴ, ㄷ ⑤ ㄴ, ㄷ, ㄹ

서답형 문제

09 다음 자료를 읽고 물음에 답하시오.

1870년대부터 1960년대 초까지 미국에서 시행된 소위 「짐 크로(Jim Crow)법」은 공공 기관 등에서 인종을 분리하여 흑인을 합법적으로 차별할 수 있게 한 여러 가지 법들을 가리킨다. 흑인들은 「짐 크로법」에 따른 통치에 저항하였다. 흑인들뿐 아니라 다수의 백인들도 인종 차별 반대 운동을 벌였다. 이러한 노력을 바탕으로 미국에서는 「짐 크로법」은 역사 속으로 사라지고, 1964년 「시민권법」, 1965년 「투표권법」이 제정되어 흑인에게도 투표권이 인정되었다.

(1) 자료와 관련된 운동으로 인해 확립된 선거 원칙을 쓰시오. (   )

(2) 자료에 제시된 운동으로 인해 나타난 정치적 효과를 민주주의와 법치주의의 관계를 중심으로 서술하시오.

기출 변형

01 다음 대화에서 정치를 바라보는 갑, 을의 관점에 대한 설명으로 옳은 것은?

교사: 우리 아파트는 한 달에 한 번씩 주민 총회를 열어 경비원 임금 인상 문제, 주차 관리 문제 등을 협의하는데, 이런 활동도 정치로 볼 수 있을까요?
갑: 네, 정치로 볼 수 있습니다. 정치는 개인이나 집단 간에 발생하는 이해관계의 대립과 갈등을 조정하는 활동이기 때문입니다.
을: 저는 정치로 볼 수 없다고 생각합니다. 정치는 정치 권력을 획득·유지·행사하는 국가 고유의 활동이기 때문입니다.

① 갑의 관점은 국가 성립 이전의 정치 현상을 설명하기 곤란하다.
② 갑의 관점은 을의 관점과 달리 소수 통치 엘리트의 활동을 중시한다.
③ 갑에 비해 을의 관점은 다원화된 현대 사회의 정치 현상을 설명하기에 적합하다.
④ 을에 비해 갑의 관점은 정치를 좁은 의미로 바라본다.
⑤ 갑, 을의 관점은 모두 의회 의원의 입법 활동을 정치라고 본다.

02 밑줄 친 민법 조항이 중시하는 법의 이념에 대한 설명으로 옳은 것은?

A는 부친이 경작하던 임야를 상속받아 30년 가까이 경작·관리하여 왔는데, 최근에 B가 갑자기 나타나 이 임야의 등기부상의 소유자 명의가 B의 조부 명의로 되어 있다는 이유로 임야의 인도를 요구하며 소송을 제기하였다. 법원은 민법 제245조 제1항(20년 간 소유의 의사로 평온, 공연하게 부동산을 점유한 자는 등기함으로써 그 소유권을 취득한다.)을 근거로 A에게 소유권이 있다고 판결했다.

① 한 사회가 추구하는 가치나 목적을 반영한다.
② 국민 생활과 사회 질서의 안정을 실현하고자 한다.
③ 인간이 언제 어디서나 마땅히 지켜야 하는 원칙이다.
④ '같은 것은 같게, 다른 것은 다르게' 대우하는 것을 말한다.
⑤ 각자에게 그 몫을 돌리려는 항구적인 의지로 표현할 수 있다.

03 밑줄 친 (가)에 들어갈 말로 가장 적절한 것은?

정의는 우리에게 '같은 것은 같게, 다른 것은 다르게' 취급할 것을 지시하면서도, 그것들을 같은 것 또는 다른 것으로 인정하기 위하여 어떠한 관점이 필요한지에 대해서는 아무 것도 말해 주지 않는다. 또 정의는 취급의 비례를 규정할 뿐 그 구체적 방식에 대해서는 규정하지 않는다. 따라서 _____ (가) _____

① 정의는 법이념에서 제외되어야 한다.
② 정의는 법적 안정성에 비해 합리적이지 않다.
③ 정의와 함께 합목적성이라는 법이념이 요청된다.
④ 정의는 평등이라는 개념과는 함께 활용할 수 없다.
⑤ 평균적 정의보다 배분적 정의를 기준으로 삼아야 한다.

04 근대 사회 계약론자인 갑, 을에 대한 옳은 설명만을 〈보기〉에서 고른 것은?

갑: 인간은 태어날 때부터 자유롭지만 스스로 만든 사회 제도나 문화에 의하여 억압당하는 삶을 살고 있다. 이를 벗어나기 위해서는 개인들 간의 자유로운 사회 계약을 통해 일반 의지에 의해 움직이는 국가를 만들어야 한다.
을: 인간이 자연 상태의 불완전성으로부터 생명, 자유, 재산을 안전하게 보장받기 위한 유일한 길은 자신의 자연적 자유를 정치 공동체에 일부 양도하여 구속을 받아들이는 것이다. 이를 위해 다른 사람들과 결합하여 시민 사회를 형성하고, 정부에 권력을 위임하기로 합의한다.

〈보기〉
ㄱ. 갑은 자연 상태를 '만인의 만인에 대한 투쟁 상태'로 보았다.
ㄴ. 을은 시민이 정부에 대해 저항권을 행사할 수 있다고 보았다.
ㄷ. 을과 달리 갑은 직접 민주제를 바람직한 민주 정치 체제로 보았다.
ㄹ. 갑과 달리 을은 국가를 인간의 자연권 보장을 위한 수단으로 보았다.

① ㄱ, ㄴ　　② ㄱ, ㄷ　　③ ㄴ, ㄷ
④ ㄴ, ㄹ　　⑤ ㄷ, ㄹ

기출 변형

05 A~C에 대한 설명으로 옳은 것은? (단, A~C는 각각 고대 아테네 민주 정치, 근대 민주 정치, 현대 민주 정치 중 하나이다.)

> A는 모든 시민이 민회에 모여 의사를 결정하는 직접 민주제를 기반으로 하였으나, B와 C는 선거를 통해 대표자를 선출하는 대의제를 기반으로 하였다. A와 B는 정치 참여에 제한이 있었으나, C는 제한이 없었다. A는 일정 연령 이상의 시민의 지위를 가진 남성만이 정치에 참여할 수 있었다. B는 일정한 재산과 교양을 갖춘 시민만이 선거에 참여할 수 있었다. C에서는 이러한 B의 한계를 극복하여 보통 선거의 원칙을 확립하였다.

① A는 계몽사상의 영향을 받아 발전하였다.
② B에서는 공직 선출에서 윤번제를 실시하였다.
③ C는 근대 시민 혁명의 영향을 받아 등장하였다.
④ A, B 모두 권력 분립의 원칙에 기초하였다.
⑤ B, C 모두 입헌주의의 원리를 기반으로 하였다.

기출 변형

06 법치주의의 유형 A, B에 대한 옳은 설명만을 〈보기〉에서 고른 것은?

> 근대에 등장한 A는 의회에서 적법한 절차를 거쳐 제정된 법에 의해 정부의 정치권력이 행사되기만 하면 문제가 없는 것으로 이해되었다. 그러나 아무리 형식적으로 합법성을 갖춘 법이라도 그 내용이 인간의 존엄성과 정의에 위반된다면 통제되어야 한다는 것이 역사적 경험을 통해 드러났다. 이후 법치는 국가 권력이 단순히 법에 의해 행사되는 것뿐만 아니라 자유·평등·정의에 부합하는 헌법적 가치에도 구속되어야 한다는 B로 확대되었다.

보기
> ㄱ. A는 사람에 의한 통치를 지향한다.
> ㄴ. B는 부당한 정치권력에 대한 저항을 인정한다.
> ㄷ. B보다 A에서 통치자의 권력 남용이 발생할 가능성이 높다.
> ㄹ. B는 A와 달리 "악법도 법이다."라는 주장의 근거가 될 수 있다.

① ㄱ, ㄴ   ② ㄱ, ㄷ   ③ ㄴ, ㄷ
④ ㄴ, ㄹ   ⑤ ㄷ, ㄹ

기출 변형

07 법치주의를 바라보는 갑, 을의 관점에 대한 설명으로 옳은 것은?

> 교사: 헌법 제59조는 "조세의 종목과 세율은 법률로 정한다."라고 규정하여 조세 법률주의를 선언하고 있습니다. 이 조항을 법치주의의 입장에서 설명해 볼까요?
> 갑: 국회가 제정한 법률이 과세 요건을 명확히 규정하고 있다면 그 목적과 내용의 정당성 여부와 상관없이 조세 법률주의에 위배되지 않습니다.
> 을: 국회에서 제정한 법률이라도 그 내용이 경제 활동을 더 이상 불가능하게 할 정도로 과도하게 조세를 부과한다면 허용되어서는 안 됩니다. 기본권 보장이라는 헌법 이념에 부합되지 않기 때문입니다.

① 갑의 관점은 통치의 정당성도 강조한다.
② 을의 관점은 합법적 독재를 정당화할 수 있다.
③ 갑과 달리 을의 관점은 어떠한 경우에도 기본권 제한은 불가능하다고 본다.
④ 을과 달리 갑의 관점은 위헌 법률 심사제의 도입을 옹호한다.
⑤ 갑과 을의 관점은 모두 국가 권력의 자의적 행사를 방지하고자 한다.

08 다음 글에 나타난 주장으로 가장 적절한 것은?

> 법치주의가 법 제정의 형식적 합법성만 중시할 경우 자칫 인권을 침해하고 정의를 훼손하는 문제를 초래할 수 있다. 역사적으로 권위주의적인 정부가 법치주의를 내세워 인권을 침해하고 정의를 훼손했을 때, 민주주의에 기초한 시민의 정치 참여는 잘못된 법을 바꾸어 실질적 법치주의를 확립하는 데 중요한 역할을 하였다.

① 국민의 과도한 정치 참여는 법치주의를 침해한다.
② 참여 민주주의는 법치주의의 한계를 극복할 수 있다.
③ 법치주의를 강조할 경우 다수의 횡포가 초래될 수도 있다.
④ 민주주의를 실현하기 위해서는 법치주의를 포기해야 한다.
⑤ 실질적 법치주의는 통치의 합법성을 강조할 때 이루어진다.

02 ~ 헌법의 의의와 기본 원리

❶ 법의 위계

헌법은 법체계에서 가장 상위에 놓여 있는 최고 법으로서 법률, 명령, 조례, 규칙 제정의 최종적인 근거가 된다.

❷ 독일 바이마르 헌법

1919년 제정된 독일 바이마르 헌법은 현대 복지 국가 헌법의 최초 형태라고 할 수 있다. 독일 바이마르 헌법은 근대법상 처음으로 소유권의 의무성을 강조하고 사회권을 규정하여 세계 많은 나라의 헌법에 영향을 끼쳤다.

❸ 국가 창설과 관련된 헌법 조항

제1조 ① 대한민국은 민주 공화국이다.
② 대한민국의 주권은 국민에게 있고, 모든 권력은 국민으로부터 나온다.
제2조 ① 대한민국의 국민이 되는 요건은 법률로 정한다.
제3조 대한민국의 영토는 한반도와 그 부속 도서로 한다.

A 헌법의 의의와 기능

1. 헌법의 의미와 의의

(1) **헌법**: 국가의 통치 조직과 통치 작용의 원리를 규정하고, 국민의 기본권을 보장하는 최고의 규범

(2) **헌법의 의의**

① **근본법**: 국가 조직 및 구성에 관한 내용을 규정하여 국가 공동체 생활의 근본 질서를 형성함 ┌ 모든 국가 작용은 헌법에 따라 이루어져야 하며 헌법에 ❶ 어긋나는 국가 작용은 효력을 가질 수 없음

② **최고 법**: 법체계 중에서 가장 강한 효력을 가짐 → 모든 법령의 제정 근거인 동시에 법령의 정당성을 평가하는 기준이 됨

2. 입헌주의와 헌법의 의미 변천

(1) **입헌주의**: 헌법에 따라 국가 권력을 통제함으로써 국민의 자유와 권리를 보장하려는 통치 원리 [자료1]

(2) **헌법의 의미 변천**

고유한 의미의 헌법	국가 통치 기관을 조직·구성하고 이들 기관의 권한과 상호 관계 등을 규정함
근대 입헌주의 헌법	국민의 자유와 권리를 보장하기 위해 국민 주권, 권력 분립, 법치주의 등의 원리를 토대로 국가 권력을 제한함 → 국민의 자유권을 중심으로 기본권을 명시함
❷ 현대 복지 국가 헌법	• 국민의 인간다운 삶을 보장하고자 하는 복지 국가의 이념을 추구함 • 국민의 사회적 기본권 보장과 실질적 평등의 실현을 강조함

└ 뜻 사람들 사이의 차이를 인정하고 불리한 위치에 있는 사람을 배려함으로써 선천적·후천적 차이를 극복할 수 있게 하는 것

3. 헌법의 기능 [자료2] ┌ 예 국민의 자격, 영토의 범위 등

(1) **국가 창설**: 국가 성립 요소 및 국가 권력의 소재와 행사 절차 등을 규정함

(2) **조직 수권**: 국가 기관을 구성하고 각 조직에 일정한 권한을 부여함

(3) **국민의 기본권 보장**: 국민의 기본권을 명시하고 국가 권력의 자의적 행사나 남용을 막아 국민의 자유와 권리를 보장함 └ 국회, 대통령과 정부, 법원 등의 국가 기관은 헌법에 따라 조직되고 헌법이 부여한 권한만을 행사해야 함

(4) **권력 통제**: 국가 권력을 분립하고 상호 견제하도록 하여 권력 남용을 방지함

(5) **사회 통합**: 헌법이 지향하는 가치와 질서에 따라 사회적 갈등을 해결하고 사회 통합을 실현함

(6) **정치적 평화 실현**: 정치권력의 행사 방법과 절차, 그 한계 등을 규율함으로써 힘의 논리에 따른 정치를 억제하여 공동체의 평화를 실현함

B 우리 헌법의 기본 원리

1. 헌법의 기본 원리

(1) **의미**: 법이 지향하는 근본적인 이념

(2) **의의**

① 헌법 전체를 지배하는 지도 원리

② 헌법이 추구하는 이념을 실현하기 위한 실천적 원리

③ 헌법의 개별 조항을 해석하거나 법률의 합헌성을 심사하는 데 기준이 됨

자료1 입헌주의

입헌주의란 헌법에 따라 정부가 조직, 운영되고 국가 권력이 행사되는 것을 말한다. 입헌주의는 근대 시민 혁명 과정에서 절대 군주의 통치 권력을 제한하려는 목적에서 등장하였다. 절대 군주의 자의적인 통치가 아니라 국민의 합의로 제정된 헌법에 따라 정치가 이루어져야 한다는 것이다.
  └ 헌법에 따른 통치를 통해 국가 권력의 남용을 방지할 수 있음

입헌주의에 따르면 국가 권력은 헌법에 구속되고, 모든 국가 권력은 헌법에 합치되도록 행사하여야 한다. 이때 단지 헌법이 있고 그 헌법에 따라 국가를 통치하였다고 모두 입헌주의를 실현하고 있다고 할 수 없다. 입헌주의는 단순히 헌법에 따른 형식적 통치만을 의미하는 것이 아니라 국가 권력의 자의적 행사를 방지하고 실질적으로 국민의 기본권을 보장하여 민주주의 이념을 실현하는 데 궁극적인 목적이 있다.
  └ 헌법에 기본권을 규정함으로써 국민의 자유와 권리를 보장해야 함

| 자료 분석 | 입헌주의는 헌법에 따라 국가 권력을 통제함으로써 국민의 자유와 권리를 보장하려는 통치 원리이다. 입헌주의는 근대에 확립된 원리로, 근대 민주주의 국가에서는 헌법에 국민의 기본권을 명시하고 이를 보장하기 위해 권력 분립의 원리와 법치주의 등을 규정하였다. 이처럼 입헌주의는 국민의 자유와 권리 보장을 목적으로 하며, 국민이 합의한 헌법에 따른 통치를 강조하므로 민주주의의 기반이라고 볼 수 있다.

한줄 핵심 ▶ 입헌주의는 헌법에 따른 국가 권력의 통제를 통해 국민의 자유와 권리를 보장한다.

❶ □□□□을/를 통해 헌법에 따라 국가 권력을 통제하고 국민의 자유와 권리를 보장할 수 있다.
(   )

자료2 헌법의 기능

제10조 모든 국민은 인간으로서의 존엄과 가치를 가지며, 행복을 추구할 권리를 가진다. 국가는 개인이 가지는 불가침의 기본적 인권을 확인하고 이를 보장할 의무를 진다.
  → 기본권 보장 기능

제35조 ① 모든 국민은 건강하고 쾌적한 환경에서 생활할 권리를 가지며, 국가와 국민은 환경 보전을 위하여 노력하여야 한다. → 기본권 보장 기능

제40조 입법권은 국회에 속한다. → 조직 수권 기능

제65조 ① 대통령·국무총리·국무 위원·행정 각부의 장·헌법 재판소 재판관·법관·중앙 선거 관리 위원회 위원·감사원장·감사 위원 기타 법률이 정한 공무원이 그 직무 집행에 있어서 헌법이나 법률을 위배한 때에는 국회는 탄핵의 소추를 의결할 수 있다.
  → 권력 통제 기능

제66조 ④ 행정권은 대통령을 수반으로 하는 정부에 속한다. → 조직 수권 기능

제101조 ① 사법권은 법관으로 구성된 법원에 속한다. → 조직 수권 기능

| 자료 분석 | 헌법은 국가의 최고 법으로서 국가 창설, 조직 수권, 국민의 기본권 보장, 권력 통제, 사회 통합, 정치적 평화 실현 등의 기능을 수행한다. 헌법 제10조와 제35조 제1항은 국민의 기본권을 규정함으로써 국민의 자유와 권리를 보장하는 기능을 수행한다. 헌법 제40조, 제66조 제4항, 제101조 제1항은 국가 기관에 일정한 권한을 부여함으로써 조직 수권 규범으로서의 기능을 수행한다. 헌법 제65조 제1항은 국가 기관 상호 간의 견제를 통해 국가 권력을 통제하는 기능을 수행한다.

한줄 핵심 ▶ 헌법은 국가 기관에 일정한 권한을 부여하고 국가 권력을 통제하며, 국민의 기본권을 보장한다.

❷ 국가 기관을 구성하고 각 조직에 일정한 권한을 부여하는 헌법의 기능은?
(   )

❸ 헌법 제10조는 인간으로서의 존엄과 가치 및 행복 추구권을 규정함으로써 국민의 □□□을/를 보장한다.
(   )

정답 ❶ 입헌주의 ❷ 조직 수권 ❸ 기본권

2. 우리 헌법의 기본 원리 [자료 3]

(1) 국민 주권주의 [자료 4]

① 의미: 국가의 의사를 최종적으로 결정할 수 있는 주권이 국민에게 있다는 원리

② 관련 규정 ┌─ 국민의 대표가 통치하는 정치 체제로서 공화국의 주권은 국민에게 있고, 국민이 선출한 대표가 국민의 권리와 이익을 위하여 통치하는 것이 일반적임

• 제1조 ① 대한민국은 민주 공화국이다.

　　　 ② 대한민국의 주권은 국민에게 있고, 모든 권력은 국민으로부터 나온다.

③ 실현 방안: 참정권 및 언론·출판·집회·결사의 자유 보장, 복수 정당제 보장 등

　　　 ┕ 예 선거권, 공무 담임권, 국민 투표권 등

(2) 자유 민주주의 [자료 4]

① 의미: 민주주의를 바탕으로 개인의 자유와 권리를 최대한 보장해야 한다는 원리

② 관련 규정

• 제4조 …… 자유 민주적 기본 질서에 입각한 평화적 통일 정책을 수립하고 …….

• 제8조 ② 정당은 그 목적·조직과 활동이 민주적이어야 하며, …….

③ 실현 방안: 법치주의, 적법 절차의 원리, 권력 분립, 사법권의 독립, 복수 정당제 등

　　　 왜 자유로운 정당 활동을 보장하여 일당 독재를 방지하기 위함임

(3) 복지 국가의 원리

① 의미: 모든 국민의 인간다운 삶을 보장하는 복지 국가를 지향하는 원리

② 관련 규정

• 제34조 ① 모든 국민은 인간다운 생활을 할 권리를 가진다.

• 제119조 ② 국가는 균형 있는 국민 경제의 성장 및 안정과 적정한 소득의 분배를 유지하고 …… 경제에 관한 규제와 조정을 할 수 있다.

③ 실현 방안: 사회권 보장, 사회 보장 제도 시행, 최저 임금제 실시 등

　　　 ┌─ 뜻 국가가 근로자의 생활 안정을 위해 임금의 최저 수준을 정하고 사용자에게 그 수준 이상의 임금을 지급하도록 법으로 강제하는 제도

(4) 국제 평화주의

① 의미: 국제 질서를 존중하고, 세계 평화와 인류의 번영을 위해 노력한다는 원리

② 관련 규정

• 제5조 ① 대한민국은 국제 평화의 유지에 노력하고 침략적 전쟁을 부인한다.

• 제6조 ① 헌법에 의하여 체결·공포된 조약과 일반적으로 승인된 국제 법규는 국내 법과 같은 효력을 가진다.

③ 실현 방안: 침략적 전쟁의 부인, 국제법 존중, 국제 평화 유지 활동 참여, 상호주의 원칙에 따른 외국인의 지위 보장 등 　예 자국의 영토 확장이나 타민족을 지배하기 위한 전쟁 등

(5) 평화 통일 지향

① 의미: 자유 민주적 기본 질서에 입각한 평화적 통일을 추구한다는 원리

② 관련 규정

• 제4조 대한민국은 통일을 지향하며, …… 평화적 통일 정책을 수립하고 이를 추진 한다.

• 제66조 ③ 대통령은 조국의 평화적 통일을 위한 성실한 의무를 진다.

③ 실현 방안: 대통령에게 평화 통일의 책무 부여, 남북 간 교류의 확대 및 대화 추진 등

(6) 문화 국가의 원리

① 의미: 국가가 문화 활동의 자유를 보장하고 문화의 발전을 지향해야 한다는 원리

② 관련 규정

• 제9조 국가는 전통문화의 계승·발전과 민족 문화의 창달에 노력하여야 한다.

• 제31조 ⑤ 국가는 평생 교육을 진흥하여야 한다.

③ 실현 방안: 학문과 예술의 자유 및 표현의 자유 보장, 평생 교육 진흥 등

　　　 ┕ 예 의무 교육 제도 시행

교과서 자료 모아 보기

자료3 헌법 전문에 나타난 헌법의 기본 원리

⊙유구한 역사와 전통에 빛나는 우리 대한 국민은 3·1 운동으로 건립된 대한민국 임시 정부
의 법통과 불의에 항거한 4·19 민주 이념을 계승하고, 조국의 민주 개혁과 ⓛ평화적 통일의
　　　　문화 국가의 원리　　　　　　　　　　　　　　　　　　　　　　　평화 통일 지향
사명에 입각하여 정의·인도와 동포애로써 민족의 단결을 공고히 하고, 모든 사회적 폐습과
불의를 타파하며, ⓒ자율과 조화를 바탕으로 자유 민주적 기본 질서를 더욱 확고히 하여 정
　　　　　　　　자유 민주주의
치·경제·사회·문화의 모든 영역에 있어서 각인의 기회를 균등히 하고, 능력을 최고도로 발
휘하게 하며, 자유와 권리에 따르는 책임과 의무를 완수하게 하여, ⓔ안으로는 국민 생활의
　　　　　　　　　　　　　　　　　　　　　　　　　　　　　　　　복지 국가의 원리
균등한 향상을 기하고 ⓜ밖으로는 항구적인 세계 평화와 인류 공영에 이바지함으로써 우리
　　　　　　　　　　　　국제 평화주의
들과 우리들의 자손의 안전과 자유와 행복을 영원히 확보할 것을 다짐하면서 1948년 7월 12
일에 제정되고 8차에 걸쳐 개정된 헌법을 이제 국회의 의결을 거쳐 ⓗ국민 투표에 의하여
　　　　　　　　　　　　　　　　　　　　　　　　　　　　　　　국민 주권주의
개정한다.

| 자료 분석 | 헌법 전문은 헌법 제정의 역사, 목적, 헌법 제정권자 등을 제시해 놓은 것으로 헌법이 지향
하는 기본 원리가 드러나 있다. ⊙은 문화 국가의 원리, ⓛ은 평화 통일 지향, ⓒ은 자유 민
주주의, ⓔ은 복지 국가의 원리, ⓜ은 국제 평화주의, ⓗ은 국민 주권주의를 나타내고 있다.

한줄 핵심▶ 우리 헌법은 국민 주권주의, 자유 민주주의, 복지 국가의 원리, 국제 평화주의, 평화 통일
지향, 문화 국가의 원리를 기본 원리로 하고 있다.

❹ 헌법 전문에 나타난 '국민 생
활의 균등한 향상'은 헌법의
기본 원리 중 □□ □□□
□□와/과 관련된다.
(　　　　　　　)

❺ 헌법 전문에서는 세계 평화
와 인류의 공영에 이바지할
것을 명시하여 □□ □□
□□을/를 밝히고 있다.
(　　　　　　　)

자료4 국민 주권주의와 자유 민주주의

(가) 「공직 선거법」 제56조 제1항 제1호 내용에 따르면 대통령 선거 후보자로 등록할 때 5억
원의 기탁금을 내야 했는데, 2007년 9월 12일 해당 법률 조항의 위헌 확인을 구하는 헌
법 소원 심판이 청구되었다. 이에 대해 헌법 재판소는 "5억 원의 기탁금은 매우 높은 액
수임이 명백하여 공무 담임권 행사 기회를 비합리적으로 차별하므로, 청구인의 공무 담
임권을 침해한다."라며 헌법 불합치 결정을 내렸다.
　　　　　　　　　　　　　　　　　참정권으로서 국민 주권주의를
　　　　　　　　　　　　　　　　　실현하기 위한 방안임

(나) 헌법 재판소는 박정희 전 대통령이 유신 헌법을 근거로 발동한 **대통령 긴급 조치 제1호,**
제2호(1974. 1. 8.), 제9호(1975. 5. 13.)가 위헌이라고 결정하였다. 이 결정과 관련하여
　국민의 정치적 자유를 침해하여 국민 주권주의와 자유 민주주의에 어긋남
헌법 재판소는 "헌법의 최고 이념은 국민 주권주의와 자유 민주주의"라며, "특히 집권
세력에 정치적 반대 의사를 표시하는 것은 헌법이 보장하는 정치적 자유의 가장 핵심적
인 부분으로, 국가 안전에 대한 위협이 아니라 자유 민주주의 기본 질서의 핵심적 보장
영역 안에 있는 행위"라고 밝혔다.

***** **긴급 조치 제1호, 제2호, 제9호** 긴급 조치 제1호와 제2호는 유신 헌법을 부정·반대·왜곡 또는 비방하는 행위 일체를 금
지하고, 이를 위반한 사람을 비상 군법 회의에서 심판하도록 한 규정이다. 제9호는 집회·시위, 신문·방송 등으로 헌법을
부정하는 행위를 금지하고, 사전에 허가를 받지 않은 학생의 집회·시위 및 정치 관여 행위를 하지 못하게 한 규정이다.

| 자료 분석 | (가)의 「공직 선거법」 조항은 공무 담임권을 침해하여 국민이 주권을 제대로 행사하지 못하
게 하므로 국민 주권주의에 반한다. (나)의 대통령 긴급 조치는 개인의 정치적 자유를 침해
하므로 국민 주권주의에 반할 뿐만 아니라 자유 민주주의에도 어긋난다.

한줄 핵심▶ 국민의 참정권과 자유를 보장함으로써 국민 주권주의와 자유 민주주의를 실현할 수 있다.

❻ 공무 담임권에 대한 침해는
헌법의 기본 원리 중 □□
□□□□에 반한다.
(　　　　　　　)

❼ 헌법 재판소는 유신 헌법에
근거한 대통령 긴급 조치가
국민 주권주의에 반할 뿐만
아니라 정치적 자유를 침해
하여 □□ □□□□에도 어
긋난다고 밝혔다.
(　　　　　　　)

정답 ❹ 복지 국가의 원리 ❺ 국제
평화주의 ❻ 국민 주권주의 ❼ 자유
민주주의

우리 헌법의 기본 원리

수능풀 Guide 제시문에 나타난 헌법 조항, 실현 방안 등을 바탕으로 우리 헌법의 기본 원리를 파악해 보자.

1 복지 국가의 원리

○○부에서는 (가) 의 실현을 위해 어떤 정책을 추진하고 있습니까?

복지 국가의 원리: 경제 정책 및 복지 정책을 통해 모든 국민의 인간다운 삶을 보장하는 복지 국가를 지향함

우리 부에서는 (가) 을/를 실현하기 위해 고령화 사회의 대책으로 기초 연금, 노인 돌봄 종합 서비스, 공공 보건 시설 확충 등의 정책을 추진하고 있습니다.
└ 복지 국가의 원리를 실현하기 위한 사회 보장 제도에 해당함

기출 선택지로 확인하기

❶ 국제 평화 유지군 활동에 대한 지원은 (가)를 실현하기 위한 것이다. ○ ✕

❷ (가)에 따라 국가는 적정한 소득의 분배를 유지하기 위하여 경제에 관한 규제와 조정을 할 수 있다. ○ ✕

2 국제 평화주의와 평화 통일 지향

20세기에 발생한 세계 대전을 통해 인류는 국가 간의 평화 질서 내에서만 인간의 존엄성을 보장할 수 있다는 교훈을 얻게 되었다.
└ 세계 평화와 인류 번영을 위한 노력의 필요성
이로 인해 우리나라 헌법 전문에서도 "…… 인류 공영에 이바지함으로써 ……"라고 하여 (가)을/를 천명하고 있다.
└ 국제 평화주의
한편 제2차 세계 대전 이후 한반도는 남북이 분단되어 군사적인 대치 상황과 이산 가족 문제 등으로 많은 고통을 겪어왔다.
└ 평화적 통일의 필요성
이에 우리나라 헌법은 (나)을/를 기본 원리로 받아들이고 있다.
└ 평화 통일 지향

✏ **PLUS분석** 국제 평화주의의 실현 방안으로는 국제법 존중, 외국인의 지위 보장, 침략적 전쟁의 부인 등을 들 수 있으며, 평화 통일 지향의 실현 방안으로는 평화 통일 정책 수립 및 추진 등을 들 수 있다.

기출 선택지로 확인하기

❸ (가)에 따라 우리 헌법은 외국인의 지위 보장에 대해 상호주의를 택하고 있다. ○ ✕

❹ (나)에 따라 우리 헌법은 자유 민주적 기본 질서에 입각한 평화 통일 정책을 추진하도록 하고 있다. ○ ✕

3 국민 주권주의와 복지 국가의 원리 관련 문제 ▶ 30쪽 04번

(가) – 국민 주권주의	(나) – 복지 국가의 원리
■ 관련 헌법 내용 • ㉠ • 대한민국의 주권은 국민에게 있고, 모든 권력은 국민으로부터 나온다. 　└ 헌법 제조 제1항 "대한민국은 민주 공화국이다."가 들어갈 수 있음	■ 관련 헌법 내용 • 모든 국민은 인간다운 생활을 할 권리를 가진다. • 국가는 균형 있는 국민 경제의 성장 및 안정과 적정한 소득의 분배를 유지하고 … (중략)… 경제에 관한 규제와 조정을 할 수 있다. 　└ 모든 국민의 인간다운 생활을 보장하고자 하는 복지 국가의 원리가 드러나 있음
■ 실현 방안 └ 국민 주권주의의 실현 방안에 해당함 • 보통 선거 실시를 통한 국민의 참정권 보장	■ 실현 방안 • ㉡ 　└ 사회권 보장, 사회 보장 제도 실시, 최저 임금제 실시, 여성 및 연소 근로자의 특별 보호 등이 해당함

기출 선택지로 확인하기

❺ (가)는 국민이 선출한 대표에 의해 국민의 뜻에 따라 국가의 뜻을 결정해야 한다는 원리이다. ○ ✕

❻ ㉠에 '대한민국은 민주 공화국이다.'가 들어갈 수 있다. ○ ✕

❼ ㉡에 '사유 재산의 절대적 보장'이 들어갈 수 있다. ○ ✕

정답 ❶✕(국제 평화주의를 실현하기 위한 것임) ❷○ ❸○ ❹○ ❺○ ❻○ ❼✕('사유 재산의 절대적 보장'은 들어갈 수 없음)

A 헌법의 의의와 기능

01 다음 설명이 맞으면 ○표, 틀리면 ×표를 하시오.

(1) 헌법은 국민의 기본권을 보장하는 국가의 기본법이자 근본법이다. ( )

(2) 근대의 입헌주의는 절대 권력으로부터 개인의 자유와 권리를 보장하는 데 이바지하였다.
( )

(3) 현대 복지 국가의 헌법은 사회권을 중시하기 때문에 자유권을 규정하지 않고 있다.
( )

02 다음 헌법 규정과 관련 있는 헌법의 기능을 〈보기〉에서 골라 기호를 쓰시오.

> 보기 ㄱ. 국가 창설　　　　　ㄴ. 조직 수권　　　　　ㄷ. 국민의 기본권 보장

(1) 제2조 ① 대한민국의 국민이 되는 요건은 법률로 정한다. ( )

(2) 제35조 ① 모든 국민은 건강하고 쾌적한 환경에서 생활할 권리를 가지며, 국가와 국민은
환경 보전을 위하여 노력하여야 한다. ( )

(3) 제66조 ④ 행정권은 대통령을 수반으로 하는 정부에 속한다. ( )

B 우리 헌법의 기본 원리

03 빈칸에 들어갈 알맞은 용어를 쓰시오.

> 우리 헌법이 지향하는 (1)□□ □□□□(이)란 민주적으로 구성된 정부를 바탕으로 개인의 자
> 유와 권리를 최대한 보장해야 한다는 원리이다. 이는 국가 권력이 국민의 동의와 지지를 바탕으
> 로 형성·유지되어야 한다는 (2)□□□□와/과 개인의 자유와 권리를 보편적 가치로 인식하고
> 국가가 이를 보장해 주어야 한다는 (3)□□□□이/가 결합한 이념이다.

04 다음 괄호 안에 들어갈 알맞은 말에 ○표를 하시오.

(1) 참정권, 복수 정당제, 언론의 자유 등은 (국민 주권주의, 문화 국가의 원리)를 실현하기 위한
방안들이다.

(2) 법치주의, 권력 분립, 사법권의 독립 등은 (자유 민주주의, 복지 국가의 원리)를 실현하기 위
한 방안들이다.

(3) 우리 헌법은 (국민 주권주의, 복지 국가의 원리)를 실현하기 위하여 인간다운 생활을 할 권
리, 근로의 권리, 교육을 받을 권리 등 사회권을 보장하고 있다.

(4) 우리 헌법은 국제 평화주의를 실현하기 위하여 (침략적 전쟁, 모든 전쟁)을 부인하고, 상호
주의 원칙에 따라 외국인의 지위를 보장하고 있다.

(5) 우리 헌법은 (평화 통일 지향, 문화 국가의 원리)을/를 실현하기 위하여 평생 교육의 진흥을
규정하고 있다.

A 헌법의 의의와 기능

01 다음 헌법 규정이 공통적으로 강조하는 헌법의 의의로 가장 적절한 것은?

> 제107조 ① 법률이 헌법에 위반되는 여부가 재판의 전제가 된 경우에는 법원은 헌법 재판소에 제청하여 그 심판에 의하여 재판한다.
> ② 명령·규칙 또는 처분이 헌법이나 법률에 위반되는 여부가 재판의 전제가 된 경우에는 대법원은 이를 최종적으로 심사할 권한을 가진다.

① 최고 규범
② 조직 수권 규범
③ 국가 구성 규범
④ 권력 제한 규범
⑤ 기본권 보장 규범

02 헌법의 종류 A~C에 대한 설명으로 옳지 <u>않은</u> 것은?

> A는 국가 통치 기관을 조직·구성하고 이들 기관의 상호 관계 등을 규정한 국가의 조직법을 의미하였다. 시민 혁명 이후에 국민의 기본권과 권력 분립을 성문의 형식으로 보장하는 B가 나타났으며, 이후 실질적 평등과 복지 국가의 이념을 구현하는 내용을 담고 있는 C가 강조되었다.

① A는 국가가 존재하는 곳이면 반드시 존재한다.
② B는 인간 존엄성 실현을 기본 이념으로 하고 있다.
③ C는 국민의 삶의 질 향상을 국가의 의무로 간주한다.
④ A, B는 C와 달리 재산권의 공공복리 적합 의무를 강조한다.
⑤ C는 A, B와 달리 사회적 기본권의 보장을 강조한다.

03 (가)에 대한 설명으로 옳지 <u>않은</u> 것은?

> (가) 은/는 근대 입헌주의 헌법에서 나아가 국민의 인간다운 생활 보장을 추구하는 헌법을 말한다.

① 재산권의 상대성을 강조한다.
② 실질적 평등의 실현을 추구한다.
③ 국가의 간섭을 가능한 한 배제하고자 한다.
④ 1919년 독일 바이마르 헌법이 그 시초이다.
⑤ 자유권과 함께 사회권을 헌법에 추가하였다.

04 다음 헌법 조항에서 공통적으로 추론할 수 있는 헌법의 기능으로 가장 적절한 것은?

> 제13조 ① 모든 국민은 행위 시의 법률에 의하여 범죄를 구성하지 아니하는 행위로 소추되지 아니하며, 동일한 범죄에 대하여 거듭 처벌받지 아니한다.
> 제16조 모든 국민은 주거의 자유를 침해받지 아니한다. 주거에 대한 압수나 수색을 할 때에는 검사의 신청에 의하여 법관이 발부한 영장을 제시하여야 한다.

① 국가 통치 기관의 존립 근거이다.
② 국민의 인간다운 생활을 보장한다.
③ 사회 통합을 실현하는 수단이 된다.
④ 법령의 정당성을 평가하는 기준이 된다.
⑤ 국민의 기본권을 보장하는 최고 규범이다.

B 우리 헌법의 기본 원리

05 다음 헌법 조항에 공통적으로 나타난 우리 헌법의 기본 원리에 대한 설명으로 옳은 것은?

> 제8조 ① 정당 설립은 자유이며, 복수 정당제는 보장된다.
> 제21조 ① 모든 국민은 언론·출판의 자유와 집회·결사의 자유를 가진다.
> 제24조 모든 국민은 법률이 정하는 바에 의하여 선거권을 가진다.
> 제72조 대통령은 필요하다고 인정할 때에는 …… 중요 정책을 국민 투표에 붙일 수 있다.

① 문화의 자율성을 인정하는 근거가 된다.
② 국민의 복지에 대한 책임을 국가에 부여한다.
③ 정치적 자유주의와 민주주의가 결합된 의미이다.
④ 국가의 역할을 최소화함으로써 실현되는 원리이다.
⑤ 권력 창출의 정당성을 국민의 합의에 기초하고 있다.

06 다음 헌법 조항에 공통적으로 나타난 우리 헌법의 기본 원리를 실현하기 위한 방안으로 가장 적절한 것은?

> 제5조 ① 대한민국은 국제 평화의 유지에 노력하고 침략적 전쟁을 부인한다.
> 제6조 ① 헌법에 의하여 체결·공포된 조약과 일반적으로 승인된 국제 법규는 국내법과 같은 효력을 가진다.
> ② 외국인은 국제법과 조약이 정하는 바에 의하여 그 지위가 보장된다.

① 시민들의 평화적인 집회와 시위를 보장한다.
② 통일 정책 수립을 위한 자문 기구를 설치한다.
③ 우리 군대를 국제 연합의 평화 유지 활동에 파견한다.
④ 국제 법규는 우리나라 내에서 국내법보다 우선하여 적용한다.
⑤ 외국인에 대해 우리 국민과 동일하게 모든 기본권을 보장해 준다.

07 다음과 같은 방안이 실현하고자 하는 헌법의 기본 원리에 대한 설명으로 가장 적절한 것은?

> • 국민 투표를 통해 헌법 개정을 확정한다.
> • 선상 부재자 투표를 통해 장기 항해 중인 선원들의 투표권을 보장한다.

① 문화 발전을 위해 문화의 자율성을 보장해야 한다는 원리이다.
② 항구적인 세계 평화와 인류 공영에 이바지해야 한다는 원리이다.
③ 개인주의를 바탕으로 국가 권력의 간섭을 최소화한다는 원리이다.
④ 국가 권력의 정당성의 근원이 국민이라는 점을 강조하는 원리이다.
⑤ 실질적 평등을 구현하기 위한 적극적 평등 실현 조치의 실시를 정당화할 수 있는 원리이다.

08 교사의 질문에 옳은 답변을 한 학생은?

> 교사: 우리 헌법은 국가 권력을 법, 특히 헌법의 규제 아래에 둠으로써 권력의 남용을 방지하여 국민의 자유와 평등을 보장하려는 원리를 바탕으로 하고 있습니다. 이와 관련된 헌법의 기본 원리를 실현하는 방안을 발표해 볼까요?
> 갑: 범죄 혐의자를 구속하고자 할 경우에는 법관의 영장이 필요합니다.
> 을: 상호주의 원칙에 따라 외국인의 신분과 지위를 보장하고 있습니다.
> 병: 일정 요건을 갖춘 재외 국민에게 대통령 선거권을 보장하고 있습니다.
> 정: 저개발국의 빈곤을 해결하기 위한 인도적 지원을 확대하고 있습니다.
> 무: 저소득층의 생계 보장을 위해 국민 기초 생활 보장 제도를 운영하고 있습니다.

① 갑   ② 을   ③ 병
④ 정   ⑤ 무

서답형 문제

09 다음 자료를 읽고 물음에 답하시오.

> 공연장, 박물관, 미술관, 문화재 등의 시설을 관람하거나 이용하는 사람에게 특별 부담금을 부과하도록 한 구 「문화 예술 진흥법」의 해당 조항은 [(가)]에 어긋나 위헌으로 결정되었다.

(1) (가)에 해당하는 헌법의 기본 원리를 쓰시오.

(   )

(2) (가)에 해당하는 기본 원리의 의미를 서술하시오.

_____

_____

_____

도전! 실력 올리기

기출 변형

01 A~C는 시대의 발전에 따라 변천해 온 헌법의 의미를 나타낸 것이다. 이에 대한 설명으로 옳은 것은? (단, A~C는 각각 고유한 의미의 헌법, 근대 입헌주의 헌법, 현대 복지 국가 헌법 중 하나이다.)

구분	A	B	C
(가)	예	예	예
국민의 기본권 중에서 자유권을 강조하고 있습니까?	아니요	예	예
모든 국민의 인간다운 생활 보장 이념을 추구하고 있습니까?	아니요	아니요	예

① A는 소유권의 공공복리 적합 의무를 중시한다.
② 독일 바이마르 헌법은 B에 해당한다.
③ A는 불문 헌법, B와 C는 성문 헌법이다.
④ A~C 모두 국가 권력의 확대를 필요로 한다.
⑤ (가)에는 '국가 기관의 권한을 규정하고 있습니까?'가 들어갈 수 있다.

02 다음 내용을 통해 공통적으로 추론할 수 있는 헌법의 기능으로 가장 적절한 것은?

• 1948년 5월 10일에 국회 의원 선거가 실시되어 198명의 국회 의원으로 국회가 구성되었다. 제헌 국회에서는 헌법 제정에 착수하여 7월 17일에 헌법을 공포하고 이 헌법에 따라 대통령을 국회에서 선출하여 8월 15일에 대한민국 정부가 수립되었다.
• 1776년 미국 독립 선언은 미국이라는 국가를 수립하는 절차의 시작이었을 뿐이었으며, 1789년 미국 연방 헌법이 비준됨으로써 미국은 비로소 완성되었다.

① 국가 창설의 토대가 된다.
② 법령의 제정 근거로 작용한다.
③ 정치적 문제의 해결 기준을 제시한다.
④ 국가 권력을 제한하여 기본권을 보장한다.
⑤ 국가 통치 조직에 일정한 권한을 부여한다.

03 다음 글을 통해 어느 나라가 입헌주의를 실시하고 있는지를 알아보기 위한 질문으로 적절하지 않은 것은?

절대 군주와의 투쟁을 통해 형성된 근대 민주 사회는 국가로부터 국민의 기본적 인권을 보장하기 위해 입헌주의를 확립하였다. 입헌주의는 헌법을 통해 국민의 자유와 권리를 명확히 규정하고, 국가 권력이 국민의 자유와 권리를 부당하게 침해하지 않도록 헌법에 따라 국가 권력을 제한하는 통치 원리를 가리킨다. 따라서 입헌주의는 헌법을 통해 민주주의와 법치주의를 구현하는 원리로 볼 수 있다.

① 권력 분립이 제도적으로 명시되어 있는가?
② 인간의 존엄성이 최고의 가치로 간주되고 있는가?
③ 자유와 평등을 국민의 기본권으로 규정하고 있는가?
④ 공권력이 헌법에 위반되는지를 심사하는 장치가 있는가?
⑤ 국민들의 삶의 질 향상을 위해 복지 국가를 추구하고 있는가?

기출 변형

04 (가), (나)에 대한 옳은 설명만을 〈보기〉에서 고른 것은?

헌법의 기본 원리	(가)	(나)
관련 헌법 내용	• 대한민국은 민주 공화국이다. • 대한민국의 주권은 국민에게 있고, 모든 권력은 국민으로부터 나온다.	• 모든 국민은 인간다운 생활을 할 권리를 가진다. • 국가는 균형 있는 국민 경제의 성장 및 안정과 적정한 소득의 분배를 유지하고 … (중략)… 경제에 관한 규제와 조정을 할 수 있다.

〈보기〉
ㄱ. (가) - 현대 복지 국가 헌법에서 강조되었다.
ㄴ. (가) - 국민이 국가 권력에 대한 정당성을 부여한다.
ㄷ. (나) - 국민의 인간다운 생활 보장을 목적으로 한다.
ㄹ. (나) - 국가의 역할을 최소화함으로써 실현되는 원리이다.

① ㄱ, ㄴ　　② ㄱ, ㄷ　　③ ㄴ, ㄷ
④ ㄴ, ㄹ　　⑤ ㄷ, ㄹ

05 다음은 헌법 전문의 내용이다. 밑줄 친 ㉠~㉢에 나타난 헌법의 기본 원리에 대한 설명으로 옳은 것은? 기출 변형

> 유구한 역사와 전통에 빛나는 우리 대한 국민은 …… 자율과 조화를 바탕으로 ㉠자유 민주적 기본 질서를 더욱 확고히 하여 …… 자유와 권리에 따르는 책임과 의무를 완수하게 하여, 안으로는 ㉡국민 생활의 균등한 향상을 기하고, 밖으로는 항구적인 ㉢세계 평화와 인류 공영에 이바지함으로써 …… 국민 투표에 의하여 개정한다.

① ㉠과 관련된 제도로 사회 보험, 공공 부조 등이 있다.
② ㉡은 국가의 역할을 최소화하는 것을 전제로 한다.
③ ㉡은 국가가 소득 재분배 정책을 실시하는 근거가 된다.
④ ㉢은 남북 분단이라는 우리나라의 특수한 현실을 반영한다.
⑤ ㉢에 근거하여 대한민국은 국제 평화의 유지에 노력하고 모든 전쟁을 부인한다.

06 우리 헌법의 기본 원리인 (가)~(마)에 대한 설명으로 옳지 <u>않은</u> 것은?

헌법의 기본 원리	관련 헌법 내용
(가)	정당은 그 목적·조직과 활동이 민주적이어야 하며, …….
(나)	모든 국민은 인간다운 생활을 할 권리를 가진다.
(다)	대통령은 조국의 평화적 통일을 위한 성실한 의무를 진다.
(라)	국가는 전통문화의 계승·발전과 민족 문화의 창달에 노력하여야 한다.
(마)	외국인은 국제법과 조약이 정하는 바에 의하여 그 지위가 보장된다.

① (가)는 개인의 자유와 권리를 최대한 보장하기 위한 원리이다.
② (나)는 자본주의의 문제를 해결하기 위해 국가의 적극적인 역할을 강조한다.
③ (다)는 남북 분단이라는 현실을 반영한 우리 헌법 특유의 원리이다.
④ (라)를 구현하는 방안으로 우리나라는 국민 기초 생활 보장 제도를 시행하고 있다.
⑤ (마)를 실현하기 위해 조약 등의 국제 법규에 국내법과 동일한 효력을 부여하고 있다.

07 교사의 질문에 옳게 답변한 학생은?

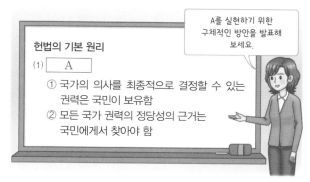

> 헌법의 기본 원리
> (1)　　A
> ① 국가의 의사를 최종적으로 결정할 수 있는 권력은 국민이 보유함
> ② 모든 국가 권력의 정당성의 근거는 국민에게서 찾아야 함

> A를 실현하기 위한 구체적인 방안을 발표해 보세요.

① 갑: 공정한 재판을 위해 사법권의 독립을 보장합니다.
② 을: 사회 보장 제도를 통해 실질적 평등을 추구합니다.
③ 병: 상호주의 원칙을 바탕으로 외국인의 지위를 보장합니다.
④ 정: 일정한 연령 이상의 국민 모두에게 선거권을 부여합니다.
⑤ 무: 인간의 존엄성에 근거하는 근로 조건을 법률로 정합니다.

기출 변형

08 다음 법률 조항에서 강조되는 헌법의 기본 원리에 대한 옳은 설명만을 〈보기〉에서 고른 것은?

> 문화 예술 진흥법
> 제1조(목적)　이 법은 문화 예술의 진흥을 위한 사업과 활동을 지원함으로써 전통문화 예술을 계승하고 새로운 문화를 창조하여 민족 문화 창달에 이바지함을 목적으로 한다.
> 제5조(문화 예술 공간의 설치 권장)　① 국가와 지방 자치 단체는 문화 예술 활동을 진흥시키고 국민의 문화 향수 기회를 확대하기 위하여 문화 시설을 설치하고 그 문화 시설이 이용되도록 시책을 강구하여야 한다.

보기
ㄱ. 국가 권력의 분립을 전제로 한다.
ㄴ. 전통문화의 창조적 발전을 추구하고자 한다.
ㄷ. 선진국의 문화를 적극 수용하는 것이 목적이다.
ㄹ. 평생 교육의 진흥과 의무 교육 제도를 통해 실현된다.

① ㄱ, ㄴ 　② ㄱ, ㄷ 　③ ㄴ, ㄷ
④ ㄴ, ㄹ 　⑤ ㄷ, ㄹ

03 ～ 기본권의 보장과 제한

❶ 기본권의 자연권적 성격
우리 헌법 제37조 제1항에서는 "국민의 자유와 권리는 헌법에 열거되지 아니한 이유로 경시되지 아니한다." 라고 규정하여 기본권의 자연권적 성격을 명시하고 있다.

⭐ 한눈에 정리

기본권의 유형

평등권	합리적 이유 없이 불평등한 대우를 받지 않을 권리
자유권	국가 권력에 의한 간섭을 받지 않을 권리
참정권	국가의 정치 과정에 참여할 수 있는 권리
사회권	국가에 인간다운 생활의 보장을 요구할 수 있는 권리
청구권	기본권 침해 시 구제를 청구할 수 있는 권리

❷ 인간으로서의 존엄과 가치
인간은 인간이라는 단 한 가지 이유만으로 존중받기 때문에 다른 목적을 위한 수단이 될 수 없고, 인간성을 부정하는 행위나 인간을 물건으로 취급하는 노예제 등은 금지된다. 또, 헌법에 명시적인 규정은 없지만 인간의 존엄과 가치 규정에 근거하여 생명권이나 일반적 인격권이 인정된다.

❸ 상대적·비례적 평등
개인의 선천적·후천적 차이를 고려하지 않는 절대적·획일적 평등이 아니라, 처한 상황이나 여건에 따라 각 개인을 달리 대우하는 평등을 의미한다. 즉 법 앞의 평등은 어떠한 차별 대우도 허용될 수 없다는 의미가 아니라 합리적인 이유가 없는 차별을 금지한다는 의미이다.

A 기본권의 의미와 유형

1. 기본권의 의미와 성격

(1) **기본권**: 헌법을 통해 보장되는 국민의 기본적 권리 ── 국가의 성립과 관계없이 인간이 태어나면서부터 가지는 권리임

(2) **기본권의 성격❶**: 자연법상 권리, 실정법상 권리
  └ 국가가 제정한 법에 의해 보장되는 권리로 국가에 의한 기본권 제한이 가능함

⭐ 2. 기본권의 유형❷

(1) **인간으로서의 존엄과 가치 및 행복 추구권**

인간으로서의 존엄과 가치	• 의미: 모든 국민은 인간이라는 이유만으로 그 존엄성과 가치를 존중받아야 함 • 성격: 헌법이 지향하는 최고 가치, 모든 기본권의 이념적 출발, 국가 권력 행사의 기준, 다른 모든 기본권 조항에 적용되는 일반 원칙
행복 추구권	• 의미: 물질적·정신적으로 안락하고 만족스러운 삶을 추구할 수 있는 권리 • 성격: 인간의 존엄과 가치를 보장하기 위한 본질적 기본권, 모든 자유와 권리의 내용을 담고 있는 포괄적 권리 ── 🐾 매우 광범위하여 헌법에 일일이 열거하지 않아도 보장되는 권리

(2) **평등권** [자료1] ── 국가에 대하여 차별적 대우를 받지 않을 것을 요구할 수 있는 권리임

① **의미**: 사회생활에서 합리적 이유 없이 불평등한 대우를 받지 않을 권리

② **성격**: 다른 기본권을 보장하기 위한 전제 조건, 포괄적 권리

③ **종류**: 법 앞의 평등, 상대적·비례적 평등❸ 보장, 양성평등 등

(3) **자유권** [자료2] ── 초국가적 자연권으로서의 천부 인권성이 강함

① **의미**: 개인이 부당하게 국가 권력에 의한 간섭과 침해를 받지 않을 권리

② **성격**: 역사가 가장 오래된 기본권, 방어적·소극적 권리, 포괄적 권리

③ **종류** ── 🐾 국민의 자유를 제한하는 경우에는 반드시 적법한 절차와 법률에 근거해야 한다는 원리

신체의 자유	적법 절차의 원리, 고문 금지 및 진술 거부권 보장, 영장 제도 등
정신적 자유	양심의 자유, 종교의 자유, 언론·출판·집회·결사의 자유, 학문과 예술의 자유 등
사회·경제적 자유	거주·이전의 자유, 직업 선택의 자유, 사생활의 비밀과 자유, 통신의 자유, 재산권 행사의 자유 등

(4) **참정권**

① **의미**: 국가 기관의 형성과 국가의 정치적 의사 결정 과정에 참여할 수 있는 권리

② **성격**: 능동적 권리, 국민 주권주의를 구현하는 정치적 기본권, 열거적 권리

③ **종류**: 선거권, 국민 투표권, 공무 담임권 등 ── 🐾 헌법에 열거된 것만 보장되는 권리

(5) **사회권** [자료2]

① **의미**: 인간다운 생활의 보장과 실질적 평등을 국가에 요구할 수 있는 권리

② **성격**: 적극적 권리, 열거적 권리, 현대적 권리 ── 가장 최근에 등장한 기본권으로서 복지 국가의 이념을 반영하고 있음

③ **종류**: 인간다운 생활을 할 권리, 교육을 받을 권리, 노동 삼권(근로 삼권), 환경권 등

(6) **청구권**

① **의미**: 국가에 대하여 적극적으로 특정한 행위를 요구하거나 침해당한 기본권의 구제를 청구할 수 있는 권리

② **성격**: 다른 기본권을 보장하기 위한 수단적 권리, 적극적 권리

③ **종류**: 청원권, 재판 청구권, 국가 배상 청구권, 범죄 피해자 구조 청구권, 형사 보상 청구권 등 ── 🐾 타인의 범죄 행위로 인해 생명이나 신체에 피해를 입은 국민이 국가에 구조를 요청할 수 있는 권리

교과서 자료 모아 보기

자료1 적극적 평등 실현 조치

(가) 적극적 평등 실현 조치란 인종, 성별, 종교, 장애 등으로 인한 차별을 줄이기 위한 소수 계층 우대 정책을 의미한다. 적극적 평등 실현 조치는 단순히 차별을 철폐하고 똑같은 대우를 하는 것보다 더 적극적인 성격의 대응책으로 실질적 평등을 실현하기 위한 제도 이다. 우리나라에서도 여성 고용 할당제 및 장애인 의무 고용 제도 등 적극적 평등 실현 조치를 시행하고 있다. 「남녀 고용 평등과 일·가정 양립 지원에 관한 법률」에서는 '적극 적 고용 개선 조치'를 명시하여 남녀 간 고용 차별을 없애거나 고용 평등을 촉진하기 위 해 잠정적으로 특정 성을 우대하도록 하고 있다. 또한 「장애인 고용 촉진 및 직업 재활 법」에서는 국가와 지방 자치 단체의 장, 사업주가 일정 비율 이상의 장애인을 의무적으 로 고용하도록 명시하고 있다.

(나) 〈장애인 고용 촉진 및 직업 재활법〉
제27조 ① 국가와 지방 자치 단체의 장은 장애인을 소속 공무원 정원에 대하여 다음 각 호의 구분에 해당하는 비율 이상 고용하여야 한다.
1. 2017년 1월 1일부터 2018년 12월 31일까지: 1천분의 32
2. 2019년 이후: 1천분의 34

| 자료 분석 | 적극적 평등 실현 조치는 실질적 평등의 실현을 위해 시행되는 사회적 약자에 대한 적극적 인 우대 정책을 의미한다. (나)에 제시된 장애인 의무 고용 규정은 적극적 평등 실현 조치의 하나이다. 이는 비장애인과 장애인을 획일적인 평등으로 대우할 경우 장애인의 고용이 더 욱 악화될 것이 우려되므로, 국가가 장애인의 고용을 특별히 우대하는 것이다. 이때의 평등 은 상대적·비례적 평등으로 합리적 근거가 있는 차별은 인정됨을 알 수 있다.

| 한줄 핵심 | 적극적 평등 실현 조치는 실질적 평등을 실현하여 사회적 약자의 평등권을 보장하기 위한 제도이다.

❶ 단순히 차별을 철폐하고 똑 같이 대우하는 것보다 더 적 극적으로 실질적 평등을 실 현하기 위한 제도는?
(   )

❷ 사회생활에서 합리적 이유 없이 불평등한 대우를 받지 않을 권리는?
(   )

자료2 자유권과 사회권

(가)– 직업 선택의 자유(자유권)

나는 어릴 때부터 유치원 교사가 꿈이었어. 누구나 원하는 직업을 가질 수 있는 사회이기 때문에 꿈을 이루었어.

(나)– 인간다운 생활을 할 권리(사회권)

기초 연금, 누가 받나요?
만 65세 이상이고 대한민국 국적을 가지고 계시며 국내에 거주하는 어 르신 중 가구의 소득 인정액이 선정 기준액 이하인 분들께 드립니다.

| 자료 분석 | (가)는 직업 선택의 자유로서 자유권에 해당하며, (나)는 인간다운 생활을 할 권리로서 사회 권에 해당한다. 자유권은 개인의 자유로운 영역에 대하여 국가의 간섭과 침해를 배제함으 로써 누릴 수 있는 권리이므로 방어적 권리 또는 소극적 권리로서의 성격을 가진다. 사회권 은 인간다운 생활을 국가에 요구할 수 있는 권리로서 적극적 권리에 해당하며, 기본권 중 가장 최근에 등장한 현대적 권리이다.

| 한줄 핵심 | 자유권은 방어적·소극적 권리이고, 사회권은 적극적·현대적 권리이다.

❸ 자유권은 국가의 간섭과 침 해를 배제함으로써 누릴 수 있는 권리이므로 □□□ 권 리 또는 소극적 권리로서의 성격을 가진다.
(   )

❹ 인간다운 생활의 보장을 국 가에 요구할 수 있는 권리로 서 기본권 중 가장 최근에 등장한 현대적 권리는?
(   )

❶ 정답 ❶ 적극적 평등 실현 조치 ❷ 평등권
❸ 방어적 ❹ 사회권

B 기본권의 충돌과 제한

1. 기본권의 충돌

(1) **의미**: 서로 다른 주체 간의 권익이 충돌할 때 이들이 각자 자신의 기본권 보장을 국가에 요구하는 것

(2) **해결 원칙**

┌─ **예** 집회의 자유와 영업의 자유가 충돌할 경우 집회를 통해 얻을 수 있는 이익이 영업으로 얻을 수 있는 이익보다 클 경우에는 집회의 자유를 먼저 보호함

① **법익 형량의 원칙**: 충돌하는 기본권의 법적 이익을 비교해서 보호 가치가 더 우위에 있는 기본권을 먼저 보호함

② **규범 조화적 해석의 원칙**: 대립하는 기본권을 양립·조화시켜 균형을 이루도록 해석하여 상충하는 기본권 모두가 최대한 보장될 수 있도록 함

❹2. 기본권의 제한

(1) **의미**: 어떤 사람의 기본권 행사가 다른 사람의 기본권을 침해하거나 공동체의 이익을 훼손할 우려가 있을 때 국가는 국민의 기본권을 제한할 수 있음

(2) **요건**

① **목적**: 국가 안전 보장, 질서 유지, 공공복리 **자료3** ┌─ 법률에 근거가 없거나 위임 없이 명령, 조례, 규칙 등을 통해서는 국민의 기본권을 제한할 수 없음

② **형식**: 국민의 대표 기관인 국회가 제정한 법률을 통해서만 가능

③ **방법**: 과잉 금지의 원칙 **자료4** **왜** 필요한 최소한의 범위 안에서만 기본권 제한이 이루어지도록 하여 국민의 자유와 권리를 보호하기 위함

목적의 정당성	기본권 제한의 목적이 헌법과 법률의 체계 내에서 정당성을 인정받아야 함
방법의 적절성	기본권 제한의 방법이 목적을 달성하는 방법으로써 효과적이고 적절해야 함
피해의 최소성	기본권 제한으로 인한 피해는 최소한도에 그쳐야 함
법익의 균형성	기본권 제한으로 보호하려는 공익과 침해되는 사익을 비교할 때 보호되는 공익이 더 커야 함

(3) **한계**: 자유와 권리의 본질적인 내용을 침해할 수 없음 → 기본권의 제한으로 해당 기본권 자체가 무의미하게 된다면 기본권의 본질적인 내용을 침해한 것이므로 허용되지 않음

└─ **예** 대학 입시에서 부정행위를 했을 경우 영원히 대학 입시 기회를 주지 않는다고 하면 교육을 받을 권리를 완전히 박탈하는 것이기 때문에 해당 기본권의 본질적 내용을 침해하는 것임

C 국민의 의무

1. 고전적 의무 — 근대에서부터 확립되어 온 국민의 의우임

(1) **❺국방의 의무**: 국가의 독립과 영토의 보전을 위하여 국민이 부담해야 하는 국가 방위와 관련된 의무

(2) **납세의 의무**: 모든 국민이 법률의 규정에 따라 세금을 내야 할 의무 → 국가 운영에 필요한 경비 마련

2. 현대적 의무 — 의무이면서 권리의 성격을 가짐

(1) **교육의 의무**: 모든 국민이 보호하는 자녀에게 적어도 초등 교육과 법률이 정하는 교육을 받게 할 의무

(2) **근로의 의무**: 근로 활동을 통해서 자신의 생존권을 보장하고 국가의 부를 증식시키는 데 이바지할 의무

(3) **환경 보전의 의무**: 환경 보전을 위해 노력해야 할 의무

(4) **재산권 행사의 공공복리 적합 의무**: 재산권을 사회 전체의 공익을 해치지 않고 공공복리에 적합하도록 행사할 의무

★ 한눈에 정리

기본권 제한의 요건과 한계

목적	국가 안전 보장, 질서 유지, 공공복리
형식	필요한 경우에 한하여 법률로써만 제한 가능
방법	과잉 금지의 원칙 준수
한계	자유와 권리의 본질적 내용은 침해할 수 없음

❹ 기본권 제한에 관한 헌법 조항
헌법 제37조 ② 국민의 모든 자유와 권리는 국가 안전 보장·질서 유지 또는 공공 복리를 위하여 필요한 경우에 한하여 법률로써 제한할 수 있으며, 제한하는 경우에도 자유와 권리의 본질적인 내용을 침해할 수 없다.

❺ 국방의 의무와 병역의 의무
국방의 의무는 침략 세력으로부터 국토와 국민의 생명을 방위하기 위한 것으로서 남녀의 구분 없이 모든 국민이 그 대상이다. 병역의 의무는 국방의 의무의 하위 개념으로서 우리나라는 병역법이라는 법률에 의해 성인 남자에게만 병역의 의무가 부과된다.

자료3 기본권 제한의 목적

(가) - 국가 안전 보장

군사 시설입니다. 사진 촬영을 중단해 주세요.

(나) - 질서 유지

제한된 범위를 벗어나지 말아 주십시오.

(다) - 공공복리

금연구역 NO SMOKING AREA

| 자료 분석 | (가)는 국가 안전 보장을 위해 사진 촬영을 할 권리를 제한하고 있고, (나)는 질서 유지를 위해 시위의 자유를 제한하고 있다. (다)는 공공복리를 위해 흡연의 자유를 제한하고 있다. 이처럼 국민의 기본권은 국가 안전 보장, 질서 유지, 공공복리를 위해 필요한 경우에 한해서 제한할 수 있다.

한줄 핵심 ▶ 국민의 기본권은 국가 안전 보장, 질서 유지, 공공복리를 위해서만 제한할 수 있다.

❺ 헌법에 따르면 기본권은 국가 안전 보장, 질서 유지, □□ □□을/를 위하여 필요한 경우 제한할 수 있다.
(   )

자료4 과잉 금지의 원칙

우리나라에서는 「특정 범죄자에 대한 보호 관찰 및 전자 장치 부착 등에 관한 법률」에 근거하여 국가가 성폭력 범죄자에 대하여 전자 장치(전자 발찌) 부착을 명령할 수 있다. 이러한 조치는 과잉 금지 원칙을 위반하지 않는데, 그 이유를 과잉 금지 원칙의 네 가지 부분 원칙에 비추어 살펴보자.
• 성폭력 범죄의 예방을 통한 공익 보호라는 정당한 목적을 달성하고자 한다. → 목적의 정당성 충족
• 전자 장치 부착은 성폭력 범죄자의 재범을 방지함으로써 성폭력 예방을 위한 효과적이고 적절한 방법이 된다. → 방법의 적절성 충족
• 전자 장치 부착으로 인해 성폭력 범죄자의 신체의 자유나 인격권이 제한되는 피해가 발생하지만, 활동하는 데 거의 불편함이 없는 발목에 부착하고 옷으로 가릴 수 있다는 점에서 다른 방법에 의한 제한에 비해 그 피해가 필요·최소한에 그친다. → 피해의 최소성 충족
• 전자 장치의 부착으로 인하여 성폭력 범죄자에게 발생하는 사적 피해와 성폭력 범죄 예방을 통해 얻는 공익을 비교할 때 공익이 사적 피해보다 크다. → 법익의 균형성 충족

| 자료 분석 | 기본권 제한의 목적과 형식 측면에서 요건을 갖추었다 하더라도 국민의 기본권을 제한할 때에는 그 정도에 있어서 과잉 금지의 원칙을 지켜야 한다. 과잉 금지의 원칙은 기본권 제한의 목적이 정당하고, 방법이 적절해야 하며, 제한으로 인한 피해를 최소화하고, 그 피해보다 보호되는 공익이 더 커야 한다는 원칙이다. 전자 장치 부착은 공익 보호라는 정당한 목적이 있기 때문에 목적의 정당성을 충족했고, 성폭력 예방을 위한 효과적이고 적절한 방법이므로 방법의 적절성을 충족했으며, 발목에 부착하고 옷으로 가릴 수 있으므로 피해가 최소한에 그치는 등 피해의 최소성을 충족했다. 또한 성폭력 범죄자가 입는 피해보다 범죄 예방을 통해 얻는 공익이 훨씬 크므로 법익의 균형성도 충족했다.

한줄 핵심 ▶ 기본권을 제한할 때는 과잉 금지의 원칙에 따라 목적의 정당성, 방법의 적절성, 피해의 최소성, 법익의 균형성을 준수해야 한다.

❻ 기본권 제한의 요건을 갖추었다 하더라도 목적의 정당성, 방법의 적절성, 피해의 최소성, 법익의 균형성 등을 준수해야 하는 원칙은?
(   )

❼ 과잉 금지의 원칙에서 기본권 제한을 통해 보호하려는 공익이 침해되는 사익보다 커야 한다는 원칙은?
(   )

정답 ❺ 공공복리 ❻ 과잉 금지의 원칙 ❼ 법익의 균형성

기본권의 종류

수능풀 Guide 우리 헌법에 보장된 기본권의 종류와 그 특징을 제시문에 나타난 내용을 중심으로 파악해 보자.

1 자유권, 평등권, 청구권

갑은 일정한 범죄로 확정 판결을 받은 사람의 디엔에이(DNA) 시료를 영장에 의해 채취하도록 한 ○○법에 따라 시료를 채취당하였다. 갑은 ○○법 조항이 입법 목적에 부합하는 구체적 채취 요건의 규정 없이 본인의 의사에 반해 구강 등에서 시료를 채취하도록 하여 신체의 안정성과 자율적 활동에 관한 Ⓐ를 침해한다고 보았다. 또한, 갑은 해당 조항이 강력 범죄자와 경미한 범죄자를 합리적 이유 없이 동일하게 취급하여 Ⓑ를 침해하고, 채취 대상자의 의견 진술 기회와 사후 불복 및 구제 절차를 마련하지 않아 Ⓒ를 침해한다고 판단하여 헌법 소원 심판을 청구하였다.

신체의 자유
자유권: 가장 오래된 기본권, 소극적·방어적 권리
상대적·비례적 평등에 합치하지 않음
평등권: 다른 기본권 보장의 전제 조건
국민이 침해당한 기본권의 구제를 청구할 수 있는 권리
청구권: 수단적·적극적 권리

기출 선택지로 확인하기

❶ A는 현대 복지 국가 헌법에서부터 보장된 기본권이다. [○][×]

❷ B는 다른 기본권 보장의 전제 조건이 되는 권리이다. [○][×]

❸ A는 소극적·방어적 권리, C는 적극적 권리에 해당한다. [○][×]

2 참정권

헌법 재판소는 집행 유예 기간 중인 자의 Ⓐ을/를 제한하고 있는 ○○법의 해당 부분은 헌법 제37조 제2항을 위반하여 청구인들의 A을/를 침해하였을 뿐만 아니라 평등 원칙도 위반한 것이라고 결정하였다. 헌법 재판소는 그 이유에서 형사 책임과 주권의 행사는 다른 차원의 문제로서 범죄자가 저지른 범죄의 경중을 전혀 고려하지 않고 공동체의 운용을 주도하는 국가 조직의 구성에 참여하는 것을 전면적·획일적으로 제한하는 것은 헌법에 위반된다고 하였다.

참정권
참정권에 해당함

✎ **PLUS분석** 참정권은 국민이 국가 기관의 형성과 국가의 정치적 의사 결정 과정에 참여할 수 있는 능동적 권리로서 국민 주권주의를 구현하는 정치적 기본권에 해당한다.

기출 선택지로 확인하기

❹ A는 국가의 정치 과정에 참여할 수 있는 능동적 권리이다. [○][×]

❺ A는 국민이 국가에 대하여 적극적으로 특정한 행위를 요구할 수 있는 수단적 권리이다. [○][×]

3 사회권, 청구권 관련 문제 ▶ 41쪽 05번

법률 상담 게시판 Q&A

갑 2020년 ○○월 ○○일

저는 방학 중에 ◇◇회사에서 아르바이트를 했지만 최저 임금에 못 미치는 급여를 받았습니다. …(후략)…

국민의 인간다운 생활을 할 권리를 침해당함

↳ **변호사** 기본권 Ⓐ를 보장하기 위한 최저 임금법에 따라 구제받을 수 있습니다.
사회권

을 2020년 ○○월 ○○일

집에 가던 중 뺑소니 차량으로부터 큰 상해를 입었지만 범인을 알 수 없어 피해를 배상받지 못하고 있습니다. …(후략)…

청구권
침해당한 기본권의 구제가 필요한 상황

↳ **변호사** 국가에 대해 구조를 요청하는 기본권 Ⓑ를 행사할 수 있습니다.

기출 선택지로 확인하기

❻ A는 국가 권력의 간섭이나 침해를 받지 않을 '국가로부터의 자유'에 해당한다. [○][×]

❼ B와 같은 기본권의 유형에는 국가 기관에 문서로 자신의 요구와 의견을 제출할 수 있는 권리가 포함된다. [○][×]

정답 ❶×(근대 입헌주의 헌법에서부터 보장됨) ❷○ ❸○ ❹○ ❺×(청구권에 대한 설명임) ❻×(자유권에 대한 설명임) ❼○

A 기본권의 의미와 유형

01 다음 설명이 맞으면 ○표, 틀리면 ×표를 하시오.

(1) 사회권은 국민이 실질적인 평등과 인간다운 생활의 보장을 국가에 요구할 수 있는 권리
이다. ( )

(2) 법 앞의 평등은 어떠한 차별 대우도 허용될 수 없다는 의미이다. ( )

(3) 적법 절차의 원리, 고문 금지, 진술 거부권 보장, 영장 제도 등은 신체의 자유를 보장하기
위한 장치이다. ( )

(4) 인간의 존엄과 가치 및 행복 추구권은 우리 헌법이 추구하는 최고 가치이자 다른 기본권
을 도출하는 근거이다. ( )

02 다음 괄호 안에 들어갈 알맞은 말에 ○표를 하시오.

(1) (평등권, 참정권)은 국민 주권의 원리를 실현하는 데 필수적인 권리이다.

(2) (자유권, 청구권)은 기본권 보장을 위한 기본권으로서 수단적·절차적 권리이다.

(3) (자유권, 사회권)은 헌법에 일일이 열거하지 않아도 보장된다는 점에서 포괄적 권리이다.

(4) 근로의 권리, 교육을 받을 권리, 노동 삼권(근로 삼권) 등은 (자유권, 사회권)을 보장하는
내용의 권리이다.

B 기본권의 충돌과 제한

03 빈칸에 들어갈 알맞은 용어를 쓰시오.

국민의 모든 자유와 권리는 국가 안전 보장·(1)□□ □□ 또는 공공복리를 위하여 필요한 경
우에 한하여 (2)□□로써 제한할 수 있으며, 제한하는 경우에도 자유와 권리의 (3)□□□인 내
용을 침해할 수 없다.

04 과잉 금지의 원칙에 관한 옳은 설명을 〈보기〉에서 골라 기호를 쓰시오.

보기
ㄱ. 목적의 정당성　　　ㄴ. 방법의 적절성　　　ㄷ. 법익의 균형성　　　ㄹ. 피해의 최소성

(1) 기본권 제한 수단은 피해가 가장 적은 방법이어야 한다. ( )

(2) 기본권 제한의 방법이 그 목적을 달성하는 데 적합해야 한다. ( )

(3) 기본권 제한을 통해 보호하려는 공익이 침해되는 사익보다 커야 한다. ( )

(4) 기본권을 제한하는 입법은 국가 안전 보장·질서 유지·공공복리를 위한 것이어야 한다.
( )

C 국민의 의무

05 빈칸에 들어갈 알맞은 용어를 쓰시오.

납세의 의무와 (1)□□의 의무는 근대부터 국민에게 부과되어 온 의무이다. 그 밖에도 교육의
의무, 근로의 의무, 재산권 행사의 (2)□□□□ 적합 의무, 환경 보전의 의무 등이 현대에 와서
국민에게 부과되었다.

A 기본권의 의미와 유형

01 밑줄 친 '기본권'에 대한 설명으로 옳은 것은?

A당은 현행 공직 선거법에 따른 후보자 기호 부여 제도가 기성 정당들에게만 유리해 기본권을 침해한다며 헌법 재판소에 헌법 소원 심판을 청구했다. A당은 "해외 연구 결과에 따르면 앞 순위 혹은 위에 게재된 후보자가 추가 득표를 하는 '순서 효과'가 발생함으로써 소수 정당이나 무소속 후보자는 후순위 기호를 받게 돼 원천적으로 불리한 위치에 선다."라고 지적했다. 현행 공직 선거법 제150조는 각종 선거에서 정당 의석수에 따라 후보자나 정당에 1, 2, 3번식으로 기호를 부여하도록 규정하고 있다.

① 소극적, 방어적인 성격의 권리이다.
② 다른 기본권의 보장을 위한 수단적 권리이다.
③ 최소한의 인간다운 생활을 보장받을 권리이다.
④ 정치에 참여하고 국가 기관을 구성하는 권리이다.
⑤ 합리적 이유 없이 부당한 대우를 받지 않을 권리이다.

02 그림의 갑과 을이 공통적으로 행사할 수 있는 기본권의 특성으로 옳은 것은?

① 국민 주권주의를 구체화한다.
② '국가로부터의 자유' 확보를 목적으로 한다.
③ 소극적·포괄적 권리로서의 성격을 갖는다.
④ 다른 기본권을 보장하기 위한 수단이 된다.
⑤ 복지 국가가 출범하면서 등장한 기본권이다.

03 다음 헌법 조항에 제시된 기본권에 대한 설명으로 옳지 않은 것은?

헌법 제10조
모든 국민은 인간으로서의 존엄과 가치를 가지며 행복을 추구할 권리를 가진다. 국가는 개인이 가지는 불가침의 기본적 인권을 확인하고, 이를 보장할 의무를 진다.

① 국가의 존재를 전제로 하고 있다.
② 국가 권력 행사의 기준을 규정하고 있다.
③ 모든 기본권 조항에 적용되는 일반 원칙이다.
④ 헌법 개정에 의해서도 폐지될 수 없는 권리이다.
⑤ 우리 헌법이 지향하는 최고의 가치 지표에 해당한다.

04 다음 헌법상의 권리들을 포함하는 기본권에 대한 설명으로 옳은 것은?

제14조 모든 국민은 거주·이전의 자유를 가진다.
제17조 모든 국민은 사생활의 비밀과 자유를 침해받지 아니한다.
제21조 ① 모든 국민은 언론·출판의 자유와 집회·결사의 자유를 가진다.

① 열거적 권리이다.
② 수단적 성격을 갖는 권리이다.
③ 역사가 가장 오래된 권리이다.
④ 국가에 적극적으로 요구할 수 있는 권리이다.
⑤ 안락하고 풍족한 삶을 위해 정신적 만족까지 추구할 수 있는 권리이다.

05 사회권에 대한 설명으로 옳지 않은 것은?

① 소극적, 방어적 기본권에 해당한다.
② 국가의 존재를 전제로 하여 인정된다.
③ 공공복리를 위하여 법률로써 제한할 수 있다.
④ 1919년 독일 바이마르 헌법에서 최초로 규정되었다.
⑤ 근대 자본주의의 모순을 해결하기 위한 과정에서 등장하였다.

B 기본권의 충돌과 제한

06 헌법 재판소가 다음과 같이 판단한 이유로 가장 적절한 것은?

> 통신비밀보호법 제5조 제2항에서 국가 기관이 행하는 통신 제한 조치는 범죄를 계획 또는 실행하고 있거나 실행하였다고 의심할 만한 충분한 이유가 있고 다른 방법으로는 그 범죄의 실행을 저지하거나 범인의 체포 또는 증거의 수집이 어려운 경우에 한하여 인터넷 회선을 감청할 수 있다고 규정하고 있다. 그러나 이 조항은 인터넷 회선 감청의 집행 단계나 집행 이후에 수사 기관의 권한 남용을 통제하기 위한 제도적 조치가 제대로 마련되어 있지 않은 상태에서 범죄 수사를 이유로 인터넷 회선 감청을 허가하기 때문에 국민의 기본권을 침해할 우려가 매우 크다.

① 기본권은 공공복리를 위해 제한할 수 있다.
② 기본권은 법률에 의해서만 제한되어야 한다.
③ 기본권의 제한은 필요한 최소 범위에서만 해야 한다.
④ 행정의 비효율성이 나타나는 경우에는 기본권을 제한할 수 있다.
⑤ 기본권의 행사는 공중도덕이나 사회 윤리를 침해해서는 안 된다.

07 교사의 질문에 바르게 대답한 학생들만을 고른 것은?

> 교사: 우리 헌법에서는 기본권이라도 일정한 경우에는 그 행사를 제한하고 있습니다. 그 기준이 무엇일까요?
> 갑: 공공복리를 위한 경우에만 제한이 가능합니다.
> 교사: 기본권은 어떤 방식으로 제한해야 하나요?
> 을: 원칙적으로 법률이나 조례로써 제한해야 합니다.
> 병: 기본권 제한의 방법이 목적을 달성하는 방법으로써 효과적이고 적절해야 합니다.
> 교사: 기본권을 제한할 경우에도 일정한 한계가 있는데, 그 한계에 대해 설명해 볼까요?
> 정: 기본권의 본질적인 내용을 침해해서는 안 됩니다.

① 갑, 을   ② 갑, 병   ③ 을, 병
④ 을, 정   ⑤ 병, 정

C 국민의 의무

08 갑~병의 사례에 대한 설명으로 옳은 것은?

> • 갑은 식당을 운영하면서 번 소득의 일부를 세금으로 납부하였다.
> • 을은 대학 재학 중 휴학하고 육군으로 입대하여 군 복무를 하고 있다.
> • 병은 자신의 토지가 고속 도로 부지로 정해지자 보상금을 받고 국가의 수용 요구에 응하였다.

① 갑과 을의 의무는 현대에서 강조된 것이다.
② 병의 의무는 재산권 행사의 공공복리 적합 의무이다.
③ 갑과 을의 의무는 국가가 자의적으로 부과한 것이다.
④ 갑과 달리 병의 의무는 법적 의무가 아닌 윤리적 의무이다.
⑤ 갑, 을, 병의 의무는 모두 복지 국가의 이념을 실현하기 위한 것이다.

서답형 문제

09 다음 사례를 읽고 물음에 답하시오.

> • 대학생인 갑은 얼마 전 등교하던 중 갑자기 경찰관에게 체포되었다. 하지만 이 과정에서 체포의 이유 및 변호인의 조력을 받을 권리를 전혀 고지받지 못했다.
> • 을은 ○○시가 관리하는 상수도관이 파열되면서 자신의 가옥이 침수되는 피해를 보았다. 이에 을은 ○○시로부터 재산상의 손해를 배상받으려고 한다.

(1) 갑이 침해받은 기본권의 유형을 쓰시오.
(   )

(2) 을이 행사하려는 기본권의 유형을 말하고, 이 기본권의 특징을 서술하시오.

기출 변형

01 밑줄 친 ㉠, ㉡에 대한 설명으로 옳은 것은?

> • 헌법 재판소는 법원 앞에서의 집회·시위를 일괄적으로 제한하는 것은 헌법에 규정된 ㉠기본권을 침해한다고 결정하였다.
> • 헌법 재판소는 국립대 대학 총장 후보 지원자에게 천만 원의 기탁금을 납부하도록 하는 것은 재력이 없는 후보자의 ㉡기본권을 침해한다고 결정하였다.

① ㉠은 헌법에 열거되어야 보장받을 수 있는 권리이다.
② ㉠은 기본권이 침해되었을 때 이를 구제받기 위한 수단적 권리이다.
③ ㉡은 국가의 정치 과정에 적극적으로 참여할 수 있는 권리이다.
④ ㉠은 ㉡과 달리 인간다운 생활을 국가에 요구할 수 있는 적극적 권리이다.
⑤ ㉡은 ㉠과 달리 국가의 간섭을 받지 않을 소극적 권리이다.

02 다음 헌법 규정들과 관련된 기본권에 대한 설명으로 옳은 것은?

> • 헌법 전문 ··· 모든 영역에 있어서 각인의 기회를 균등히 하고 ··· 안으로는 국민 생활의 균등한 향상을 기하고 ····.
> • 헌법 제34조 ① 모든 국민은 인간다운 생활을 할 권리를 가진다.
> • 헌법 제119조 ② 국가는 균형 있는 국민 경제의 성장 및 안정과 적정한 소득의 분배를 유지하고, 시장의 지배와 경제력의 남용을 방지하며, 경제 주체 간의 조화를 통한 경제의 민주화를 위하여 경제에 관한 규제와 조정을 할 수 있다.

① 역사적으로 가장 오래된 권리이다.
② 국가의 정치 과정에 참여할 수 있는 권리이다.
③ 다른 기본권을 보장하기 위한 수단적 권리이다.
④ 복지 국가의 등장과 함께 보장되기 시작한 권리이다.
⑤ 국가 권력의 간섭이나 침해를 받지 않을 방어적 권리이다.

03 기본권 A~C에 대한 설명으로 옳은 것은? (단, A~C는 각각 자유권, 청구권, 사회권 중 하나이다.)

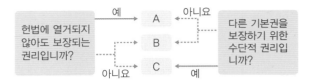

① A는 복지 국가에서 중시되는 권리이다.
② B의 예로 국가 배상 청구권을 들 수 있다.
③ C는 소극적·방어적 성격을 지닌다.
④ B와 달리 C는 국가의 존재를 전제로 한다.
⑤ B, C에 비해 A는 천부 인권적 성격이 강하다.

기출 변형

04 밑줄 친 '기본권'에 대한 설명으로 옳은 것은?

> 1인당 면적이 1m² 남짓에 불과한 좁은 구치소 공간에 사람을 수용하는 것은 기본권을 침해하는 것으로 위헌이라는 헌법 재판소 결정이 나왔다. 헌재는 "1인당 면적이 1m² 남짓에 불과한 면적은 성인 남성 평균 신장인 174cm 전후의 키를 가진 사람이 팔다리를 마음껏 뻗기 어렵고, 다른 수형자들과 부딪치지 않기 위해 모로 누워 칼잠을 자야 할 정도로 매우 협소한 공간"이라고 밝혔다. 이어 "교정 시설의 1인당 수용 면적이 수형자의 인간으로서의 기본 욕구에 따른 생활조차 어렵게 할 만큼 지나치게 협소하다면, 이는 그 자체로 국가 형벌권 행사의 한계를 넘어 기본권을 침해하는 것"이라고 설명했다.

① 헌법에 규정되어야 보장받는 권리이다.
② 불합리한 이유로 차별받지 않을 권리이다.
③ 헌법상 모든 기본권의 근거이자 원천이다.
④ 다른 기본권을 보장하기 위한 수단적 성격을 가진다.
⑤ 국가에 대하여 적극적으로 특정한 행위를 요구할 수 있는 권리이다.

05 기본권 A, B에 대한 옳은 설명만을 〈보기〉에서 고른 것은?

기출 변형

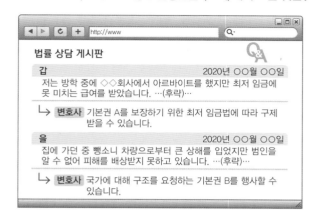

법률 상담 게시판

갑   2020년 ○○월 ○○일
저는 방학 중에 ◇◇회사에서 아르바이트를 했지만 최저 임금에 못 미치는 급여를 받았습니다. …(후략)…

↳ **변호사** 기본권 A를 보장하기 위한 최저 임금법에 따라 구제받을 수 있습니다.

을   2020년 ○○월 ○○일
집에 가던 중 뺑소니 차량으로부터 큰 상해를 입었지만 범인을 알 수 없어 피해를 배상받지 못하고 있습니다. …(후략)…

↳ **변호사** 국가에 대해 구조를 요청하는 기본권 B를 행사할 수 있습니다.

보기
ㄱ. A는 가장 최근에 등장한 권리이다.
ㄴ. B는 다른 기본권 보장의 전제 조건이 된다.
ㄷ. A가 침해되었을 때 B의 행사를 통해 구제받을 수 있다.
ㄹ. A는 B와 달리 헌법에 열거되지 않아도 보장되는 포괄적 권리이다.

① ㄱ, ㄴ   ② ㄱ, ㄷ   ③ ㄴ, ㄷ
④ ㄴ, ㄹ   ⑤ ㄷ, ㄹ

06 갑과 을의 대화에서 추론할 수 있는 내용으로 옳은 것은?

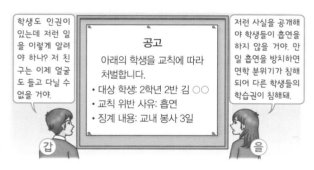

학생도 인권이 있는데 저런 일을 이렇게 알려야 하나? 저 친구는 이제 얼굴도 들고 다닐 수 없을 거야.

공고
아래의 학생을 교칙에 따라 처벌합니다.
• 대상 학생: 2학년 2반 김 ○○
• 교칙 위반 사유: 흡연
• 징계 내용: 교내 봉사 3일

저런 사실을 공개해야 학생들이 흡연을 하지 않을 거야. 만일 흡연을 방치하면 면학 분위기가 침해되어 다른 학생들의 학습권이 침해돼.

갑   을

① 갑은 학생의 교육받을 권리는 제한이 불가능한 권리라고 본다.
② 갑은 사실 공개가 헌법에 규정된 무죄 추정의 원칙에 어긋난다고 본다.
③ 을은 법 위반자의 인권은 보호받을 가치가 없다고 생각한다.
④ 을은 공익을 위해서는 개인의 권리가 제한될 수 있다고 본다.
⑤ 을과 달리 갑은 학생에 대한 징계가 목적의 정당성이 없다고 본다.

07 밑줄 친 부분에 해당하는 내용으로 가장 적절한 것은?

아동·청소년을 대상으로 성 범죄를 저지른 사람에 대해 재범 위험성을 고려하지 않고 신상 정보를 공개하도록 한 아동·청소년의 성보호에 관한 법률 규정은 합헌이라는 헌법 재판소 결정이 나왔다. 헌재는 결정문에서 "아동·청소년의 성 보호라는 목적은 매우 중요한 공익임에 반해 이 법에 의해 공개되는 정보는 대부분 형사 재판에서 유죄가 확정된 형사 판결이라는 공적 기록의 내용 중 일부에 불과하므로 <u>기본권 제한의 원칙</u>에 반하지 않는다."라고 밝혔다.

① 제한의 목적이 정당해야 한다.
② 제한의 방법이 적절해야 한다.
③ 제한으로 인한 피해가 최소한이어야 한다.
④ 국회에서 제정한 법률로만 제한해야 한다.
⑤ 권리 침해에 대한 구제 수단을 보장해야 한다.

기출 변형

08 다음 헌법 재판소의 결정에 대한 분석으로 가장 적절한 것은?

헌법 재판소는 A국에서 의료 봉사 활동을 하던 갑 등 2명이 외교통상부의 여권 사용 제한 등에 관한 고시가 거주·이전의 자유 및 종교의 자유 등을 침해했다며 낸 헌법 소원에서 합헌 결정을 내렸다. 재판부는 "우리 헌법은 모든 국민은 거주·이전의 자유를 가진다고 하면서도 국가에게 재외 국민이 체류하는 지역에서 부당한 대우를 받지 않도록 보호할 의무를 부여하고 있다."며 "외교통상부의 고시는 국민의 생명·신체 및 재산을 보호하기 위해 해외 위난 지역으로의 출국을 사전에 방지하고자 한 것이다."고 밝혔다.

① 기본권 제한의 목적이 정당하다는 결정이다.
② 거주 이전의 자유는 제한할 수 없다고 보고 있다.
③ 기본권 제한 방법이 적절하지 못하다고 보고 있다.
④ 공익을 위한 기본권 제한은 한계가 없다는 결정이다.
⑤ 보호하려는 공익보다 침해되는 사익이 더 크다고 보고 있다.

01 민주 정치와 법

A 정치의 의미와 기능

정치의 의미	• 좁은 의미: 정치권력의 획득과 유지 및 행사와 관련된 국가 특유의 활동 • 넓은 의미: 개인이나 집단 간 이해관계의 대립이나 갈등을 합리적으로 조정·해결하는 과정
정치의 기능	공동체의 질서 유지, 사회적 희소가치의 배분, 공동체의 발전 방향 제시

B 법의 의미와 이념

(1) 법의 의미: 국가 권력에 의해 강제되는 사회 규범

(2) 법의 이념

정의	• 평균적 정의: 차이를 고려하지 않고 누구에게나 똑같이 대우하는 것 → 형식적 평등을 통해 실현 • 배분적 정의: 개인의 능력과 상황, 필요 등에 따른 차이를 반영하여 '같은 것은 같게, 다른 것은 다르게' 대우하는 것 → 상대적 평등을 통해 실현
합목적성	법이 해당 시대나 국가가 지향하는 가치관과 목적에 부합해야 한다는 이념
법적 안정성	법이 개인의 사회생활을 안정적으로 보호해야 한다는 이념 → 법의 내용이 명확하고 실현 가능하며, 함부로 변경되지 않고 국민의 법의식에 부합해야 함

C 민주주의와 법치주의

(1) 민주주의

의미	시민의 뜻에 따라 운영되는 정치 형태이자, 인간의 존엄성 및 자유와 평등을 실현하기 위한 정치 이념
발전 과정	• 고대 아테네 민주 정치: 직접 민주제 → 성인 남성만 참여한 제한적 민주주의 • 근대 민주 정치: 시민 혁명을 기반으로 대의 민주제 실시 → 재산, 인종, 성별 등에 따라 참정권 차등 부여 • 현대 민주 정치: 보통 선거 제도 확립

(2) 법치주의

의미	국가의 운영이 의회가 미리 제정한 법률에 근거하여 수행되어야 한다는 민주 정치의 원리
발전 과정	• 형식적 법치주의(근대): 형식적 합법성만 중시 • 실질적 법치주의(현대 민주 국가): 형식적 합법성+내용의 정당성

02 헌법의 의의와 기본 원리

A 헌법의 의의와 기능

헌법의 의미	국가의 통치 조직과 통치 작용의 원리를 규정하고, 국민의 기본권을 보장하는 국가의 최고 법
헌법의 의미 변천	• 고유한 의미의 헌법: 국가 통치 기관을 조직·구성하고 이들 기관의 권한과 상호 관계 등을 규정함 • 근대 입헌주의 헌법: 자유권을 중심으로 국민의 기본권을 보장하기 위해 국가 권력을 제한함 → 국민 주권, 권력 분립, 법치주의 등 • 현대 복지 국가 헌법: 국민의 생존권적 기본권을 보장하여 인간다운 생활을 영위할 수 있도록 함
헌법의 기능	• 국가의 창설 • 국민의 기본권 보장 • 사회 통합 실현 • 권력 통제 • 조직 수권 규범 • 정치적 평화 실현

B 우리 헌법의 기본 원리

국민 주권주의	• 의미: 국가의 의사를 최종적으로 결정하는 주권이 국민에게 있다는 원리 • 실현 방안: 참정권 및 언론·출판·집회·결사의 자유 보장, 복수 정당제 보장 등
자유 민주주의	• 의미: 민주적으로 구성된 정부를 바탕으로 개인의 자유와 권리를 최대한 보장해야 한다는 원리 • 실현 방안: 법치주의, 적법 절차의 원리, 권력 분립, 사법권의 독립, 복수 정당제 등
복지 국가의 원리	• 의미: 모든 국민의 인간다운 삶을 보장하는 복지 국가를 지향하는 원리 • 실현 방안: 사회권 보장, 사회 보장 제도 시행, 최저 임금제 실시 등
국제 평화주의	• 의미: 국제 질서를 존중하고, 세계 평화와 인류의 번영을 위해 노력한다는 원리 • 실현 방안: 침략적 전쟁의 부인, 국제법 존중, 국제 평화 유지 활동 참여, 외국인의 지위 보장 등
평화 통일 지향	• 의미: 자유 민주적 기본 질서에 입각한 평화적 통일을 추구한다는 원리 • 실현 방안: 북한에 대한 인도적 지원 및 경제적 교류, 남북 간 대화 추진 등
문화 국가의 원리	• 의미: 국가가 문화 활동의 자유를 보장하고 문화의 발전을 지향해야 한다는 원리 • 실현 방안: 전통문화의 계승·발전 및 민족 문화 창달, 평생 교육의 진흥 등

03 기본권의 보장과 제한

A 기본권의 의미와 유형

(1) 기본권의 의미와 성격

의미	헌법을 통해 보장되는 국민의 기본적 권리
성격	• 자연법상 권리: 국가의 성립과 관계없이 인간이 태어나면서부터 가지는 권리임 • 실정법상 권리: 국가가 제정한 법에 의해 보장됨 → 국가에 의한 기본권 제한 가능

(2) 기본권의 유형

인간 존엄과 가치 및 행복 추구권	• 인간으로서의 존엄과 가치: 헌법이 지향하는 최고 가치, 모든 기본권의 이념적 출발, 국가 권력 행사의 기준 • 행복 추구권: 인간으로서의 존엄과 가치를 보장하기 위한 본질적 기본권, 포괄적 권리
평등권	• 의미: 사회생활에서 합리적 이유 없이 불평등한 대우를 받지 않을 권리 • 성격: 다른 기본권을 보장하기 위한 전제 조건, 포괄적 권리 • 종류: 법 앞의 평등, 상대적·비례적 평등 보장 등
자유권	• 의미: 개인이 부당하게 국가 권력에 의한 간섭과 침해를 받지 않을 권리 • 성격: 역사가 가장 오래된 기본권, 방어적·소극적 권리, 포괄적 권리 • 종류: 신체의 자유, 정신적 자유(양심의 자유, 종교의 자유 등), 사회·경제적 자유(주거의 자유 등)
참정권	• 의미: 국가 기관의 형성과 국가의 정치적 의사 결정 과정에 참여할 수 있는 권리 • 성격: 국민 주권주의를 구현하는 정치적 기본권 • 종류: 선거권, 국민 투표권, 공무 담임권 등
사회권	• 의미: 인간다운 생활의 보장과 실질적 평등을 국가에 요구할 수 있는 권리 • 성격: 적극적 권리, 열거적 권리, 복지 국가 이념 포함 → 가장 최근에 강조된 현대적 기본권 • 종류: 교육권, 환경권, 보건권, 근로의 권리 등
청구권	• 의미: 국가에 대하여 특정한 행위를 요구하거나 침해당한 기본권의 구제를 청구할 수 있는 권리 • 성격: 적극적 권리, 열거적 권리, 다른 기본권을 보장하기 위한 수단적 권리 • 종류: 청원권, 재판 청구권, 국가 배상 청구권, 범죄 피해자 구조 청구권, 형사 보상 청구권 등

B 기본권의 충돌과 제한

(1) 기본권의 충돌

의미	서로 다른 주체 간의 권익이 충돌할 때 이들이 각자 자신의 기본권 보장을 국가에 요구하는 것
해결 원칙	• 법익 형량의 원칙: 충돌하는 기본권의 법적 이익을 비교해서 보호 가치가 더 우위에 있는 기본권을 먼저 보호함 • 규범 조화적 해석의 원칙: 대립하는 기본권을 양립·조화시켜 균형을 이루도록 해석하여 상충하는 기본권 모두가 최대한 보장될 수 있도록 함

(2) 기본권의 제한

의미	어떤 사람의 기본권 행사가 다른 사람의 기본권을 침해하거나 공동체의 이익을 훼손할 우려가 있을 때 국가는 국민의 기본권을 제한할 수 있음	
요건	목적	국가 안전 보장, 질서 유지, 공공복리
	형식	국회가 제정한 법률을 통해서만 가능
	방법	과잉 금지의 원칙 → 목적의 정당성, 방법의 적절성, 피해의 최소성, 법익의 균형성
한계	기본권 제한의 요건을 충족한 경우에도 기본권의 본질적인 내용은 침해할 수 없음	

C 국민의 의무

고전적 의무	• 국방의 의무: 국가의 독립과 영토의 보전을 위하여 국민이 부담해야 하는 국가 방위와 관련된 의무 • 납세의 의무: 모든 국민이 법률의 규정에 따라 세금을 내야 할 의무 → 국가 운영에 필요한 경비 마련
현대적 의무	• 교육의 의무: 모든 국민이 보호하는 자녀에게 초등 교육과 법률이 정하는 교육을 받게 할 의무 • 근로의 의무: 근로 활동을 통해서 자신의 생존권을 보장하고 국가의 부를 증식시키는 데 이바지해야 할 의무 • 환경 보전의 의무: 국가와 국민이 환경 보전을 위해 노력해야 할 의무 • 재산권 행사의 공공복리 적합 의무: 재산권을 사회 전체의 공익을 해치지 않고 공공복리에 적합하도록 행사할 의무

01 정치의 의미 (가), (나)에 대한 설명으로 옳지 <u>않은</u> 것은?

> (가) 정치는 국가를 포함한 모든 사회 집단에서 이해관계를 조정하고 갈등을 해결하는 활동이다. 가정에서 가족회의를 통해 휴가 장소와 시기 등을 정하는 행위도 정치로 볼 수 있다.
> (나) 정치는 나라를 다스리는 일이다. 즉, 권력을 획득하고 유지하며 행사하는 국가만의 고유한 활동이다.

① (가)는 국가 형성 이전의 정치 현상을 설명하기에 적합하다.
② (나)는 다원화된 현대 사회의 정치 현상을 설명하기에 적합하다.
③ (가)와 달리 (나)는 정치를 국가 특유의 활동으로 본다.
④ (나)와 달리 (가)는 학급 회의나 반장 선거를 정치라고 본다.
⑤ (가)와 (나)는 모두 국회 의원의 입법 활동을 정치라고 본다.

02 그림에서 을이 중시하는 법이념에 대한 옳은 설명만을 〈보기〉에서 고른 것은?

> ㄱ. 법이 너무 자주 변경되지 않아야 함을 요건으로 한다.
> ㄴ. 국민들이 안정적인 법률생활을 할 수 있도록 돕는다.
> ㄷ. "세상이 망하더라도 정의는 세워라."라는 법언과 관련이 있다.
> ㄹ. 개인의 자유와 권리보다는 사회 전체의 발전에 가치를 부여한다.

① ㄱ, ㄴ   ② ㄱ, ㄷ   ③ ㄴ, ㄷ
④ ㄴ, ㄹ   ⑤ ㄷ, ㄹ

03 표는 법치주의의 유형 A, B를 정리한 것이다. 이에 대한 설명으로 옳은 것은? (단, A, B는 각각 실질적 법치주의와 형식적 법치주의 중 하나이다.)

질문	A	B
통치의 합법성만을 강조하는가?	예	아니요
사람에 의한 지배를 중시하는가?	㉠	㉡
(가)	아니요	예

① A는 국민의 기본권 제한을 엄격히 할 것을 요구한다.
② B가 나타난 사례로는 독일의 나치 정권을 들 수 있다.
③ 위헌 법률 심사 제도는 A보다 B를 실현하기 위한 것이다.
④ ㉠에는 '예', ㉡에는 '아니요'가 들어갈 것이다.
⑤ (가)에는 '법의 내용보다 법 제정의 절차를 중시하는가?'가 들어갈 수 있다.

04 다음의 헌법 규정에서 파악할 수 있는 헌법의 기능에 대한 옳은 설명만을 〈보기〉에서 고른 것은?

> 제40조 입법권은 국회에 속한다.
> 제66조 ④ 행정권은 대통령을 수반으로 하는 정부에 속한다.
> 제101조 ① 사법권은 법관으로 구성된 법원에 속한다.

> ㄱ. 주권자인 국민의 자유와 권리를 명시한다.
> ㄴ. 국가의 통치 기구와 통치 작용을 구성한다.
> ㄷ. 사회 집단 간의 이해관계 다툼을 해결하려고 한다.
> ㄹ. 각 권한이 어느 국가 기관에 귀속하는가를 규정한다.

① ㄱ, ㄴ   ② ㄱ, ㄷ   ③ ㄴ, ㄷ
④ ㄴ, ㄹ   ⑤ ㄷ, ㄹ

05 근대 시민 혁명과 관련된 문서 (가), (나)에 대한 설명으로 옳은 것은?

> (가) 제1조 인간은 태어나면서부터 자유로우며 평등한 권리를 지닌다.
>
> 제2조 모든 정치적 결사는 침해할 수 없는 권리를 보존하는 데 목적이 있다. 이러한 권리에는 자유권, 재산권, 안전권, 압제에 대한 저항권 등이 있다.
>
> 제3조 모든 주권의 원리는 본질적으로 국민에게 있다.
>
> (나) 모든 사람은 누구에게도 양도할 수 없는 천부적인 권리, 즉 생명과 자유, 그리고 행복을 추구할 권리를 평등하게 지니고 태어났다. 이를 확실히 보장받기 위해 인류는 정부를 조직했으며, 이 정부의 정당한 권력은 국민의 동의로부터 유래한다. 어떤 정부든 이 목적을 파괴할 경우, 국민은 언제든지 정부를 개혁하거나 폐지할 수 있다.

① (가)에 의해 보통 선거 제도가 확립되었다.
② (나)는 개인보다 국가를 우위에 두고 있다.
③ (가)는 (나)와 달리 저항권을 명시적으로 인정하고 있다.
④ (나)는 (가)와 달리 입헌 군주제 확립의 바탕이 되었다.
⑤ (가), (나) 모두 국민 주권주의를 강조하고 있다.

06 다음은 역사적으로 헌법의 의미가 변천해 온 과정이다. A, B에 대한 설명으로 옳지 <u>않은</u> 것은?

> 시대에 따라 헌법의 의미가 변화되어 왔는데, 시민 혁명 직후 나타난 A는 그동안 억압되었던 시민의 자유를 위해 국가 권력을 제한하는 내용이 핵심이었다. 그래서 국민의 기본권 보장을 최우선으로 하였다. 그러나 이후 자본주의의 발전 과정에서 나타난 빈곤과 빈부 격차 심화 등의 문제로 계층 갈등이 심해지자 A는 B로 수정되었다.

① A는 재산권의 불가침성을 강조하였다.
② A는 절대 왕정의 자의적 권력을 제한하려고 하였다.
③ B는 국민의 삶의 질 향상을 국가의 의무로 간주한다.
④ A와 달리 B는 자유권을 포함하지 않는다.
⑤ A와 B는 모두 권력 분립과 법치주의를 강조한다.

07 표는 우리 헌법의 기본 원리인 (가)~(다)를 실현하기 위한 방안을 정리한 것이다. 이에 대한 설명으로 옳은 것은?

기본 원리	실현 방안	
(가)	• 참정권 보장	• ㉠
(나)	• 사회 보장 제도	• ㉡
(다)	• 전통문화의 진흥	• 평생 교육 기관의 확충

① (가)는 근대 자본주의의 문제점을 해결하기 위해 강조된 원리이다.
② (나)는 근대 입헌주의 헌법에서 강조되었다.
③ (다)를 실현하기 위해서는 정부의 개입이 최소화되어야 한다.
④ ㉠에는 '복수 정당제를 기반으로 하는 정당 설립의 자유'가 들어갈 수 있다.
⑤ ㉡에는 '상호주의 원칙에 따른 외국인의 지위 보장'이 들어갈 수 있다.

08 그림에 나타난 우리 헌법의 기본 원리에 대한 설명으로 옳은 것은?

① 실질적 평등을 추구하는 내용의 원리이다.
② 역사적으로 가장 오래전에 등장한 원리이다.
③ 문화생활을 구현할 수 있도록 보장하는 원리이다.
④ 국가의 역할을 최소화하는 것을 전제로 하는 원리이다.
⑤ 국가 의사의 최종적인 결정권이 국민에게 있다는 원리이다.

09 다음 사례에서 갑, 을, 병이 행사한 기본권의 공통적인 특징으로 옳은 것은?

> • 갑은 자신의 재산 중 100억 원을 모교인 ○○ 초등학교에 기부하였다.
> • 을은 근무 태도의 나태함을 이유로 반성문 제출을 요구받았으나 반성할 것이 없다는 이유로 반성문 제출을 거부하였다.
> • 병은 경찰이 수사를 위해 자신의 사무실 책상 서랍에 대한 수색을 요청하였으나 수색 영장을 제시하지 않았다는 이유로 수색 요청을 거절하였다.

① 국가의 존재를 전제로 한다.
② 실질적인 자유와 평등을 목적으로 한다.
③ 국민 주권을 실현하는 수단으로 작용한다.
④ 기본권 침해의 구제 수단으로 활용되는 권리이다.
⑤ 국가 권력으로부터 개인의 자유를 보호하고자 한다.

10 다음은 국민의 기본권 A~C를 구분한 것이다. 이에 대한 설명으로 옳은 것은? (단, A~C는 각각 사회권, 자유권, 청구권 중 하나이다.)

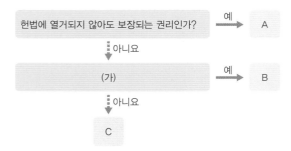

① A는 국가의 존재를 전제로 인정된다.
② B, C는 모두 소극적 권리에 해당한다.
③ 역사적으로 가장 먼저 부각된 권리는 B와 C중 하나이다.
④ (가)는 '다른 기본권 보장의 전제가 되는 권리인가?'가 될 수 있다.
⑤ (가)가 '수단적 성격을 갖는 권리인가?'라면 환경권은 C의 사례가 된다.

11 다음 상황에서 기본권의 충돌을 해결하는 원칙을 옳게 제시한 것은?

> 어떤 사람이 자신 소유의 집터에 아주 큰 태양광 시설을 설치했다고 생각해 보자. 그 시설이 옆집을 가려 옆집은 일조권과 조망권을 침해받을 가능성이 크다. 즉, 재산권 행사의 자유와 쾌적한 환경에서 살 권리가 서로 충돌하게 되는 것이다. 만일 태양광 시설로 인해 절약되는 전기료가 옆집의 일조권과 조망권이 침해되어 생기는 손실보다 크지 않다면 마땅히 그 시설을 철거해야 한다.

① 목적의 정당성에 입각하여 판단한다.
② 법에 의해 보호되는 이익을 비교하여 판단한다.
③ 기본권의 본질적인 내용을 침해했는지 알아본다.
④ 국가적 이익이 실현될 수 있는 방향으로 해결한다.
⑤ 명문의 법적 근거가 있는지 유무에 따라 판단한다.

12 다음은 헌법 재판소 결정문의 일부이다. 이 자료에서 강조하고 있는 내용을 기본권 제한과 관련하여 옳게 진술한 것만을 〈보기〉에서 고른 것은?

> 증거 인멸이나 도망을 예방하고 교도소 내의 질서를 유지하여 미결 구금 제도를 실효성 있게 운영하고 일반 사회의 불안을 방지하기 위하여 미결 수용자의 서신에 대한 검열은 그 필요성이 인정된다고 할 것이고, 이로 인하여 미결 수용자의 통신의 비밀이 일부 제한되는 것은 질서 유지 또는 공공복리라는 정당한 목적을 위하여 불가피할 뿐만 아니라 유효 적절한 방법에 의한 최소한의 제한으로서 헌법에 위반된다고 할 수 없다.

> 보기
> ㄱ. 기본권은 법률의 형식으로 제한되어야 한다.
> ㄴ. 기본권 제한의 목적은 정당성을 가져야 한다.
> ㄷ. 기본권은 행정상의 편의를 위해 제한할 수 있다.
> ㄹ. 기본권의 제한으로 인한 피해는 최소한도에 그쳐야 한다.

① ㄱ, ㄴ   ② ㄱ, ㄷ   ③ ㄴ, ㄷ
④ ㄴ, ㄹ   ⑤ ㄷ, ㄹ

13 다음 글을 읽고 물음에 답하시오.

> 중세 봉건제와 절대 왕정 시대를 거치며 사라졌던 민주 정치는 사회 계약설, 계몽사상 등의 영향을 받아 일어난 ㉠근대 시민 혁명을 계기로 다시 형성되고 발전하기 시작하였다. 근대 시민 혁명의 결과, 권력의 정당성이 시민에게서 나온다는 국민 주권에 기반을 둔 민주주의와 이러한 민주주의를 실현하기 위한 구체적 제도로 대의제가 발달하였다. 근대 시민 혁명의 결과로 많은 나라에서 민주 정치가 시작되었지만 ㉡여러 한계를 지니고 있었다.

(1) ㉠에 해당하는 역사적 사례를 세 가지 쓰시오.
( )

(2) ㉡에 해당하는 내용을 서술하시오.

14 다음 글을 읽고 물음에 답하시오.

> 국민의 의사는 시대와 상황에 따라 변화하므로 국민의 의사에 따라 이루어지는 A는 동적인 성격을 갖는다. 이에 비해 B는 법이라는 제도적 틀 안에서 사회 질서를 유지하려는 정적인 성격을 지닌다. 이로 인해 변화를 바라는 여론과 기존의 법 질서가 일치하지 않아 A와 B 간에 대립이 발생할 수도 있다.

(1) A, B에 해당하는 정치 용어를 각각 쓰시오.
A: ( ), B: ( )

(2) 밑줄 친 부분과 같은 문제점을 해소할 수 있는 방안을 서술하시오.

15 다음 헌법 조항을 읽고 물음에 답하시오.

> 제8조 ① 정당의 설립은 자유이며, 복수 정당제는 보장된다.
> 제12조 ① 누구든지 법률에 의하지 아니하고는 체포·구속·압수·수색 또는 심문을 받지 아니하며, 법률과 적법한 절차에 의하지 아니하고는 처벌·보안 처분 또는 강제 노역을 받지 아니한다.
> 제103조 법관은 헌법과 법률에 의하여 그 양심에 따라 독립하여 심판한다.

(1) 위의 헌법 조항들이 공통적으로 나타내는 헌법의 기본 원리를 쓰시오. ( )

(2) (1)의 원리가 갖는 의미를 서술하시오.

16 다음 글을 읽고 물음에 답하시오.

> 갑은 국회 의사당의 경계 지점으로부터 100미터 이내의 장소에서 옥외 집회 또는 시위를 할 경우 형사 처벌한다고 규정한 '집회 및 시위에 관한 법률' 조항에 대하여 집회 및 시위의 자유를 침해한다며 헌법 소원 심판을 청구하였다. 이에 헌법 재판소는 해당 조항이 국민의 안전과 국회 시설 보호라는 목적에 비추어 정당하고, 국회의 기능 보호라는 면에서 수단이 적합하다고 보았다. 다만, 규제가 불필요하거나 허용 가능한 집회까지도 금지한 것은 A에 위배되며, 달성하려는 공익이 제한되는 집회의 자유 정도보다 크다고 단정할 수는 없어 B가 충족되지 않는다고 보았다.

(1) A, B에 해당하는 과잉 금지의 원칙을 각각 쓰시오.
A: ( ), B: ( )

(2) 밑줄 친 부분에 해당하는 기본권의 일반적인 성격을 두 가지 서술하시오.

II
민주
국가와
정부

배울 내용 한눈에 보기

01 민주 국가와 우리나라의 정부 형태

민주 국가의 정부 형태
- 의원 내각제
- 대통령제
- 이원 집정부제

우리나라의 정부 형태
- 대통령제 요소
- 의원 내각제 요소

02 국가 기관의 구성과 역할

우리나라의 국가 기관
- 국회
- 대통령과 행정부
- 법원과 헌법 재판소

03 지방 자치의 의의와 과제

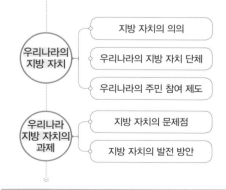

우리나라의 지방 자치
- 지방 자치의 의의
- 우리나라의 지방 자치 단체
- 우리나라의 주민 참여 제도

우리나라 지방 자치의 과제
- 지방 자치의 문제점
- 지방 자치의 발전 방안

01 ～ 민주 국가와 우리나라의 정부 형태

❶ 내각
국가의 행정권을 담당하는 최고 합의 기관이다. 의원 내각제의 내각은 행정권을 행사하며 의회에 책임을 진다. 대통령제의 내각(보통 행정부)은 대통령을 보좌한다.

❷ 각료
내각을 구성하는 사람으로, 정책을 결정하고 집행하는 역할을 한다. 우리나라의 장관이나 국무 위원이 이에 해당한다.

❸ 내각 불신임권
내각을 신임하지 않는다는 것을 표시하는 제도로, 불신임 결의가 통과되면 내각은 의회를 해산하거나 스스로 총사직해야 한다.

❹ 법률안 거부권
대통령이 의회가 의결한 법률안에 대해 승인을 거부하는 권한으로, 행정부가 입법부를 견제하는 수단이 된다.

❺ 탄핵
일반적인 절차에 따른 파면이 곤란하거나 검찰 기관에 의한 기소가 사실상 어려운 대통령, 법관 등 고위 공무원을 국회에서 소추하여 처벌하는 제도이다.

A 민주 국가의 정부 형태

1. 정부 형태의 의미 ┌ 민주 국가의 정부 형태는 국민 주권의 원리를 실현하고 국민의 기본권을 보장하는 데 적합한 제도적 장치를 갖추어야 함
(1) **정부 형태**: 법을 제정하고 그것을 집행하기 위해 일정한 방식에 따라 구성된 정부의 모습 ⎯ **예** 대통령제, 의원 내각제, 이원 집정부제 등
(2) **정부 형태의 구분 기준**: 입법부와 행정부의 구성 방식 및 두 기관 간의 관계

2. 정부 형태의 특징
(1) **의원 내각제**
① **의미**: 행정권을 담당하는 내각❶이 입법부인 의회에 의해 구성되는 정부 형태
② **성립 배경**: 영국에서 의회가 국왕과 대립하며 입헌 군주제를 바탕으로 의회 중심의 정치를 형성하면서 성립함 **자료1** ⎯ 군주의 권력이 헌법에 의하여 일정한 제약을 받는 정치 체제
③ **구성 방식**: 국민이 선거를 통해 의회를 구성하면 다수당의 대표가 행정부 수반인 총리로 임명되고, 총리가 각료❷를 추천하여 내각을 구성함 **자료2**
④ **특징** ┌ 내각을 이끄는 최고 직위로 수상이라고도 함. 국제법상 나라를 대표하는 국가 원수의 역할과 구별됨
  • 내각의 총리와 각료가 의회 의원을 겸함 ┐
  • 내각도 법률안을 제출할 수 있음 ├ 입법부와 행정부 간 권력이 융합됨
  • 내각과 의회가 연대 책임을 짐 ┘
  • 의회는 내각 불신임권❸을 가짐 ┐ 입법부와 행정부 간의 상호 견제에 해당함
  • 내각은 의회 해산권을 가짐 ┘
    ⎯ 의회가 해산되면 총선거를 통해 의회를 다시 구성함
⑤ **장단점**

장점	• 입법부와 행정부 간 긴밀한 협조로 국정을 능률적으로 수행할 수 있음 • 책임 정치 구현 가능(내각이 의회의 요구에 민감함) • 정국 대립을 신속하게 해소할 수 있음
단점	• 다수당의 횡포가 나타날 경우 견제가 어려움 • 내각과 의회의 대립 시 잦은 내각 불신임과 의회 해산 등으로 정국이 불안정해질 수 있음 • 군소 정당 난립 시 연립 내각 구성과 정국 운영 과정에서 정당 간 갈등으로 인해 정국이 불안정해질 수 있음 ⎯ 둘 이상의 정당이 연합하여 내각을 구성하는 것

(2) **대통령제**
① **의미**: 행정권을 담당하는 대통령과 입법권을 담당하는 의회가 각각 선거를 통해 구성되는 정부 형태
② **성립 배경**: 미국 독립 과정에서 삼권 분립의 원리에 따라 입법부와 행정부를 엄격히 분리하면서 성립함 **자료1** ⎯ 국가 원수와 행정부 수반의 역할을 모두 수행함
③ **구성 방식**: 국민이 직접 선거를 통해 대통령을 선출하면 대통령이 행정부를 구성함 **자료2**
④ **특징**
  • 의회 의원이 각료를 겸할 수 없음 ┐ 입법부와 행정부의 권력이 엄격하게 분립됨
  • 행정부는 법률안 제출권이 없음 ┘
┌ • 대통령은 법률안 거부권❹을 가짐
├ • 의회는 탄핵❺ 소추권을 가지며, 대통령의 주요 권한 행사에 대한 동의 및 승인권을 가짐
└ 입법부와 행정부 간의 상호 견제에 해당함

교과서 자료
모아 보기 ◂

자료1 정부 형태에 영향을 미친 정치사상

로크는 『시민 정부 2론』이라는 책에서 주권을 최고권이라고 표현하고, 그 핵심이 입법권이라고 보았다. 이러한 그의 사상은 국가 권력을 입법부와 행정부(군주)로 분리하는 이권 분립론으로 나타났으며, 이는 영국에서 의회를 중심으로 하는 정부 형태, 즉 의원 내각제가 성립하는 데 큰 영향을 미쳤다.

몽테스키외는 『법의 정신』이라는 책에서 국민의 자유와 평등을 보장하는 방법으로 견제와 균형에 입각한 삼권 분립을 주장하였다. 그는 국가에는 세 가지 권력, 즉 입법권과 집행권, 사법권이 있고, 자유를 보장하기 위해 엄격한 삼권 분립에 입각한 정부 형태가 필요하다고 보았다. 이러한 그의 사상은 미국에서 입법부와 행정부의 독립성과 상호 견제가 강조되는 정부 형태, 즉 대통령제가 성립하는 데 큰 영향을 미쳤다.

| 자료 분석 | 영국에서는 명예 혁명을 통해 '왕은 군림하나 통치하지 않는다.'는 전통이 만들어졌고, 로크의 사상이 반영되어 의회의 신임을 얻어 구성되는 내각이 행정권을 행사하는 의원 내각제가 정착되었다. 미국은 영국의 식민지 지배에 대항하여 미국 독립 선언을 발표하였다. 그리고 독립 전쟁에서 승리한 후 몽테스키외의 사상을 바탕으로 입법부와 행정부의 엄격한 권력 분립을 바탕으로 대통령이 행정권을 행사하는 대통령제가 만들어졌다.

한줄 핵심 ▶ 의원 내각제는 입법부와 행정부 간의 긴밀한 협력 관계가 중시되고, 대통령제는 입법부와 행정부 간의 엄격한 권력 분립이 강조된다.

자료2 정부 형태의 구성 방식과 입법부와 행정부의 상호 견제

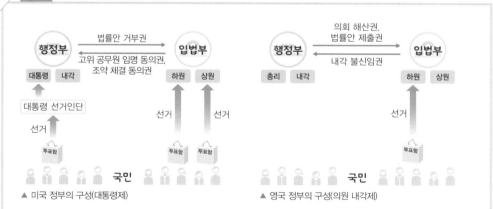

▲ 미국 정부의 구성(대통령제)　　▲ 영국 정부의 구성(의원 내각제)

| 자료 분석 | 대통령제는 입법부와 행정부가 독립적으로 구성되고 운영되는 정부 형태로, 입법부와 행정부 간 엄격한 권력 분립을 추구한다. 일반적으로 대통령은 법률안 거부권을 행사하여 의회를 견제할 수 있으며, 의회는 고위 공무원에 대한 임명 동의권, 탄핵 소추권, 조약 체결에 대한 동의권 등을 행사하여 대통령을 견제할 수 있다. 의원 내각제는 선거에 의해 구성된 의회가 선출한 총리가 내각을 구성하는 정부 형태로, 입법부에 의해 행정부가 구성됨으로써 권력이 융합된 정부 형태이다. 의회는 내각 불신임권을 행사하여 내각을 견제할 수 있으며, 내각은 불신임 결의를 받으면 의회 해산권을 행사하여 의회를 견제할 수 있다.

한줄 핵심 ▶ 대통령제와 의원 내각제는 모두 입법부와 행정부 간의 상호 견제 장치를 가지고 있다.

❶ □□ □□□은/는 의회의 신임을 얻어 구성되는 내각이 행정권을 행사하는 정부 형태이다.
(　　　　　)

❷ 몽테스키외의 사상을 바탕으로 입법부와 행정부가 엄격하게 분립된 정부 형태는?
(　　　　　)

❸ 대통령제에서 의회는 조약 체결에 대한 □□□을/를 행사하여 대통령을 견제할 수 있다.
(　　　　　)

❹ 의원 내각제에서 의회는 내각 □□□□을/를 행사하여 내각을 견제할 수 있다.
(　　　　　)

정답 ❶ 의원 내각제 ❷ 대통령제 ❸ 동의권 ❹ 불신임권

❻ 여소야대
대통령제에서 행정부 수반이 속한 정당을 여당, 그 이외의 정당을 야당이라고 부르는데, 의회에서 여당보다 야당의 의석수가 많은 상황을 여소야대라고 한다.

❼ 이원 집정부제
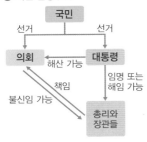

❽ 간선제
일반 선거인 중에서 선출된 중간 선거인이 선거를 하도록 하는 제도를 말한다. 선거인단이 제대로 구성되지 않을 경우 국민의 뜻을 대표하지 못한다는 문제점이 있다.

❾ 직선제
국민이 직접 선거를 통하여 대표를 선출하는 제도를 말한다. 우리나라는 제1차 개헌에서 대통령 직선제가 처음으로 시행되었으나, 유신 헌법에 의해 간선제로 바뀐 이후 1987년 6월 민주 항쟁을 통해 직선제가 부활하였다.

❿ 해임
공무원의 징계 처분의 하나로 공무원 신분은 박탈하되 연금은 지급하는 일을 말한다. 파면 다음으로 무거운 징계이다.

⑤ **장단점**

장점	• 대통령의 임기 동안 정국이 안정됨 • 국정 수행의 안정성과 정책의 지속성 확보에 유리함 • 의회 다수파의 횡포를 견제할 수 있음
단점	• 국민의 요구에 민감하게 반응하지 않음 ┌ 왜 국민의 신임 여부와 상관없이 임기가 엄격하게 보장되기 때문임 • 권력 분립의 원리가 제대로 작동하지 않으면 독재가 출현할 가능성이 있음 • 대통령과 의회가 대립할 시 이를 해소할 장치가 부족함(여소야대 상황에서 나타날 가능성이 큼)

(3) **❼ 이원 집정부제** 자료3

① **의미**: 의원 내각제와 대통령제의 특징을 절충한 정부 형태

② **구성 방식**: 대통령과 의회는 국민에 의해 직접 선출되고, 의회에서 선출된 총리가 대통령과 행정권을 분담하여 행사함

③ **특징**
• 평상시 대통령은 국방과 외교를 담당하고, 총리는 내정을 담당함(비상시 대통령이 모든 행정권을 행사함)
• 대통령은 총리 임명권과 의회 해산권을 지니고, 의회는 내각 불신임권을 가지지만 대통령을 불신임할 수는 없음
• 총리가 이끄는 내각은 의회의 신임에 의존하며 의회에 대해 책임을 짐
• 대통령과 총리의 소속 정당이 서로 다른 동거 정부가 구성되기도 함

B **우리나라의 정부 형태**

1. 우리나라 정부 형태의 변천 과정 똑 군사력을 동원하여 정권을 빼앗는 권력 이동 현상으로 쿠데타라고도 함

정부 수립 당시	대통령제를 기반으로 하면서 의원 내각제의 요소가 가미된 정부 형태 채택
4·19 혁명(1960년)	의원 내각제 도입(제3차 개헌)
5·16 군사 정변(1961년)	대통령제 정부 형태 도입(제5차 개헌)
유신 헌법(1972년)	간선제로 뽑힌 대통령에게 막강한 권한 부여(제7차 개헌) → 국민 주권의 원리와 권력 분립의 원리 훼손
6월 민주 항쟁(1987년)	대통령 직선제 도입 및 국회의 권한과 사법부의 독립 강화(제9차 개헌)

2. 우리나라 정부 형태의 특징 자료4

(1) **우리나라의 정부 형태**: 대통령제를 기본으로 하면서도 의원 내각제의 요소를 일부 가미한 정부 형태

(2) **정부 형태의 특징**

① **대통령제 원칙**
• 대통령과 국회 의원을 별개의 선거를 통해 선출함
• 대통령은 법률안 거부권을 가지고, 국회는 탄핵 소추권과 각종 동의권 및 승인권을 가짐

② **의원 내각제적 요소**
• 국무총리를 두어 행정 각부를 관리하게 함
• 내각 회의 기구와 유사한 국무 회의를 두고 있음
• 정부도 법률안 제출권을 가짐 ┌ 똑 정부의 최고 정책 심의 기관인 국무 회의의 구성원
• 국회 의원이 국무총리나 국무 위원을 겸할 수 있음
• 국회가 대통령에게 국무총리나 국무 위원의 해임을 건의할 수 있음
• 국회가 국무총리나 국무 위원을 국회에 출석하여 답변하도록 요구할 수 있음

자료3 이원 집정부제

이원 집정부제는 행정부의 권한을 이원화하여 대통령과 총리가 각각 담당하게 하는 정부 형태로서 분권형 대통령제, 이원적 의원 내각제 등 다양한 이름으로 불린다. 이원 집정부제를 채택하고 있는 국가에는 대표적으로 프랑스가 있다. 프랑스는 행정부의 권한을 이원화하여 대통령과 총리가 각각 담당하게 한다. 대통령은 국가 원수로서 국민의 직접 선거에 의해 선출되며, 외교와 국방 등 외치에 관한 권한, 총리 및 각료 임명권과 의회 해산권을 가지는데, 비상시에는 행정권을 전적으로 행사하게 된다. 총리는 내정을 총괄하는 행정부 수반으로서 일반적으로 의회 다수당의 대표가 임명되며, 대통령에 대하여 각료 제청권을 가진다.

| 자료 분석 | 프랑스의 이원 집정부제는 대통령과 총리, 의회가 긴밀한 관계를 맺으며 협력할 경우 의원 내각제의 장점인 국정 수행의 능률성을 실현할 수 있다. 또한 행정권을 대통령과 총리로 이원화함으로써 독재를 방지할 수 있는 장점이 있다. 하지만 대통령과 총리의 소속 정당이 달라 소위 '동거 정부'가 나타날 때 대통령과 총리 및 의회 간의 대립으로 인해 정치적 혼란이 나타날 우려가 있다.

한줄 핵심 프랑스의 이원 집정부제는 행정부의 권한을 이원화하여 대통령과 총리가 각각 담당하게 하는 정부 형태이다.

❺ 대통령제와 의원 내각제의 특징을 절충한 정부 형태로, 대표적으로 프랑스가 채택하고 있는 정부 형태는?
(   )

자료4 우리 헌법에 나타난 우리나라 정부 형태

제40조 입법권은 국회에 속한다. → 대통령제 요소

제52조 국회 의원과 정부는 법률안을 제출할 수 있다. → 의원 내각제 요소

제53조 ② 법률안에 이의가 있을 때에는 대통령은 제1항의 기간 내에 이의서를 붙여 국회로 환부하고, 그 재의를 요구할 수 있다. → 대통령제 요소

제63조 ① 국회는 국무총리 또는 국무 위원의 해임을 대통령에게 건의할 수 있다. → 의원 내각제 요소

제65조 ① 대통령……이 그 직무 집행에 있어서 헌법이나 법률을 위배한 때에는 국회는 탄핵의 소추를 의결할 수 있다. → 대통령제 요소

제66조 ① 대통령은 국가의 원수이며, 외국에 대하여 국가를 대표한다. → 대통령제 요소
④ 행정권은 대통령을 수반으로 하는 정부에 속한다. → 대통령제 요소

제67조 대통령은 국민의 보통·평등·직접·비밀 선거에 의하여 선출한다. → 대통령제 요소

제86조 ② 국무총리는 대통령을 보좌하며, 행정에 관하여 대통령의 명을 받아 행정 각부를 통할한다. → 의원 내각제 요소

제88조 ① 국무 회의는 정부의 권한에 속하는 중요한 정책을 심의한다. → 의원 내각제 요소

| 자료 분석 | 우리 헌법에 제시된 우리나라의 정부 형태는 대통령제를 원칙으로 하지만 의원 내각제의 요소도 가미되어 있다. 헌법 제40조, 제53조 제2항, 제65조 제1항, 제66조 제1항과 제4항, 제67조는 대통령제의 요소로 볼 수 있고, 헌법 제52조, 제63조 제1항, 제86조 제2항, 제88조 제1항은 의원 내각제의 요소로 볼 수 있다.

한줄 핵심 우리 헌법은 대통령제를 기본으로 하면서 의원 내각제 요소를 부분적으로 도입하고 있다.

❻ 우리나라의 정부 형태는 원칙적으로 □□□□이며, 부분적으로 의원 내각제 요소가 가미되어 있다.
(   )

❼ 우리나라의 국무총리, 국무 회의, 행정부의 법률안 제출권 등은 □□ □□□ 요소에 해당한다.
(   )

정답 ❺ 이원 집정부제 ❻ 대통령제
❼ 의원 내각제 요소

민주 국가의 정부 형태

수능풀 Guide 민주 국가의 대표적인 정부 형태인 의원 내각제와 대통령제의 특징을 파악해 보자.

1 대통령제와 의원 내각제 (1)

갑국의 정부 형태는 입법부와 행정부가 엄격히 분리된 형태로서, 입법부와 행정부
가 별도의 선거를 통해 구성된다. 반면 을국의 정부 형태는 입법부와 행정부의 권력
〔대통령제〕
이 융합된 형태로서, 입법부에서 다수의 의석을 차지한 정당의 대표가 행정부 수반
〔의원 내각제〕   〔총리 또는 수상이라고 함〕
이 되어 내각을 구성한다.
〔행정부 수반과 행정부 고위직 요인들을 포함한 그룹〕

✎ PLUS분석 대통령제인 갑국에서는 행정부가 국민의 직접 선거를 통해 구성되므로 국민에 대하여
정치적 책임을 진다. 반면 의원 내각제인 을국에서는 내각이 자신의 존립 기반인 의회에 대하여 정
치적 책임을 진다.

☁ 기출 선택지로 확인하기

❶ 갑국에서 행정부는 의회에 대해
정치적 책임을 진다. ☐○ ☐×

❷ 을국에서 행정부는 의회를 해산
할 수 있는 권한을 가진다.
☐○ ☐×

2 대통령제와 의원 내각제 (2) 관련 문제 ▶ 58쪽 02번

〔대통령이 국회에 법률안의 재의를 요구할 수 있는 권리〕
대통령제
최근 갑국의 행정부 수반이 법률안 거부권을 행사했습니다. 여소야대 상황에서 의회의 반발이 거세지고 있는데요. 을국도 정치 상황이 혼란스럽다고 합니다. 을국에 나가 있는 특파원의 소식 들어보겠습니다.
〔의회에서 여당보다 야당의 의석수가 많은 상황〕

〔내각의 총사퇴를 결의할 수 있는 의회의 권한〕
의원 내각제
을국도 행정부와 의회의 갈등이 심합니다. 의회의 내각 불신임이 예상되는 가운데 최근 행정부 수반이 의회를 해산할 가능성을 내비쳤습니다.
〔의회가 해산되면 다시 선거를 하여 새로운 의회를 구성함〕

✎ PLUS분석 의원 내각제 국가에서 의회는 내각이 국민의 의사를 충실히 따르지 않을 때 내각 불신
임을 의결할 수 있고, 내각은 이에 대한 대응으로 의회를 해산할 수 있다.

☁ 기출 선택지로 확인하기

❸ 갑국에서는 행정부 수반이 국가
원수의 지위를 가진다. ☐○ ☐×

❹ 을국에서는 내각이 의회에 대해
정치적 책임을 진다. ☐○ ☐×

3 대통령제와 의원 내각제 (3)

(가)는 입법부가 행정부에 우월한 관계 속에서 양자 간 권력 융합이 이루어지는 권
력 구조로서 의회를 중심으로 권위 체계가 일원화되어 있다. 반면, (나)는 권력 기
〔의원 내각제 정부 형태〕
관 간 견제와 균형을 가장 핵심적인 원칙으로 하고 있으며 입법부와 행정부가 국민
들에 의해서 각각 선출되는 이원적 권력 구조이다.
〔대통령제 정부 형태〕

☁ 기출 선택지로 확인하기

❺ (가)에서 의회 의원이 각료로 임
명되려면 의원직을 사임하여야
한다. ☐○ ☐×

❻ (나)에서 행정부 수반은 법률안
거부권을 가진다. ☐○ ☐×

정답 ❶ ×(국민에 대해 정치적 책임을 진다) ❷ ○ ❸ ○ ❹ ○ ❺ ×(의원이 각료를 겸할 수 있어 사임하지 않아도 가능함) ❻ ○

A 민주 국가의 정부 형태

01 다음 괄호 안에 들어갈 알맞은 말에 ○표를 하시오.

(1) 의원 내각제에서 의회는 내각의 잘못에 대해 (불신임권, 해산권)을 행사할 수 있다.

(2) 의원 내각제에서는 의회에서 선출된 (대통령, 총리)이/가 내각을 구성한다.

(3) 국민의 선거로 선출된 지도자가 국가 원수이자 행정부 수반으로 권한을 행사하는 정부 형태는 (대통령제, 의원 내각제)이다.

(4) 대통령제에서 대통령은 (국민, 의회)에 대해 정치적 책임을 진다.

(5) 대통령제에서 법률안 제출권은 (대통령, 의회 의원)이 가지고 있다.

02 다음 설명이 맞으면 ○표, 틀리면 ×표를 하시오.

(1) 의원 내각제에서 총리(수상)는 국가 원수와 행정부 수반의 지위를 모두 가진다.

(   )

(2) 의원 내각제는 내각이 의회의 요구에 민감하므로 책임 정치 구현이 가능하다. (   )

(3) 대통령제에서는 대통령의 법률안 거부권 행사로 의회 다수당의 횡포를 방지할 수 있다.

(   )

(4) 대통령제에서 의회 의원은 행정부의 각료를 겸직할 수 있다. (   )

(5) 대통령제에서 권력 분립의 원리가 제대로 작동하지 않으면 독재가 출현할 가능성이 있다.

(   )

03 빈칸에 들어갈 알맞은 용어를 쓰시오.

민주 국가를 표방하는 국가 중에는 의원 내각제와 대통령제 중 어느 하나를 채택하지 않고, 두 가지 정부 형태의 특징을 절충한 □□ □□□□을/를 채택한 국가도 있다. 이 제도를 채택하고 있는 국가에는 대표적으로 프랑스가 있는데, 프랑스에서는 행정부의 권한을 이원화하여 대통령과 총리가 각각 담당하게 한다.

B 우리나라의 정부 형태

04 우리나라의 정부 형태에 대한 설명이 맞으면 ○표, 틀리면 ×표를 하시오.

(1) 행정부는 법률안을 제출할 수 있다. (   )

(2) 국회 의원은 국무 위원을 겸직할 수 없다. (   )

(3) 국무총리와 국무 회의를 두고 있다. (   )

(4) 대통령은 국무총리 임명 시 국회의 동의가 없어도 된다. (   )

(5) 국회가 국무총리나 국무 위원을 국회에 출석하여 답변하도록 요구할 수 있다. (   )

A 민주 국가의 정부 형태

01 다음에 제시된 영국의 정부 형태에 대한 설명으로 옳은 것은?

> 영국에서는 총리가 국정 운영을 책임지고 대외적으로 국가를 대표하는 역할을 하며, 보통 형식적으로 국가 원수가 존재한다. 상징적인 국가 원수인 국왕은 총리와 각료를 임명하는 등 형식적인 권한을 가지지만, 국정 운영이나 외교 등에 있어서 실질적인 권한은 없다.

① 행정부 수반의 임기는 엄격히 보장된다.
② 행정부는 의회에 법률안을 제출할 수 없다.
③ 의회에서 여소야대 현상이 나타날 수 있다.
④ 의회는 행정부 수반을 탄핵 소추할 수 있다.
⑤ 의회 의원은 행정부 장관을 겸직할 수 있다.

02 갑국의 정부 형태에 대한 옳은 설명만을 〈보기〉에서 고른 것은?

> 2016년 1월 갑국의 A대통령은 의회에서 의결한 법률안에 대하여 거부권을 행사하였다. 해당 법률안은 A대통령이 속한 ○○당이 중심이 되어 제정한 '의료 보험법'을 폐지하는 내용을 담고 있다. 야당인 △△당은 A대통령이 취임 초기부터 추진해 온 '의료 보험법'에 대하여 지속적으로 반대해 왔는데, A대통령의 임기 중간에 실시된 의원 선거 결과 의회에서 다수당이 되면서 해당 법의 폐지를 추진한 것이다.

> **보기**
> ㄱ. 의회는 내각 불신임권을 가진다.
> ㄴ. 의회는 탄핵 소추권을 행사할 수 있다.
> ㄷ. 대통령은 국가 원수이자 행정부의 수반이다.
> ㄹ. 대통령은 의회에 대하여 정치적 책임을 진다.

① ㄱ, ㄴ 　② ㄱ, ㄷ 　③ ㄴ, ㄷ
④ ㄴ, ㄹ 　⑤ ㄷ, ㄹ

03 민주 국가의 정부 형태에 대한 설명으로 옳지 않은 것은?

① 대표적으로 대통령제와 의원 내각제가 있다.
② 입법부와 행정부의 구성 방식으로 구분한다.
③ 대통령제는 미국 독립 과정에서 성립되었다.
④ 의원 내각제는 엄격한 권력 분립을 원칙으로 한다.
⑤ 대통령제는 입법부와 행정부가 각각 선거를 통해 구성된다.

04 다음에 제시된 전형적인 정부 형태 (가), (나)에 대한 설명으로 옳은 것은?

① (가)는 (나)에 비해 국민적 요구에 민감하다.
② (가)는 (나)와 달리 행정부 수반이 법률안 거부권을 갖는다.
③ (나)는 (가)와 달리 사법부의 독립을 보장한다.
④ (나)는 (가)와 달리 몽테스키외의 삼권 분립론에 근거한다.
⑤ (가)와 (나) 모두 의회가 행정부 불신임권을 갖는다.

05 갑국의 정부 형태에 대한 옳은 설명만을 〈보기〉에서 고른 것은?

> 갑국의 대통령과 의회는 국민에 의해 직접 선출되고, 의회에서 선출된 총리가 대통령과 행정권을 분점한다. 평상시 대통령은 국방과 외교를 담당하고, 총리는 국정 운영에 관한 행정권을 담당한다.

> **보기**
> ㄱ. 갑국의 정부 형태는 신대통령제이다.
> ㄴ. 의회는 내각과 대통령을 불신임할 수 있다.
> ㄷ. 대통령은 총리 임명권과 의회 해산권을 갖는다.
> ㄹ. 대통령제와 의원 내각제를 절충한 정부 형태이다.

① ㄱ, ㄴ 　② ㄱ, ㄷ 　③ ㄴ, ㄷ
④ ㄴ, ㄹ 　⑤ ㄷ, ㄹ

B 우리나라의 정부 형태

06 밑줄 친 ㉠에 해당하는 내용만을 〈보기〉에서 있는 대로 고른 것은?

> 우리나라는 대통령제를 원칙으로 하는 정부 형태를 채택하고 있지만, ㉠의원 내각제의 요소가 일부 가미되어 있는 정부 형태이다.

〈보기〉
ㄱ. 국무 회의는 정부의 권한에 속하는 중요한 정책을 심의한다.
ㄴ. 대통령은 국민의 보통·평등·직접·비밀 선거에 의하여 선출한다.
ㄷ. 국회는 국무총리 또는 국무 위원의 해임을 대통령에게 건의할 수 있다.
ㄹ. 국무총리는 대통령을 보좌하며, 행정에 관하여 대통령의 명을 받아 행정 각부를 통할한다.

① ㄱ, ㄴ   ② ㄱ, ㄹ   ③ ㄴ, ㄷ
④ ㄱ, ㄷ, ㄹ   ⑤ ㄴ, ㄷ, ㄹ

07 밑줄 친 ㉠~㉤에 대한 설명으로 옳지 <u>않은</u> 것은?

> 우리나라에서 ㉠대통령과 국회 의원은 별개의 선거를 통해 선출되며, 각각 행정권과 입법권을 가진다. ㉡국회는 대통령에 대한 탄핵 소추권을 가지며, ㉢대통령은 국회가 제출한 법률안에 대해 거부권을 행사할 수 있다. 또한 ㉣국무총리를 두어 행정 각부를 관리하게 하고 있으며, 국무 회의를 두고 있다. 국회 의원뿐만 아니라 정부도 법률안 제출권을 가지고 있으며, ㉤국회 의원이 국무총리나 국무 위원을 겸할 수 있다.

① ㉠과 ㉡은 전형적인 대통령제의 특징이다.
② ㉡을 통해 입법부가 행정부를 견제할 수 있다.
③ ㉢은 행정부가 사법부를 견제하기 위한 수단이다.
④ ㉢은 ㉣과 달리 대통령제 요소이다.
⑤ ㉣과 ㉤은 모두 의원 내각제 요소이다.

08 다음은 우리나라 정부 형태의 변천 과정에서 나타난 주요 사건들이다. (가)~(다)에 대한 옳은 설명만을 〈보기〉에서 있는 대로 고른 것은?

> (가) 유신 헌법 개정으로 대통령에게 초헌법적 권한이 부여되는 권위주의 정부가 탄생하였다.
> (나) 6월 민주 항쟁은 대통령 직선제를 내용으로 하는 개헌을 이끌어내는 직접적인 계기가 되었다.
> (다) 4·19 혁명의 결과 이승만 대통령이 하야하고, 개헌을 통해 의원 내각제 정부 형태가 도입되었다.

〈보기〉
ㄱ. (가)로 인해 삼권 분립의 원칙이 약화되었다.
ㄴ. (나)로 인해 국민 주권의 원리가 강화되었다.
ㄷ. (다)로 인해 도입된 정부 형태는 권력 융합형이다.
ㄹ. 위의 사건들은 (가) → (다) → (나)의 순서로 발생하였다.

① ㄱ, ㄷ   ② ㄱ, ㄹ   ③ ㄴ, ㄷ
④ ㄱ, ㄴ, ㄷ   ⑤ ㄴ, ㄷ, ㄹ

서답형 문제

09 다음 글을 읽고 물음에 답하시오.

> 최근 치러진 갑국의 의회 의원 총선거에서 A당이 의회 총의석 300석 중 161석을 차지하여 제1당이 되었다. 종전 의회에서 과반수 의석을 차지했던 B당은 105석을 차지하여 제2당으로 내려앉았고, 뒤를 이어 C당이 23석, 기타 정당들이 11석을 차지하였다. 이에 따라 A당의 대표가 새로운 행정부 수반이 되었고, 다수의 A당 의원이 행정부 각료로 임명되었다.

(1) 위의 글을 통해 알 수 있는 갑국의 정부 형태를 쓰시오. (단, 갑국은 전형적인 정부 형태를 채택하고 있다.)

(   )

(2) 갑국 정부 형태의 장점을 <u>두 가지</u> 서술하시오.

01
그림은 전형적인 정부 형태 (가), (나)를 구분한 것이다. 이에 대한 설명으로 옳은 것은?

행정부가 의회에 대해 정치적 책임을 지는가?

↓예 ⋮아니요

(가)   (나)

① (가)는 (나)와 달리 사법부의 독립을 보장한다.
② (가)는 (나)와 달리 내각이 의회를 해산할 수 있다.
③ (나)는 (가)와 달리 의회 의원이 내각의 각료를 겸직할 수 있다.
④ (나)는 (가)와 달리 행정부와 입법부의 권력이 융합되어 있는 정부 형태이다.
⑤ (가)와 (나) 모두 행정부가 법률안 제출권을 갖는다.

기출 변형

02
자료에 나타난 갑국과 을국의 정부 형태에 대한 설명으로 옳은 것은? (단, 갑국과 을국의 정부 형태는 전형적인 정부 형태이다.)

> 오늘 갑국의 행정부 수반인 A가 의회가 의결한 ○○법률안에 대해 거부권을 행사했습니다. 여소야대 상황에서 의회 다수당의 횡포를 막겠다는 의도입니다.

> 을국에서는 의회와 행정부의 갈등이 심각해지고 있습니다. 의회의 내각 불신임이 예상되자 행정부 수반인 B는 의회를 해산할 가능성을 내비쳤습니다.

① 갑국에서는 의회 의원의 각료 겸직이 가능하다.
② 을국에서는 국민의 선거로 행정부 수반을 선출한다.
③ 갑국이 을국에 비해 정치적 책임과 국민적 요구에 민감하다.
④ 갑국과 달리 을국의 행정부 수반의 임기는 엄격히 보장된다.
⑤ 을국과 달리 갑국의 행정부 수반은 국가 원수의 역할도 수행한다.

기출 변형

03
전형적인 정부 형태 (가), (나)에 대한 옳은 설명만을 〈보기〉에서 고른 것은?

질문 \ 구분	(가)	(나)
행정부 수반이 의회가 의결한 법률안을 거부할 수 있는가?	예	아니요
입법부와 행정부가 융합되어 있는가?	아니요	예

〈보기〉

ㄱ. (가)에서는 국가 원수와 행정부 수반의 역할을 1인이 담당한다.
ㄴ. (가)에서 행정부 수반은 입법부에 대한 견제 장치로 탄핵 소추권을 갖는다.
ㄷ. (나)에서 입법부는 행정부를 불신임할 수 있고, 행정부는 입법부를 해산할 수 있다.
ㄹ. (가), (나) 모두 국정 운영의 효율성을 향상시키기 위해 의회 의원의 각료 겸직을 허용한다.

① ㄱ, ㄴ   ② ㄱ, ㄷ   ③ ㄴ, ㄷ
④ ㄴ, ㄹ   ⑤ ㄷ, ㄹ

기출 변형

04
다음 자료에 대한 분석 및 추론으로 옳은 것은?

> 갑국과 을국은 전형적인 정부 형태를 채택하고 있다. 갑국의 행정부 수반은 국민들의 직접 선거로 선출되는 반면, 을국의 행정부 수반은 의회에서 선출된다. 표는 (가)와 (나) 시기별 갑국과 을국의 정치 상황을 '행정부 수반 소속 정당이 과반 의석을 차지하고 있는가?'를 기준으로 구분한 것이다.

국가 \ 시기	(가)	(나)
갑국	예	아니요
을국	아니요	예

① 갑국의 행정부 수반은 국가 원수를 겸직하지 않는다.
② 을국의 행정부 수반은 의회에 법률안을 제출할 수 있는 권한이 없다.
③ 갑국의 경우, 여소야대 현상은 (가) 시기에 나타난다.
④ 을국의 경우, 연립 내각은 (나) 시기에 구성될 것이다.
⑤ 을국의 경우, 의회와 내각이 긴밀하게 협조할 가능성은 (가) 시기보다 (나) 시기에 높을 것이다.

05 다음 자료에 대한 설명으로 옳은 것은? (단, A와 B는 각각 전형적인 의원 내각제와 대통령제 중 하나이다.)

〈수행 평가 문제〉
A와 달리 B에서 나타나는 특징을 두 가지만 서술하시오.
(옳게 작성한 특징에 하나당 1점 부여, 잘못 작성한 특징에 대한 감점은 없음)

〈갑과 을이 작성한 답안 내용과 갑과 을의 점수〉

구분	갑	을
답안 내용	• ㉠ • 행정부의 법률안 제출권이 인정된다.	• ㉠ • ㉡
점수	2점	1점

① A에서는 연립 내각이 구성될 수 있다.
② B에서는 국가 원수와 행정부 수반이 다르다.
③ B와 달리 A의 의회는 행정부에 대한 불신임권을 가진다.
④ ㉠에는 '행정부 수반을 국민이 선출한다.'가 들어갈 수 있다.
⑤ ㉡에는 '의회 의원의 각료 겸직이 가능하다.'가 들어갈 수 있다.

기출 변형

06 다음 자료에 대한 분석 및 추론으로 옳은 것은?

갑국은 전형적인 정부 형태인 대통령제와 의원 내각제 중 하나를 채택하고 있으며 ㉠ 을/를 통해 행정부가 의회를 견제하고, ㉡ 을/를 통해 의회가 행정부를 견제한다. 갑국 의회의 정당별 의석률은 A당이 60%, B당이 40%이며, 행정부 수반은 B당 소속이다.

① 갑국은 연립 내각이 구성되어 있다.
② '탄핵 소추권'은 ㉠에 들어갈 수 있다.
③ '법률안 거부권'은 ㉠에 들어갈 수 있다.
④ '내각 불신임권'은 ㉡에 들어갈 수 있다.
⑤ B당 소속 의원은 각료를 겸직할 수 있다.

07 다음 자료의 빈칸 (가)에 들어갈 수 있는 내용으로 옳은 것은?

• 게임 규칙: 참가자는 전형적인 의원 내각제와 대통령제의 특징이 적혀 있는 카드를 2장 배부받은 후, 배부받은 카드 중 하나를 버리고 바닥에서 하나의 카드를 가져간다. 이러한 과정을 반복하여 2장의 카드가 모두 우리나라의 정부 형태의 특징으로 구성되면 게임의 승자가 된다.
• 게임 결과: 갑이 자신의 첫 번째 차례에서 (가) 이/가 적힌 카드를 버리고 다른 카드를 가져와 게임의 승자가 되었다.

① 행정부는 법률안을 제출할 수 있다.
② 행정부 수반과 국가 원수는 동일 인물이다.
③ 의회 의원은 행정부의 각료를 겸직할 수 있다.
④ 행정부 수반은 법률안 거부권을 행사할 수 있다.
⑤ 의회는 행정부 수반에 대하여 불신임권을 행사할 수 있다.

08 밑줄 친 ㉠~㉤에 해당하는 내용으로 옳은 것은?

사회자: 개헌을 통해 우리나라 정부 형태를 어떻게 변화시킬 것인지에 대해 말씀해 주시기 바랍니다.
갑: 현행 우리나라의 정부 형태는 전형적인 대통령제라기보다는 ㉠의원 내각제적 요소를 가미하고 있습니다. 이렇게 되니 ㉡대통령제의 단점과 ㉢의원 내각제의 단점을 모두 합한 것이 되어버렸습니다. 차라리 ㉣전형적인 대통령제가 바람직합니다.
을: 그렇지 않습니다. 대통령제의 단점이 지금 너무 많이 나타나고 있으므로 아예 개헌을 통해 ㉤전형적인 의원 내각제로 바꾸어야 합니다.

① ㉠ - 국회가 국무 위원의 해임을 건의할 수 있다.
② ㉡ - 의회 다수당의 횡포를 견제하기가 어렵다.
③ ㉢ - 행정부 수반의 장기 집권과 독재가 우려된다.
④ ㉣ - 의회 의원의 국무 위원 겸직이 가능하다.
⑤ ㉤ - 행정부 수반을 국민이 직접 선출한다.

02 ～ 국가 기관의 구성과 역할

❶ 국회 의원
임기는 4년이며, 연임 및 중임이 가능하다. 각 지역구에서 국민이 직접 선출하는 지역구 의원과 전국 단위의 선거구에서 각 정당이 득표한 비율에 따라 선출하는 비례 대표 의원으로 구성된다.

❷ 교섭 단체
국회 의사 진행에 필요한 안건을 협의하는 기구이다. 소속 의원이 20인 이상인 정당은 하나의 교섭 단체가 된다.

❸ 헌법 개정 절차

제안	국회 재적 의원 과반수 또는 대통령의 발의
↓	
대통령 공고	20일 이상
↓ 60일 이내	
국회 의결	국회 재적 의원 3분의 2 이상 찬성
↓ 30일 이내	
국민 투표	국회 의원 선거권자 과반수의 투표와 투표자 과반수의 찬성
↓ 즉시	
대통령 공포	

❹ 법률 제정 및 개정 절차

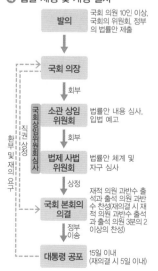

발의	국회 의원 10인 이상, 국회의 위원회, 정부의 법률안 제출
↓	
국회 의장	
↓ 회부	
소관 상임 위원회	법률안 내용 심사, 입법 예고
↓ 회부	
법제 사법 위원회	법률안 체계 및 자구 심사
↓ 상정	
국회 본회의 의결	재적 의원 과반수 출석과 출석 의원 과반수 찬성(재의결 시 재적 의원 과반수 출석과 출석 의원 3분의 2 이상의 찬성)
↓ 정부 이송	
대통령 공포	15일 이내 (재의결 시 5일 이내)

(좌측: 국회 상임 위원회 심사 / 직권 상정 / 환부 및 재의 요구)

A 국회

1. 국회의 지위와 구성

지위	국민 대표 기관(국민이 선출한 대표로 구성됨), 입법 기관(법률을 제정 또는 개정함), 국정 통제 기관(국정을 감시 및 견제함)
구성	200인 이상의 국회 의원(지역구 의원과 비례 대표 의원) 〔자료1〕 〔똑〕 본회의에서 심의할 안건을 미리 조사하여 심의하는 합의체
운영	• 조직: 의장 1인, 부의장 2인, 교섭 단체, 위원회(상임 위원회, 특별 위원회) • 회의: 정기회(매년 1회 정기적으로 열림), 임시회(대통령 또는 국회 재적 의원 1/4 이상의 요구로 열림) └100일 이내로 진행됨 └30일 이내로 진행됨 • 의결 방식: 보통 재적 의원 과반수의 출석과 출석 의원 과반수의 찬성으로 의결됨, 가부 동수일 때에는 부결된 것으로 봄

2. 국회의 역할

(1) **입법에 관한 권한**: 헌법 개정에 관한 권한, 법률 제정 및 개정에 관한 권한, 조약 체결 및 비준에 대한 동의권 등 └ 〔똑〕 내용이 확정된 조약을 헌법상 체결권자인 대통령이 최종적으로 확인하는 절차

(2) **헌법 기관 구성 권한**: 국무총리, 감사원장, 대법원장, 대법관, 헌법 재판소장 등의 임명 동의권, 헌법 재판소 재판관 3인 선출권 등

(3) **국정 감시 및 통제 권한**: 국정 감사 및 조사권, 국군의 외국에의 파견·외국에 대한 선전 포고·일반 사면 등 동의권, 탄핵 소추권, 국무총리 및 국무 위원의 해임 건의권 등

(4) **재정에 관한 권한**: 국가 예산안의 심의·확정권, 예산 집행에 대한 결산 심사권 등 └ 〔똑〕 범죄의 종류를 정하여 그에 해당하는 모든 범죄자에 대한 형벌을 면해주는 일

B 대통령과 행정부

1. 대통령의 지위와 역할 〔자료2〕

(1) **대통령의 지위**: 국가 원수이자 행정부의 수반(국민의 직접 선거로 선출, 5년 단임) └ 〔똑〕 국가의 최고 지도자이자 국제법상 외국에 대하여 그 나라를 대표하는 자격을 갖는 주체

(2) **대통령의 역할**

국가 원수	• 대외적 국가 대표권: 조약 체결 및 비준권, 외교 사절 신임·접수 또는 파견권, 선전 포고 및 강화권 등 • 국가와 헌법 수호권: 국가 긴급권(긴급 재정·경제 처분 및 명령권, 긴급 명령권, 계엄 선포권), 위헌 정당 해산 제소권 등 • 헌법 기관 구성권: 대법원장, 대법관, 헌법 재판소장, 헌법 재판소 재판관, 감사원장 등 임명권 • 국정 조정권: 국회 임시회 집회 요구권, 헌법 개정안 제안권, 국민 투표 부의권, 사면권 등
행정부 수반	행정부 지휘·감독권, 국군 통수권, 공무원 임면권, 대통령령 발포권, 법률안 거부권, 국무 회의 주재 및 중요한 정책 최종 결정권 등 └ 〔똑〕 임명하거나 면직하는 것

2. 행정부 각 기관의 역할

〔똑〕 국무 회의를 구성하는 위원. 국무총리의 제청으로 대통령이 임명함

국무총리	국회의 동의를 얻어 대통령이 임명, 대통령을 보좌하며 행정 각부를 통할
국무 회의	중요 정책에 대한 최고 심의 기관, 의장(대통령), 부의장(국무총리), 국무 위원으로 구성
행정 각부	대통령의 정책과 행정부의 사무를 집행, 행정 각부의 장은 국무 위원 중 국무총리의 제청으로 대통령이 임명 └ 〔똑〕 제안하여 청하는 것
감사원	대통령 소속의 독립적 헌법 기관 → 국가의 세입·세출의 결산, 국가 및 법률이 정한 단체의 회계 검사, 행정 기관 및 공무원의 직무에 대한 감찰 담당

자료1 국회 의원의 특권

제44조 ① 국회 의원은 현행 범인인 경우를 제외하고는 회기 중 국회의 동의 없이 체포 또는 구금되지 아니한다. → 국회 의원의 불체포 특권

② 국회 의원이 회기 전에 체포 또는 구금된 때에는 현행 범인이 아닌 한 국회의 요구가 있으면 회기 중 석방된다. → 국회 의원의 불체포 특권

제45조 국회 의원은 국회에서 직무상 행한 발언과 표결에 관하여 국회 외에서 책임을 지지 아니한다. → 국회 의원의 면책 특권

| 자료 분석 | 국회 의원은 국회 정기회나 임시회 등이 열리고 있는 중에는 현행범이 아닌 한 국회의 동의 없이 체포 또는 구금되지 않는 불체포 특권과 국회 위원회나 본회의에서 행한 발언과 표결이 직무와 관련되어 있다면 민사상 손해 배상 책임을 지지 않고 형사 처벌을 받지 않는 면책 특권을 가지고 있다. 이와 관련하여 우리 헌법 제44조 제1항과 제2항은 불체포 특권을, 제45조는 면책 특권을 규정하고 있다. 의원의 불체포 특권과 면책 특권은 영국에서 처음 도입되었는데, 16~17세기 영국에서 국왕이 의회를 탄압하는 과정에서 의회는 이에 맞서 이러한 특권을 명문화한 것이다. 우리나라에서도 국회 의원이 소신 있게 의정 활동을 하기 위해서는 이러한 특권이 필요하다는 이유로 인정되고 있다.

한줄 핵심 우리나라는 국회 의원의 소신 있는 의정 활동을 위해 국회 의원의 불체포 특권과 면책 특권을 보장하고 있다.

❶ 국회 의원이 현행 범인인 경우를 제외하고는 회기 중 국회의 동의 없이 체포 또는 구금되지 아니하는 특권은?
(   )

❷ 국회 의원이 국회에서 직무상 행한 발언과 표결에 관하여 국회 외에서 책임을 지지 아니하는 특권은?
(   )

자료2 대통령의 특권과 권한 행사에 대한 통제

제84조 대통령은 내란 또는 외환의 죄를 범한 경우를 제외하고는 재직 중 형사상의 소추를 받지 아니한다.

제82조 대통령의 국법상 행위는 문서로써 하며, 이 문서에는 국무총리와 관계 국무 위원이 부서한다. 군사에 관한 것도 또한 같다.

제79조 ② 일반 사면을 명하려면 국회의 동의를 얻어야 한다.

제88조 ① 국무 회의는 정부의 권한에 속하는 중요한 정책을 심의한다.

제91조 ① 국가 안전 보장에 관련되는 대외 정책·군사 정책과 국내 정책의 수립에 관하여 국무 회의의 심의에 앞서 대통령의 자문에 응하기 위하여 국가 안전 보장 회의를 둔다.

| 자료 분석 | 대통령은 내란 또는 외환의 죄를 범한 경우를 제외하고는 재직 중 형사상 소추를 받지 않는 특권을 가진다. 그런데 이와 같은 특권은 대통령의 권한 남용을 초래할 수 있어 대통령의 신중한 권한 행사를 위한 통제 장치도 함께 두고 있다. 먼저 대통령의 국법상 행위는 반드시 문서로써 해야 한다. 해당 문서에는 대통령의 서명에 이어 국무총리와 관계 국무 위원의 부서, 즉 서명이 있어야 한다. 또한 주요 권한을 행사할 때에는 사전에 국무 회의의 심의를 거쳐야 하며, 나아가 주요 헌법 기관 구성이나 국민의 기본권, 국가 안보 등과 관련된 권한을 행사할 때에는 국회의 사전 동의나 사후 승인을 받아야 한다.

한줄 핵심 우리 헌법은 대통령의 권력 남용을 방지하기 위해 대통령의 특권과 함께 권한 행사에 대한 통제 장치도 규정하고 있다.

❸ 대통령의 국법상 행위는 반드시 □□(으)로써 해야 한다.
(   )

❹ 대통령이 주요 권한을 행사할 때에는 사전에 □□ □□의 심의를 거쳐야 한다.
(   )

확인 문제
❶ 불체포 특권 ❷ 면책 특권
❸ 문서 ❹ 국무 회의

❺ 금고
수형자를 교도소 내에 구치하여 신체의 자유를 박탈하는 것을 내용으로 하는 형벌로, 징역과 달리 정역(강제 노동)을 부과하지 않는다.

C 법원과 헌법 재판소

1. 사법(司法)과 공정한 재판을 위한 제도

(1) **사법(司法):** 국가와 개인, 개인과 개인 간의 분쟁에 법을 적용하여 적법과 위법을 가리는 작용 → 법원의 사법권 행사는 재판으로 구체화됨

(2) **공정한 재판을 위한 제도**

① **사법권의 독립**

┌ 다른 국가 기관에 속하지 않으므로 입법부나
│ 행정부가 영향력을 행사할 수 없음

법원의 독립	입법부나 행정부로부터 독립된 별도의 조직을 가짐
법관의 신분상 독립	법관의 자격은 법률로 정하며, 탄핵 또는 금고 이상 형의 선고에 의하지 아니하고는 파면되지 않음
법관의 재판상 독립	법관은 헌법과 법률에 의하여 양심에 따라 독립하여 재판함

❻ 우리나라 법원의 조직

❼ 합의부
세 사람의 법관으로 구성하고 그 법관들의 합의로 재판의 내용을 결정짓는 재판부를 말한다.

② **심급 제도:** 하급 법원의 판결이나 결정, 명령에 불복하는 경우 상소하여 상급 법원의 재판을 받을 수 있도록 보장하는 제도(3심제 원칙) 자료3 *똑* 하급 법원의 판결에 불복하여 상급 법원에 다시 재판을 청구하는 것

③ **공개 재판주의:** 재판의 심리와 판결을 원칙적으로 공개해야 한다는 원칙

④ **증거 재판주의:** 사실의 확정은 증거에 입각해야 한다는 원칙
└ 예외로 선거 재판(단심제 또는 2심제), 특허 재판(2심제), 비상 계엄하의 군사 재판(단심제) 등이 있음

2. 법원의 조직과 역할

대법원	• 대법원장과 대법관으로 구성 • 최고 법원으로서 상고·재항고 사건의 최종심 담당 • 명령·규칙·처분의 위헌성 및 위법성에 대한 최종 심사권, 선거 소송에 대한 재판권을 가짐 ┌ 선거의 유·무효나 당선의 유·무효를 다투는 소송
고등 법원	항소·항고 사건의 제2심과 2심제를 적용하는 선거 소송의 제1심을 담당
지방 법원	• 지방 법원 본원과 지방 법원 지원으로 구성 → 원칙적으로 제1심을 담당 • 지방 법원 본원 합의부는 지방 법원 단독 판사의 판결·결정·명령에 대한 항소 또는 항고 사건 중 고등 법원의 관할이 아닌 사건의 제2심을 담당
기타 법원	**가정 법원** 가사 사건과 소년에 관한 사건 담당(지방 법원급) **행정 법원** 행정 관련 소송 담당(지방 법원급) **특허 법원** 특허에 관한 소송 담당(고등 법원급)

3. 헌법 재판소 — 헌법 수호 기관이자 국민의 기본권 보장 기관임

(1) **구성:** 국회에서 선출한 3인, 대통령이 지명한 3인, 대법원장이 지명한 3인 **총 9인의 재판관**으로 구성되며, 모두 대통령이 임명함   임기는 6년이며, 연임할 수 있음 ─┘

(2) **역할**

위헌 법률 심판		법률이 헌법에 위반되는지의 여부가 재판의 전제가 된 경우, 법원의 제청으로 해당 법률의 위헌 여부를 심판
헌법 소원 심판	위헌 심사형 헌법 소원	법원에 위헌 법률 심판의 제청 신청을 하였으나 기각된 경우 신청을 한 당사자가 헌법 재판소에 직접 청구
	권리 구제형 헌법 소원	공권력의 행사 또는 불행사로 인하여 기본권을 침해받은 국민이 헌법 재판소에 직접 청구
탄핵 심판		대통령, 국무총리, 법관 등 국회에 의해 탄핵 소추된 공무원의 파면 여부를 심판
정당 해산 심판		정당의 목적이나 활동이 민주적 기본 질서에 위배될 때 정부의 제소에 따라 해당 정당의 해산 여부를 심판
권한 쟁의 심판		국가 기관 상호 간, 국가 기관과 지방 자치 단체 간, 지방 자치 단체 상호 간의 권한에 대한 다툼을 심판

❽ 헌법 재판소에서 담당하는 심판의 청구자

권한	청구자
위헌 법률 심판	법원
헌법 소원 심판	국민
탄핵 심판	국회
정당 해산 심판	정부
권한 쟁의 심판	해당 기관

자료3 공정한 재판을 위한 심급 제도

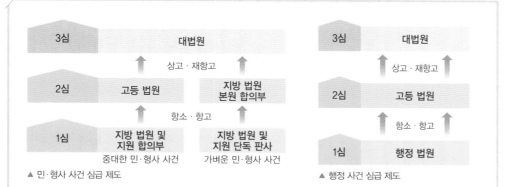

▲ 민·형사 사건 심급 제도

▲ 행정 사건 심급 제도

❺ 급을 달리하는 법원에서 여러 번 재판을 받을 수 있도록 하는 제도는?
(   )

❻ 우리나라는 공정한 재판을 위해 원칙적으로 □□□을/를 채택하고 있다.
(   )

| 자료 분석 | 심급 제도란 급을 달리하는 법원에서 여러 번 재판을 받을 수 있도록 하는 제도로, 공정한 재판을 실현하여 국민의 기본권을 보장하기 위한 것이다. 우리나라의 심급 제도는 공정한 재판을 위해 3심제를 원칙으로 하고 있다. 1심 판결에 불복하여 2심 재판을 청구하는 것을 항소, 2심 판결에 불복하여 3심 재판을 청구하는 것을 상고라고 하며, 이를 합쳐서 상소라고 한다. 또한 법원 판결 이외의 결정·명령에 불복할 경우 항고, 재항고를 할 수 있다.

민·형사 사건 중 비교적 가벼운 사건은 지방 법원 및 지원 단독 판사가 1심을 맡고, 지방 법원 본원 합의부가 2심을 담당한다. 그리고 비교적 중대한 사건은 지방 법원 및 지원 합의부가 1심을 맡고, 고등 법원이 2심을 담당한다.

| 한줄 핵심 | 우리나라는 공정한 재판을 위해 원칙적으로 3심제를 채택하고 있다.

자료4 우리나라 국가 기관 간 권력 분립

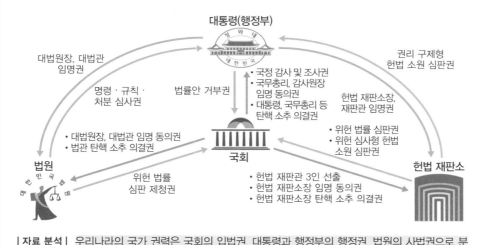

❼ 우리나라는 국가 기관 간 엄격한 □□ □□ 원리에 따른 견제와 균형을 강조하고 있다.
(   )

❽ 국가 기관 간 상호 견제 장치는 권력의 집중이나 자의적 행사로부터 국민의 □□□을/를 보호하기 위함이다.
(   )

| 자료 분석 | 우리나라의 국가 권력은 국회의 입법권, 대통령과 행정부의 행정권, 법원의 사법권으로 분립되어 있다. 입법부, 행정부, 사법부는 각각의 고유한 권한을 침해하지 않는 선에서 상호 견제하며 권력 분립의 원리를 구현하고 있다. 이는 권력의 집중이나 자의적 행사로부터 국민의 기본권을 보호하기 위함이다.

| 한줄 핵심 | 국가 기관은 상호 견제와 균형을 통해 권력 분립의 원리를 실현하고 있다.

우리나라의 국가 기관

수능풀 Guide 우리나라 국가 기관의 구성과 각 기관의 역할에 대하여 파악해 보자.

1 국회, 법원, 헌법 재판소 관련 문제 ▶ 69쪽 08번

국가 기관	대통령의 권한 행사에 대한 견제와 통제 방법
Ⓐ— 국회	국정 감사와 국정 조사를 실시하여 정부를 감시 ┐ 국회는 매년 정기적으로 국정 감사를 실시하고, 수시로 특정한 사안에 대하여 조사할 수 있음
Ⓑ— 대법원	대통령령이 헌법이나 법률에 위반되는지의 여부가 재판의 전제가 된 경우 이에 대한 위헌·위법 여부를 최종적으로 심사 ┐ 법원은 명령·규칙 또는 처분의 위헌성 및 위법성에 대한 심사권을 가짐
Ⓒ 헌법 재판소	대통령의 처분이 다른 국가 기관이나 지방 자치 단체의 권한을 침해하여 다툼이 있을 경우 권한 쟁의 심판을 담당 — 헌법 재판소는 권한 쟁의 심판을 담당함

기출 선택지로 확인하기

❶ 국무총리는 A의 의장이다. ⬜O ⬜X

❷ C의 재판관 중 3인은 B의 장(長)이 임명한다. ⬜O ⬜X

2 국회, 대통령, 행정부

A는 법무부 장관이 사임하자 그 후임으로 갑을 후보자로 지명하고 법률에 근거하여
_{법무부 장관은 대통령이 임명함 → A: 대통령}
B에 인사 청문을 요청하였으나, 여야 대립으로 인사 청문 절차가 지체되고 있다.
_{행정부 장관 인사 청문회는 국회에서 실시함 → B: 국회}
이 과정에서 정부는 법무부 소관 법률안을 국무 회의의 심의를 거쳐 국무 회의의 부
의장인 국무총리와 법무부 차관의 서명을 받아 B에 제출하였다. 그런데 B는 법무
부 차관이 국무 회의의 구성원이 아니기 때문에 관련 내용을 규정한 헌법 조항에 위
반된다고 주장하고 있다.

기출 선택지로 확인하기

❸ A는 B의 동의를 얻어 헌법 재판소의 장(長)을 임명한다. ⬜O ⬜X

❹ B는 A에게 국무 위원의 해임을 건의할 수 있다. ⬜O ⬜X

3 우리나라의 국가 기관

A는 국가 기관 상호 간, 국가 기관과 지방 자치 단체 간 및 지방 자치 단체 상호 간
의 권한 쟁의에 관한 심판 등을 관장한다. A는 법관의 자격을 가진 9인의 재판관으
_{권한 쟁의 심판은 헌법 재판소에서 담당함 → A: 헌법 재판소}
로 구성되며, 재판관은 B가 임명한다. A의 재판관 중 3인은 C에서 선출하는 자를,
_{헌법 재판소의 재판관은 모두 대통령이 임명함 → B: 대통령}   _{국회}
3인은 대법원장이 지명하는 자를 임명한다. 그리고 A의 장(長)은 C의 동의를 얻어
재판관 중에서 B가 임명한다.

🖉 **PLUS분석** 헌법 재판에 관한 권한을 가진 헌법 재판소는 헌법 소원 심판, 위헌 법률 심판, 탄핵
심판, 정당 해산 심판, 권한 쟁의 심판을 담당한다. 대통령은 국가 원수로서 국가 긴급권(긴급 재정·
경제 처분 및 명령권, 긴급 명령권, 계엄 선포권), 위헌 정당 해산 제소권 등의 국가와 헌법 수호권을
가진다.

기출 선택지로 확인하기

❺ A는 위헌 법률 심판 제청권을 가진다. ⬜O ⬜X

❻ B는 긴급 재정·경제 처분 및 명령권을 가진다. ⬜O ⬜X

❼ C는 국가의 예산안을 심의·확정한다. ⬜O ⬜X

A 국회

01 빈칸에 들어갈 알맞은 용어를 쓰시오.

> 국회 의원은 각 지역구에서 선출되는 (1)□□□ □□와/과 전국을 단위로 하는 선거구에서 각 정당이 득표한 비율에 따라 의석수가 할당되는 (2)□□ □□ □□(으)로 구분된다.

02 다음 괄호 안에 들어갈 알맞은 말에 ○표를 하시오.

(1) 헌법 개정은 국회 재적 의원 (과반수, 3분의 2 이상) 또는 대통령의 발의로 제안된다.
(2) 국회는 주요 조약의 체결 및 비준에 대한 (동의권, 승인권)을 가진다.
(3) (국회 의장, 대통령)은 법률안에 대하여 이의가 있을 때 국회로 환부하고 재의를 요구할 수 있다.

B 대통령과 행정부

03 빈칸에 들어갈 알맞은 용어를 쓰시오.

> 국민의 직접 선거로 선출되는 대통령은 (1)□□ □□와/과 (2)□□□ □□의 지위를 동시에 가지며, 그에 따른 역할을 수행한다.

04 다음 설명이 맞으면 ○표, 틀리면 ×표를 하시오.

(1) 국무 회의는 정부의 권한에 속하는 중요 정책에 대한 최고 의결 기관이다. (   )
(2) 국무총리는 국회의 동의를 얻어 대통령이 임명하고, 대통령을 보좌하며 행정 각부를 통할한다. (   )
(3) 감사원은 국무총리 소속의 독립성을 갖는 헌법 기관으로, 행정 기관 및 공무원의 직무에 대한 감찰을 담당한다. (   )

C 법원과 헌법 재판소

05 빈칸에 들어갈 알맞은 용어를 쓰시오.

> 우리나라의 법원은 최고 법원인 대법원과 각급 법원으로 구성되어 있다. 대법원은 국회의 동의를 얻어 대통령이 임명하는 (1)□□□□와/과 (2)□□□(으)로 구성된다.

06 다음 설명이 맞으면 ○표, 틀리면 ×표를 하시오.

(1) 헌법 소원 심판은 법률이 헌법에 위반되는지의 여부가 재판의 전제가 된 경우에 법원의 제청에 의해 해당 법률의 위헌 여부를 헌법 재판소가 결정하는 심판이다. (   )
(2) 정당 해산 심판은 정당의 목적이나 활동이 민주적 기본 질서에 위배될 때 해당 정당의 해산 여부를 결정하는 심판이다. (   )

탄탄! 내신 다지기

A 국회

01 다음은 헌법 개정 절차이다. ㉠~㉤에 대한 설명으로 옳은 것은?

① ㉠ – 국회 재적 의원 3분의 1 이상 또는 대통령이 제안할 수 있다.

② ㉡ – 국회 의장이 20일 이상 공고한다.

③ ㉢ – 국회 재적 의원 과반수 이상의 찬성으로 의결한다.

④ ㉣ – 국민 투표를 통과하면 개정이 확정된다.

⑤ ㉤ – 국무총리가 공포한다.

02 다음은 ○○법의 제정 절차를 나타낸 것이다. (가)~(마) 단계에 대한 설명으로 옳은 것은?

① (가) – 정부 또는 10인 이상의 국민이 법률안을 제출할 수 있다.

② (나) – 소관 상임 위원회에서 해당 분야에 대한 전문적인 심사를 한다.

③ (다) – 국회 재적 의원 과반수 출석과 재적 의원 과반수의 찬성으로 통과된다.

④ (라) – 대통령이 거부권을 행사하면 해당 법률안은 폐기된다.

⑤ (마) – 국무총리가 15일 이내에 공포한다.

03 다음 헌법 조항의 밑줄 친 ㉠, ㉡에 대한 옳은 설명만을 〈보기〉에서 고른 것은?

> 헌법 제61조 ① 국회는 ㉠국정을 감사하거나 ㉡특정한 국정 사안에 대하여 조사할 수 있으며, 이에 필요한 서류의 제출 또는 증인의 출석과 증언이나 의견의 진술을 요구할 수 있다.

> 〈보기〉
> ㄱ. ㉠의 범위에는 사법부의 활동은 포함되지 않는다.
> ㄴ. ㉠은 ㉡과 달리 매년 정기적으로 실시된다.
> ㄷ. ㉡은 ㉠과 달리 국회의 국정 감시 및 통제 권한이다.
> ㄹ. ㉠, ㉡ 모두 국회가 행정부를 견제하는 수단이 된다.

① ㄱ, ㄴ   ② ㄱ, ㄷ   ③ ㄴ, ㄷ
④ ㄴ, ㄹ   ⑤ ㄷ, ㄹ

B 대통령과 행정부

04 다음 글의 국가 기관 (가), (나)에 대한 옳은 설명만을 〈보기〉에서 고른 것은?

> • 대통령은 행정부 최고 심의 기관인 [(가)]에 참석하여 주요 국정 현안에 대해 협의하였다.
> • 대통령은 행정 기관 및 공무원의 직무에 대한 감찰을 담당하는 [(나)]의 장에게 임명장을 수여하였다.

> 〈보기〉
> ㄱ. 대통령은 (가)의 의사 결정에 따르지 않을 수도 있다.
> ㄴ. 정부에 속하는 모든 정책은 (가)의 심의를 반드시 거쳐야 한다.
> ㄷ. (나)는 국가의 세입·세출의 결산을 감사한다.
> ㄹ. 대통령이 (나)의 장을 임명할 때는 국회의 동의를 필요로 하지 않는다.

① ㄱ, ㄴ   ② ㄱ, ㄷ   ③ ㄴ, ㄷ
④ ㄴ, ㄹ   ⑤ ㄷ, ㄹ

05 밑줄 친 ㉠~㉤에 대한 설명으로 옳은 것은?

오늘의 주요 뉴스

㉠대통령, △△법률안 거부권 행사

㉡감사원, 축산물 항생제 관리 실태 감사

㉢국무총리, 공직자 부패 문제 척결 지시

국회, 외교부에 대한 ㉣국정 감사

○○ 고등 법원, ㉤◇◇법 위헌 법률 심판 제청

① ㉠은 의원 내각제적 요소이다.

② ㉡은 직무 수행에서 독립적이다.

③ ㉢은 국무 회의의 의장이 된다.

④ ㉣은 국회의 자주성 보장이 목적이다.

⑤ ㉤에 대해 대법원이 위헌 여부를 판단한다.

C 법원과 헌법 재판소

06 심급 제도에 대한 옳은 설명만을 〈보기〉에서 고른 것은?

보기
ㄱ. 상고와 재항고 사건은 고등 법원이 담당한다.

ㄴ. 행정 사건에는 심급 제도를 적용하지 않는다.

ㄷ. 우리나라는 원칙적으로 3심제를 채택하고 있다.

ㄹ. 공정한 재판을 실현하여 국민의 기본권을 보장하기 위한 제도이다.

① ㄱ, ㄴ   ② ㄱ, ㄷ   ③ ㄴ, ㄷ

④ ㄴ, ㄹ   ⑤ ㄷ, ㄹ

07 밑줄 친 ㉠의 역할로 볼 수 없는 것은?

우리나라의 법원은 심급 제도를 구현하기 위해 최고 법원인 대법원과 각급 법원으로 구성되어 있다. ㉠대법원은 국회의 동의를 얻어 대통령이 임명하는 대법원장과 대법관으로 구성된다.

① 위헌 법률 심판을 제청한다.

② 상고 및 재항고 사건을 담당한다.

③ 선거 소송에 대한 재판을 담당한다.

④ 위헌 정당에 대한 해산 여부를 심판한다.

⑤ 명령이나 규칙의 위법성 여부를 심사한다.

---

08 다음 자료에 대한 법적 분석으로 옳은 것은?

㉠△△법 제290조 위반으로 기소되어 1심 법원에서 재판을 받고 있는 갑은 해당 법률 조항이 헌법에 위반된다며 A에 ㉡위헌 법률 심판 제청을 신청하였으나 기각되자, 이후 B에 ㉢헌법 소원 심판을 청구하였다. 이에 대해 B는 △△법 제290조에 대해 ㉣위헌 결정을 내렸다.

① A는 대법원, B는 헌법 재판소이다.

② ㉠의 위헌 여부에 대해 A와 B는 의견을 달리하였다.

③ ㉡은 재판 당사자의 신청에 의해서만 가능하다.

④ ㉢은 권리 구제형 헌법 소원에 해당한다.

⑤ ㉣에 의해 ㉠은 개정 조항이 생길 때까지만 효력을 유지한다.

서답형 문제

09 다음 글을 읽고 물음에 답하시오.

국회 의원 [㉠] 인 이상, 국회의 위원회와 [㉡]은/는 법률안을 제출할 수 있다. 제출된 법률안이 상임 위원회의 심사를 거쳐 본회의에 상정되면 재적 의원 과반수의 출석과 출석 의원 과반수의 찬성으로 의결된다. 본회의에서 법률안이 의결되면 정부로 이송되어 대통령이 공포한다. 한편, ㉢대통령은 법률안에 대하여 이의가 있을 때 국회로 환부하고 재의를 요구할 수 있다.

(1) ㉠, ㉡에 들어갈 말을 쓰시오.

㉠: (   ), ㉡: (   )

(2) ㉢에 대한 국회의 재의결 요건과 재의결이 이루어진 경우의 효력, 대통령의 거부권 행사 여부 등을 서술하시오.

_____

_____

_____

도전! 실력 올리기

01 헌법 조항 (가), (나)에 대한 옳은 설명만을 〈보기〉에서 있는 대로 고른 것은?

> (가) **제44조** ① 국회 의원은 현행 범인인 경우를 제외하고는 회기 중 국회의 동의 없이 체포 또는 구금되지 아니한다.
>
> (나) **제45조** 국회 의원은 국회에서 직무상 행한 발언과 표결에 관하여 국회 외에서 책임을 지지 아니한다.

〈보기〉
ㄱ. (가)는 불법 행위를 한 국회 의원을 보호하는 수단으로 악용될 수 있다.
ㄴ. (가)는 정기회에만 적용되고 임시회에는 적용되지 않는다.
ㄷ. (나)의 책임은 형사 처벌과 민사상 손해 배상 모두를 포함한다.
ㄹ. (가), (나) 모두 국회 의원이 소신 있게 의정 활동을 수행할 수 있도록 하는 것을 목적으로 한다.

① ㄱ, ㄴ　　　② ㄱ, ㄷ　　　③ ㄴ, ㄹ
④ ㄱ, ㄷ, ㄹ　　⑤ ㄴ, ㄷ, ㄹ

02 밑줄 친 ㉠, ㉡과 관련한 옳은 설명만을 〈보기〉에서 있는 대로 고른 것은?

> ### ○○일보
> 오늘 오후 정부는 ㉠A 법안을 국회에 제출하였습니다. 또한, 국회는 대통령이 거부권을 행사한 ㉡B 법안을 여야 합의로 본회의에서 다시 처리하기로 하였습니다.

〈보기〉
ㄱ. ㉠은 국회 의원 10인 이상도 국회에 제출할 수 있다.
ㄴ. ㉠은 원칙적으로 상임 위원회의 심사를 거쳐야 한다.
ㄷ. ㉡이 본회의에서 가결되면 대통령은 다시 재의를 요구할 수 없다.
ㄹ. ㉡이 본회의를 통과하기 위해서는 반드시 국회 재적 의원 1/2 이상이 찬성해야 한다.

① ㄱ, ㄴ　　　② ㄱ, ㄹ　　　③ ㄷ, ㄹ
④ ㄱ, ㄴ, ㄷ　　⑤ ㄴ, ㄷ, ㄹ

03 밑줄 친 ㉠~㉢에 대한 옳은 설명만을 〈보기〉에서 고른 것은?

> 여야는 긴급한 현안을 처리하기 위해 다음주에 ㉠임시회를 열기로 합의하였다. 여야가 임시회에서 처리하기로 한 긴급 현안은 크게 세 가지이다. 첫째, ㉡감사원장 임명 동의안 처리, 둘째, ○○ 사건의 진상 규명을 위한 ㉢국정 조사의 실시, 셋째 ㉣헌법 개정안 처리가 그것이다.

〈보기〉
ㄱ. ㉠의 개최를 대통령이 요구할 수도 있다.
ㄴ. ㉡이 국회를 통과하지 못하면 대통령은 감사원장을 임명할 수 없다.
ㄷ. ㉢은 매년 1회 이상 시행하는 것이 원칙이다.
ㄹ. ㉣이 국회를 통과하기 위해서는 재적 의원 과반수 이상의 찬성이 필요하다.

① ㄱ, ㄴ　　　② ㄱ, ㄷ　　　③ ㄴ, ㄷ
④ ㄴ, ㄹ　　　⑤ ㄷ, ㄹ

기출 변형

04 우리나라 국회의 회의 유형 A, B에 대한 설명으로 옳은 것은? (단, A, B는 각각 정기회와 임시회 중 하나이다.)

> 국회의 회의에는 A와 B가 있는데, 이 회의 기간 동안 국회의 주요 업무가 이루어진다. A는 매년 정기적으로 열리면서 예산안 심의 및 의결을 그 주요 안건으로 하고, B는 필요할 때 수시로 열린다.

① A는 매년 2회 정기적으로 개회한다.
② B는 대통령 또는 국회 재적 의원 1/4 이상의 요구에 의해 열린다.
③ A와 달리 B는 비공개가 원칙이다.
④ 법률 개정안은 B가 아닌 A에서 의결해야 한다.
⑤ A, B 모두 회기는 100일을 초과할 수 없다.

05 빈칸 ㉠에 공통적으로 들어갈 행정부의 기관에 대한 옳은 설명만을 〈보기〉에서 고른 것은?

> • 정부는 [㉠]을/를 열어 국회에서 이송된 '국회법' 개정안에 대해 재의 요구안을 의결했고, 대통령이 이를 재가했다.
> • 광복절 특별 사면 대상자 명단을 심의하기 위하여 [㉠]이/가 열렸다. 이 자리에서는 영세 상공인, 기업인, 생계형 범죄자 등에 대한 특별 사면이 의결되었다.

> 〈보기〉
> ㄱ. 국회 의원은 해당 기관의 구성원이 될 수 없다.
> ㄴ. 행정부 수반은 해당 기관의 결정에 구속되지 않는다.
> ㄷ. 해당 기관의 장을 임명할 때에는 국회의 동의가 필요하다.
> ㄹ. 해당 기관은 우리나라 정부 형태의 의원 내각제적 요소를 보여 준다.

① ㄱ, ㄴ ② ㄱ, ㄷ ③ ㄴ, ㄷ
④ ㄴ, ㄹ ⑤ ㄷ, ㄹ

06 자료의 ㉠과 ㉡은 우리나라에서 행정부와 국회 간에 서로 견제하는 수단이다. 이에 대한 옳은 설명만을 〈보기〉에서 고른 것은?

> 〈보기〉
> ㄱ. 탄핵 소추권은 ㉠에 해당한다.
> ㄴ. 법률안 거부권은 ㉠에 해당한다.
> ㄷ. 내각 불신임권은 ㉡에 해당한다.
> ㄹ. 조약 체결 및 비준 동의권은 ㉡에 해당한다.

① ㄱ, ㄴ ② ㄱ, ㄷ ③ ㄴ, ㄷ
④ ㄴ, ㄹ ⑤ ㄷ, ㄹ

07 밑줄 친 우리나라 국가 기관 A, B에 대한 설명으로 옳은 것은?

> 대통령은 국무 회의의 심의를 거친 '○○ 조약' 비준안을 결재하였다. 그러나 A는 '○○ 조약'의 체결·비준에 대해 A에게 동의를 요구하지 않았으므로 A의 권한을 침해하였다고 주장하면서 B에 권한 쟁의 심판을 청구하였다.

① A는 국무총리 해임 건의권을 가진다.
② A는 명령·규칙·처분의 위법성에 대한 최종 심사권을 가진다.
③ B는 위헌 법률 심판 제청권을 가진다.
④ B는 하급 법원의 판결에 대한 최종심을 담당한다.
⑤ A는 B의 구성원 9인에 대한 임명권을 가진다.

08 다음에 제시된 우리나라 국가 기관 A~C에 대한 옳은 설명만을 〈보기〉에서 있는 대로 고른 것은?

> 우리 헌법은 국가 원수인 A에 의한 국민의 기본권 침해를 예방하고 구제하기 위해 아래와 같은 제도와 장치를 마련하고 있다.
> • B는 A의 주요한 권한 행사에 대해 동의권을 행사한다.
> • C는 A가 그 직무 집행에서 헌법이나 법률을 위반한 경우 B의 탄핵 소추에 의해 파면 여부를 결정한다.

> 〈보기〉
> ㄱ. A는 국가의 예산안을 심의·확정한다.
> ㄴ. A는 사면, 감형 등을 명할 수 있는 권한을 행사하여 B를 견제할 수 있다.
> ㄷ. A는 국가 원수의 지위에서 C의 모든 구성원을 임명한다.
> ㄹ. B는 C의 구성원 중 3인을 선출한다.

① ㄱ, ㄴ ② ㄱ, ㄹ ③ ㄷ, ㄹ
④ ㄱ, ㄴ, ㄷ ⑤ ㄴ, ㄷ, ㄹ

03 ～ 지방 자치의 의의와 과제

❶ 풀뿌리 민주주의
땅 아래에서 수많은 뿌리가 물과 양분을 흡수하여 성장하는 풀처럼, 평범한 시민들이 지역 기반의 의사 결정 과정을 거쳐 지역 공동체의 운영과 생활의 변화에 적극적으로 참여하여 주민 자치가 활발히 이루어지는 민주주의의 한 형태이다.

A 지방 자치와 지방 자치 제도

1. 지방 자치의 의미와 형태
(1) **지방 자치**: 일정한 지역에 거주하는 주민들이 단체를 구성해 자신들의 의사와 책임 하에 해당 지역의 정치와 행정을 처리하는 활동
(2) 형태

주민 자치	지역 주민들이 해당 지역의 문제에 관한 정책을 스스로 결정하고 집행하는 지방 자치 → 주민들이 스스로 지역의 문제를 만들고 집행하는 정치 활동이 중심이 됨
단체 자치	지방 자치 단체가 중앙 정부로부터 자치권을 인정받아 스스로 지역 사무를 처리하는 지방 자치 → 지방 자치 단체에 의한 자율적인 행정 활동이 중심이 됨

(3) **바람직한 지방 자치**: 주민 자치와 단체 자치가 모두 시행될 때 실현될 수 있음
└ 오늘날 대부분의 국가에서는 주민 자치와 단체 자치를 결합하여 시행하고 있음

❷ 조례
지방 자치 단체가 특정 사무에 관하여 법령의 범위 내에서 지방 의회의 의결을 거쳐 제정한 법규를 말한다.

2. 지방 자치의 의의 [자료 1]
(1) **국가와 지역의 이익 실현**: 지방 자치 단체와 중앙 정부의 상호 보완적 역할 분담을 통해 국가와 지역의 이익을 함께 실현함
(2) **권력 분립의 원리 실현**: 지방 자치 단체와 중앙 정부 간의 수직적 권력 분립을 통해 정치권력이 중앙 정부에 집중되는 것을 방지함
(3) **풀뿌리 민주주의 실현**: 지역 주민이 생활 주변의 문제를 자주적으로 해결하는 과정을 통해 민주주의 경험을 훈련함
└ '민주주의의 학교'라고도 함

⭐ 한눈에 정리
지방 자치 단체의 구분

의결 기관	집행 기관
지방 의회	**지방 자치 단체장**
• 광역: 특별시 · 광역시 · 특별자치시 · 도 · 특별자치도 의회	• 광역: 특별시 · 광역시 · 특별자치시장 도 · 특별자치도지사
• 기초: 시 · 군 · 구 의회	• 기초: 시장, 군수, 구청장

선거 ↑   ↑ 선거
지역 주민

3. 우리나라의 지방 자치 단체 [자료 2]
(1) **지방 자치 단체의 종류**
                    ┌ 대한민국 행정 구역의 하나로 세종특별자치시가 있음

광역 자치 단체	특별시, 광역시, 특별 자치시, 도, 특별 자치도 등
기초 자치 단체	시, 군, 구(자치구) 등

                                        └ 예 제주특별자치도

(2) **지방 자치 단체의 구분**

지방 의회 의결 기관	구성	주민의 선거에 의해 선출된 의원으로 구성(임기 4년) → 지역구 의원, 비례 대표 의원
	성격	지방 업무와 관련된 전반적인 사항을 심의하고 의결하는 의사 결정 기관이자 집행 기관의 견제 및 감시 기관
	권한	조례 제 · 개정 및 폐지권, 예산 심의 및 확정권, 예산 결산 승인권, 주민 부담에 관한 사항의 심의 및 의결권, 지방 자치 단체의 사무 전반에 관한 감사권과 특정 사안에 관한 조사권 등
지방 자치 단체장 집행 기관	선출	주민의 직접 선거에 의해 선출(임기 4년) 예 시장, 도지사, 군수, 구청장 등
	성격	지방 자치 단체를 대표하는 집행 기관으로 직원을 임면 및 감독하고 소속 행정 기관의 업무 처리 전반을 지휘함
	권한	규칙 제 · 개정 및 폐지권, 조례안 제출 및 거부권 등
교육감	선출	광역 자치 단체에서 주민의 직접 선거에 의해 선출(임기 4년)
	권한	교육의 자주성 및 전문성과 지방 교육의 특수성을 살리기 위해 교육과 학예에 관한 사무 관장

(성격 권한 행 옆) └ 지방 의회를 견제할 수 있는 권한임

❸ 규칙
지방 자치 단체의 장이 그 권한에 속하는 사항에 관하여 법령 또는 조례가 위임한 범위 안에서 정하는 법규를 말한다.

자료1 지방 자치의 의의

지방 자치는 중앙 집권적 권력에 대하여 지역 단위에서의 민주적 가치를 지키고, 나아가 중앙 정치의 혼란과 변동으로부터 어느 정도 거리를 두고 지역을 관리함으로써 국가 전체의 안정적 운영을 도모할 수 있도록 한다. 지방 자치가 성숙하면 중앙이 정치적 혼란 상태에 빠지더라도 그것이 지방에 파급되지 않고 지역 운영의 독자성과 안정성을 유지할 수 있기 때문이다.

최근의 국가적 위기 속에서도 과거의 큰 정치적 혼란기와 달리 전국 대부분의 지역은 큰 문제없이 돌아가고 있다. 오히려 상당수 자치 단체는 지역 안정 대책 기구를 만들고 지역 현안과 민생을 챙기는 모습을 보인다. 중앙 정부의 혼란이 지역 주민의 삶에 불안과 위기로 번지지 않도록 민첩하게 대응하는 형국이다. 이와 같은 발 빠른 대응은 아마 불완전하나마 지방 자치를 시행하고 있기 때문이 아닐까? 지방 자치가 나무가 되고 산맥이 되어 중앙의 회오리 바람을 막아 내는 건 아닐까? 지방 자치가 갖는 방파제로서의 위력이 국가적 위기 상황에서 빛을 발한 것이리라.

– 박동훈, 「지방 자치는 중앙 정치의 방파제」–

| 자료 분석 | 지방 자치 단체와 중앙 정부 간에는 수직적인 권력 분립의 관계가 존재한다. 지방 자치 단체는 각 지역의 특수성이나 주민의 일상생활과 밀접하게 관련된 관할 구역에 대한 통치권을, 중앙 정부는 국방·외교·국가 전체의 사무 등 국가 전체에 대한 통치권을 가진다. 이러한 중앙 정부와 지방 자치 단체 간의 권력 분립은 권력의 중앙 집중으로 인한 폐단을 방지하는 역할을 하며, 이를 통해 국가 전체의 이익과 지역의 이익이 함께 실현될 수 있다.

한줄 핵심 ▶ 지방 자치는 중앙 정부의 한계를 보완하고 견제함으로써 국민의 자유와 권리 보장에 기여할 수 있다.

❶ 일정한 지역에 거주하는 주민들이 단체를 구성해 자신들의 의사와 책임하에 해당 지역의 정치와 행정을 처리하는 활동은?
(   )

❷ 중앙 정부와 지방 자치 단체 간의 □□ □□은/는 권력의 중앙 집중으로 인한 폐단을 방지하는 역할을 한다.
(   )

자료2 우리나라 지방 자치 단체의 종류

구분	일반 자치					교육 자치
광역 자치 단체	특별시 (서울)	광역시 (부산, 대구, 인천, 광주, 대전, 울산)	특별 자치시 (세종)	도 (경기, 강원, 충북, 충남, 전북, 전남, 경북, 경남)	특별 자치도 (제주)	교육청
기초 자치 단체	자치구	자치구	–	시·군	–	–

| 자료 분석 | 우리나라의 지방 자치는 '일반 자치'와 '교육 자치'로 구분된다. 일반 자치는 광역 자치 단체와 기초 자치 단체가 일반 행정에 대해 자치를 하는 것이다. 단, 특별 자치도와 특별 자치시는 기초 자치 단체를 두고 있지 않다. 교육 자치는 초·중·고 교육과 학예에 대한 자치이며, 시·도 교육청을 중심으로 이루어진다.

한줄 핵심 ▶ 우리나라의 지방 자치 단체는 광역 자치 단체와 기초 자치 단체로 구분되며, 시·도 교육청을 중심으로 교육 자치를 시행하고 있다.

❸ 지방 자치 단체는 광역 자치 단체와 □□ □□ □□(으)로 구분할 수 있다.
(   )

정답 ❶ 지방 자치 ❷ 지방 자치 단체

❹ 주민 조례 제정 및 개폐 청구 제도
일정 수 이상의 주민 서명을 모아 지방 자치 단체장에게 직접 조례 제정이나 개정·폐지를 청구할 수 있는 제도이다. 주민이 청구한 조례안을 지방 자치 단체장이 지방 의회에 간접 발안하는 형태로 주민의 발의권을 보장한다.

4. 우리나라의 주민 참여 제도 지방 자치에 대한 주민의 참여를 확대하고, 지방 행정의 민주성과 책임성을 높이기 위한 제도들임

주민 투표 제도	주민에게 과도한 부담을 주거나 중대한 영향을 미치는 정책 등을 주민 투표를 통해 주민이 직접 결정하는 제도
주민 발안 제도	주민이 직접 조례안을 발의할 수 있는 제도 → 우리나라는 주민 조례 제정 및 개폐 청구 제도를 두고 있음 ❹
❺ 주민 소환 제도	선거에 의해 선출된 지방 자치 단체장이나 지방 의회 의원(지역구)을 임기 중에 주민의 투표로 해임하는 제도
주민 감사 청구 제도	지방 자치 단체와 그 장의 권한에 속하는 사무의 처리가 법령에 위반되거나 공익을 현저히 해친다고 인정되면 주민이 직접 감사를 청구할 수 있는 제도
주민 소송 제도	재정에 대한 감사를 청구한 주민이 감사 결과 등에 불복하는 경우에는 법원에 소송을 제기할 수 있는 제도
주민 참여 예산 제도	주민이 지방 자치 단체의 예산 편성 과정에 참여하여 사업 제안 등 의견을 제시할 수 있는 제도 자료3
청원 제도	주민이 지방 자치 단체가 마련하기를 바라는 정책이나 조치 등을 지방 의회에 문서로써 청원할 수 있는 제도

❺ 주민 소환 제도
위법·부당한 행위를 저지르거나 직무가 태만한 지방 자치 단체장이나 지방 의회 의원을 주민 소환 투표권자 총수의 3분의 1 이상 투표와 유효 투표 총수의 과반수 찬성으로 해임할 수 있는 제도이다.

B 우리나라 지방 자치의 현실과 과제

1. 우리나라 지방 자치의 역사

도입	1948년 제헌 헌법에 지방 자치가 규정되어 있었으나, 6·25 전쟁으로 인해 1952년에야 최초의 지방 선거가 실시됨
시련	5·16 군사 정변(1961년) 이후 권위주의적 통치가 이루어지면서 지방 의회가 폐지되고 지방 자치가 무기한 유예됨
본격적 시행	• 1987년 제9차 헌법이 개정되고, 1991년에 지방 의회 의원 선거가 실시됨 • 1995년 지방 의회 의원과 지방 자치 단체장을 모두 주민이 직접 선출하는 제1회 전국 동시 지방 선거가 실시됨 → 본격적인 지방 자치 시대 개막

❻ 재정 자립도
지방 자치 단체가 필요한 자금을 자체적으로 조달하고 있는 정도를 나타내는 지표를 말한다.

2. 우리나라 지방 자치의 문제점

(1) **독립성과 자율성 부족**: 중앙 정부의 과도한 지도 감독 및 법률을 통한 통제로 지방 자치 단체의 자율적인 사무 처리와 조례 제정을 저해함

(2) **지역 이기주의**: 각 지방 자치 단체가 자기 지역의 이익을 우선시하여 발생하는 갈등 해결의 어려움 ┌지방 자치 단체 간의 재정 자립도 격차로 지역별 └주민 복지 수준이 불균형해지는 문제도 발생함

(3) **낮은 재정 자립도**: 독자적 재원 부족으로 중앙 정부의 경제적 지원에 크게 의존하여 지방 자치 단체의 재정 자립도가 떨어짐 자료4

(4) **관심과 참여 부족**: 지방 선거 투표율이 상대적으로 낮은 편이며, 지방 자치에 대한 주민의 관심과 참여가 부족함

3. 우리나라 지방 자치의 발전 방안

(1) **중앙 정부와의 협력**: 중앙 정부와 지방 자치 단체 간 조화로운 역할 분담 및 협력 관계 구축

(2) **지방 분권 강화**: 중앙 정부에 집중된 권한을 줄이고 지방 정부의 자율성 확대 ┌중앙 정부에 대비되는 용어로, └지방 자치 단체를 말함

(3) **자율적 분쟁 해결**: 분쟁 조정을 위한 제도나 절차 강화

❼ 국세와 지방세
• 국세: 중앙 정부에서 걷는 세금
  예 소득세, 부가 가치세, 상속세 등
• 지방세: 지방 자치 단체가 걷는 세금 예 주민세, 재산세, 자동차세 등

(4) **재정 자립도 향상**: 지방세 비중 확대 등 지방 자치 단체의 수입 확대를 통한 지방 자치 단체의 재정 자립도 향상

(5) **소통 및 참여 활성화**: 지방 자치 단체와 주민 간의 소통 및 주민 참여 활성화

자료3 주민 참여 예산 제도

브라질 남부 도시 포르투알레그리는 주민 참여 예산 제도 시행의 모범적인 사례로 꼽힌다. 이 도시에서는 1989년 주민 참여 예산 제도를 도입하고, 시 전체를 17개 지구로 세분화해 지구별로 4~5월에 주민 총회를 연다. 시 전체 주민 참여 예산 회의에 참여하는 대의원은 지구별 주민 총회에서 선출되며, 이들은 이웃 주민들의 의견을 수렴하여 시 전체 대의원 회의에 전달한다.

이 제도의 도입 이후 이 도시에서는 현재까지 6,300여 건의 사업이 주민들이 편성한 예산으로 집행되었다. 또한 제도 도입 10년 만에 식수 보급률은 80%에서 98%로, 하수 시설을 이용할 수 있는 주민 비율은 46%에서 85%로 상승했다. 저소득층 지역에 학교가 늘어나면서 공립 학교 재학생 수는 10년 만에 두 배로 늘었다. 지방 분권에 따른 지방 자치 단체의 자율성 보장과 지방 행정 과정에 주민 참여를 확대하는 제도의 도입, 주민의 적극적인 관심 및 참여 덕분에 이룬 성과라고 할 수 있다.

| 자료 분석 | 주민 참여 예산 제도는 지방 자치 단체의 예산 과정에 주민을 참여시켜 재정 운영의 투명성과 책임성을 높이고자 하는 제도이다. 이 제도는 지방 자치에 대한 주민의 관심과 참여를 이끌어내어 지방 자치의 발전을 도모하는 것을 목적으로 한다.

한줄 핵심 ▶ 지방 자치의 발전을 위해서는 주민 참여 예산 제도와 같이 주민 참여를 활성화할 수 있는 제도의 강화가 요구된다.

❹ 지방 자치 단체의 예산 과정에 주민을 참여시켜 재정 운영의 투명성과 책임성을 높이고자 하는 제도는?

(   )

자료4 우리나라 지방 자치 단체의 재정 자립도

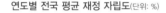

연도별 전국 평균 재정 자립도(단위: %)

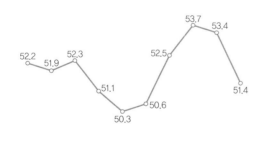

52.2 51.9 52.3 51.1 50.3 50.6 52.5 53.7 53.4 51.4
2010 2011 2012 2013 2014 2015 2016 2017 2018 2019(년)
(통계청 KOSIS, 2019)

2019년도 시도별 재정 자립도(단위: %)

인천 64.6 서울 82.2 강원 28.6
경기 68.4 35.9 충북 경북 31.9
충남 37.8 72.7 세종
48.2 대전 대구 51.6 울산 59.7
전북 26.5 경남 40.5 56.7 부산
광주 46.8
전남 25.7
36.5 제주
(통계청 KOSIS, 2019)

| 자료 분석 | 재정 자립도는 지방 자치 단체가 재정 활동에 필요한 자금을 어느 정도나 자체적으로 조달하고 있는지를 나타내는 지표이다. 즉 지방 자치 단체의 일반 회계 세입에서 자체 재원이 차지하는 비율을 의미한다. 우리나라는 지방 자치 단체의 재정 자립도가 낮은 편으로 지방 자치 단체가 중앙 정부에 의존하게 되어 지방 자치의 실효성이 떨어지는 결과가 나타나고 있다.

한줄 핵심 ▶ 우리나라의 지방 자치 단체는 재정 자립도가 낮은 편이며, 재정 자립도를 높이기 위한 노력이 요구된다.

❺ 우리나라는 지방 자치 단체의 재정 자립도가 낮은 편으로, 지방 자치 단체가 □□□□에 의존하게 되어 지방 자치의 실효성이 떨어지는 결과가 나타나고 있다.

(   )

정답 ❹ 주민 참여 예산 제도 ❺ 중앙 정부

우리나라의 주민 참여 제도

수능풀 Guide 우리나라에서 주민의 참여를 확대하기 위해 두고 있는 다양한 주민 참여 제도를 파악해 보자.

1 주민 투표 제도 관련 문제 ▶ 79쪽 06번

> 주민에게 과도한 부담을 주거나 중대한 영향을 미치는 주요 정책 등을 주민의 투표로 결정하는 제도

최근 ○○군은 △△시와의 ㉠행정 구역 통합을 위한 주민 투표를 실시하여 투표율 36.7%, 찬성률 79%로 통합을 결정했으며, △△시는 이미 지방 의회 의결로 통합에 찬성했다. 중앙 정부가 아닌 지방 자치 단체의 요구에 의해 주민 투표를 거쳐 통합을 결정한 것은 주민 투표법이 시행된 이후 이번이 처음이다. 현재 우리나라에서는 주민 발안제와 ㉡주민 소환제도 시행하고 있다.

> 기초 자치 단체에 해당함

✐ PLUS분석 주민 투표 제도와 함께 주민 발안 제도와 주민 소환 제도는 직접 민주 정치의 요소를 지닌 제도이다.

> 선거에 의해 선출된 지방 자치 단체장이나 지방 의회 의원을 임기 중에 주민의 투표에 의하여 해임하는 제도

∴ 기출 선택지로 확인하기

❶ ㉠은 직접 민주 정치의 요소가 반영되었다. ☐○ ☐×

❷ ㉡의 목적은 해당 지역의 단체장과 지역구 국회 의원의 위법·부당한 사무 처리나 직권 남용 행위를 견제하는 데 있다. ☐○ ☐×

2 다양한 주민 참여 제도 관련 문제 ▶ 78쪽 02번

- ○○시와 △△군은 행정 구역을 통합하기로 하고 이를 ㉠주민 투표를 통하여 확정하기로 하였다.
- 주민 숙원 사업에 관한 공약을 이행하지 않은 ◇◇시장에 대하여 시민들이 ㉡주민 소환을 추진하고 있다.
- 한 시민 단체는 유권자의 서명을 받아 □□시 교육감에게 고교 평준화 ㉢조례를 제정해 줄 것을 청구하였다.

> 주민 발안 제도: 주민이 직접 조례안을 발의할 수 있는 제도, 우리나라에서는 주민이 조례 제정안이나 개정안, 폐지안을 제출할 수 있는 주민 조례 제정 및 개폐 청구 제도를 두고 있음

∴ 기출 선택지로 확인하기

❸ ㉠은 주민의 정치적 효능감을 높이는 데 기여할 수 있다. ☐○ ☐×

❹ ㉠은 간접 민주 정치 제도, ㉡과 ㉢은 직접 민주 정치 제도이다. ☐○ ☐×

3 주민 소환 제도

'이것'의 내용을 담은 법안이 국회를 통과함에 따라 주민들이 지방 의원과 지방 자치 단체장들을 해임할 수 있는 길이 열렸다. 이 법안은 그 대상을 지자체장 및 지방 의회 의원(비례 대표 제외)으로 규정하고 시·도 지사는 유권자 10% 이상, 기초 단체장은 유권자 15% 이상, 지방 의원은 유권자 20% 이상의 찬성으로 소환 투표를 청구할 수 있게 했으며, 청구 사유에는 별다른 제한을 두지 않았다. 특히 전체 유권자 3분의 1 이상이 투표하고 과반수가 찬성할 경우 소환 대상자는 즉시 해임된다.

> 주민 소환 제도

✐ PLUS분석 주민 소환 제도의 도입에 따른 지방 행정의 불안정성을 보완하기 위해 지자체장과 지방 의원이 취임한 뒤 1년 이내, 임기 말 1년 이내에는 청구를 할 수 없도록 규정하고 있다. 또 청구한 지 1년이 지나지 않으면 다시 청구를 할 수 없게 하였다.

∴ 기출 선택지로 확인하기

❺ 주민 소환 제도는 대의제의 근간을 훼손한다. ☐○ ☐×

❻ 주민 소환 제도를 통해 주민의 의사가 보다 잘 반영될 수 있다. ☐○ ☐×

정답 ❶ ○ ❷ ×(지방 자치 단체장이나 지방 의회 의원의 위법·부당한 사무 처리를 견제하는 제도임) ❸ ○ ❹ ×(㉠, ㉡, ㉢ 모두 직접 민주 정치 제도임) ❺ ×(주민 소환 제도는 대의제의 단점을 보완하기 위한 제도임) ❻ ○

A 지방 자치와 지방 자치 제도

01 빈칸에 들어갈 알맞은 용어를 쓰시오.

> (1)□□ □□은/는 지역 주민들이 해당 지역의 문제에 관한 정책을 스스로 결정하고 집행하는 지방 자치를 가리킨다. (2)□□ □□은/는 지방 자치 단체가 중앙 정부로부터 자치권을 인정받아 스스로 지역 사무를 처리하는 지방 자치를 가리킨다.

02 다음 설명이 맞으면 ○표, 틀리면 ×표를 하시오.

(1) 지방 자치 단체와 중앙 정부는 상호 보완적인 역할을 한다. ( )
(2) 지방 자치 단체와 중앙 정부 간에는 수평적인 권력 분립의 관계가 존재한다. ( )
(3) 지방 자치를 민주주의의 학교 또는 풀뿌리 민주주의라고 부르기도 한다. ( )

03 다음 괄호 안에 들어갈 알맞은 말에 ○표를 하시오.

(1) 우리나라의 지방 자치 단체는 특별시, 광역시, 특별 자치시와 같은 (기초, 광역) 자치 단체와 시, 군, 구와 같은 (기초, 광역) 자치 단체로 구분된다.
(2) (지방 의회, 지방 자치 단체장)은/는 해당 지방 자치 단체를 대표하고 사무를 총괄하며, 소속 직원을 임면하고 지휘·감독한다.
(3) 지방 자치 단체가 특정 사무에 관하여 법령의 범위 내에서 지방 의회의 의결을 거쳐 제정한 법규를 (규칙, 조례)(이)라고 한다.

04 빈칸에 들어갈 알맞은 용어를 쓰시오.

> □□ □□ 제도는 선거에 의해 선출된 지방 자치 단체장이나 지방 의회 의원(지역구)을 임기 중에 주민의 투표에 의하여 해임하는 제도를 말한다.

B 우리나라 지방 자치의 현실과 과제

05 다음 설명이 맞으면 ○표, 틀리면 ×표를 하시오.

(1) 지방 자치의 발전을 위해서 중앙 정부와 지방 자치 단체 간 조화로운 역할 분담과 협력 관계 구축이 필요하다. ( )
(2) 지방 자치의 본래 목적을 달성하기 위해 중앙 정부의 권한을 강화하고 지방 자치 단체의 자율성을 제한해야 한다. ( )
(3) 지방 자치 단체의 재정 자립도를 높이고 격차를 완화하기 위해 재정이 열악한 지방 자치 단체에 대한 중앙 정부의 재정 지원을 줄여야 한다. ( )

A 지방 자치와 지방 자치 제도

01 밑줄 친 '이것'에 대한 옳은 설명만을 〈보기〉에서 있는 대로 고른 것은?

> 이것은 일정한 지역의 주민이 스스로 단체를 구성하여 그 지역의 사무를 자율적으로 처리하는 제도이다. 이것은 지역 주민이 정책 결정과 집행에 참여할 수 있어 '풀뿌리 민주주의'를 실현한다.

보기
ㄱ. 지역의 자율성과 균형 발전을 추구한다.
ㄴ. 권력의 중앙 집중으로 인한 폐단을 발생시킨다.
ㄷ. 지역 주민의 정치의식과 책임 의식을 고양한다.
ㄹ. 중앙 정부의 지방 정부에 대한 통제를 강화한다.

① ㄱ, ㄷ   ② ㄱ, ㄹ   ③ ㄴ, ㄹ
④ ㄱ, ㄴ, ㄷ   ⑤ ㄴ, ㄷ, ㄹ

02 지방 자치의 두 가지 형태 A, B에 대한 옳은 설명만을 〈보기〉에서 고른 것은? (단, A, B는 각각 단체 자치와 주민 자치 중 하나이다.)

> 지방 자치는 A와 B로 구분된다. 중앙 정부로부터 상대적으로 독립된 지위의 지방 자치 단체가 그 지방의 문제를 자주적으로 처리하는 것을 A라 하고, 그 지방의 공공 문제를 주민 의사에 따라 처리하는 것을 B라 한다.

보기
ㄱ. A는 정치 활동이 중심이 되고, B는 행정 활동이 중심이 된다.
ㄴ. A는 지방 분권을 강조하고, B는 자기 통치의 원리를 강조한다.
ㄷ. A는 자치권을 국가 이전의 권리로 보고, B는 국가 제도 내에서의 권리로 본다.
ㄹ. A와 B가 모두 시행될 때 바람직한 지방 자치가 실현될 수 있다.

① ㄱ, ㄴ   ② ㄱ, ㄷ   ③ ㄴ, ㄷ
④ ㄴ, ㄹ   ⑤ ㄷ, ㄹ

03 우리나라의 지방 자치 단체에 대한 옳은 설명만을 〈보기〉에서 고른 것은?

보기
ㄱ. 교육감은 기초 자치 단체에서 선출된다.
ㄴ. 광역 자치 단체와 기초 자치 단체로 구성된다.
ㄷ. 지방 의회는 지방 자치 단체의 집행 기관이다.
ㄹ. 지방 자치 단체장은 법령 또는 조례가 위임한 범위 안에서 규칙을 제정한다.

① ㄱ, ㄴ   ② ㄱ, ㄷ   ③ ㄴ, ㄷ
④ ㄴ, ㄹ   ⑤ ㄷ, ㄹ

04 밑줄 친 '이 제도'의 도입 취지에 대한 설명으로 옳은 것은?

> 이 제도는 위법·부당한 행위를 저지르거나 직무가 태만한 지방 자치 단체장과 지방 의회 의원(지역구)을 지역 투표권자 3분의 1 이상 투표와 유효 투표 중 과반수 찬성으로 해임할 수 있는 제도이다. 우리나라는 2007년부터 이 제도가 시행되었으며, 이에 따라 주민 투표제, 주민 발안제와 더불어 직접 민주제의 3대 제도를 지방 자치에 모두 적용하는 나라가 되었다.

① 지역에서 시민 단체 활동을 활성화하기 위한 것이다.
② 지방 행정에 대한 주민의 통제를 강화하기 위한 것이다.
③ 지방 행정에서 정당의 역할과 책임을 강화하기 위한 것이다.
④ 지방 행정에 대한 주민 감사 청구를 활성화하기 위한 것이다.
⑤ 지방 자치 단체장이 소신 있는 행정을 펼칠 수 있도록 하는 것이다.

05 주민 조례 제정 및 개폐 청구 제도에 대한 설명으로 옳은 것은?

① 지방 자치 단체의 재정 자립도를 높여준다.
② 주요 정책을 주민의 투표로 결정하는 제도이다.
③ 지방 선출직 공직자에 대한 사법적 통제 수단이다.
④ 지방 자치 단체의 정책 결정 과정의 정당성을 높여주는 기능을 한다.
⑤ 지방 자치 단체의 예산 편성 과정에 주민이 참여할 수 있는 제도이다.

06 밑줄 친 ㉠, ㉡에 근거한 주민 참여 방법에 대한 옳은 설명만을 〈보기〉에서 고른 것은?

> 우리나라의 지방 자치에서는 주민의 참여를 확대하고, 지방 행정의 민주성과 책임성을 높이기 위해 다양한 주민 참여 제도를 두고 있다. 이러한 참여 제도에는 우선 주민 투표 제도, ㉠주민 발안 제도, ㉡주민 소환 제도가 있다.

> 보기
> ㄱ. ㉠은 지역 주민 1인이 단독으로 청구할 수 있다.
> ㄴ. ㉡과 같은 참여 방식은 중앙 정부에도 적용된다.
> ㄷ. ㉡의 대상에는 광역 자치 단체장과 기초 자치 단체장이 모두 포함된다.
> ㄹ. ㉠, ㉡ 모두 직접 민주 정치의 요소를 지닌 제도에 해당한다.

① ㄱ, ㄴ　　② ㄱ, ㄷ　　③ ㄴ, ㄷ
④ ㄴ, ㄹ　　⑤ ㄷ, ㄹ

07 (가), (나) 제도에 대한 옳은 설명만을 〈보기〉에서 고른 것은?

> • ○○시에서는 주민들이 서명 운동을 벌여 ○○시의 불투명한 개발 사업에 대해 　(가)　 제도를 활용하여 감사원에 감사를 청구하였다.
> • □□군 주민들은 주민 대부분의 의사를 무시하고 독단적으로 자원 재활용 시설을 설치한 군수에 대해 　(나)　 제도를 활용하여 주민 투표를 시행하여 해임하였다.

> 보기
> ㄱ. (가) 제도는 지방 자치 단체의 자치 사무에는 적용되지 않는다.
> ㄴ. (나) 제도는 지방 자치 단체의 민주적인 의사 결정에 도움이 된다.
> ㄷ. (가) 제도는 (나) 제도와 달리 국민 주권의 원리 실현에 기여한다.
> ㄹ. (가) 제도와 (나) 제도는 모두 주민 참여 활성화에 기여한다.

① ㄱ, ㄴ　　② ㄱ, ㄷ　　③ ㄴ, ㄷ
④ ㄴ, ㄹ　　⑤ ㄷ, ㄹ

B 우리나라 지방 자치의 현실과 과제

08 밑줄 친 '문제점'에 대한 옳은 사례만을 〈보기〉에서 있는 대로 고른 것은?

> 1995년부터 지방 자치가 본격적으로 시행된 이후 현재까지 지방의 정책 결정과 집행 과정에서 주민의 참여가 확대되는 등 많은 긍정적 효과가 나타났다. 그러나 긍정적 효과뿐만 아니라 문제점도 나타나고 있다.

> 보기
> ㄱ. 중앙 정부의 지도 감독 및 통제가 부족하다.
> ㄴ. 지방 자치에 대한 주민의 관심과 참여가 부족하다.
> ㄷ. 지방 자치 단체의 재정 자립도가 낮고, 지역별 차이가 크다.
> ㄹ. 각 지방 자치 단체가 자기 지역의 이익을 우선시하여 갈등이 발생한다.

① ㄱ, ㄴ　　② ㄱ, ㄷ　　③ ㄴ, ㄹ
④ ㄱ, ㄷ, ㄹ　　⑤ ㄴ, ㄷ, ㄹ

서답형 문제

09 다음 글을 읽고 물음에 답하시오.

> 　A　은/는 재정 운영의 투명성과 재원 배분의 공정성을 높이기 위해 시민이 예산 편성 과정, 내용 등에 직접 참여하는 제도이다. 　A　은/는 1989년 브라질의 도시인 포르투알레그레에서 처음 시행되었는데, 이후 브라질의 다른 도시로 퍼졌고, 최근에는 유럽과 북아메리카의 여러 도시에서도 활용되고 있다.

(1) A에 들어갈 알맞은 용어를 쓰시오.

(　　　　　　　)

(2) 지방 자치의 실현과 관련하여 A의 의의를 서술하시오.

01 ㉠, ㉡에 대한 설명으로 옳지 않은 것은?

지방 자치는 [㉠] 와/과 [㉡] 양 측면을 가지고 있다. [㉠] 의 측면에서 지방 자치는 주민이 다양한 제도와 수단으로 직접 또는 간접적으로 지방 자치에 참여하는 기회를 보장한다. [㉡] 의 측면에서 지방 자치는 국가 또는 중앙 정부의 권력을 지방으로 분할하는 지방 분권을 의미한다.

① ㉠은 주민의 정치에 관한 관심을 높일 수 있다.
② ㉡은 중앙 정부의 한계를 보완하는 역할을 한다.
③ ㉡은 ㉠에 비해 자율적인 행정 활동이 중심이 된다.
④ ㉠은 ㉡과 달리 해당 지역 주민의 의사에 따라 운영된다.
⑤ 우리나라는 ㉠과 ㉡을 결합하여 시행하고 있다.

02 밑줄 친 ㉠~㉢ 제도에 대한 옳은 설명만을 〈보기〉에서 고른 것은?

• ㉠주민 투표로 매년 지역 사업을 결정하는 ○○군의 주민 참여 예산제 한마당 총회가 개최되었다.
• △△시청 앞 광장 이용을 허가제에서 신고제로 바꾸자는 ㉡조례가 시민들의 서명으로 청구되었다.
• 주민 숙원 사업에 대한 공약을 이행하지 않은 □□시장에 대해 지역 주민들이 ㉢주민 소환을 추진하고 있다.

보기
ㄱ. ㉠은 주민의 정치 참여를 활성화하는 데 기여할 수 있다.
ㄴ. ㉡은 주민이 직접 조례안을 발의할 수 있는 제도이다.
ㄷ. ㉢은 지방 자치 단체장의 소신 있는 정책 결정을 어렵게 할 수 있다.
ㄹ. ㉠, ㉡은 ㉢과 달리 직접 민주 정치의 요소를 지닌 제도이다.

① ㄱ, ㄴ ② ㄱ, ㄷ ③ ㄴ, ㄷ
④ ㄴ, ㄹ ⑤ ㄷ, ㄹ

03 밑줄 친 ㉠~㉢에 대한 옳은 설명만을 〈보기〉에서 고른 것은?

지방 행정 정책관의 주요 업무로는 ㉠지방 자치 단체 운영의 효율성 제고, 경쟁력 있는 지방 인재 육성, ㉡중앙 정부의 권한과 사무의 지방 이양, ㉢지방 의회의 전문성·자율성 강화, ㉣주민 직접 참여 제도 활성화 등이 있다.

보기
ㄱ. ㉠의 장은 조례를 제정할 수 있는 권한을 갖는다.
ㄴ. ㉡은 지방 자치 단체의 자율성 실현에 기여한다.
ㄷ. ㉢은 지역구 의원으로만 구성된다.
ㄹ. ㉣에는 주민 투표 제도와 주민 소환 제도가 해당된다.

① ㄱ, ㄴ ② ㄱ, ㄷ ③ ㄴ, ㄷ
④ ㄴ, ㄹ ⑤ ㄷ, ㄹ

04 그림은 우리나라의 지방 자치 제도를 도식화한 것이다. 이에 대한 옳은 설명만을 〈보기〉에서 고른 것은?

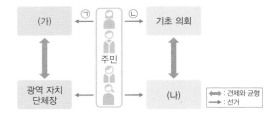

보기
ㄱ. (가)는 법령의 범위 내에서 조례를 제정한다.
ㄴ. (나)는 조례안을 지방 의회에 제출할 수 있다.
ㄷ. ㉠은 주민들의 간접 선거에 의해 이루어진다.
ㄹ. ㉡에 참가한 주민은 1인 1표를 행사한다.

① ㄱ, ㄴ ② ㄱ, ㄷ ③ ㄴ, ㄷ
④ ㄴ, ㄹ ⑤ ㄷ, ㄹ

정답과 해설 24쪽

05 (가), (나)에 대한 옳은 설명만을 〈보기〉에서 있는 대로 고른 것은?

> 권력은 집중화되는 경향이 있기 때문에 민주 정치가 원활히 작동하기 위해서는 권력을 기능적으로 분산시키기 위한 정치 원리가 필요하다. 따라서 많은 국가들이 (가) 을/를 통해 권력을 수평적으로 분산하여 권력 남용을 방지하고자 하며, (나) 을/를 통해 지역적, 수직적으로 권력을 분산시켜 민주 정치의 자치성을 확대하고자 한다.

〈보기〉
> ㄱ. 주민 감사 청구 제도는 (가)를 실현하는 수단이다.
> ㄴ. 삼권 분립을 추구하는 것은 (가)를 실현하기 위한 것이다.
> ㄷ. (나)의 실현을 위해 주민 참여 예산 제도를 실시하고 있다.
> ㄹ. (나)를 통해 권력의 중앙 집중으로 인한 폐단을 방지할 수 있다.

① ㄱ, ㄴ ② ㄱ, ㄹ ③ ㄴ, ㄷ
④ ㄱ, ㄷ, ㄹ ⑤ ㄴ, ㄷ, ㄹ

기출 변형

06 밑줄 친 ㉠~㉣에 대한 설명으로 옳지 <u>않은</u> 것은?

> 최근 ○○군은 △△시와의 행정 구역 통합을 위한 주민 투표를 실시하여 투표율 41%, 찬성률 83%로 통합을 결정하였다. △△시도 ㉠지방 의회 의결로 통합에 찬성하였다. 중앙 정부가 아닌 ㉡지방 자치 단체의 요구에 의해 주민 투표를 거쳐 통합을 결정한 것은 주민 투표법 시행 후 이번이 처음이다. 현재 우리나라에서는 ㉢주민 발안제와 ㉣주민 소환제도 시행하고 있다.

① ㉠은 지방 자치 단체의 예산을 심의·의결한다.
② ㉡의 장(長)은 지방 자치 단체를 대표한다.
③ ㉢으로 인해 주민이 직접 조례안을 발의할 수 있다.
④ ㉣을 통해 해당 지역의 자치 단체장을 해임할 수 있다.
⑤ ㉢과 ㉣은 모두 직접 민주제의 요소에 해당한다.

07 다음 자료를 통해 추론할 수 있는 우리나라 지방 자치의 문제점으로 가장 적절한 것은?

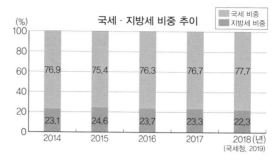

국세 · 지방세 비중 추이

(국세청, 2019)

① 지역 주민의 조세 저항이 클 것이다.
② 지방 정부의 자율성이 약화될 것이다.
③ 중앙 정부와 지방 정부 간 갈등이 클 것이다.
④ 지방 정부 간 재정 자립도의 격차가 클 것이다.
⑤ 지방 자치 단체장의 부정부패가 심각할 것이다.

08 다음 글에 나타난 문제점을 해결하기 위한 방안으로 가장 적절한 것은?

> 광역 화장장 건설을 둘러싸고 지방 자치 단체 간 갈등이 발생하였다. 광역 화장장 건설의 필요성에 관해서는 대부분의 지방 자치 단체들이 공감하고 있다. 하지만 각 지방 자치 단체는 자기 지역에 건설하는 것에 대해서는 주민 반발을 이유로 난색을 표하고 있으며, 일부 지방 의회에서는 해당 안건이 부결되었다.

① 지방 정부의 재정 확보 방안을 마련해야 한다.
② 지방 정부가 수행하는 국가 사무를 줄여야 한다.
③ 지역 문제에 대한 주민들의 관심이 높아져야 한다.
④ 지방 자치 단체의 지역 이기주의를 극복해야 한다.
⑤ 지방 행정에 대한 주민 참여 요건을 완화시켜야 한다.

03. 지방 자치의 의의와 과제 **79**

Ⅱ. 민주 국가와 정부

01 민주 국가와 우리나라의 정부 형태

A 민주 국가의 정부 형태

(1) 의원 내각제

행정부 구성	국민이 선거를 통해 의회를 구성하면 다수당의 대표가 행정부 수반인 총리로 임명되고, 총리가 내각을 구성함
특징	내각의 총리와 각료가 의회 의원을 겸함, 내각도 법률안을 제출할 수 있음, 내각과 의회가 연대 책임을 짐, 의회는 내각 불신임 의결 가능, 내각은 의회 해산권 가짐
장점	입법부와 행정부 간 긴밀한 협조로 국정을 능률적으로 수행 가능, 책임 정치 구현 가능(내각이 의회의 요구에 민감함), 정국 대립을 신속하게 해소할 수 있음
단점	다수당의 횡포가 나타날 경우 견제 어려움, 내각과 의회가 장기간 대립하거나 군소 정당 난립 시 정국 불안정 문제 발생

(2) 대통령제

행정부 구성	국민이 직접 선거를 통해 대통령을 선출하면 대통령이 행정부를 구성함
특징	의회 의원이 각료를 겸할 수 없음, 행정부는 법률안 제출권이 없음, 대통령은 법률안 거부권을 가짐, 의회는 탄핵 소추권을 가지며, 대통령의 주요 권한 행사에 대한 동의 및 승인권을 가짐
장점	대통령의 임기 동안 정국이 안정됨, 국정 수행의 안정성과 정책의 지속성 확보에 유리, 의회 다수파의 횡포를 견제할 수 있음
단점	국민의 요구에 민감하게 반응하지 않음, 권력 분립의 원리가 제대로 작동하지 않으면 독재가 출현할 수 있음, 대통령과 의회가 대립 시 이를 해소할 장치 부족

B 우리나라의 정부 형태

대통령제 요소	대통령과 국회 의원을 별개의 선거를 통해 선출함, 대통령은 법률안 거부권, 국회는 탄핵 소추권과 각종 동의권 및 승인권을 가짐
의원 내각제 요소	국무총리를 두어 행정 각부를 관리하게 함, 내각 회의 기구와 유사한 국무 회의를 두고 있음, 정부도 법률안 제출권을 가짐, 국회 의원이 국무총리나 국무 위원을 겸할 수 있음, 국회가 대통령에게 국무총리나 국무 위원의 해임을 건의할 수 있음, 국회가 국무총리나 국무 위원을 국회에 출석하여 답변하도록 요구할 수 있음

02 국가 기관의 구성과 역할

A 국회

(1) 국회의 지위와 구성

지위	국민 대표 기관, 입법 기관, 국정 통제 기관
구성	국회 의원(지역구 의원, 비례 대표 의원)
운영	• 조직: 의장 1인, 부의장 2인, 교섭 단체, 위원회(상임 위원회, 특별 위원회) • 회의: 정기회(매년 1회), 임시회

(2) 국회의 역할

입법에 관한 권한	헌법 개정에 관한 권한, 법률 제정 및 개정에 관한 권한, 조약의 체결 및 비준에 대한 동의권 등
헌법 기관 구성 권한	국무총리, 감사원장, 대법원장, 대법관, 헌법 재판소장 등 임명 동의권, 헌법 재판소 재판관 3인 선출권 등
국정 감시 및 통제 권한	국정 감사 및 조사권, 국군의 외국에의 파견·외국에 대한 선전 포고·일반 사면 등 동의권, 탄핵 소추권, 국무총리 및 국무 위원의 해임 건의권 등
재정에 관한 권한	국가 예산안의 심의·확정권, 예산 집행에 대한 결산 심사권 등

B 대통령과 행정부

(1) 대통령의 역할

국가 원수	조약 체결 및 비준권, 국가 긴급권, 위헌 정당 해산 제소권, 대법원장 등 임명권, 국회 임시회 소집 요구권, 헌법 개정안 제안권, 국민 투표 부의권, 사면권 등
행정부 수반	국군 통수권, 공무원 임면권, 대통령령 발포권, 국무 회의 주재 및 중요한 정책 최종 결정권, 법률안 거부권 등

(2) 행정부 각 기관의 역할

국무총리	• 국회의 동의를 얻어 대통령이 임명 • 대통령을 보좌하며 행정 각부를 통할
국무 회의	• 중요 정책에 대한 최고 심의 기관 • 의장(대통령), 부의장(국무총리), 국무 위원으로 구성
행정 각부	대통령의 정책과 행정부의 사무를 집행
감사원	• 대통령 소속의 독립적 헌법 기관 • 국가의 세입·세출의 결산, 국가 및 법률이 정한 단체의 회계 검사, 행정 기관 및 공무원의 직무에 대한 감찰 담당

C 법원과 헌법 재판소

(1) 공정한 재판을 위한 제도

사법권의 독립	법원의 독립, 법관의 신분상 독립, 법관의 재판상 독립
심급 제도	하급 법원의 판결이나 결정, 명령에 불복 시 상소하여 상급 법원의 재판을 받을 수 있도록 보장(3심제 원칙)
기타	공개 재판주의, 증거 재판주의

(2) 법원의 조직과 역할

대법원	최고 법원으로서 상고·재항고 사건의 최종심 담당, 명령·규칙·처분의 위헌성 및 위법성에 대한 최종 심사권, 선거 소송에 대한 재판권
고등 법원	항소·항고 사건의 제2심과 2심제를 적용하는 선거 소송의 제1심 담당
지방 법원	제1심 담당, 지방 법원 본원 합의부는 지방 법원 단독 판사의 판결·결정·명령에 대한 항소 또는 항고 사건 중 고등 법원의 관할이 아닌 사건의 제2심 담당
기타 법원	• 가정 법원: 가사 사건과 소년에 관한 사건 담당 • 행정 법원: 행정 관련 소송 담당 • 특허 법원: 특허에 관한 소송 담당

(3) 헌법 재판소의 역할

위헌 법률 심판	• 청구자: 법원 • 내용: 법률이 헌법에 위반되는지의 여부가 재판의 전제가 된 경우 해당 법률의 위헌 여부를 심판
헌법 소원 심판	• 청구자: 국민 • 내용: 위헌 심사형 헌법 소원, 권리 구제형 헌법 소원
탄핵 심판	• 청구자: 국회 • 내용: 대통령, 국무총리, 법관 등 탄핵 소추된 공무원의 파면 여부를 심판
위헌 정당 해산 심판	• 청구자: 정부 • 내용: 정당의 목적이나 활동이 민주적 기본 질서에 위배될 때 그 정당의 해산 여부를 심판
권한 쟁의 심판	• 청구자: 해당 기관 • 내용: 국가 기관 상호 간, 국가 기관과 지방 자치 단체 간, 지방 자치 단체 상호 간의 권한 다툼을 심판

A 지방 자치와 지방 자치 제도

(1) 지방 자치의 형태

주민 자치	지역 주민들이 해당 지역의 문제에 관한 정책을 스스로 결정하고 집행하는 지방 자치
단체 자치	지방 자치 단체가 중앙 정부로부터 자치권을 인정받아 스스로 지역 사무를 처리하는 지방 자치

(2) 지방 자치 단체의 종류

광역 자치 단체	특별시, 광역시, 특별 자치시, 도, 특별 자치도 등
기초 자치 단체	시, 군, 구(자치구) 등

(3) 지방 자치 단체의 구분

지방 의회	• 주민의 선거에 의해 선출된 의원으로 구성(임기 4년) → 지역구 의원, 비례 대표 의원 • 지방 업무를 심의하고 의결하는 의사 결정 기관 및 지방 자치 단체장 등 집행 기관의 견제 및 감시 기관
지방 자치 단체장	• 주민의 직접 선거에 의해 선출됨(임기 4년) • 지방 자치 단체를 대표하는 집행 기관

(4) 우리나라의 주민 참여 제도

주민 투표 제도	주민에게 부담을 주거나 영향을 미치는 정책 등을 주민의 투표로 결정하는 제도
주민 발안 제도	주민이 직접 조례안을 발의할 수 있는 제도(우리나라는 주민 조례 제정 및 개폐 청구 제도를 두고 있음)
주민 소환 제도	지방 자치 단체장이나 지방 의회 의원(지역구)을 임기 중에 주민 투표로 해임하는 제도
기타	주민 감사 청구 제도, 주민 소송 제도, 주민 참여 예산 제도, 청원 제도 등

B 우리나라 지방 자치의 현실과 과제

문제점	지방 자치 단체의 독립성과 자율성 부족, 지역 이기주의, 지방 자치 단체의 낮은 재정 자립도, 지방 자치에 대한 주민의 관심과 참여 부족 등
발전 방안	중앙 정부와 지방 자치 단체 간 협력 관계 구축, 지방 정부의 자율성 확대로 지방 분권 강화, 지방 자치 단체의 재정 자립도 향상, 지방 자치 단체의 각 기관과 주민 간의 소통 및 주민 참여 활성화 등

한번에 끝내는
대단원 문제

01 그림은 갑국과 을국의 정부 형태를 나타낸 것이다. 이에 대한 옳은 설명만을 〈보기〉에서 고른 것은? (단, 갑국과 을국은 전형적인 정부 형태를 채택하고 있다.)

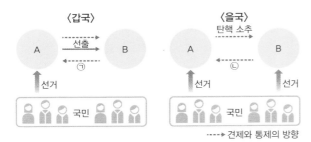

〈갑국〉 〈을국〉

보기
ㄱ. 의회 해산권은 ㉠에 해당한다.
ㄴ. 조약 체결 동의권은 ㉡에 해당한다.
ㄷ. 갑국에서 A는 내각 불신임권을 통해 B를 견제할 수 있다.
ㄹ. 을국에서 A는 법률안 거부권을 통해 B를 견제할 수 있다.

① ㄱ, ㄴ   ② ㄱ, ㄷ   ③ ㄴ, ㄷ
④ ㄴ, ㄹ   ⑤ ㄷ, ㄹ

02 그림은 전형적인 정부 형태의 특징을 구분한 것이다. A~C에 해당하는 옳은 설명만을 〈보기〉에서 고른 것은?

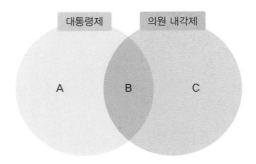

보기
ㄱ. A - 행정부는 법률안을 제출할 수 있다.
ㄴ. B - 사법부가 독립되어 있다.
ㄷ. C - 의회 의원이 각료를 겸직할 수 있다.
ㄹ. C - 의회 의원이 법률안을 발의할 수 없다.

① ㄱ, ㄴ   ② ㄱ, ㄷ   ③ ㄴ, ㄷ
④ ㄴ, ㄹ   ⑤ ㄷ, ㄹ

03 갑국의 정부 형태에 대한 설명으로 옳지 않은 것은?

갑국에서는 국민의 직접 선거로 선출된 대통령이 총리를 지명하지만, 국민의 직접 선거로 선출된 의회의 동의를 받아야 한다. 대통령은 외교와 국방을 담당하고, 대통령이 임명한 총리는 내정을 담당한다.

① 대통령은 의회를 해산할 수 있다.
② 비상시에는 총리가 강력한 권한을 행사한다.
③ 대통령제와 의원 내각제가 절충된 형태이다.
④ 대통령과 총리는 행정권을 분담하여 행사한다.
⑤ 대통령과 총리의 소속 정당이 일치하지 않을 수도 있다.

04 빈칸 ㉠에 들어갈 수 있는 내용만을 〈보기〉에서 있는 대로 고른 것은?

갑: 우리나라의 정부 형태는 무엇일까?
을: 우리나라는 국민이 직접 대통령을 선출하는 대통령제 정부 형태를 채택하고 있어.
병: 하지만 ㉠ 으로 인해 전형적인 대통령제라고는 할 수 없어.

보기
ㄱ. 국무총리와 국무 회의를 두고 있는 것
ㄴ. 대통령이 법률안을 거부할 수 있는 것
ㄷ. 행정부가 법률안을 제출할 수 있는 것
ㄹ. 국회 의원이 국무 위원을 겸직할 수 있는 것

① ㄱ, ㄴ   ② ㄱ, ㄹ   ③ ㄴ, ㄷ
④ ㄱ, ㄷ, ㄹ   ⑤ ㄴ, ㄷ, ㄹ

05 다음은 우리나라의 어떤 국가 기관의 일정표이다. 밑줄 친 ㉠~㉤에 대한 설명으로 옳지 않은 것은?

날짜	업무
9월 20일	㉠국정 감사
11월 15일	• 국정에 관한 ㉡교섭 단체 대표 연설 • 정치·통일·외교·안보 분야 대정부 질문
12월 15일	대통령 중임 등의 내용이 담겨 있는 ㉢헌법 개정안 논의
12월 28일	㉣헌법 재판소장 임명 동의안을 위한 ㉤임시회 개회

① ㉠은 특정 국정 사안에 대해서 조사할 때 열린다.

② ㉡은 국회 의원 20인 이상으로 구성된다.

③ ㉢은 국회 재적 의원 과반수 이상의 동의가 있어야 제안된다.

④ ㉣의 임명을 국회가 동의하지 않으면 대통령은 ㉣을 임명할 수 없다.

⑤ ㉤은 대통령의 요구에 의해서도 열릴 수 있다.

06 표는 국회 조직 (가), (나)를 나타낸 것이다. 이에 대한 옳은 설명만을 〈보기〉에서 있는 대로 고른 것은?

조직	역할
(가)	국회에서 의사 진행에 관한 중요한 안건을 협의하기 위하여 20인 이상의 국회 의원들로 구성된 단체
(나)	본회의에 앞서 그 소관 사무에 속하는 안건을 미리 조사하여 심사하고, 기타 법률에 정해진 직무를 수행하기 위해 설치된 합의체

<보기>

ㄱ. (가)는 2개의 정당이 연합하여 구성할 수 있다.

ㄴ. (나)는 법률안을 발의할 수 있다.

ㄷ. (가)는 (나)와 달리 특별히 필요하다고 인정한 안건을 심사하기 위해 구성된다.

ㄹ. (가)와 (나) 모두 국회의 효율적인 의사 진행을 위한 조직이다.

① ㄱ, ㄷ ② ㄱ, ㄹ ③ ㄴ, ㄷ
④ ㄱ, ㄴ, ㄹ ⑤ ㄴ, ㄷ, ㄹ

07 밑줄 친 ㉠, ㉡에 대한 설명으로 옳은 것은?

정부는 ㉠국무총리 주재로 열린 ㉡국무 회의에서 ○○당 정당 해산 심판 청구안을 상정해 심의·의결했다. 앞서 법무부는 이날 국무 회의에서 헌법 재판소에 ○○당의 해산 심판을 해달라는 청구안을 보고하겠다는 뜻을 밝혔다.

① ㉠은 대통령을 보좌하는 행정부의 최고 책임자이다.

② ㉠은 국무 위원의 임명을 제청한다.

③ ㉡은 행정부의 최고 의결 기관이다.

④ 정부의 모든 정책은 ㉡을 거쳐야 한다.

⑤ ㉠은 ㉡의 의장을 맡는다.

08 다음은 우리나라의 국가 권력 간의 견제와 균형을 나타낸 것이다. 이에 대한 옳은 설명만을 〈보기〉에서 있는 대로 고른 것은?

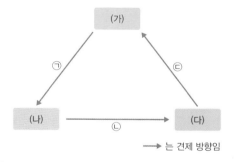

→ 는 견제 방향임

<보기>

ㄱ. ㉠이 위헌 법률 심판 제청권이면 (나)는 입법부이다.

ㄴ. ㉡이 국무 위원 해임 건의권이면, (가)는 행정부이다.

ㄷ. (가)가 사법부이고 (나)가 행정부라면, ㉢에는 법관 탄핵 소추권이 들어갈 수 있다.

ㄹ. (나)가 사법부이고 (다)가 행정부라면, ㉡에 위헌·위법 명령 및 규칙 심사권이 들어갈 수 있다.

① ㄱ, ㄴ ② ㄱ, ㄹ ③ ㄴ, ㄷ
④ ㄱ, ㄷ, ㄹ ⑤ ㄴ, ㄷ, ㄹ

09 다음은 우리나라의 심급 제도를 나타낸 것이다. 이에 대한 옳은 설명만을 〈보기〉에서 고른 것은?

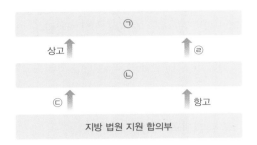

보기

ㄱ. ㉠은 명령과 규칙 및 처분에 대한 최종 심사권을 가지고 있다.

ㄴ. ㉡은 2심제를 적용하는 선거 소송에서 제2심을 담당한다.

ㄷ. ㉣은 ㉢과 달리 법원의 결정이나 명령에 불복하여 재판을 청구한 것이다.

ㄹ. 특허 관련 소송도 위의 절차를 거친다.

① ㄱ, ㄴ ② ㄱ, ㄷ ③ ㄴ, ㄷ
④ ㄴ, ㄹ ⑤ ㄷ, ㄹ

10 (가)~(다)는 헌법 재판소의 역할이다. 이에 대한 옳은 설명만을 〈보기〉에서 있는 대로 고른 것은?

역할	내용
(가)	법률의 위헌 여부가 재판의 전제가 되었을 때 법원의 제청으로 해당 법률의 위헌 여부 심판
(나)	공권력의 행사 또는 불행사가 국민의 기본권을 침해하는지 여부를 결정하는 심판
(다)	민주적 기본 질서에 어긋나는 정당의 해산 결정

보기

ㄱ. (가)는 반드시 법원을 통해 신청해야 한다.

ㄴ. 법원의 재판을 대상으로 (나)를 청구할 수 없다.

ㄷ. (다)는 국회의 요청에 의해 판결이 이루어진다.

ㄹ. (가), (나)는 정부, (다)는 국회에 대한 견제 수단에 해당한다.

① ㄱ, ㄴ ② ㄱ, ㄹ ③ ㄴ, ㄷ
④ ㄱ, ㄷ, ㄹ ⑤ ㄴ, ㄷ, ㄹ

11 다음 밑줄 친 '이 제도'에 대한 옳은 설명만을 〈보기〉에서 고른 것은?

이 제도는 지방 자치 단체와 그 장의 권한에 속하는 사무 처리가 법령에 위반되거나, 공공의 이익을 현저히 해하는 경우 일정한 수 이상의 주민의 연서(連署)를 받아 주민이 직접 감사를 청구할 수 있도록 마련되었다.

보기

ㄱ. 주민들의 정치 사회화에 기여한다.

ㄴ. 주민들이 입법에 참여할 수 있는 제도이다.

ㄷ. 주민들의 청구에 의한 행정적 통제 제도이다.

ㄹ. 지방 자치 단체장을 주민 투표로 해임할 수 있는 제도이다.

① ㄱ, ㄴ ② ㄱ, ㄷ ③ ㄴ, ㄷ
④ ㄴ, ㄹ ⑤ ㄷ, ㄹ

12 빈칸 ㉠에 들어갈 내용으로 가장 적절한 것은?

교사: 우리나라 지방 자치의 문제점에는 무엇이 있는지 말해 볼까요?

갑: 중앙 정부에 대한 의존도가 높아 지방 자치 단체의 독립성과 자율성이 부족한 편입니다.

을: 지방 자치 단체의 재정 자립도가 낮아 지역 간 균형 발전을 저해하고 있습니다.

병: _____㉠_____

교사: 한 사람은 우리나라 지방 자치의 문제점에 대해 잘 이해하지 못하고 있군요.

① 지역 이기주의 문제가 빈번히 나타나고 있습니다.

② 지방 자치에 대한 주민의 관심과 참여가 부족합니다.

③ 중앙 정부에 대한 경제적 의존도가 높게 나타납니다.

④ 지방 자치 단체들이 중앙 정부의 요구에 아무런 제약을 받지 않고 있습니다.

⑤ 지방 자치 단체에 대한 주민의 감시와 통제가 제대로 이루어지지 않고 있습니다.

13 자료를 보고 물음에 답하시오.

> 우리나라의 현행 정부 형태는 대통령으로의 권력 집중이 불가피하고, 실정을 하더라도 임기 내에 그에 대한 책임을 묻기 어렵다. 따라서 국민이 선거를 통해 입법부를 구성하고, 행정권을 담당하는 내각은 입법부에 의해 구성되는 정부 형태로의 개편이 필요하다.

(1) 위의 글이 주장하는 정부 형태를 쓰시오.

(   )

(2) 위의 글이 주장하는 정부 형태의 장점과 단점을 각각 한 가지씩 서술하시오.

장점:

단점:

14 자료를 보고 물음에 답하시오.

> 원내 [A] 을/를 이루는 여야 4당은 공통 공약 법안 62개와 무쟁점 법안을 신속하게 처리하기 위하여 실무 협의를 이어 나가기로 했다. 국회에 20인 이상의 소속 의원을 가진 정당은 하나의 [A] 이/가 된다.

(1) A에 들어갈 국회의 조직을 쓰시오.

(   )

(2) A를 운영하는 목적을 서술하시오.

15 자료를 보고 물음에 답하시오.

> 집회 및 시위에 관한 법률 제○○조 위반 혐의로 1심 재판을 받던 갑은 해당 법률 조항이 국민의 자유를 지나치게 억압하여 헌법에 어긋난다며 [㉠] 을/를 제청해 줄 것을 신청하였지만 법원이 이를 기각하자, 자신이 직접 [㉡] 을/를 [㉢] 에 청구하였다.

(1) ㉠, ㉡에 들어갈 알맞은 말을 쓰시오.

㉠: (   ), ㉡: (   )

(2) ㉢에 들어갈 국가 기관의 명칭을 쓰고, 해당 기관의 의의를 서술하시오.

16 자료를 보고 물음에 답하시오.

> 행정 안전부에 따르면 2014년 전국 244개 지방 자치 단체(광역 17, 기초 227)의 평균 재정 자립도는 44.8%이다. 광역 단체들이 상대적으로 나은 여건이지만 13개는 50%를 넘지 못한다. 기초 단체들의 상황은 더욱 심각하다. 재정 자립도가 10%에도 미치지 못하는 지자체도 59개(24.2%)이다.
> 재정 자립도는 지자체의 전체 예산 가운데 자체 수입(지방세+세외 수입)이 차지하는 비율이다. 이 수치가 44.8%라는 건 해당 지자체의 재정 활동에 필요한 자금 중 스스로 조달하는 자금이 44.8%밖에 되지 않는다는 뜻이다. 부족분은 [A] 에 손을 벌려 메워야 한다. 이러한 현상이 계속될 경우 [A] 에 대한 지방 자치 단체의 경제적 의존도가 높아져 지방 자치 단체의 자율성이 제약될 수 있다.

(1) A에 들어갈 말을 쓰시오.

(   )

(2) 위의 문제를 해결하기 위한 방안을 서술하시오.

III
정치
과정과
참여

배울 내용 한눈에 보기

01 정치 과정과 정치 참여

정치
과정과
정치 참여
├─ 정치 과정
│   ├─ 정치 과정의 의미
│   └─ 정치 과정의 단계
└─ 시민의 정치 참여
    ├─ 개인적 참여
    └─ 집단적 참여

02 선거와 선거 제도

선거와
선거 제도
├─ 선거
│   ├─ 선거의 의미
│   └─ 선거의 기능
├─ 선거 제도
│   ├─ 대표 결정 방식
│   │   ├─ 다수 대표제
│   │   ├─ 비례 대표제
│   │   └─ 혼합제
│   └─ 선거구 제도
│   ├─ 소선거구제
│   └─ 중·대선거구제
└─ 우리나라의 선거 제도

03 다양한 정치 주체와 시민 참여

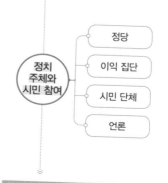

정치
주체와
시민 참여
├─ 정당
├─ 이익 집단
├─ 시민 단체
└─ 언론

01 정치 과정과 정치 참여

① 정치 과정의 예시
생활복 교복이 학교 정책으로 결정되기 위한 과정을 정치 과정으로 살펴보면 다음과 같다.

투입	학생들의 생활복 도입 요구
산출	생활복 도입 정책 시행 결정
환류	생활복 도입 후 정책에 대한 평가를 반영

② 정치 과정의 변화
과거에는 시민의 정치 참여가 상대적으로 제한되어 있었다. 그러나 현대 사회가 다원화되면서 정당, 이익 집단, 시민 단체 등의 다양한 집단들이 정치적 영향력을 행사하게 되었다.

③ 정치적 효능감의 의미와 기능

의미	자신이 정치 과정에 영향을 줄 수 있고, 정치 체계가 자신의 참여에 반응할 것이라는 기대감
기능	정치적 효능감이 높을수록 시민의 정치 참여가 활발해짐

④ 선거 참여
가장 기본적인 시민의 정치 참여 방법으로, 투표를 통해 원하는 대표자를 선출할 수 있다. 또한 선거에 직접 출마하여 공직에 진출해 정치에 참여할 수도 있다.

A 정치 과정의 이해

1. 정치 과정의 의미와 단계

(1) **정치 과정**: 사회의 다양한 문제를 둘러싼 요구가 정책 결정 기구에 투입되어 정책으로 나타나는 모든 과정

┌ **예** 입법부, 행정부, 사법부
┌ **뜻** 공공 목표의 달성이나 공공 문제의 해결을 위한 정부의 공식적인 활동 방향

(2) **정치 과정의 단계** 자료1

투입	사회의 다양한 요구가 표출되는 과정
산출	정책 결정 기구가 정책을 수립하고 집행하는 과정
환류	집행된 정책에 대한 사회의 평가가 재투입되는 과정

└ **뜻** 되돌아와서 다시 정치 과정에 흐르는 것

2. 정치 과정의 변화와 중요성

시민과 정부 간 상호 작용이 활발함 ┐

(1) **정치 과정의 변화**: 과거에는 주로 국가 기관이 정치 과정을 주도했으나, 현대 민주 사회에서는 정당, 시민 단체, 이익 집단, 언론 등 다양한 주체들의 역할이 커짐

(2) **정치 과정의 중요성**: 정치 과정을 통해 다양한 이해관계를 합리적으로 조정하고 갈등을 해결할 수 있음 → 사회 통합 실현

B 시민의 정치 참여

1. 시민의 정치 참여의 의미와 의의

(1) **시민의 정치 참여**: 시민이 정치에 관심을 가지고 정치 과정에 영향력을 행사하려는 모든 활동

(2) **시민의 정치 참여 의의**

① **국민 주권의 원리 실현**: 능동적인 정치 참여를 통해 자신들이 원하는 것을 정책에 반영하여 주권자로서의 권리를 실현함

② **정부의 정책에 정당성 부여**: 사회 구성원의 이익을 반영한 정책은 시민으로부터 정당성을 부여받아 안정적인 집행이 가능함

③ **정치권력의 감시 및 통제**: 정치권력에 대한 감시를 통해 정부의 자의적인 정책 결정과 집행을 방지함

④ **정치적 효능감 강화**: 정치 과정에 자신의 의견이 반영되면 정치적 효능감이 높아짐

2. 시민의 정치 참여 유형 자료2

┌ **뜻** 국민이 국가 기관에 대해서 처분 등 특정한 행위를 요청하는 것

개인적 참여	선거 참여, 독자 투고, 국가 기관에 진정 또는 청원, 공청회 및 정책 토론회 참석, 누리 소통망(SNS) 등을 통한 정치적 의견 게시 등
집단적 참여	정당, 이익 집단, 시민 단체 등의 활동 참여, 집회 및 시위 참여 등 → 개인적 참여보다 효과적이고 지속적임

┌ **뜻** 국민이 국가 기관에 일정한 사항에 대한 자신의 의견이나 희망을 문서로 제출하는 것

└ **왜** 같은 목적을 추구하는 사람들이 함께 참여하기 때문

3. 시민의 바람직한 정치 참여 태도

(1) **자발적·능동적 참여**: 정치적 무관심은 민주주의의 발전을 저해할 수 있으므로 능동적으로 정치에 참여해야 함

┌ **뜻** 정책 결정 과정에 참여하기를 거부하거나 관심을 보이지 않는 태도

(2) **사익과 공익의 조화**: 자신이 속한 집단의 이익뿐만 아니라 공익을 고려해야 함

(3) **민주적 절차 준수**: 합법적 절차에 따라 정치에 참여해야 함

자료1 이스턴(Easton, D.)의 정치 과정 모형

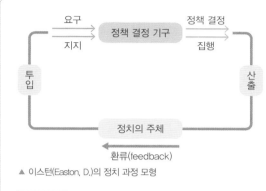

▲ 이스턴(Easton, D.)의 정치 과정 모형

| 자료 분석 | 미국의 정치학자 데이비드 이스턴(Easton, D.)은 정치 과정을 투입, 산출의 체계로 파악하였는데, 이를 '체계 이론'이라고 한다. 투입은 요구와 지지로 나뉘며, 사회의 다양한 요구가 표출되는 과정을 말한다. 산출은 정책 결정 기구가 정책을 수립하고 집행하는 과정이며, 이 과정에서 입법부, 행정부, 사법부와 같은 정책 결정 기구가 정책을 결정·집행한다. 환류는 산출된 정책에 대한 사회의 평가가 재투입되는 과정이다.

한줄 핵심 ▶ 정치 과정은 투입, 산출, 환류의 과정을 거친다.

❶ 정치 과정은 사회의 다양한 요구가 표출되는 □□와/과 정책이 결정·집행되는 □□의 과정을 거친다.
(   )

❷ □□은/는 집행된 정책에 대한 사람들의 반응이나 평가를 통해 재투입에 영향을 미치는 과정이다.
(   )

자료2 시민의 정치 참여 유형

(가)

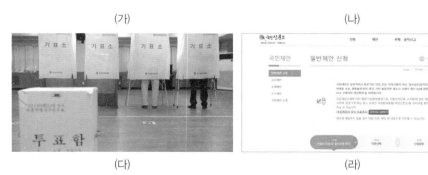

(나)

(다)

(라)

| 자료 분석 | (가)는 개인이 선거에 참여하는 모습이다. 선거는 가장 기본적인 시민의 정치 참여 방법으로, 시민들은 선거에 참여하여 원하는 후보자에게 투표할 수 있다. (나)는 국민 신문고 누리집으로, 이곳에서 정부 업무에 관한 개선 방안을 제안할 수 있다. (다)는 환경 보호 정책을 촉구하는 모습으로, 시민 단체를 통한 정치 참여를 보여 준다. (라)는 정당 가입 신청서를 받는 모습으로, 정당을 통한 정치 참여를 보여 준다. (가)와 (나)는 개인적 참여 유형에 해당하고, (다)와 (라)는 집단적 참여 유형에 해당한다.

한줄 핵심 ▶ 시민의 정치 참여의 유형은 크게 개인적 참여와 집단적 참여로 구분된다.

❸ □□은/는 가장 기본적인 시민의 정치 참여 방법으로, 투표를 통해 원하는 대표자를 선출한다.
(   )

❹ 정당이나 시민 단체의 구성원이 되어 정치에 참여하는 것은 시민의 정치 참여의 유형 중 □□□ □□에 해당한다.
(   )

정답 ❶ 투입, 산출 ❷ 환류 ❸ 선거 ❹ 집단적 참여

정치 과정의 단계

수능풀 Guide 제시문에 나타난 내용을 중심으로 정치 과정의 단계를 파악해 보자.

1 정치 과정의 단계 관련 문제 ▶ 94쪽 04번

어떤 정치학자에 의하면 정치 체계는 국민의 요구와 지지가 정책 결정 기구로 전달
되는 ㉠투입, _{투입이 산출로 전환되는 과정} 요구와 지지가 정책 결정 기구에 들어가 공공 정책으로 전환되어 나 _{입법부, 행정부, 사법부 등}
오는 산출, _{시민 단체의 활동, 언론의 여론 형성 등이 해당함} 산출이 투입에 다시 영향을 미치는 ㉡환류의 과정으로 이루어진다. 그
_{정책의 결정 및 집행을 의미함} _{민주주의 국가에서는 투입과 환류가 활발하게 이루어짐}
리고 이러한 과정은 정치 체계를 둘러싼 제반 환경과 영향을 주고받는다.

기출 선택지로 확인하기

❶ 시민 단체의 활동은 ㉠의 대표
적인 예이다. ◯ ✕

❷ 민주주의 국가에서는 전체주의
국가에서보다 ㉡이 활발하게 나
타난다. ◯ ✕

2 이스턴의 정치 과정 모형 관련 문제 ▶ 94쪽 03번

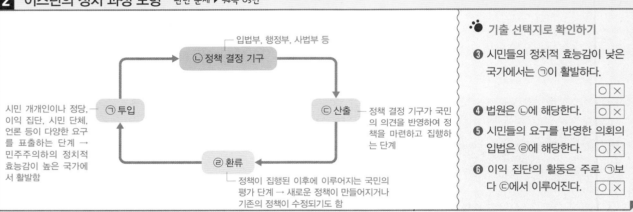

기출 선택지로 확인하기

❸ 시민들의 정치적 효능감이 낮은
국가에서는 ㉠이 활발하다.
◯ ✕

❹ 법원은 ㉡에 해당한다. ◯ ✕

❺ 시민들의 요구를 반영한 의회의
입법은 ㉢에 해당한다. ◯ ✕

❻ 이익 집단의 활동은 주로 ㉠보
다 ㉢에서 이루어진다. ◯ ✕

3 정치 과정의 단계별 모습

(가) 시민 단체의 주도하에 많은 시민들이 디지털 성범죄에 대한 처벌 강화 및 대책
_{시민 단체는 투입 과정에서 표출 기능을 담당함}
마련을 요구하는 집회와 시위를 개최하였다.
_{집단적 참여에 해당함}
(나) 국회는 디지털 성범죄 관련 법률을 개정하기 위해 공청회를 실시하여 전문가
및 시민들의 의견을 수렴하였다.
_{시민들의 정치적 요구가 집약됨}
(다) 경찰 및 관련 부처는 여론을 반영하여 불법 촬영 행위에 대한 단속을 강화하
_{정책 결정 기구에 해당함}
고, 디지털 성범죄를 예방하기 위한 활동을 실시하였다.
_{정책 결정 기구의 정책 집행에 해당함}

기출 선택지로 확인하기

❼ (가)에는 이익 표출이 나타나 있다.
◯ ✕

❽ (나)에서는 시민들의 다양한 이
익이 집약된다. ◯ ✕

❾ (다)에서는 행정 기관의 투입 활
동이 나타나 있다. ◯ ✕

A 정치 과정의 이해

01 빈칸에 들어갈 알맞은 용어를 쓰시오.

> 정치 과정은 사회의 다양한 요구가 표출되는 (1)□□, 입법부·행정부·사법부 등의 정책 결정 기구가 국민의 의견을 반영하여 정책을 수립하고 집행하는 (2)□□, 집행된 정책에 대한 사회의 평가가 재투입되는 (3)□□이/가 이루어지는 모든 과정을 의미한다.

02 다음 괄호 안에 들어갈 알맞은 말에 ○표를 하시오.

(1) 정책 결정 기구에 의해 수립된 정책이 실제로 집행된 이후 국민의 평가가 이루어지는 (산출, 환류) 과정이 진행된다.

(2) 과거에는 주로 (국가 기관, 이익 집단)이 정치 과정을 주도하였지만, 현대 사회에서는 정치 참여 주체가 확대되었다.

(3) 현대 민주 사회의 정치 과정은 (시민과 정부 간, 의회와 정부 간) 상호 작용이 활발하여 시민 단체, 이익 집단, 정당, 언론 등 다양한 정치 주체들의 역할이 커지고 있다.

B 시민의 정치 참여

03 다음 설명이 맞으면 ○표, 틀리면 ×표를 하시오.

(1) 시민의 정치적 효능감이 낮을수록 시민의 정치 참여가 활발해진다. ( )

(2) 이익 집단의 활동에 참여하는 것은 정치 참여의 유형 중 개인적 참여에 해당한다.
( )

(3) 선거는 집단적 정치 참여의 가장 대표적인 유형으로, 주권을 행사하고 대의 민주주의를 유지하는 참여 행위이다. ( )

(4) 시민들의 정치 참여는 정책 결정 과정에 시민의 의사를 전달하며 정치권력의 자의적인 행사를 통제한다는 의의를 가진다. ( )

04 빈칸에 들어갈 알맞은 용어를 쓰시오.

(1) 시민이 정치에 관심을 가지고 정치 과정에 영향력을 행사하려고 하는 모든 활동을 시민의 □□ □□(이)라고 한다.

(2) 시민의 정치 참여는 민주 시민 의식을 고취하고, 자신의 요구를 정책에 반영시킴으로써 □□□ □□□이/가 강화된다.

(3) 언론에 투고하여 자신의 정치적 견해를 밝히거나 국가 기관에 진정 또는 청원을 하여 정치에 참여하는 방법은 □□□ □□에 해당한다.

탄탄! 내신 다지기

A 정치 과정의 이해

01 현대 사회의 정치 과정에 대한 설명으로 옳은 것은?

① 시민 단체의 정치적 영향력이 점차 약화되고 있다.
② 주로 국가 기관을 중심으로 정치 과정이 이루어진다.
③ 정당, 이익 집단, 언론 등 다양한 주체들의 역할이 커지고 있다.
④ 정책 결정이 정부의 하향식 의사 결정 방식으로 이루어지고 있다.
⑤ 개인이 정책 결정 기구의 정책 결정과 집행에 직접 참여하여 정책의 정당성을 높이고 있다.

02 밑줄 친 '두 명'에 해당하는 학생만을 고른 것은?

교사: 그림은 정책 결정 과정을 나타낸 것입니다. ㉠~㉣에 대한 설명을 각자 한 가지씩 발표해 볼까요?

갑: 의회와 정당은 모두 ㉡에 해당해요.
을: 정당이 주최하는 정책 토론회는 ㉢에 해당해요.
병: ㉣은 산출된 정책에 대한 사회의 평가가 재투입되는 과정으로, 선거를 예로 들 수 있어요.
정: ㉠이 ㉢에 잘 반영될수록 국민의 정치적 효능감이 높아질 수 있어요.
교사: 두 명은 옳게, 나머지 두 명은 옳지 않게 발표하였네요.

① 갑, 을　　　② 갑, 병　　　③ 을, 병
④ 을, 정　　　⑤ 병, 정

03 밑줄 친 '이것'에 대한 옳은 설명만을 〈보기〉에서 고른 것은?

이것은 정치 과정에서 국민의 요구와 지지가 정치 체계, 즉 정치 공동체와 정치 제도, 정부로 전달되어 어떤 정책이나 결정이 내려지게 되는 것이다.

〈보기〉
ㄱ. 정책 결정 기구의 결정과 집행을 의미한다.
ㄴ. 정치 체계에 투입된 국민의 요구가 정책으로 형성되는 과정이다.
ㄷ. 언론이 일정한 방향으로 여론을 형성하는 것을 사례로 들 수 있다.
ㄹ. 정책이 실제로 집행된 이후 이에 대한 국민의 평가가 이루어지는 과정을 의미한다.

① ㄱ, ㄴ　　　② ㄱ, ㄷ　　　③ ㄴ, ㄷ
④ ㄴ, ㄹ　　　⑤ ㄷ, ㄹ

04 다음 사례에 관한 옳은 설명만을 〈보기〉에서 고른 것은?

지하철역 근처의 무분별한 흡연으로 많은 시민들이 간접흡연 피해를 호소하고 있다. 언론과 시민 단체 등은 이를 규제할 필요성을 주장했고, ○○시 의회가 이 문제를 논의하기 시작했다. ○○시 의회는 '○○시 간접흡연 피해 방지 조례'를 제정하여 ○○시 내의 지하철역 출입구에서 10m 이내의 범위를 금연 구역으로 지정했다. 계도 기간을 거친 후 위반자에게 과태료 10만 원을 부과하기 시작했으나, 큰 효과를 거두지 못하고 있어 많은 시민들은 이에 대한 개선책을 요구하고 있다.

〈보기〉
ㄱ. 흡연 금지 구역을 설정하는 정치 과정 사례이다.
ㄴ. 투입과 산출 과정은 나타나 있지만 환류 과정은 나타나 있지 않다.
ㄷ. 시민의 정치 참여를 통해 국민 주권과 국민 자치의 원리가 실현되고 있다.
ㄹ. 특정 집단이 정부의 정책을 좌우하고 소수의 이익만을 보장하는 정책을 결정하였다.

① ㄱ, ㄴ　　　② ㄱ, ㄷ　　　③ ㄴ, ㄷ
④ ㄴ, ㄹ　　　⑤ ㄷ, ㄹ

B 시민의 정치 참여

05 밑줄 친 '이것'의 의의로 보기 <u>어려운</u> 것은?

> <u>이것</u>의 결여는 대의제의 위기를 초래하며, 결국 일부 소수 집단의 의사에 따라 국가가 운영되어 전체 시민의 의사를 무시하는 결과를 초래할 수 있다. 선거에 참여하는 것, 시민 단체에 가입해 활동하는 것 등이 <u>이것</u>에 해당한다.

① 정치적 효능감을 높일 수 있다.
② 시민의 주권 의식을 신장시킨다.
③ 대의 민주 정치의 한계를 보완한다.
④ 정치권력의 남용을 방지할 수 있다.
⑤ 정부의 정책 결정에 신속성과 효율성을 높여준다.

06 시민의 정치 참여 방법으로 옳지 <u>않은</u> 것은?

① 자신이 지지하는 정당과 후보자에게 투표한다.
② 정당에 가입하여 자신의 정치적 의사를 표출한다.
③ 행정 기관에 자신의 희망이나 의사를 문서로 요구한다.
④ 시민 단체 활동에 참여하며 국가 정책을 직접 결정한다.
⑤ 공공 기관이 주최한 공청회에 참여하여 해당 분야의 전문가에게 의견을 들어본다.

07 다음 글에서 설명하는 정치 참여 유형의 사례로 적절한 것은?

> 일반적으로 정치 과정에서 자신이 원하는 것을 더 효과적으로 표현하고 달성할 수 있는 정치 참여의 유형으로 같은 목적을 추구하는 사람들이 함께 참여하기 때문에 지속성이 높다.

① 언론사에 독자 투고를 한다.
② 공직 선거에 후보로 직접 출마한다.
③ 시민 단체의 구성원이 되어 활동한다.
④ 정치 토론회에 참가하여 의견을 개진한다.
⑤ 행정 기관에 원하는 바를 문서로 청원한다.

08 밑줄 친 '바람직한 정치 참여 태도'의 내용으로 옳은 것만을 〈보기〉에서 고른 것은?

> 민주 정치 과정은 시민들의 의사가 정책에 반영되고 집행되는 과정이다. 따라서 정치 과정에서 시민의 정치 참여는 필수적이며, 민주 시민으로서의 당연한 권리이자 책임이다. 하지만 시민의 정치 참여가 항상 민주 정치의 발전에 기여하는 것은 아니다. 시민의 정치 참여로 민주주의가 발전하기 위해서는 <u>바람직한 정치 참여 태도</u>가 필요하다.

보기
> ㄱ. 국가의 정책을 항상 지지한다.
> ㄴ. 자발적이고 능동적으로 참여한다.
> ㄷ. 합법적인 절차에 따라 정치에 참여한다.
> ㄹ. 사익과 공익이 충돌하면 공익을 추구한다.

① ㄱ, ㄴ   ② ㄱ, ㄷ   ③ ㄴ, ㄷ
④ ㄴ, ㄹ   ⑤ ㄷ, ㄹ

서답형 문제

09 다음 글을 읽고 물음에 답하시오.

> 자신이 정치 과정에 영향을 줄 수 있고, 정치 체계가 자신의 참여에 반응할 것이라는 기대감을 ☐ A ☐ (이)라고 한다. 높은 ☐ A ☐ 은/는 시민의 정치 참여를 높이는 요소이다. 반면 시민의 정치 참여를 위협하는 요소도 있다. 그 예로는 정책 결정 과정에 참여하기를 거부하거나 관심을 보이지 않는 태도인 ☐ B ☐ 을/를 들 수 있다.

(1) A, B에 들어갈 알맞은 용어를 각각 쓰시오.

    A: (   ), B: (   )

(2) B의 문제점을 서술하시오.

도전! 실력 올리기

01 밑줄 친 '한 사람'에 해당하는 학생을 고른 것은?

> 교사: 지난 시간에 배운 정치 과정에 대해 발표해 볼까요?
> 갑: 이해관계의 대립과 사회적 갈등을 해결하고자 해요.
> 을: 환류는 전통적인 정치 과정에서 더 중시되었습니다.
> 병: 시민들의 정치적 효능감이 높은 국가에서는 투입 활동이 활발해요.
> 정: 사회 구성원들이 표출하는 이해관계를 정책으로 만드는 과정이에요.
> 무: 정책 결정 기구가 정책을 결정하고 집행하는 것은 산출에 해당합니다.
> 교사: <u>한 사람</u>을 제외하고 모두 옳게 발표하였네요.

① 갑   ② 을   ③ 병
④ 정   ⑤ 무

기출 변형

02 다음은 학생이 작성한 정책 결정 과정 수행 평가지이다. 학생이 받을 점수는 총 몇 점인가?

> 질문: 그림은 정책 결정 과정을 나타낸 것이다. 아래 질문을 읽고 맞으면 ○, 틀리면 × 표시를 하시오. (정답은 1점 부여, 오답은 감점 없음)

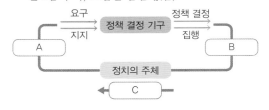

문항	질문	학생 표시
1번	○○협회가 양육비 지원에 관한 입법 청원을 한 것은 A에 해당합니까?	○
2번	시민 갑이 정책 입안을 위한 공청회에 참석한 것은 B에 해당합니까?	○
3번	정부가 경제 활성화를 위한 정책을 시행한 것은 B에 해당합니까?	×
4번	국회가 한중 FTA 체결·비준에 대한 동의권을 행사한 것은 C에 해당합니까?	○

① 0점   ② 1점   ③ 2점
④ 3점   ⑤ 4점

기출 변형

03 다음은 정책 결정 과정을 나타낸 것이다. ㉠~㉣에 대한 설명으로 옳은 것은?

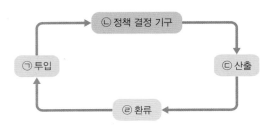

① 시민의 입법 청원 활동은 ㉠의 예이다.
② 입법부와 사법부, 이익 집단은 ㉡의 대표적인 예이다.
③ 시민 단체의 공익 추구를 위한 환경 정화 활동은 ㉢의 예이다.
④ 국민들이 정책에 대해 어떤 요구를 하거나 지지를 하는 것은 ㉢에 해당한다.
⑤ 국민들의 반응과 평가를 받아 지지나 새로운 요구로 다시 정치 체계에 투입되는 ㉣은 법원에서 행해진다.

기출 변형

04 밑줄 친 ㉠~㉣에 대한 옳은 설명만을 〈보기〉에서 있는 대로 고른 것은?

> 어떤 정치학자에 의하면 정치 체계는 국민의 요구와 지지가 ㉠정책 결정 기구로 전달되는 ㉡투입, 요구와 지지가 정책 결정 기구에 들어가 공공 정책으로 전환되어 나오는 ㉢산출, 산출이 투입에 다시 영향을 미치는 ㉣환류의 과정으로 이루어진다. 그리고 이러한 과정은 정치 체계를 둘러싼 제반 환경과 영향을 주고받는다.

보기
ㄱ. 행정부는 ㉠의 대표적인 예이다.
ㄴ. 정치적 효능감이 높은 사회일수록 ㉡이 활발하다.
ㄷ. 시민 단체가 무리한 정책 시행을 강행한 □□시장에 대해 주민 소환을 추진한 것은 ㉢에 해당한다.
ㄹ. 정책 집행 결과에 대한 평가가 이루어지고 그에 따른 정책 수정의 필요성이 제기되는 과정은 ㉣에 해당한다.

① ㄱ, ㄷ   ② ㄱ, ㄹ   ③ ㄴ, ㄷ
④ ㄱ, ㄴ, ㄹ   ⑤ ㄴ, ㄷ, ㄹ

05 정치학자 갑과 을의 대화에 대한 옳은 설명만을 〈보기〉에서 고른 것은?

> 갑: 지나치게 정치에 참여하는 것보다 일정한 수준까지만 참여하고 그 후에는 뒤로 물러나 정부가 알아서 일을 처리할 것으로 믿는 것이 가장 이상적인 시민의 태도이지.
> 을: 우리는 모든 사람의 의견에 귀를 기울여야 해. 따라서 가능하면 많은 사람이 정치에 참여할 수 있는 방법을 찾도록 노력해야 하지.

〈보기〉
> ㄱ. 갑은 시민이 정치 과정에 적극적으로 참여해야 한다고 본다.
> ㄴ. 갑은 시민이 대표를 신뢰하고 정치적 문제를 대표의 자율적 판단에 맡겨야 한다고 본다.
> ㄷ. 을은 시민이 정치 과정에 적극적으로 참여해야 다양한 의견이 정책에 반영될 수 있다고 본다.
> ㄹ. 을은 시민이 모든 정치 과정에 참여하면 오히려 공익을 저해할 수 있다고 본다.

① ㄱ, ㄴ   ② ㄱ, ㄷ   ③ ㄴ, ㄷ
④ ㄴ, ㄹ   ⑤ ㄷ, ㄹ

기출 변형

06 밑줄 친 '이 방법'의 기대 효과로 가장 적절한 것은?

> 국민은 국회 의원의 소개를 통해 국회에 청원서를 제출할 수 있다. 제19대 국회에서는 227건의 청원이 있었으나, 본회의에서 채택된 것은 2건뿐이었다. △△연구소는 국민의 의견을 제대로 전달하기 위해 누구든지 인터넷을 이용하여 입법안을 제출할 수 있는 사이트를 개설하였다. 이 방법은 법안을 쉽게 제안할 수 있어 입법 청원에 더 많은 국민이 참여할 것으로 기대된다.

① 국회의 입법 기능에 대한 전문성이 강화될 것이다.
② 정부에서 제출하는 입법안에 대한 가결률이 높아질 것이다.
③ 국민 여론이 특정 분야에 집중되어 사회 통합이 심화될 것이다.
④ 국민의 알 권리를 충족시키며 하향식 의사 결정이 증가할 것이다.
⑤ 국민의 정치 참여 접근성이 높아지고 투입 기능이 활성화될 것이다.

07 다음 신문 기사에 나타난 ○○시의 정치적 변화에 대한 옳은 추론만을 〈보기〉에서 있는 대로 고른 것은?

> **○○시, 올해부터 주민 참여 결산제 운영**
> ○○시는 올해부터 주요 사업의 결산에 대해 시민 의견을 수렴하는 '주민 참여 결산제'를 운영하기로 했습니다. ○○시는 주민 참여 예산과 주요 역점 사업 등에 대한 결산 내역을 공개하고, 결산에 관한 시민 의견을 모아 다음해 예산 편성과 결산에 반영하기로 했습니다.

〈보기〉
> ㄱ. ○○시 재무 행정의 투명성이 높아질 것이다.
> ㄴ. 주민 참여 결산제는 주민들의 정치 사회화에 기여할 것이다.
> ㄷ. 재무 행정 과정에서 주민들의 정치적 효능감이 높아질 것이다.
> ㄹ. 주민 참여 결산제를 통해 ○○시의 지방 재정 자립도가 높아질 것이다.

① ㄱ, ㄷ   ② ㄱ, ㄹ   ③ ㄴ, ㄹ
④ ㄱ, ㄴ, ㄷ   ⑤ ㄴ, ㄷ, ㄹ

08 밑줄 친 ㉠~㉢에 대한 설명으로 옳은 것은?

> 정치 문화는 향리형, 신민형, 참여형으로 분류하는데, ㉠'향리형 정치 문화'는 구성원 다수가 정치와 정부가 하는 일에 관심을 두지 않는다. 또한 구성원들이 스스로 정치와 관련이 있다고 생각하지 않는다. ㉡'신민형 정치 문화'는 구성원들이 정치 과정을 알고 있지만 정치 과정에서 자신들의 요구를 표출하려는 태도는 부족하다. 따라서 자신을 스스로 적극적 참여자로 인식하지 않는다. ㉢'참여형 정치 문화'는 구성원들이 정치 체제의 투입과 산출 과정을 잘 알고 자신들의 역할에 적극적인 태도를 보인다.

① ㉠은 주로 현대 민주주의 사회에서 나타난다.
② ㉠에서는 구성원이 적극적으로 정치에 참여한다.
③ ㉡에서는 구성원의 정치적 신뢰감 및 효능감이 높다.
④ ㉡에서는 구성원이 정책 결정의 투입 과정에 적극적이다.
⑤ ㉢에서는 구성원이 정치 체계에 대해 알고 있고, 관심을 보인다.

02 ~ 선거와 선거 제도

❶ 대의 민주 정치와 선거
대의 민주 정치에서 국민은 선거를 통해 대표를 선출하고 그들에게 권력을 위임함으로써 정부를 구성한다. 따라서 선거는 대의 민주 정치를 가능하게 하는 가장 본질적인 제도라고 할 수 있다.

❷ 민주 선거의 4대 원칙

보통 선거	일정한 나이에 달한 모든 국민에게 선거권 부여
평등 선거	모든 유권자에게 동등하게 표를 부여하고, 투표 가치에 차등을 두지 않는 표의 등가성 실현
직접 선거	유권자가 대리인을 거치지 않고 직접 대표를 선출
비밀 선거	투표자의 투표 내용을 타인이 알 수 없도록 비밀 보장

⭐ **한눈에 정리**

대표 결정 방식

다수 대표제	단순 다수 대표제	최대 득표자 한 명만 당선
	절대 다수 대표제	과반수 득표자 한 명만 당선
비례 대표제		정당 득표율에 비례하여 의석을 배분
혼합제		다수 대표제와 비례 대표제를 함께 활용

A 선거의 의미와 기능

1. 선거의 의미와 의의

(1) **선거**: 국정을 담당할 국민의 대표를 투표로 뽑는 행위

(2) **의의** ┌─ 현대 민주주의 국가에서는 국민이 선출한 대표들로 구성된 대의 기관이 정책을 결정하는 대의제를 채택하고 있음

① **정책** 결정 과정에 참여하는 기본적인 행위임

② **대의** 민주 정치에서 주권을 행사하는 기본적인 수단임

2. 선거의 기능

(1) **대표자 선출**: 국민의 의사에 따라 국정을 담당할 대표자를 선출함

(2) **대표자 및 정치권력 통제**: 대표자의 직무 수행이 국민의 의사에 어긋날 경우 책임을 물어 대표자를 교체할 수 있음 → 책임 정치를 보장하는 수단

(3) **정치권력에 정당성 부여**: 합법적 절차와 국민의 지지를 얻어 구성된 정치권력은 정당성을 가짐 └ 뜻 사회적인 쟁점이나 문제에 대한 대다수의 의견

(4) **여론을 정책 결정에 반영**: 국민의 다양한 의사나 요구를 정치 과정에 투입하여 이를 정책 결정 과정에 반영함

(5) **주권 의식 향상**: 선거에 국민이 직접 참여함으로써 주권자임을 확인함

B 선거 제도의 유형

1. 대표 결정 방식 「자료1」

(1) **다수 대표제** ── 뜻 선거의 당선자를 결정하는 방식　　뜻 다른 후보자들에 비해 가장 많은 표를 획득한 후보자가 당선되는 방식　　뜻 과반수의 표를 획득한 후보자가 당선되는 방식

의미	가장 많은 표를 얻은 후보자가 당선되는 제도로, **단순 다수 대표제**와 **절대 다수 대표제**로 나뉨 「자료2」
장점	양당제의 출현 가능성이 높아 정국이 안정될 수 있음
단점	사표가 많이 발생할 수 있음, 소수 의견이 반영되지 못함, 정당 득표율과 의석률 간 불일치 문제가 발생함 └ 왜 주요 정당에 유리하기 때문임

└ 뜻 선거 결과 낙선한 후보에게 던져진 표로, 당선자 결정에 기여하지 못한 표

(2) **비례 대표제**

의미	각 정당이 획득한 득표 비율에 따라 의석수를 할당하는 제도
장점	• 유권자의 의사가 의회 의석수에 더 정확하게 반영될 수 있음 • 사표를 줄일 수 있음 └ 왜 정당의 득표율과 의석률을 최대한 일치시킬 수 있기 때문임 • 소수당의 의회 진출이 용이함 └ 왜 득표율에 따라 의석을 배분하기 때문임
단점	의석수 할당 및 당선자 결정 과정이 상대적으로 복잡함, 의회에 군소 정당이 많아질 경우 정국이 불안정해질 우려가 있음

(3) **혼합제**

의미	다수 대표제와 비례 대표제를 함께 활용하는 제도
장점	• 비례 대표제를 통해 다수 대표제의 한계를 보완할 수 있음 • 소수당의 의회 진출이 용이함 • 정당 득표율과 의석률 간 불일치 문제를 완화할 수 있음
단점	지역구 의석수와 비례 대표 의석수의 적정 비율을 결정하기 어려움, 대표 결정 과정이 복잡함

자료1 대표 결정 방식

• 단순 다수 대표제

기호 1번	기호 2번	기호 3번
득표율 45%	40%	15%

• 절대 다수 대표제

	1차 투표			2차 투표	
기호 1번	기호 2번	기호 3번	기호 1번	기호 2번	
45%	40%	15%	45%	55%	

• 비례 대표제

3석 (30%) / 3석 (30%) / 2석 (20%) / 1석(10%) / 1석(10%) / 의석수 총 10석

■ A 정당 ■ B 정당 ■ C 정당
■ D 정당 ■ E 정당

| 자료 분석 | 단순 다수 대표제에서는 기호 1번 후보가 45% 득표로 당선되었으나, 절대 다수 대표제에서 2차 투표를 실시하자 기호 2번 후보가 당선되는 것으로 결과가 달라졌다. 비례 대표제에서는 의석수가 총 10석인 경우 30%를 득표한 A 정당과 B 정당이 3석씩, 20%를 득표한 C 정당이 2석, 10%를 득표한 D 정당과 E 정당이 1석씩 배분받는다. 단순 다수 대표제는 가장 많은 표를 얻은 후보가 당선되는 반면에 절대 다수 대표제는 과반수를 득표한 후보가 당선되고, 비례 대표제는 정당 득표율에 비례하여 의석을 배분한다.

| 한줄 핵심 | 대표 결정 방식에는 단순 다수 대표제, 절대 다수 대표제, 비례 대표제가 있다.

❶ □□ □□ 대표제에서는 가장 많은 표를 얻은 후보가 당선되는 반면, □□ □□ 대표제에서는 과반수를 득표한 후보가 당선된다.
( )

❷ □□ □□□은/는 정당 득표율에 비례하여 의석을 배분하는 대표 결정 방식이다.
( )

자료2 결선 투표제와 선호 투표제

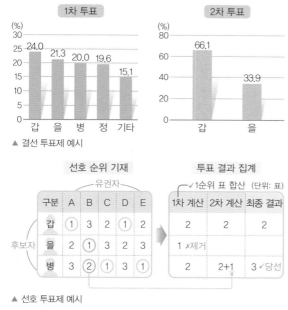

1차 투표

(%)				
24.0	21.3	20.0	19.6	15.1
갑	을	병	정	기타

2차 투표

(%)	
66.1	33.9
갑	을

▲ 결선 투표제 예시

선호 순위 기재

구분	A	B	C	D	E
갑	①	3	2	①	2
을	2	①	3	2	3
병	3	②	①	3	①

← 유권자 / 후보자

투표 결과 집계

√1순위 표 합산 (단위: 표)

	1차 계산	2차 계산	최종 결과
갑	2	2	2
을	1 ✗제거		
병	2	2+1	3 √당선

▲ 선호 투표제 예시

절대 다수 대표제의 대표적 유형에는 결선 투표제와 선호 투표제가 있다. 결선 투표제는 1차 투표에서 과반수 득표자가 없으면 1, 2위 후보를 대상으로 2차 투표(결선 투표)를 하여 당선자를 확정한다. 선호 투표제는 유권자가 출마한 모든 후보의 선호 순위를 기재하고, 1순위 표수로 1차 집계한 뒤 과반수 득표자가 나오면 당선자가 확정된다. 과반수 득표자가 없으면 최하위 후보를 제거하고, 그 후보자를 1순위로 표시한 유권자의 표를 2순위로 표시한 후보에게 넘긴다. 이 과정을 반복한 결과, 절대 다수를 획득한 후보가 당선된다.

| 자료 분석 | 결선 투표제 예시의 투표 결과를 보면 1차 투표에서 과반수를 획득한 후보자가 없다. 이에 따라 2차 투표가 진행되었고, 갑 후보가 과반수의 표를 얻어 당선되었다. 선호 투표제 예시의 투표 결과를 보면 1순위 집계에서 최하위 후보인 을을 제거한 뒤, 을을 1순위로 기재한 유권자 B가 2순위로 기재한 후보 병에게 표를 합산시켜 최종적으로 병이 당선되었다.

| 한줄 핵심 | 결선 투표제와 선호 투표제는 절대 다수 대표제의 대표적 유형이다.

❸ 선거에서 당선자를 결정할 때 절대 다수 대표제를 적용하는 방식으로는 결선 투표제와 □□ □□□이/가 대표적이다.
( )

❹ 결선 투표제에서 과반수 득표자가 없을 때 1, 2위 후보자들을 대상으로 □□ □□을/를 실시하여 당선자를 결정한다.
( )

정답 ❶ 단순 다수, 절대 다수 ❷ 비례 대표제 ❸ 선호 투표제 ❹ 2차 투표(결선 투표)

★ 한눈에 정리

선거구 제도

소선거구제	한 선거구에서 1인의 대표 선출
중·대선거구제	한 선거구에서 2인 이상의 대표 선출

2. 선거구 제도
뜻 대표자를 선출하는 지역적 단위

(1) 소선거구제 자료3

의미	한 선거구에서 1인의 대표자를 선출하는 제도 — 왜 선거구의 지역적 범위가 좁기 때문임
장점	• 선거 운동 비용이 적게 들고 선거 관리가 용이함 • 선거구당 후보 수가 적어 유권자의 후보자 파악이 용이함 • 정국 안정에 유리함 ┌ 왜 거대 정당 후보가 당선될 가능성이 크기 때문에 　　　　　　　　└ 양당제를 형성하여 정치적 안정을 이룰 수 있음
단점	• 사표가 많이 발생함 → 유권자의 의사를 제대로 반영하기 어려움 • 군소 정당의 의회 진출이 어려움 • 정당 득표율과 의석률의 차이가 큼 → 과대 대표, 과소 대표 문제가 발생할 수 있음

(2) 중·대선거구제

의미	한 선거구에서 2인 이상의 대표자를 선출하는 제도
장점	• 소선거구제보다 사표가 적게 발생함 • 국민의 다양한 의사를 반영할 수 있음
단점	• 한 선거구의 지역적 범위가 넓어 선거 관리가 어렵고 선거 운동 비용이 늘어날 수 있음 • 유권자의 후보자 파악이 어려움 • 군소 정당이 난립하여 정치적 불안정을 초래할 수 있음 • 투표 가치의 차등 문제가 발생할 수 있음 ─ 왜 한 선거구에서 득표수가 서로 다른 후보자 여러 명이 당선되었을 　　　　　　　　　　　　　　　　　　때, 많은 득표수로 당선된 후보가 얻은 표보다 적은 득표수로 당선된 　　　　　　　　　　　　　　　　　　후보가 얻은 표가 상대적으로 더 높은 가치를 가지게 되기 때문임

❸ 게리맨더링(Gerrymandering)과 선거구 법정주의

미국 매사추세츠주의 주지사였던 게리가 1812년 선거에서 자신이 소속한 정당에 유리하도록 선거구를 획정하였는데, 그 모양이 그리스 신화에 나오는 괴물 샐러맨더와 비슷하였다. 이후 특정 정당이나 후보에 유리하도록 자의적으로 선거구를 획정하는 것을 게리맨더링이라 부르게 되었다. 우리나라는 게리맨더링을 방지하기 위해 선거구를 법률로 정하는 선거구 법정주의를 채택하고 있다.

C 우리나라의 선거 제도

1. 우리나라 선거 제도의 유형과 공정 선거를 위한 제도
(1) 우리나라 선거 제도의 유형

대통령 선거		다수 대표제
국회 의원 선거		• 지역구 의원: 소선거구제, 다수 대표제 • 비례 대표 의원: 정당 명부식 비례 대표제 자료4
지방 선거	지방 자치 단체장	다수 대표제 ┌ 뜻 유권자가 정당에 투표하고 각 정당의 　　　　　　득표율에 따라 의석을 배분하는 제도
	지방 의회 의원	• 지역구 광역 의회 의원: 소선거구제, 다수 대표제 • 지역구 기초 의회 의원: 중선거구제 • 비례 대표 의원: 정당 명부식 비례 대표제
	교육감	다수 대표제

(2) 공정한 선거를 위한 제도
왜 선거구 획정 방식이 선거 결과에 영향을 미치며, 선거구 획정이 잘못 이루어지면 표의 등가성 문제가 발생할 수 있기 때문임

❸ 선거구 법정주의	특정 정당이나 후보자가 선거구를 자의적으로 획정하는 것을 방지하기 위해 선거구를 법률로 정한 제도
선거 공영제	선거 과정을 국가 기관이 관리하고, 선거 비용의 일부를 국가나 지방 자치 단체에서 부담하는 제도 → 국민의 조세 부담을 높이고, 후보자의 난립을 가져올 수 있음
선거 관리 위원회	선거와 국민 투표의 공정한 관리, 정당에 관한 사무를 담당하는 헌법상 독립 기관

❹ 권역별 비례 대표제
전국을 5~6개 정도의 권역으로 나누어 인구 비례에 따라 권역별 의석 수를 먼저 배정하고, 그 의석을 정당 득표율에 따라 배분하는 제도이다. 이때 권역별 지역구 당선자 수를 제외한 나머지에는 비례 대표를 배정한다. 이 제도는 지역주의, 사표 문제 등의 완화에 기여한다.

2. 우리나라 선거 제도의 문제점과 개선 방안
(1) 문제점: 지역적 경향에 따라 특정 정당 후보에게 표가 집중되는 지역주의 발생, 군소 정당 후보의 국회 진입이 어려움, 사표가 많이 발생함, 당선자의 대표성 확보가 어려움

(2) 개선 방안
① 권역별 비례 대표제 도입
② 비례 대표 의원의 의석수 확대
③ 지역 감정 등을 이용한 불법 선거 운동 감시 등 선거 관리 위원회의 역할 강화

자료3 소선거구제의 단점

다음은 소선거구제가 적용되는 우리나라의 국회 의원 선거 관련 자료이다.

(가)

2000년 총선 당시 경기도 광주군 선거구에서 국회 의원 후보로 출마한 문○○ 후보는 16,672표를 얻었다. 그러나 단 '3표' 차이로 박 후보에게 무릎을 꿇으면서 역대 국회 의원 선거 사상 최소 표 차이로 낙선한 사례로 기록되었다. 박 후보를 지지한 16,675명이나 문 후보를 지지한 16,672명 모두 유권자로서 동등한 1표의 주권을 행사하였지만, 문 후보를 지지한 유권자들은 대표 선출에 아무런 영향력을 행사하지 못한 것이다.
<u>패배한 후보에게 투표한 표가 모두 사표 처리되어 유권자의 의사를 제대로 반영하지 못함</u>
— 노컷뉴스, 2015. 1. 12.

(나)

제20대 총선의 전체 투표율은 58%로, 전체 유권자의 절반 가량이 투표에 참여하였다. 그러나 그 가운데 50.3%는 사표이다. 즉, <u>20대 국회는 전체 유권자 4분의 1의 지지로 구성된 것이며, 나머지 4분의 3의 유권자는 자신의 정치적 대표를 갖지 못한 셈이다.</u>
— 참여 연대 누리집(www.peoplepower21.org)
<u>사표가 많이 발생하여 당선자의 대표성 문제가 발생할 수 있음</u>

투표 안 함 42% / 투표함 58% / 사표
▲ 제20대 총선 투표 참여 현황

| 자료 분석 | (가)와 (나)는 모두 사표로 인해 유권자의 의사가 정치에 제대로 반영되지 않고 있음을 보여 준다. (가)에서는 단 3표 차이로 패배한 후보에게 투표한 모든 표가 사표 처리됨으로써 유권자의 의사가 제대로 반영되지 않았다. (나)에서는 투표에 참여한 유권자 중 50.3% 즉, 전체 유권자 중 약 29.2%가 사표가 되었으므로 선거 결과에 민의가 제대로 반영되지 않았다고 볼 수 있다. 사표가 많이 발생할 경우 당선자의 대표성 문제가 발생할 수 있으며, 유권자는 자신의 표가 사표가 될 것을 우려하여 주요 정당에 투표하려는 경향이 나타날 수 있다.

한줄 핵심 ▶ 소선거구제는 사표가 많이 발생하여 당선자의 대표성 문제가 발생할 수 있다.

❺ 한 선거구에서 1인의 대표를 선출하는 □□□□□은/는 □□이/가 많이 발생한다는 단점이 있다.
(   )

❻ 사표가 많이 발생할 경우 당선자의 □□□ 문제가 발생할 수 있다.
(   )

자료4 1인 1표제에서 1인 2표제로

1인 1표제는 비례 대표 의원 선출 시 정당 명부에 별도로 투표하는 것이 아니라 지역구 후보에 대한 투표를 정당에 투표한 것으로 간주하는 제도였다. 이에 관하여 헌법 재판소는 1인 1표제에서는 정당 명부에 대한 투표가 따로 없어 유권자가 비례 대표 의원에 대한 직접적인 결정권을 갖지 못하므로 직접 선거 원칙에 어긋나며, 또한 특정 유권자가 무소속 지역구 후보자에게 투표하는 경우 그 투표는 무소속 후보자의 선출에만 기여할 뿐 비례 대표 의원의 선출에는 전혀 기여하지 못하여 투표 가치의 불평등이 발생하므로 평등 선거 원칙에 어긋난다고 위헌 결정을 내렸다. 이에 따라 2004년 「공직 선거법」이 개정되면서 1인 1표제는 지역구 의원과 비례 대표 의원에게 각각 한 표씩 행사하는 1인 2표제로 변경되었다. — 정회철 외, 「헌법」

| 자료 분석 | 1인 1표제에서는 유권자가 비례 대표 의원에 대한 직접 결정권을 갖지 못하고, 무소속 후보에게 표를 던진 유권자의 표의 가치와 정당 소속 후보자에게 표를 던진 유권자의 표의 가치가 달라지는 문제가 발생한다. 이에 따라 우리나라 국회 의원 선거는 1인 1표제에서 1인 2표제로 바뀌었다. 1인 2표제에서는 정당에 대한 투표와 지역구 후보에 대한 투표를 따로 하므로 직접 선거 원칙과 평등 선거 원칙의 위배 문제를 해소할 수 있다.

한줄 핵심 ▶ 1인 1표제는 직접 선거 원칙과 평등 선거 원칙에 위배되므로 1인 2표제를 통해 지역구 의원과 비례 대표 의원에 각각 한 표씩 행사할 수 있다.

❼ 1인 1표제에서는 정당 명부에 대한 투표가 따로 없어 유권자가 비례 대표 의원에 대한 직접적인 결정권을 갖지 못하므로 민주 선거 원칙 중 □□□ □□에 위배된다.
(   )

❽ 1인 1표제에서는 특정 유권자가 무소속 지역구 후보자에게 투표하는 경우와 특정 정당 소속 후보자에게 투표하는 경우 유권자의 표의 가치가 달라지므로 민주 선거 원칙 중 □□□ □□에 위배된다.
(   )

선거 제도의 유형

수능풀 Guide 제시문에 나타난 선거 제도의 다양한 유형을 파악하고 각 제도의 특징을 분석해 보자.

1 대표 결정 방식과 선거구 제도

현재 갑국의 의회는 지역구 의원으로만 구성되고 의석수는 100석이며 선거구는 총
<u>소선거구제에 해당함</u>
100개이다. 갑국은 향후 의회의 의석수를 현재 지역구 100석에 비례 대표 100석을
추가해 총 200석으로 변경하고자 한다. 비례 대표 의석은 각 정당의 지역구 후보들
전체가 전국적으로 얻은 득표율에 비례하여 배분된다.

◌ 기출 선택지로 확인하기

❶ 갑국의 현행 대표 결정 방식은
다수 대표제이다. ☐○ ☒×

❷ 현행 선거구 제도의 일반적 특
징으로 군소 정당의 난립을 들
수 있다. ☐○ ☒×

2 선호 투표제와 결선 투표제 관련 문제 ▶ 104쪽 04번

현행 제도에서는 유권자가 1순위 선호 후보자에게만 투표하여 최다 득표 후보자가
<u>단순 다수 대표제 → 사표가 많이 발생하여 당선자의 대표성이 낮을 수 있음</u>
대표자로 선출되는데, 〈1안〉 또는 〈2안〉으로 변경을 고려하고 있다.

〈1안〉 유권자는 모든 후보자에 대한 선호 순위를 표시하여 투표하며, 선호 순위에
<u>선호 투표제</u>
따른 합계 점수가 가장 높은 후보자가 대표자로 선출된다. 선호 순위별 점수
는 1순위 4점, 2순위 3점, 3순위 2점, 4순위 1점을 부여한다.

〈2안〉 유권자는 1순위 선호 후보자에게만 투표하며, 과반수를 획득한 후보자가 대표
<u>결선 투표제 → 당선자의 대표성을 높일 수 있음</u>
자로 선출된다. 과반 득표자가 없을 경우 득표수가 많은 상위 2인을 후보자로
<u>투표를 한 번 더 시행하므로 선거 관리와 선거 운동에 비용이 많이 듦</u>
하는 결선 투표를 진행한다. 결선 투표에서 유권자는 2인의 후보자 중 선호도
가 높은 후보자에게 투표하며 과반수를 획득한 후보자가 대표자로 선출된다.
<u>절대 다수 대표제</u>

◌ 기출 선택지로 확인하기

❸ 현행 제도에서는 사표가 발생하
지 않는다. ☐○ ☒×

❹ 현행 제도와 〈1안〉 모두 한 번의
투표로 대표자를 선출한다.
☐○ ☒×

❺ 〈2안〉은 단순 다수 대표제에 해
당한다. ☐○ ☒×

3 선거 결과 분석

○○ 신문

A국의 의회 의원 선거 결과를 보면 제 1당인 □□당은 (가) 권역에서 비례 대
표 의석률이 40%, 지역구 의석률이 80%였다. (나) 권역에서는 □□당의 비례
<u>비례 대표에 비해 지역구 의석률이 높음 → 거대 정당에 유리하게 작용함</u>
대표 의석률이 40%, 지역구 의석률이 70%였다. 다른 권역에서도 비슷한 결과
가 나타났다. 비례 대표 의원은 권역별 정당 투표로 선출되고, 지역구 의원은
<u>정당 득표율에 따라 의석을 배분하므로 정당 지지율을 가늠하는 척도가 됨</u>
선거구당 1명씩 선출되며 지역구 선거의 권역별 선거구 수는 같다.
<u>소선거구제(다수 대표제)</u>

◌ 기출 선택지로 확인하기

❻ 다수 대표제가 거대 정당에 유
리하게 작용할 수 있다. ☐○ ☒×

❼ 비례 대표 의석률은 정당 지지율
을 가늠하는 척도가 될 수 없다.
☐○ ☒×

정답 ❶○ ❷×(군소 정당이 난립하기 어려움. 거대 정당에 유리함) ❸×(사표가 많이 발생할 수 있음) ❹○ ❺×(결선 투표제로 대표성이 낮을 수 있음) ❻○ ❼×(척도가 될 수 있음)

A 선거의 의미와 기능

01 선거의 기능을 〈보기〉에서 골라 기호를 쓰시오.

> **보기**
> ㄱ. 국가의 주요 정책 결정　　　　　　ㄴ. 직접 민주주의 실현
> ㄷ. 정치권력에 정당성 부여　　　　　　ㄹ. 여론을 정책 결정에 반영

(　　　　　　)

B 선거 제도의 유형

02 빈칸에 들어갈 알맞은 용어를 쓰시오.

> 대표 결정 방식 중 가장 많은 표를 얻은 후보자가 당선되는 제도는 (1)□□ □□□□이다. 이는 총 유효 투표 중 가장 많은 표를 획득한 후보가 당선되는 방식인 (2)□□ □□ □□□와/과 총 유효 투표의 과반수를 획득한 후보가 당선되는 방식인 (3)□□ □□ □□□(으)로 나뉜다.

03 다음 괄호 안에 들어갈 알맞은 말에 ○표를 하시오.

(1) (다수 대표제, 비례 대표제)는 정당 득표율과 의석률의 차이가 적은 대표 결정 방식이다.

(2) (소선거구제, 중·대 선거구제)는 사표가 적게 발생하고 국민의 다양한 의사가 반영될 수 있다는 장점이 있다.

(3) (소선거구제, 중·대 선거구제)는 정당 득표율과 의석률의 불일치로 과대 대표, 과소 대표 문제가 발생할 수 있다.

C 우리나라의 선거 제도

04 우리나라의 선거 제도에 대한 설명이 맞으면 ○표, 틀리면 ×표를 하시오.

(1) 공정한 선거를 위해 선거구 법정주의를 채택하고, 선거 공영제를 시행하고 있다.

(　　　)

(2) 지역구 국회 의원 선거에서 다수 대표제를 채택하고 있으며, 지역구 기초 의회 의원 선거는 중선거구제를 채택하고 있다. (　　　)

(3) 지역적 경향에 따라 특정 정당 후보에게 표가 집중되는 지역주의와 군소 정당의 후보가 당선되기 어려운 문제는 비례 대표 의석수를 축소함으로써 개선할 수 있다. (　　　)

05 공정한 선거를 위한 제도와 그에 대한 설명을 바르게 연결하시오.

(1) 선거구 법정주의 •　　　　　• ㉠ 선거와 국민 투표의 공정한 관리를 담당하는 기관

(2) 선거 공영제 •　　　　　• ㉡ 선거 과정을 국가 기관이 관리하고 선거 비용의 일부를 국가 또는 지방 자치 단체에서 부담하는 제도

(3) 선거 관리 위원회 •　　　　　• ㉢ 특정 정당이나 후보자가 선거구를 자의적으로 확정하는 것을 방지하고자 선거구를 법률로 정하는 제도

A 선거의 의미와 기능

01 선거의 기능에 대한 설명으로 옳지 않은 것은?

① 대표자를 선출한다.
② 주권 의식을 향상시킨다.
③ 직접 민주주의를 실현한다.
④ 정치권력에 정당성을 부여한다.
⑤ 대표자 및 정치권력을 통제한다.

02 밑줄 친 '이 원칙'에 해당하는 민주 선거의 원칙으로 옳은 것은?

> 민주 선거의 원칙 중 이 원칙은 선거권자의 능력, 재산, 사회적 지위 등의 실질적인 요소를 배제하고 성년자이면 누구라도 당연히 선거권을 갖는 것을 요구하므로, 이 원칙에 반하는 선거권 제한의 입법을 하기 위해서는 헌법 제37조 제2항의 규정에 따른 한계가 한층 엄격히 지켜져야 한다.

① 보통 선거   ② 비밀 선거   ③ 자유 선거
④ 직접 선거   ⑤ 평등 선거

B 선거 제도의 유형

03 밑줄 친 'A선거구제'에 대한 설명으로 옳은 것은?

> A선거구제는 정국의 안정에 기여한다. 하지만 여러 후보자 중 한 후보자만 당선되기 때문에 사표가 많이 발생하여 승자 독식의 모습을 보인다는 단점이 있다.

① 유권자의 후보자 파악이 용이하다.
② 정당별 득표율과 의석률이 비례한다.
③ 군소 정당의 의회 진출 가능성이 높다.
④ 동일 선거구 내 투표 가치의 차등 문제가 발생한다.
⑤ 의회의 입법 과정에 다양한 의사의 반영이 용이하다.

04 밑줄 친 ㉠~㉢에 대한 옳은 설명만을 〈보기〉에서 고른 것은?

> 선거의 당선자를 결정하는 대표 결정 방식에는 다수 대표제, ㉠비례 대표제, 혼합 대표제 등이 있다. 다수 대표제는 ㉡단순 다수 대표제와 ㉢절대 다수 대표제로 나뉜다.

보기

ㄱ. ㉠은 각 정당이 획득한 득표 비율에 따라 의석수를 할당하는 방식이다.
ㄴ. ㉠은 ㉡에 비해 사표가 많이 발생한다는 단점이 있다.
ㄷ. ㉢은 당선자가 유효 표의 일정 비율 이상을 얻어야 한다.
ㄹ. ㉡은 ㉢과 달리 선거구당 과반수 득표자 한 명을 선출한다.

① ㄱ, ㄴ   ② ㄱ, ㄷ   ③ ㄴ, ㄷ
④ ㄴ, ㄹ   ⑤ ㄷ, ㄹ

05 표는 갑국과 을국의 선거 제도를 나타낸 것이다. 이에 대한 설명으로 옳은 것은?

갑국	지역구 의원은 100개의 선거구에서 한 선거구당 2명씩 선출한다. 비례 대표 의원 선출 시 정당 득표율에 따라 의석을 배분하여 선출하며, 최소한의 정당 득표율과 같은 의석 배분 기준은 적용하지 않는다.
을국	지역구 의원은 200개의 선거구에서 한 선거구당 1명씩 선출하고, 비례 대표 의원은 전국을 하나의 선거구로 하는 정당 투표에서 5 % 이상을 득표한 정당만을 대상으로 정당 득표율에 따라 의석을 배분하여 선출한다.

① 갑국의 지역구 의원 선거는 양당제를 촉진한다.
② 갑국보다 을국의 지역구 의원 선거에서 사표가 적게 발생한다.
③ 갑국보다 을국의 지역구 의원 선거에서 유권자가 후보를 파악하는 것이 용이하다.
④ 갑국과 달리 을국의 지역구 의원 선거에서는 한 선거구 내에서 당선자가 얻은 표의 가치에 차등이 발생할 수 있다.
⑤ 갑국과 을국 모두 비례 대표 의석 배분에서 군소 정당의 난립을 방지하기 위한 장치를 두고 있다.

06 비례 대표제에 대한 설명으로 옳은 것은?

① 사표가 많이 발생한다.

② 군소 정당이 난립할 수 있다.

③ 소수당의 의회 진출이 어렵다.

④ 선호 투표제가 대표적 유형이다.

⑤ 의석수 할당 및 당선자 결정 과정이 간단하다.

07 다음 자료에 대한 분석 및 추론으로 옳은 것은?

> 최근 치러진 의회 의원 선거에서 갑국은 총 300개의 선거구에서 300명의 의원을 선출했다. 지역구 의원으로만 구성되어 있는 갑국의 의회 의원 선거 결과 A당은 35%의 득표율로 110석의 의석을 차지하였고, B당은 40%의 득표율로 115석의 의석을, C당은 25%의 득표율로 75석의 의석을 차지하였다.

① 선거구 내 표의 등가성 문제가 발생한다.

② A당은 의석률이 득표율에 비해 크게 나타났다.

③ 사표가 적게 발생하는 선거구제를 채택하고 있다.

④ 군소 정당의 의회 진출 가능성이 큰 선거구제이다.

⑤ 의회 의원 선거의 대표 결정 방식은 비례 대표제이다.

C 우리나라의 선거 제도

08 밑줄 친 '두 사람'에 해당하는 사람을 고른 것은?

> 교사: 지난 시간에 배운 우리나라의 선거 제도에 대해 발표해 볼까요?
> 갑: 지역구 기초 의회 의원 선거는 소선거구제로 운영합니다.
> 을: 대통령 선거는 전국을 단위로 최다 득표자 1명을 선출하는 다수 대표제로 운영합니다.
> 병: 유권자는 국회 의원 선거 시 1인 1표를 투표합니다.
> 정: 광역 의회 의원 선거에서는 정당 명부식 비례 대표제를 병행합니다.
> 교사: <u>두 사람</u>은 옳지 않은 내용을 발표하였네요.

① 갑, 을   ② 갑, 병   ③ 을, 병

④ 을, 정   ⑤ 병, 정

09 다음 글에 나타난 우리나라 선거 제도의 문제점에 대한 개선 방안으로 옳은 것만을 〈보기〉에서 고른 것은?

> 지방 선거에서 여러 개의 선거를 동시에 치르기 때문에 주민들이 짧은 선거 기간에 후보자에 대한 정확한 정보를 알기 어렵다. 이는 선거의 관심도가 떨어지는 문제로 나타나고 있다. 또한 대통령 선거나 국회 의원 선거 등에서 소선거구제 및 단순 다수 대표제를 채택함에 따라 사표가 많이 발생한다는 문제가 있다.

〈보기〉
ㄱ. 선거에 대한 관심을 높이기 위해 지역주의적 투표 행태가 필요하다.
ㄴ. 당선자의 대표성을 높일 수 있게 선거구제를 개편하는 논의가 필요하다.
ㄷ. 금권 선거 등으로 선거의 공정성이 훼손되지 않게 공명선거 문화가 정착되도록 노력해야 한다.
ㄹ. 국회 의원 선거에서 비례 대표 의원 정수 증원 및 권역별 비례 대표제 도입 방안을 모색해 볼 수 있다.

① ㄱ, ㄴ   ② ㄱ, ㄷ   ③ ㄴ, ㄷ

④ ㄴ, ㄹ   ⑤ ㄷ, ㄹ

서답형 문제

10 다음 글을 읽고 물음에 답하시오.

> 선거구 획정 방식에 따라 특정 정당이나 후보에게 유리 또는 불리하게 작용하여 선거 결과에 영향을 미치며, 선거구 획정이 잘못 이루어지면 표의 등가성 문제가 발생할 수 있다. __A__ 은/는 특정 인물이나 정당에 유리하도록 선거구를 획정하는 것을 의미하는데, 이는 방지되어야 한다.

(1) A에 들어갈 알맞은 용어를 쓰시오.

(   )

(2) A를 방지하기 위해 우리나라가 채택하고 있는 원칙에 관하여 서술하시오.

기출 변형

01 (가), (나)에서 헌법 재판소 결정의 근거가 된 민주 선거의 원칙을 바르게 짝지은 것은?

(가) 2007년 헌법 재판소는 주민 등록을 선거권 행사 요건으로 하는 공직 선거법에 대해 헌법 불합치 결정을 내렸다. 이에 국회는 대한민국 국적을 보유한 재외 국민도 투표권을 행사할 수 있도록 공직 선거법을 개정하였다.

(나) 2014년 헌법 재판소는 집행 유예자의 선거권을 제한하고 있는 공직 선거법에 대해 헌법 불합치 결정을 내렸다. 집행 유예자는 교정 시설에 구금되지 않고 일반인과 동일한 사회생활을 하고 있으므로, 그들의 선거권을 제한해야 할 필요성이 크지 않다는 것을 이유로 들었다.

	(가)	(나)
①	보통 선거	보통 선거
②	보통 선거	평등 선거
③	보통 선거	직접 선거
④	평등 선거	평등 선거
⑤	평등 선거	보통 선거

02 갑과 을의 대화를 통해 알 수 있는 선거의 기능만을 〈보기〉에서 있는 대로 고른 것은?

갑: 선거는 국민의 의사에 따라 국민을 대신하여 국정을 담당할 대표자를 선출하는 것이야. 선거를 통해 대표자를 재신임하거나 책임을 물어 교체하기도 하지.

을: 선거는 국민의 다양한 의사나 요구를 정치 과정에 투입하여 이를 정책 결정 과정에 반영하게 해. 선거에 국민이 직접 참여함으로써 주권자임을 확인할 수 있지.

〈보기〉
ㄱ. 책임 정치의 보장 수단이다.
ㄴ. 여론을 반영하여 주권 의식을 향상시킨다.
ㄷ. 정치권력이 함부로 남용되는 것을 방지할 수 있다.
ㄹ. 국가의 주요 정책을 국민이 직접 결정할 수 있게 한다.

① ㄱ, ㄴ　　② ㄱ, ㄹ　　③ ㄷ, ㄹ
④ ㄱ, ㄴ, ㄷ　　⑤ ㄴ, ㄷ, ㄹ

03 표는 갑국의 최근 의회 의원 선거 결과이다. 이에 대한 옳은 설명만을 〈보기〉에서 고른 것은? (단, 갑국의 지역구 수는 총 200개이다.)

(단위: 석)

정당	지역구 의석	비례 대표 의석
가	105	49
나	86	45
다	6	6
라	2	0
마	1	0
합계	200	100

〈보기〉
ㄱ. 지역구 의원은 다수 대표제로 선출된다.
ㄴ. 소선거구제를 통해 지역구 의원을 선출한다.
ㄷ. 비례 대표 의석은 지역구 의석에 비례하여 배분되었다.
ㄹ. 지역구 의원 선거에서 선거구 내 표의 등가성 문제가 발생한다.

① ㄱ, ㄴ　　② ㄱ, ㄷ　　③ ㄴ, ㄷ
④ ㄴ, ㄹ　　⑤ ㄷ, ㄹ

기출 변형

04 다음은 갑국의 대통령 선거 결과이다. 이에 대한 설명으로 옳은 것은?

갑국의 대통령 선거에서 1차 투표 때 A 후보자가 득표율 33%로 가장 많이 득표하였고, B 후보자가 27%로 2순위로 득표하였다. 과반수 득표를 한 후보가 없어 2차 투표를 실시하였고, 2차 투표 결과 A 후보자가 득표율 54%로 당선되었다.

① 대표 결정 방식은 단순 다수 대표제이다.
② 다수 대표제와 비례 대표제를 함께 활용하고 있다.
③ 2차 투표는 당선자의 대표성을 높이는 기능을 하였다.
④ 1차 투표의 결과와 상관없이 2차 투표가 실시되었다.
⑤ 다른 후보보다 한 표라도 더 많은 표를 얻은 후보가 당선되는 방식이다.

기출 변형

05 대표 결정 방식 (가), (나)에 대한 옳은 설명만을 〈보기〉에서 고른 것은?

(가)	유권자가 자신이 속한 선거구에 출마한 후보들 중 지지하는 한 사람에게 투표하고, 그 중 가장 많이 득표한 사람을 당선자로 결정한다.
(나)	총 유효 투표수의 과반수를 획득한 후보를 당선시키는 방식이다. 첫 번째 투표에서 과반수를 얻은 후보가 없으면 1, 2위 후보를 두고 두 번째 투표를 실시하여 당선자를 결정한다.

보기
- ㄱ. (가)는 (나)에 비해 당선자의 대표성이 높다.
- ㄴ. (나)는 (가)에 비해 대표 선출 절차가 복잡하다.
- ㄷ. (가)보다 (나)가 소수 정당의 의회 진출이 용이하다.
- ㄹ. (가)는 (나)에 비해 득표율과 의석률의 불일치 가능성이 높다.

① ㄱ, ㄴ ② ㄱ, ㄷ ③ ㄴ, ㄷ
④ ㄴ, ㄹ ⑤ ㄷ, ㄹ

06 표는 선거구 제도인 A, B의 특징을 비교한 것이다. 이에 대한 옳은 설명만을 〈보기〉에서 있는 대로 고른 것은? (단, A, B는 각각 소선거구제와 중·대선거구제 중 하나이다.)

특징	비교
사표 발생 정도	A > B
군소 정당의 의회 진출 가능성	A < B

보기
- ㄱ. A는 한 선거구에서 2인 이상의 대표를 선출한다.
- ㄴ. 우리나라의 지역구 국회 의원 선거에는 A가 적용된다.
- ㄷ. B가 적용된 지역구 의원 선거에서는 선거구 수보다 의석수가 더 많다.
- ㄹ. A는 B에 비해 국민의 다양한 의사가 반영될 가능성이 높다.

① ㄱ, ㄴ ② ㄱ, ㄹ ③ ㄴ, ㄷ
④ ㄱ, ㄷ, ㄹ ⑤ ㄴ, ㄷ, ㄹ

기출 변형

07 표는 우리나라 선거 제도의 일부이다. 밑줄 친 ㉠~㉣에 대한 옳은 설명만을 〈보기〉에서 고른 것은?

구분			전국 합계
국회 의원 선거	㉠지역구	선거구 수	253개
		의석수	253석
	㉡비례 대표	선거구 수	1개
		의석수	47석
시·도 의회 의원 선거	㉢지역구	선거구 수	705개
		의석수	705석
	비례 대표	선거구 수	17개
		의석수	84석
시·군·구 의회 의원 선거	㉣지역구	선거구 수	1,034개
		의석수	2,898석
	비례 대표	선거구 수	227개
		의석수	379석

보기
- ㄱ. ㉠은 ㉡에 비해 정당 득표율과 의석률의 격차가 작은 대표 선출 방식을 채택하고 있다.
- ㄴ. ㉣의 선거구제에서는 동일 선거구 내 투표 가치의 차등 문제가 발생하지 않는다.
- ㄷ. ㉣은 ㉠에 비해 유권자의 후보자 선택 폭이 넓은 선거구제를 채택하고 있다.
- ㄹ. ㉣은 ㉢에 비해 사표 발생 가능성이 더 낮은 선거구제를 채택하고 있다.

① ㄱ, ㄴ ② ㄱ, ㄷ ③ ㄴ, ㄷ
④ ㄴ, ㄹ ⑤ ㄷ, ㄹ

기출 변형

08 다음은 학생이 작성한 수행 평가지이다. 학생이 받을 점수는 총 몇 점인가?

다음 질문이 선거 공영제에 해당하면 ○, 해당하지 않으면 × 표시를 하시오. (옳게 표시한 경우 1점이 부여되고, 틀리게 표시한 경우 1점이 감점됨)

문항	질문	학생 표시
1번	선거 과정을 국가 기관이 관리하고, 선거 비용 일부를 국가나 지방 자치 단체에서 부담합니까?	○
2번	선거 운동에서 균등한 기회를 보장하기 위한 것입니까?	○
3번	공정한 선거를 치르기 위한 것입니까?	×
4번	국민의 조세 부담을 높이고, 후보자의 난립을 가져올 수 있습니까?	○

① 0점 ② 1점 ③ 2점
④ 3점 ⑤ 4점

03 ~ 다양한 정치 주체와 시민 참여

❶ 정당의 목적과 유래
정당은 공적 이익 추구, 선거 참여를 통한 공직 획득, 정부 내 영향력 행사를 목적으로 한다. 의회 민주주의가 발전하여 선거권을 가진 유권자 수가 늘어남에 따라 선거 운동을 조직적으로 해야 할 필요성이 제기되었고, 이러한 배경에서 정당이 등장하였다.

A 정당을 통한 시민 참여

1. 정당의 의미와 기능
(1) **정당❶**: 공통의 정치적 견해를 가진 사람들이 정치권력의 획득을 목표로 자발적으로 조직한 결사체
(2) **정치 과정에서 정당의 기능** 자료1
① **여론 형성과 반영**: 사회 구성원의 다양한 요구를 수렴하여 여론을 형성하고 정치 과정에 반영함
　　┌ **똑** 정당이 대통령 선거나 국회 의원 선거에 출마할 후보자를 추천하는 일
② **정치적 충원**: 선거에서 후보자를 공천하여 정치적 충원 기능을 수행함
③ **정치 사회화**: 정책 토론회 등을 통해 국민의 정치에 대한 지식과 관심을 증진하고 정치에 참여하게 함　**똑** 정치적 쟁점에 대한 가치, 신념, 태도를 습득하여 내면화하는 것
④ **정부와 의회 매개**: 당정 협의회 등을 통해 의회의 의견을 정부에 전달함
⑤ **정부 견제**: 정부의 정책을 비판하고 대안을 제시함　**똑** 정당과 행정부가 중요 정책에 관해 협의하는 회의

❷ 복수 정당제
민주주의 국가는 일당제가 아닌 복수 정당제를 채택하여 다양성을 보장하고 정당들의 정책 경쟁을 통해 다양한 이해관계를 반영한다. 복수 정당제는 의회 내에서 실질적인 영향을 가지는 정당의 수에 따라 양당제와 다당제로 구분할 수 있다.

2. 정당 제도의 유형 　**예** 전체주의하에서 정당이 독점적인 정치권력을 행사하는 경우
(1) **일당제**: 하나의 정당이 모든 권력을 독점하고 계속해서 집권하는 정당 제도 → 정당이 통치자 개인의 지배와 사회 통제 수단으로 활용됨
(2) **복수 정당제❷**: 두 개 이상의 정당이 경쟁하는 정당 제도
　┌─ 모든 민주주의 국가의 정당 제도임

양당제	• 의미: 두 개의 주요 정당이 권력 획득을 위해 경쟁하며 정권 교체가 일어나는 형태 • 장점: 정치적 책임 소재가 분명함, 정국이 비교적 안정적으로 운영됨 • 단점: 국민의 다양한 의견이 정치에 반영되기 어려움, 다수당의 횡포 가능성이 큼
다당제	• 의미: 세 개 이상의 정당이 권력 획득을 위해 경쟁하는 형태 • 장점: 국민의 다양한 의견이 정치에 반영될 수 있음, 정당 간 대립 시 중재가 용이함 • 단점: 강력한 정책 추진이 어려움, 정치적 책임 소재가 불분명함, 군소 정당이 난립할 경우 정국의 불안정을 유발함

　└─ 국민의 선택 폭이 넓고 소수 의견이 정책에 반영될 가능성이 큼

3. 정당을 통한 정치 참여 방법과 한계
(1) **정당을 통한 정치 참여 방법**
① **정당에 가입하여 당원으로 활동하는 경우❸**: 당의 의사 결정 과정에 참여, 정당 지도부 선출에 참여, 공천을 받아 정당 후보자로 선거 출마 등　┌ **똑** 정당의 공직 후보자 선출 시 당원뿐만 아니라 일반 국민도 후보자 선출에 참여하도록 하는 제도
② **정당에 가입하지 않는 경우**: 선거에서 특정 정당의 후보나 정당에 투표, 정당이 주최하는 공청회·토론회 등에 참여, 국민 참여 경선 제도 참여 등 자료2
(2) **정당을 통한 정치 참여의 한계**
① 지역주의에 편승하는 정당 운영이 이루어지기도 함
② 정당의 비대화·관료화에 따라 시민의 다양한 요구와 의사가 정당의 정책에 반영되지 못함　┌ **왜** 정당의 규모가 커지면서 당내 위계적 질서가 형성되어 소수 지도자가 정당의 의사 결정을 좌우하기 때문임
(3) **현대 정당의 과제**: 시민의 정당 활동에 대한 지속적 관심과 참여, 상향식 의사 결정 방식을 통한 당내 민주주의 실현, 정책 중심의 건전한 비판과 경쟁

❸ 정당 가입
정당법 제22조 ① 국회 의원 선거권이 있는 자는 공무원 그 밖에 그 신분을 이유로 정당 가입이나 정치 활동을 금지하는 다른 법령의 규정에 불구하고 누구든지 정당의 발기인 및 당원이 될 수 있다. ……

우리나라는 국회 의원 선거권을 가지는 19세 이상의 국민에게 정당의 당원이 될 수 있는 자격을 부여한다. 입당하고자 하는 정당의 시·도당에 입당 원서를 제출하면 되며, 정당에 따라 인터넷으로도 가입할 수 있다.

자료1 정당의 역할

국민의 의사를 정부 정책에 반영할 수 있는
공약을 제시함 → 여론 수렴 및 반영

(가) 희망당, 공천 심사 시작

희망당은 곧 있을 총선에 출마할 지역구 후보와 비례 대표 후보에 대한 공천 심사를 시작한다고 발표하였다. 공천 관리 업무를 위해 구성된 공천 관리 위원회는 총선에서 승리할 수 있도록 경쟁력 있는 후보를 공천하기 위한 심사 기준을 마련하여 곧 밝힐 예정이다.

정치적 충원 기능

(나) 각 당, 법인세 관련 공약 발표

총선을 앞두고 각 당에서 법인세 관련 공약을 발표하였다. 안심당은 법인세율 인하가 국제적인 추세이고 우리나라 기업들은 이미 충분히 법인세를 부담하고 있다고 주장한 반면, 살림당은 우리나라의 법인세가 다른 선진국들에 비해 낮으므로 법인세를 인상해 복지 재원을 마련해야 한다고 주장하였다.

| **자료 분석** | (가)는 정당이 총선에 출마할 후보를 심사하는 내용으로, 정당의 정치적 충원 기능을 보여 준다. (나)는 법인세 관련 공약을 발표하는 내용으로, 정당이 시민의 의사를 수렴하여 공약을 제시함으로써 사회 구성원의 다양한 요구를 정치 과정에 반영하는 기능을 보여 준다.

한줄 핵심 정당은 정치적 충원 기능을 수행하며, 여론을 수렴한 공약을 통해 국민의 의사를 정치 과정에 반영하는 역할을 한다.

❶ 정당은 각종 선거에 후보자를 공천하고 선거에서 유권자의 지지를 얻음으로써 대표자를 배출하는 □□□ □□ 기능을 수행한다.
(   )

❷ 정당은 선거에서 사회 구성원의 다양한 요구를 수렴하여 □□을/를 제시하고, 정치 과정에 반영한다.
(   )

자료2 국민 참여 경선 제도

△△당 대선 후보 국민이 뽑습니다.

신분증만 갖고 오시면
누구나 투표하실 수 있습니다.

기호 1   기호 2   기호 3

대선 후보 경선 투표소 안내

일시: □월 □일 오전 9시 ~ 오후 6시
장소: □□시민회관

완전 국민 경선을 통한 대선 후보 선출 그
역사적 순간을 함께해 주세요.

A 정당의 공직 후보자 추천 당헌

제99조 ① 대통령 후보자는 대통령 후보자 선출을 위한 국민 참여 선거인단 대회(선거인단은 대의원, 당원, 일정 요건을 갖춘 일반 국민) 투표 결과와 여론 조사 결과를 종합하여 선출한다.

② 대통령 후보자 당선자는 국민 참여 선거인단 유효 투표 결과 80%, 여론 조사 결과 20%를 반영하여 산정한 최종 집계 결과 최다 득표자로 한다.

❸ □□ □□ □□ □□은/는 당의 공직 후보자 선출 시 당원뿐만 아니라 일반 국민도 후보자 선출에 참여하도록 하는 제도이다.
(   )

| **자료 분석** | 국민 참여 경선 제도의 대표적 사례인 개방형 예비 선거(open primary)에서는 정당의 공직 후보자 선출 시 당원 여부와 관계없이 모든 유권자에게 투표권을 준다. 현재 우리나라 주요 정당들은 개방형 예비 선거를 통해 주요 선거에 후보를 공천하고 있다. 이 제도는 막강한 권력을 가진 정치인에 의해 좌우되는 폐해를 줄이며, 예비 선거를 개방적으로 진행함으로써 국민들의 영향력이 커진다는 장점이 있다. 그러나 당원의 역할이 축소되고 정당 이념에 부합하지 않는 인물이 후보자로 선출되어 정당 정치의 기반을 약화할 수 있다는 단점이 있다.

한줄 핵심 국민 참여 경선 제도는 정당의 후보자 선출 과정에 일반 유권자들이 참여할 수 있는 방법으로, 개방형 예비 선거가 대표적인 사례이다.

❶ 정치적 충원 ❷ 공약
❸ 국민 참여 경선 제도

B 이익 집단, 시민 단체, 언론을 통한 시민 참여

1. 이익 집단 [자료 3] ─ 예 노동조합, 사용자 단체, 기업 단체, 각종 직능 단체 등

(1) **의미**: 특정한 이해관계나 목표를 같이하는 사람들이 자신의 특수 이익을 실현하기 위해 결성한 집단

(2) **기능**: 국민의 다양한 의사 표출, 지역 대표제나 기존 정당의 부족한 점을 보완, 정치 사회화 기능, 정부 정책에 대한 비판·감시 등 ─ 특정 분야의 전문성을 바탕으로 정책 결정자에게 전문적인 정보를 제공함 / 와 구성원에게 집단 이익과 관련된 정보를 제공하고 참여 의식을 증진시키기 때문임

(3) **이익 집단을 통한 시민 참여 방법**: 정치 후원금 제공, 로비 활동, 시위 및 집회 등을 통한 참여, 대중 매체를 통한 홍보 활동 등 ─ 뜻 각종 단체들이 자기들의 이익 실현을 위해 주로 입법 과정에 영향력을 행사하는 행위

(4) **이익 집단을 통한 시민 참여의 한계와 개선 방향**

한계	집단의 특수 이익과 공익의 충돌, 정부의 정책 결정 지연 우려, 정치권력과 결탁하여 부정부패 초래
개선 방향	이익 집단의 활동을 장려하되 집단 이기주의로 변질되지 않도록 주의하며 공익과 조화를 이루도록 함

2. 시민 단체 [자료 3] ─ 예 환경 운동 연합, 참여 연대, 반크, 세이브 더 칠드런 등

(1) **의미**: 인권, 환경, 평화, 복지, 민주주의, 소비자 보호 등 공공의 문제나 공적 이익에 관심을 두고 활동하는 집단

(2) **기능**: 공공선과 공익 실현, 사회 문제에 대한 여론 형성, 정치 사회화 기능, 정부 정책에 대한 비판·감시

(3) **시민 단체를 통한 시민 참여 방법**: 사회적 쟁점에 관한 토론회 개최, 관련 공직자 면담, 관련 기관에 의견 제출, 서명 운동이나 캠페인 활동 등

(4) **시민 단체를 통한 시민 참여의 한계와 개선 방향**

한계	저조한 시민 참여로 정치적 영향력 감소, 독립성과 자율성 약화
개선 방향	시민의 적극적인 참여 유도, 회원 확충을 통해 재정 자립을 실현함으로써 자율성 확보 등

와 자체적으로 운영 비용을 마련하기 어려워 정부 지원금이나 기업 후원금에 의존하는 측면이 크기 때문임

3. 언론 [자료 4] ─ 예 국민과 정치 체계를 연결하는 중요한 통로 역할을 함

(1) **의미**: 신문, 방송, 라디오, 인터넷 등을 매개로 어떤 사실을 알리거나 특정 문제에 관해 여론을 형성하는 활동 ─ 뜻 국민 개개인이 정치·사회 현실 등에 관한 정보를 자유롭게 알 수 있는 권리

(2) **기능**: 국민의 알 권리 보장, 정보 제공을 통한 여론 형성 주도, 사회적 쟁점·정부 정책 등에 대한 심층적인 해설 및 비판 → 정치권력 및 부정부패 감시

(3) **언론을 통한 시민 참여 방법**: 뉴스 제보, 언론 매체에 독자 투고, 언론사와의 인터뷰, 인터넷 게시판이나 누리 소통망(SNS) 등을 활용한 정치적 견해 제시 등

(4) **언론을 통한 시민 참여의 한계와 개선 방향**

한계	언론사의 가치에 들어맞는 사실을 강조하거나 왜곡된 정보를 제공하여 시민의 올바른 의사 결정 방해
개선 방향	시민은 언론이 전달하는 정보를 비판적으로 평가하여 수용하고, 언론 매체는 객관적·중립적 자세로 정보를 전달해야 함

자료3 시민 단체와 이익 집단의 정치 참여 활동

2015년 1월 어린이집 유아 폭행 사건이 발생하자 정부는 어린이집 폐쇄회로 텔레비전(CCTV) 설치 의무화를 추진하였다. 이에 국회가 모든 어린이집에 CCTV 설치를 의무화하는 「영유아 보육법」 개정안을 발의하면서 다양한 사회적 논쟁과 갈등이 일어나기 시작하였다.

(가) 학부모들을 중심으로 한 찬성 측은 CCTV 설치가 의사 표현도 제대로 하지 못하는 영유아의 인권을 보호하기 위해 필요한 조치라고 주장하였다. 일부 시민 단체는 어린이집 CCTV 설치에 반대하는 의원들의 낙선 운동을 선포하였고, 인터넷 육아 정보 동아리에 이 사안과 관련한 댓글을 다수 게시하는 등 시민들의 관심을 끌기 위해 노력하였다.
<공익 실현>
<공적 이익을 추구하는 집단>

(나) 어린이집 관련 단체와 보육 교사들을 중심으로 한 반대 측은 CCTV 설치로 보육 교사들의 개인 정보가 노출되고 노동 감시가 있을 수 있다고 주장하였다. 몇몇 이익 집단은 어린이집 CCTV 설치를 반대하는 운동을 지속하였으며, 국회의 논의와 투표 과정에서도 입법 저지 운동을 전개하였다.
<특수 이익을 추구하는 집단>

| 자료 분석 | (가)는 시민 단체의 정치 참여 활동이고, (나)는 이익 집단의 정치 참여 활동이다. 시민 단체는 영유아의 인권 보호라는 공익을 실현하기 위해 어린이집 CCTV 설치 의무화에 찬성하는 활동을 벌였다. 반면, 이익 집단은 보육 교사들의 권리를 주장하며 어린이집 CCTV 설치에 반대하는 운동을 벌였다. 이처럼 시민 단체와 이익 집단은 정책 결정 과정에 영향을 미친다는 공통점이 있으나 시민 단체는 공적 이익을, 이익 집단은 특수 이익을 추구한다는 점에서 차이가 있다.

| 한줄 핵심 | 시민 단체는 공적 이익을 추구하고, 이익 집단은 특수 이익을 추구한다.

❹ 이익 집단과 시민 단체는 □□ □□ □□에 영향을 미친다는 공통점이 있다.
(   )

❺ 시민 단체는 □□ □□을/를 추구하고, 이익 집단은 자신들만의 □□ □□을/를 추구한다는 차이점이 있다.
(   )

자료4 하나의 사실, 다른 관점의 뉴스

○○일보

주취(酒臭) 폭력, 처벌 강화해야

주취 폭력자들에게 관대한 처분이 내려져 …… 2·3차 피해가 발생하기도 한다.

□□신문

주취(酒臭) 폭력, 처벌보다는 치료

주취 폭력 피의자 대대수가 사회적 소외 계층으로 …… 처벌만 하기보다는 치료가 필요하다.

| 자료 분석 | 주취 폭력 문제에 관해 ○○일보는 처벌 강화의 필요성을 주장했고, □□신문은 치료의 필요성을 강조했다. 이처럼 언론은 특정한 관점에 따라 정치적·사회적 현상을 해석하여 여론 형성을 주도하고 정치적 영향력을 행사한다. 따라서 언론이 전달하는 정보를 맹목적으로 신뢰할 것이 아니라 비판적으로 평가하여 수용하려는 자세가 필요하다. 언론 매체 역시 객관적이고 중립적인 자세로 정보를 전달하기 위해 노력해야 한다.

| 한줄 핵심 | 시민은 언론이 전달하는 정보를 비판적으로 평가하여 수용하고, 언론 매체는 객관적·중립적 자세로 정보를 전달해야 한다.

❻ 언론이 편파·과장·왜곡된 정보를 제공할 수 있으므로, 시민은 언론이 전달하는 정보를 □□□(으)로 평가하여 수용해야 한다.
(   )

정답 ❹ 정책 결정 과정 ❺ 공적 이익, 특수 이익 ❻ 비판적

정당, 시민 단체, 이익 집단의 특징

수능풀 Guide 정당과 시민 단체 및 이익 집단의 공통점과 차이점을 중심으로 각각의 특징을 파악해 보자.

1 정당의 특징

정치에 대한 국민의 지식과 관심 증진 → 정치 사회화
└ ㉠ 청년 유권자 대상 정치 워크숍 개최

정부에 의회의 의견 전달 → 정부와 의회 매개
└ ㉡ 주요 현안에 대한 당정 협의회 참석

정당의 상향식 의사 결정 구조 강화
└ ㉢ 보궐 선거 후보 공천을 위한 당원 투표 실시

선거에 후보자를 공천하여 대표자 배출 → 정치적 충원
└ ㉣ 보궐 선거 후보 확정

이달의 ○○당 활동 계획

일	월	화	수	목	금	토
					1	2
3	4	**5**	6	7	**8**	9
10	11	12	13	14	15	16
17	**18**	19	20	**21**	22	23
24	25	26	27	28	29	30

기출 선택지로 확인하기

❶ ㉠은 정당의 정치 사회화 기능을 보여준다. ☐O ☐X

❷ ㉡을 통해 정당은 의회와 정부를 매개하는 역할을 한다. ☐O ☐X

❸ ㉢은 정당의 하향식 의사 결정 구조를 강화한다. ☐O ☐X

❹ ㉣은 정당의 정치 엘리트 충원 기능을 보여준다. ☐O ☐X

2 시민 단체와 이익 집단의 특징   관련 문제 ▶ 114쪽 04번

구분	주요 활동	
㉠ ○○ 단체 시민 단체	• 국정 감사 모니터링 활동 • 노동 문제에 대한 대안 제시 • 사법부 활동 감시를 위한 시민 연대 결성	공적 이익 추구
㉡ △△ 단체 이익 집단	• 성과 연봉제 도입 반대를 위한 파업 주도 • 해외 금융 회사의 국내 진출 반대 로비 활동 • 조합원의 후생 복지를 위한 시설의 설치 운영	특수 이익 추구

✎ PLUS분석 시민 단체와 이익 집단은 정치적 책임은 지지 않으나, 정부의 정책 결정 과정에 영향력을 행사하는 정치 참여 주체이다.

기출 선택지로 확인하기

❺ ㉠, ㉡은 정부에 대하여 비판을 하며 정강에 기본 이념이 규정되어 있다. ☐O ☐X

❻ ㉠, ㉡은 정치적으로 책임을 지지 않으며 정부의 정책 결정 과정에 영향력을 행사한다. ☐O ☐X

3 정당, 시민 단체, 이익 집단의 특징

정치 참여 집단 A~C는 각각 정당, 시민 단체, 이익 집단 중 하나이다.

정부가 추진하는 정책으로 인한 비용이 Ⓐ에게 집중되고 이익은 국민에게 분산될 경우, A는 자신에게 소속된 업계 회원들의 비용 부담을 우려하여 해당 정책을 강력히 반대할 것이다. 반면 국민은 각자에게 돌아오는 이익이 작아서 큰 관심을 보이지 않을 것이다. 국민의 관심을 불러일으키기 위해서는 공익을 위해 활동하는 Ⓑ의 역할이 요구된다. 한편 유권자의 지지가 필요한 Ⓒ는 A와 B의 의견을 종합하여 이에 관한 정책을 다음 선거에서 공약으로 제시할 것이다.
[Ⓐ: 이익 집단 / 집단의 특수 이익 실현을 목표로 함]
[Ⓑ: 시민 단체]
[Ⓒ: 정당]

기출 선택지로 확인하기

❼ A는 B와 달리 정치 과정에서 산출 기능을 담당한다. ☐O ☐X

❽ C는 A와 달리 정권 획득을 목적으로 한다. ☐O ☐X

❾ C는 B와 달리 행정부와 의회를 매개한다. ☐O ☐X

A 정당을 통한 시민 참여

01 다음 괄호 안에 들어갈 알맞은 말에 ○표를 하시오.

(1) (정당 / 시민 단체)은/는 공통의 정치적 견해를 가진 사람들이 선거 참여를 통한 공직 획득, 정부 내 영향력 행사를 목적으로 조직한 단체이다.

(2) 바람직한 정당 정치를 위해서는 (상향식, 하향식) 의사 결정 방식을 통한 당내 민주주의를 실현해야 한다.

02 정당 제도의 유형과 그에 대한 설명을 바르게 연결하시오.

(1) 일당제 •

(2) 양당제 •

(3) 다당제 •

• ㉠ 세 개 이상의 정당이 권력 획득을 위해 경쟁하는 정당 제도

• ㉡ 두 개의 주요 정당이 권력 획득을 위해 경쟁하며 교대로 집권하는 정당 제도

• ㉢ 하나의 정당이 모든 권력을 독점하며 정당이 통치자 개인의 지배와 사회 통제 수단으로 활용되는 정당 제도

03 정치 과정에서 정당의 역할을 〈보기〉에서 골라 기호를 쓰시오.

보기
ㄱ. 정치 사회화   ㄴ. 특수 이익 실현
ㄷ. 지역 대표제의 한계 보완   ㄹ. 정부 정책 비판 및 대안 제시

(   )

B 이익 집단, 시민 단체, 언론을 통한 시민 참여

04 다음 설명이 맞으면 ○표, 틀리면 ×표를 하시오.

(1) 이익 집단과 시민 단체는 정치적 책임을 지지 않는다.   (   )

(2) 이익 집단과 시민 단체는 정권 획득을 목적으로 한다.   (   )

(3) 시민은 언론이 전달하는 정보를 모두 신뢰하고 수용하는 자세를 가져야 한다. (   )

(4) 시민 단체는 공익을 추구하고, 이익 집단은 자기 집단의 특수 이익을 추구한다. (   )

05 빈칸에 들어갈 알맞은 용어를 쓰시오.

(1) □□ □□은/는 특정 분야의 전문성을 바탕으로 정책 결정자에게 정보를 제공하여 정당의 부족한 점을 보완한다.

(2) □□ □□은/는 정부 지원금이나 기업 후원금에 의존한 자금 운영으로 단체의 독립성과 자율성이 약화될 수 있다는 문제점이 있다.

(3) 시민은 언론이 전달하는 정보를 □□□(으)로 평가하여 수용해야 하며, 언론 매체는 중립적인 자세로 정보를 전달해야 한다.

A 정당을 통한 시민 참여

01 다음 글을 통해 파악할 수 있는 정당의 기능으로 가장 적절한 것은?

> A당은 지역 갈등을 줄이고 사회의 다양한 목소리를 의회로 수렴하기 위하여 비례 대표 의원을 대폭 확대하겠다는 공약을 제시하였다. B당은 비례 대표 공천 과정에서 당 내부에 불협화음이 생겨나고 당 대표의 영향력이 커지는 경우가 많으므로 비례 대표 의원을 축소하겠다는 공약을 제시하였다. 유권자들은 이를 통해 현재 사회의 모습과 두 정당의 공약이 실현되었을 때 나타날 문제점 등을 고려해 보며 정치 문제에 관심을 갖게 되었다.

① 정부를 구성하여 국정을 운영한다.
② 정부의 책임성을 높이는 기능을 한다.
③ 유권자에 대한 정치 사회화 기능을 한다.
④ 정부의 정책을 비판하고 대안을 제시한다.
⑤ 시민 동원 기능을 통해 정치 참여를 활성화한다.

02 밑줄 친 A, B에 대한 설명으로 옳은 것은?

> A은/는 정치권력의 획득과 유지를 목적으로 정치적 견해를 같이하는 사람들이 모여 만든 단체이다. A 제도의 유형 중 세 개 이상의 주요 A이/가 존재하며, 어느 A도 독자적으로 통치하기에 충분한 의석을 갖지 못하여 서로 연합하는 경향이 있는 제도를 B(이)라고 한다.

① A는 시민 단체이다.
② A는 정치적 책임을 지는 집단이다.
③ A는 자신들만의 특수한 이익을 추구한다.
④ B는 일당제이다.
⑤ B에서는 통치자 개인의 지배와 사회 통제 수단으로 A가 활용된다.

03 다음과 같은 특징을 지니는 정당 제도에 대한 설명으로 옳은 것은?

> • 정당 간 대립 시 중재가 용이하다.
> • 유권자의 정당 선택 범위가 넓다.

① 소수파의 이익을 보호한다.
② 강력한 정책 추진이 가능하다.
③ 정치적 책임 소재가 명확하다.
④ 다양한 민의 반영이 곤란하다.
⑤ 정국이 안정적으로 운영될 수 있다.

04 표는 양당제와 다당제의 특징을 비교한 것이다. (가), (나)에 들어갈 내용을 옳게 연결한 것은?

항목	특징
(가)	다당제＞양당제
(나)	다당제＜양당제

	(가)	(나)
①	다수당의 횡포 가능성	정국 불안정 초래 가능성
②	다수당의 횡포 가능성	소수 의견 반영 가능성
③	유권자의 정당 선택 폭	다수당의 횡포 가능성
④	유권자의 정당 선택 폭	정국 불안정 초래 가능성
⑤	소수 의견 반영 가능성	유권자의 정당 선택 폭

05 정치 참여 집단인 A에 관한 설명으로 옳지 않은 것은?

> _____A_____ 은/는 음주 운전을 줄이기 위한 관련 법 개정에 많은 노력을 기울이고 있다. 내년에 있을 선거에서 관련 내용을 공약으로 제시하고, 공천 시에도 그 부분을 많이 고려할 예정이다.

① 자신의 활동에 대해 정치적 책임을 진다.
② 사익의 실현보다 공익의 실현을 중시한다.
③ 선거에 후보자를 추천하여 정치적 충원 기능을 한다.
④ A에 가입하여야만 국민 경선 제도를 통해 후보자 선출이 가능하다.
⑤ A를 통한 정치 참여의 사례로는 A에 가입하여 후보자로 선거에 출마하는 것이 있다.

B 이익 집단, 시민 단체, 언론을 통한 시민 참여

06 다음 현상과 관련 있는 우리나라 시민 단체의 문제점으로 가장 적절한 것은?

> 행정 안전부의 '비영리 민간단체 공익 활동 지원 사업 관리 정보 시스템(NPAS)'이 2015년 10월부터 11월까지 국내 718개 시민 단체를 대상으로 진행한 설문 조사 결과, 시민 단체의 예산 중 정부 보조금 비율이 평균 25.2%에 달하는 것으로 조사되었다. 회원들의 회비는 전체 예산의 43.5%에 불과했고, 자체 수익 사업으로 충당하는 비용은 8.6% 밖에 되지 않았다. 안정적인 재정의 기반이 되는 회원 회비는 전체 예산의 절반에도 미치지 못하고, 정부 지원금이 4분의 1을 차지한 것이다.

① 시민 단체가 관료화되어 가는 현상을 보인다.
② 시민 단체의 특수 이익이 공익과 충돌할 수 있다.
③ 사회적 쟁점에 관한 시민의 의견을 모으기 어렵다.
④ 시민 단체 일반 회원이 의사 결정에 참여할 수 있는 기회가 제한된다.
⑤ 정부 지원금에 의존함으로써 시민 단체의 자율성이 훼손되고 정부를 제대로 감시하지 못하는 현상이 나타날 수 있다.

07 정치 과정에서 이익 집단과 시민 단체가 하는 역할로 옳지 <u>않은</u> 것은?

① 정책 결정 과정에 영향력을 행사한다.
② 사회 갈등을 조정하면서 정책을 수립하고 집행한다.
③ 사회 문제에 대한 시민들의 관심을 유발하고 이해를 높인다.
④ 정부 정책에 대한 시민들의 관심을 높여 정치 참여를 활성화한다.
⑤ 대중 매체나 집회를 통해 자신들에게 유리한 여론을 조성하기도 한다.

08 정치 참여 집단 A~C의 특징으로 옳은 것은? (단, A~C는 각각 정당, 이익 집단, 시민 단체 중 하나이다.)

> '공익을 추구하는가?'라는 질문에는 A와 C는 구분되지 않지만, B와 C는 구분이 된다. '정치적 책임을 지는가?'라는 질문에는 B와 C가 구분되지 않는다.

① A는 정치 사회화 기능을 하지 않는다.
② A는 B에 비해 관심 영역이 제한적이다.
③ B는 C와 달리 대의제의 한계를 보완하는 데 기여한다.
④ B는 특수 이익을 실현하기 위해 A를 매개체로 활용하기도 한다.
⑤ C는 A, B와 달리 정책을 결정하는 기능을 수행한다.

서답형 문제

09 표를 보고 물음에 답하시오. (단, (가)~(다)는 정당, 이익 집단, 시민 단체 중 하나이다.)

질문	(가)	(나)	(다)
공익 추구를 우선시하는가?	아니요	ⓛ	예
정치적 책임을 지는가?	아니요	예	ⓒ
정치 사회화 기능을 담당하는가?	ⓐ	예	ⓔ

(1) 위 표의 ⓐ~ⓔ에 들어갈 대답을 쓰시오.
　ⓐ: (　　　　), ⓛ: (　　　　), ⓒ: (　　　　), ⓔ: (　　　　)

(2) (가)~(다)에 들어갈 정치 주체를 쓰고, 위의 (1)번의 대답이 나오게 된 이유를 서술하시오.

01 표는 두 정당의 공천 방식을 나타낸 것이다. 갑당과 비교했을 때 을당의 공천 방식에 대한 특징으로 옳은 것은?

구분	갑당	을당
공직 선거 후보자 결정 방식	당 대표가 구성한 공천 심사 위원회의 결정	당원 투표와 일반 국민 투표로 결정
공천 신청 자격	『공직선거법』상 피선거권이 있는 자(25세 이상)로서, 갑당의 당원인 자	피선거권이 있는 국민

① 정당의 정체성 유지에 유리하다.
② 일반 국민은 공천 신청이 불가능하다.
③ 상향식 의사 결정 방식으로 공천을 한다.
④ 유권자들의 정치 참여 기회를 축소시킨다.
⑤ 능력 있는 외부 인사가 공천을 받기 어렵다.

02 표는 정당 제도 A~C를 질문에 따라 구분한 것이다. 이에 대한 옳은 설명만을 〈보기〉에서 고른 것은? (단, A~C는 각각 일당제, 양당제, 다당제 중 하나이다.)

질문	A	B	C
민주적인 정권 교체가 어렵습니까?	×	○	×
군소 정당이 난립할 가능성이 있습니까?	○	×	×
(가)	×	○	×

(○: 예, ×: 아니요)

보기
ㄱ. A는 B에 비해 다양한 민의의 반영이 용이하다.
ㄴ. 정당 선택의 폭은 B가 A보다 좁다.
ㄷ. C는 A에 비해 정치적 책임 소재가 불명확하다.
ㄹ. (가)에는 "다원화된 사회에 적합한 정당 제도인가?"가 들어갈 수 있다.

① ㄱ, ㄴ　　② ㄱ, ㄷ　　③ ㄴ, ㄷ
④ ㄴ, ㄹ　　⑤ ㄷ, ㄹ

03 정치 참여 집단인 A~C에 대한 설명으로 옳은 것은? (단, A~C는 각각 정당, 이익 집단, 시민 단체 중 하나이다.)

- A는 공직 선거에서 후보자를 공천한다.
- B는 특수한 이익 추구를 목적으로 하지 않는다.
- C는 정치적 책임을 지지 않는다.

① A의 대표적 사례로는 기업 단체가 있다.
② B는 C와 달리 대의제의 한계를 보완하는 기능을 한다.
③ C는 정치 체제의 산출 단계에서 주도적인 역할을 한다.
④ A, C는 정권 획득을 목적으로 한다.
⑤ A~C는 모두 정치 사회화 기능을 수행한다.

기출 변형
04 밑줄 친 정치 참여 집단 ㉠, ㉡의 공통점으로 옳은 것은?

구분	주요 활동
㉠○○ 단체	• 국정 감사 모니터링 활동 • 노동 문제에 대한 대안 제시 • 사법부 활동 감시를 위한 시민 연대 결성
㉡△△ 단체	• 성과 연봉제 도입 반대를 위한 파업 주도 • 해외 금융 회사의 국내 진출 반대 로비 활동 • 조합원의 후생 복지를 위한 시설의 설치 운영

① 정치 사회화를 담당하며 정치 과정에서 산출 기능을 수행한다.
② 정부의 정책에 대한 비판을 하며 정강에 기본 이념이 규정되어 있다.
③ 정치권력의 획득에는 관심이 없으며 사회 전체의 공공선을 추구한다.
④ 정치적으로 책임을 지지 않으며 정부의 정책 결정 과정에 영향력을 행사한다.
⑤ 대의 민주주의의 한계를 보완하기 위해 시민의 여론을 수렴하여 법률안을 발의한다.

05 표는 정치 참여 집단을 특징에 따라 구분한 것이다. 이에 대한 옳은 설명만을 〈보기〉에서 고른 것은? (단, A~C는 각각 정당, 이익 집단, 시민 단체 중 하나이다.)

질문＼구분	A	B	C
사익보다 공익을 추구하는가?	예	아니요	예
정권 획득이 목적인가?	아니요	아니요	예

보기
ㄱ. A는 공천 기능을 수행한다.
ㄴ. B의 사례로 노동조합을 들 수 있다.
ㄷ. B는 A와 달리 대의 민주주의의 한계를 보완하는 역할을 한다.
ㄹ. C는 A와 달리 정부와 의회를 매개하는 역할을 한다.

① ㄱ, ㄴ 　② ㄱ, ㄷ 　③ ㄴ, ㄷ
④ ㄴ, ㄹ 　⑤ ㄷ, ㄹ

기출 변형

06 정치 참여 집단 (가)~(다)에 대한 옳은 설명만을 〈보기〉에서 고른 것은? (단, (가)~(다)는 각각 정당, 이익 집단, 시민 단체 중 하나이다.)

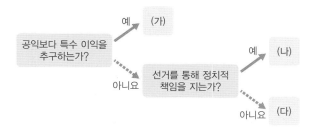

보기
ㄱ. (가)는 (나)와 달리 의회와 행정부를 매개하는 기능을 수행한다.
ㄴ. (나)는 다양한 이해관계와 정책의 선호를 집약하고 이를 공약으로 개발한다.
ㄷ. (다)는 정권 획득이 목적이다.
ㄹ. (다)는 정부의 한계를 보완하고 참여를 통해 공공 문제를 해결하기 위해 등장하였다.

① ㄱ, ㄴ 　② ㄱ, ㄷ 　③ ㄴ, ㄷ
④ ㄴ, ㄹ 　⑤ ㄷ, ㄹ

07 갑, 을의 견해에 대한 설명으로 옳지 않은 것은?

갑: 양방향 매체인 뉴 미디어를 활용하면 여론 조작은 불가능해. 우리는 이제 누리 소통망 서비스(SNS)를 통해 객관적이고 중립적인 언론과 뉴스를 접하게 될 거야.
을: 뉴 미디어를 활용한다고 여론 조작이 불가능한 것은 아니야. 인터넷과 SNS를 통해 신뢰도가 떨어지는 정보가 생산되고 있고, 가짜 뉴스처럼 사실이 아닌데도 사실인 것처럼 보도되는 경우를 많이 볼 수 있어.

① 갑은 SNS를 활용하면 여론 조작이 힘들다고 본다.
② 갑은 언론의 국가 권력 감시 기능을 강조하고 있다.
③ 을은 SNS를 통해 왜곡된 사실이 확산될 가능성을 우려하고 있다.
④ 을은 인터넷과 SNS를 통해 생산되는 정보에 대한 비판적 수용을 강조할 것이다.
⑤ 갑과 을은 모두 SNS가 정보 전달 기능을 한다고 본다.

기출 변형

08 다음 대화에서 갑~병의 의견에 대한 적절한 추론만을 〈보기〉에서 있는 대로 고른 것은?

보기
ㄱ. 갑은 언론이 정치적 부정부패가 일어날 가능성을 줄여야 한다고 볼 것이다.
ㄴ. 을은 언론이 공익을 추구하는 보도를 통해 올바른 여론 형성을 유도해야 한다고 볼 것이다.
ㄷ. 병은 언론이 사회적 소외 계층의 권익 증진에 기여해야 한다고 볼 것이다.
ㄹ. 갑과 을은 언론이 정부 정책을 대중에게 홍보하여 정책에 대한 정당성을 강화해야 한다고 볼 것이다.

① ㄱ, ㄴ 　② ㄱ, ㄹ 　③ ㄷ, ㄹ
④ ㄱ, ㄴ, ㄷ 　⑤ ㄴ, ㄷ, ㄹ

Ⅲ. 정치 과정과 참여

01 정치 과정과 정치 참여

A 정치 과정의 이해

정치 과정	사회의 다양한 문제를 둘러싼 요구가 정책 결정 기구에 투입되어 정책으로 나타나는 모든 과정
정치 과정의 단계	• 투입: 사회의 다양한 요구가 표출되는 과정 • 산출: 정책 결정 기구가 정책을 수립하고 집행하는 과정 • 환류: 집행된 정책에 대한 사회의 평가가 재투입되는 과정 ▲ 이스턴(Easton, D.)의 정치 과정 모형
정치 과정의 중요성	정치 과정을 통해 사회 갈등이 합리적으로 조정되고 해결될 수 있으므로 정치 과정은 매우 중요함

B 시민의 정치 참여

(1) 정치 참여: 시민이 정치에 관심을 가지고 정치 과정에 영향력을 행사하려는 모든 활동

(2) 정치 참여의 의의와 유형

의의	• 국민 주권의 원리 실현 • 정부의 정책에 정당성 부여 • 정치권력의 감시 및 통제 • 정치적 효능감 강화
유형	• 개인적 참여: 선거에 참여, 독자 투고, 진정 및 청원서 제출, 공청회 및 정치 토론회 참가 등 • 집단적 참여: 정당이나 이익 집단, 시민 단체 등의 활동 참여, 집회 및 시위 참여 등
바람직한 정치 참여	• 자발적·능동적 참여 • 사익과 공익의 조화 • 민주적 절차 준수

02 선거와 선거 제도

A 선거의 의미와 기능

의미	국정을 담당할 국민의 대표를 투표로 뽑는 행위
의의	• 정책 결정 과정에 참여하는 기본적인 행위 • 대의 민주 정치에서 주권을 행사하는 기본적인 수단
기능	대표자 선출, 대표자 및 정치권력 통제, 정치권력에 정당성 부여, 여론을 정책 결정에 반영, 주권 의식 향상 등

B 선거 제도의 유형

(1) 대표 결정 방식

다수 대표제	• 의미: 가장 많은 표를 얻은 후보자가 당선되는 제도 • 유형: 단순 다수 대표제, 절대 다수 대표제 • 특징: 정국이 안정될 수 있음
비례 대표제	• 의미: 각 정당이 획득한 득표 비율에 따라 의석수를 할당하는 제도 • 특징: 유권자의 의사를 의석수에 더 정확하게 반영하는 것이 가능함, 사표를 줄일 수 있음
혼합제	다수 대표제와 비례 대표제를 함께 활용하는 제도

(2) 선거구 제도

소선거구제	• 의미: 한 선거구에서 1인의 대표 선출 • 특징: 선거 관리 용이, 유권자의 후보 파악 용이, 사표가 많이 발생, 군소 정당의 의회 진출이 어려움, 정당 득표율과 의석률의 차이가 큼
중·대 선거구제	• 의미: 한 선거구에서 2인 이상의 대표 선출 • 특징: 소선거구제보다 사표가 적게 발생, 국민의 다양한 의사 반영, 선거 관리가 어려움, 유권자의 후보 파악이 어려움

C 우리나라의 선거 제도

유형	• 다수 대표제 채택: 대통령, 지역구 국회 의원, 지방 자치 단체장, 지역구 광역 의회 의원, 교육감 선거 • 중선거구제 채택: 지역구 기초 의회 의원 선거 • 정당 명부식 비례 대표제 채택: 비례 대표 국회 의원, 비례 대표 광역 의회 의원, 비례 대표 기초 의회 의원 선거
공정한 선거를 위한 제도	선거구 법정주의 채택, 선거 공영제 시행, 선거 관리 위원회 설치

03 다양한 정치 주체와 시민 참여

기억나는
키워드나 핵심 적어보기

A 정당을 통한 시민 참여

정당	정치권력의 획득을 목표로 자발적으로 조직한 결사체
기능	• 사회 구성원의 다양한 요구를 정치 과정에 반영 • 정치적 충원 기능 • 정치 사회화 기능 • 당정 협의회 등을 통해 정부와 의회 매개 • 정부의 정책에 대한 비판 및 대안 제시
정당 제도 유형	• 일당제: 하나의 정당이 계속해서 집권하는 정당 제도 • 양당제: 두 개의 주요 정당이 경쟁하는 정당 제도 • 다당제: 세 개 이상의 정당이 경쟁하는 정당 제도
정치 참여 방법	• 정당에 가입하여 활동 • 정당이 주최하는 공청회나 정책 토론회 등에 참가

B 이익 집단, 시민 단체, 언론을 통한 시민 참여

(1) 이익 집단

의미	자신들만의 특수한 이익을 실현하기 위해 결성한 집단
기능	국민의 다양한 의사 표출, 기존 정당의 부족한 점 보완, 정치 사회화 기능, 정부 정책 결정 비판 및 감시 등
정치 참여 방법	정치 후원금 제공, 로비 활동, 시위·집회·대중 매체를 통한 참여 등

(2) 시민 단체

의미	공공의 문제나 공적 이익에 관심을 두고 활동하는 집단
기능	공공선과 공익 실현, 시민의 정치 참여 촉진, 정치 사회화 기능, 정부 정책에 대한 감시 및 비판 등
정치 참여 방법	토론회 개최, 관련 공직자 면담, 관련 기관에 의견 제출, 서명 운동이나 캠페인 활동 등

(3) 언론

의미	신문, 방송, 인터넷 등을 매개로 어떤 사실을 알리거나 특정 문제에 관해 여론을 형성하는 활동
기능	국민의 알 권리 보장, 정보 제공을 통해 여론 형성 주도, 정치권력 및 부정부패에 대한 감시 등
정치 참여 방법	독자 투고나 언론사와 인터뷰, 누리 소통망 등을 활용하여 언론사에 정보 제공 등

자, 핵심 키워드도 모았으니, 문제 풀러 가자!

한번에 끝내는 대단원 문제

정답과 해설 39쪽

01 밑줄 친 ⊙~@에 대한 옳은 설명만을 〈보기〉에서 고른 것은?

> 정치 과정이란 사회의 다양한 문제를 둘러싼 요구가 ⊙정책 결정 기구에 투입되어 정책으로 나타나는 모든 과정을 의미한다. 정치 과정은 사회의 다양한 요구가 집약되고 표출되는 ⓒ투입, 정책 결정 기구가 정책을 수립하고 집행하는 ⓒ산출, 산출된 정책에 대한 사회의 평가가 재투입되는 @환류 과정으로 이루어진다.

> **보기**
> ㄱ. 정당은 ⊙에 해당한다.
> ㄴ. 언론에 의한 여론 형성은 ⓒ의 예이다.
> ㄷ. 시민들의 입법 청원 활동은 ⓒ의 대표적인 예이다.
> ㄹ. @은 권위주의 국가에서보다 민주주의 국가에서 더 활발하다.

① ㄱ, ㄴ   ② ㄱ, ㄷ   ③ ㄴ, ㄷ
④ ㄴ, ㄹ   ⑤ ㄷ, ㄹ

02 그림은 정치 과정을 나타낸 것이다. ⊙~@에 대한 설명으로 옳은 것은?

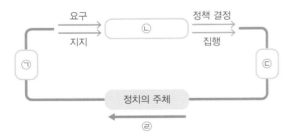

① ⊙은 하향식 의사 결정에서 중요시되는 과정이다.
② 이익 집단, 언론, 정당 등은 ⓒ에 해당한다.
③ 시민 단체가 어떤 정책에 대해 지지나 요구를 하는 활동은 ⓒ의 예이다.
④ @은 산출된 정책이 국민들의 평가를 받아 다시 정치 체계에 투입되는 과정이다.
⑤ 여론의 형성은 ⊙보다 ⓒ에서 이루어진다.

03 다음은 정치 참여의 유형을 구분한 도표이다. (가)~(라)에 대한 설명으로 옳은 것은?

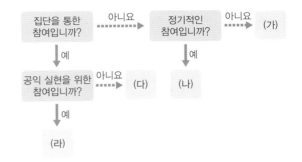

① 노동조합에 가입하여 정책 반대 집회에 참여하는 것은 (가)에 해당한다.
② 국회 의원 선거에서 투표를 하는 것은 (나)에 해당한다.
③ 정치적 책임을 지는 집단을 통한 참여는 (다)에 해당한다.
④ 이익 집단을 통한 활동은 (라)에 해당한다.
⑤ (가), (나)가 (다), (라)보다 참여의 지속성이 강하다.

04 다음 글이 강조하는 시민의 정치 참여의 의의로 가장 적절한 것은?

> 시민들은 정치에 참여하면서 시민으로서의 책임감을 알게 되고, 다른 사람들과 더불어 살아가는 방법 등을 배우게 된다. 또한 정책이 어떻게 결정되는지에 대해 알 수 있는 기회를 갖게 되며, 이에 따라 국민 주권을 실현한다.

① 사회의 갈등을 조정한다.
② 정치권력의 합법성을 높인다.
③ 정치 사회화의 기회를 제공한다.
④ 정책 결정이 신속하게 이루어진다.
⑤ 합리적 의사 결정을 할 수 있게 한다.

05 자료에 대한 옳은 설명만을 〈보기〉에서 있는 대로 고른 것은?

교사: 지난 수업 시간에 배운 민주 선거 원칙인 ⊙ 에 위배되는 사례를 발표해 보세요.

갑: 대표자를 뽑는 선거에서 지역구 간 인구 편차가 심할 경우 정당 득표율과 의석 점유율이 비례하지 않는 경우입니다.

을: 선거구 획정 시 인구수가 최대인 선거구와 인구수가 최소인 선거구의 인구 편차가 2:1을 넘어서지 않아야 하는데, 인구 편차가 3:1이 되는 경우입니다.

병: 인종, 신분, 교육 수준, 성별, 재산의 정도 등에 따라 차별하지 않고 일정한 연령에 이르면 선거권을 부여하는 경우입니다.

정: (가)

교사: ⓒ한 사람을 제외하고 모두 옳게 발표했습니다.

〈보기〉
ㄱ. ⊙은 표의 등가성을 실현하고자 한다.
ㄴ. ⓒ은 을이다.
ㄷ. 병은 보통 선거의 원칙이 적용된 사례를 발표하고 있다.
ㄹ. (가)에는 "모든 유권자에게 동등하게 투표권을 부여하지 않는 경우입니다."가 들어갈 수 있다.

① ㄱ, ㄴ   ② ㄱ, ㄷ   ③ ㄴ, ㄹ
④ ㄱ, ㄷ, ㄹ   ⑤ ㄴ, ㄷ, ㄹ

06 (가), (나)는 갑국과 을국의 대통령 선거 결과이다. (가)에 비해 (나)가 갖는 장점으로 옳은 것은?

(가)
기호 1번 당선 45% 기호 2번 40% 기호 3번 15%

(나)
1차 투표 기호 1번 45% 기호 2번 40% 기호 3번 15%
2차 투표 기호 1번 45% 기호 2번 당선 55%

① 선거 운동 비용이 적게 들 것이다.
② 당선자의 대표성이 강화될 것이다.
③ 직접 선거 원칙이 잘 지켜질 것이다.
④ 유권자의 정당 선택 범위가 넓어질 것이다.
⑤ 지역적 경향에 따른 투표 행태인 지역주의가 완화될 것이다.

07 (가), (나)에 나타난 선거구제에 대한 설명으로 옳은 것은?

(가) 200개의 선거구에서 200명의 의회 의원을 선출한다.
(나) 100개의 선거구에서 200명의 의회 의원을 선출한다.
(단, 모든 선거구에서 선출된 의원 수는 동일하다.)

① (가)보다 (나)에서 사표 발생 가능성이 높다.
② (가)보다 (나)에서 한 선거구의 지역적 범위가 넓다.
③ (나)보다 (가)에서 정당별 득표율과 의석률이 일치할 가능성이 크다.
④ (나)보다 (가)에서 선거 운동 비용이 많이 들고, 선거 관리가 어렵다.
⑤ (가), (나) 모두 한 선거구에서 2인을 선출한다.

08 다음에 나타난 공정한 선거를 위한 제도에 대한 옳은 설명만을 〈보기〉에서 고른 것은?

헌법은 제116조 제1항에 "선거 운동은 각급 선거 관리 위원회의 관리하에 법률이 정하는 범위 안에서 하되 균등한 기회가 보장되어야 한다."라고 하면서, 제2항에 "선거에 관한 경비는 법률이 정하는 경우를 제외하고는 정당 또는 후보자에게 부담시킬 수 없다."라고 규정하고 있다.

〈보기〉
ㄱ. 당선자의 대표성을 높인다.
ㄴ. 국민의 조세 부담을 높일 수 있다.
ㄷ. 유권자가 후보자 파악을 쉽게 할 수 있다.
ㄹ. 재력이 부족한 사람에게도 입후보의 기회를 보장한다.

① ㄱ, ㄴ   ② ㄱ, ㄷ   ③ ㄴ, ㄷ
④ ㄴ, ㄹ   ⑤ ㄷ, ㄹ

09 다음과 같은 활동을 하는 정치 참여 주체에 대한 설명으로 옳은 것은?

- 의원 총회를 통해 당내 의견 수렴
- 총선 후보 공천을 위한 당원 투표 실시
- 주요 현안에 대한 당정 협의회 참석

① 정치적 책임을 지지 않는다.
② 자신들만의 특수 이익을 추구한다.
③ 정치 과정에서 정책 결정 기구에 해당한다.
④ 당정 협의회를 통해 정당과 의회를 매개한다.
⑤ 정치적 충원 및 정치 사회화 기능을 수행한다.

10 표는 정당 제도의 유형을 나타낸 것이다. 이에 대한 옳은 설명만을 〈보기〉에서 고른 것은? (단, A, B는 각각 양당제, 다당제 중 하나이다.)

기준	정당 제도
다양한 민의 반영 가능성	A>B
정치적 책임 소재의 명확성	A<B

보기

ㄱ. A는 B에 비해 정당 간 대립 시 중재가 용이하다.
ㄴ. 민주적 정권 교체 가능성은 A가 B보다 크다.
ㄷ. A는 군소 정당 난립에 따른 정국 불안이 우려된다.
ㄹ. B는 A에 비해 정치적 책임 소재가 불명확하다.

① ㄱ, ㄴ   ② ㄱ, ㄷ   ③ ㄴ, ㄷ
④ ㄴ, ㄹ   ⑤ ㄷ, ㄹ

11 다음은 각 정치 참여 집단의 사례를 나타낸 것이다. (가), (나)에 대한 옳은 설명만을 〈보기〉에서 고른 것은?

(가)	(나)
• 노동조합	• 환경 운동 연합
• 대한 의사 협회	• 참여 연대
• 각종 직능 단체	• 반크(VANK)

보기

ㄱ. (가)는 비영리성을 바탕으로 공익을 추구한다.
ㄴ. (나)는 정치 사회화 기능을 한다.
ㄷ. (가), (나)는 모두 정책 결정 과정에 영향을 미친다.
ㄹ. (나)는 (가)와 달리 정치적 책임을 지지 않는다.

① ㄱ, ㄴ   ② ㄱ, ㄷ   ③ ㄴ, ㄷ
④ ㄴ, ㄹ   ⑤ ㄷ, ㄹ

12 정치 참여 집단 A의 특징으로 옳은 것만을 〈보기〉에서 고른 것은? (단, A는 이익 집단, 시민 단체 중 하나이다.)

A의 사례로는 국제 엠네스티를 들 수 있다. 국제 엠네스티는 인권 옹호와 증진을 위해 각국의 언론 상황을 감시하고, 사형 제도 폐지 운동 등을 하고 있다. 또 다른 사례로 녹색 소비자 연대가 있다. 이 단체에서는 환경 친화적 생활 양식을 확립하기 위해 생태 주거 운동과 동물 복지 운동, 기후 변화 시민 행동 등을 하고 있다.

보기

ㄱ. 정치 과정에서 투입보다 산출이 더 중요하다고 본다.
ㄴ. 자신들의 특수 이익과 관련된 영역에만 관심을 갖는다.
ㄷ. 사회 문제에 대한 논의를 통해 해결 대안을 모색하고 제시한다.
ㄹ. 공공의 문제를 해결하기 위해 시민들이 자발적으로 활동하는 집단이다.

① ㄱ, ㄴ   ② ㄱ, ㄷ   ③ ㄴ, ㄷ
④ ㄴ, ㄹ   ⑤ ㄷ, ㄹ

13 표는 갑국의 의회 선거 제도 변경에 관한 자료이다. 물음에 답하시오. (단, 21대 선거에서 유권자는 지역구 후보와 지지 정당에 각각 1표씩 행사하며, 전국구 의석은 정당별 득표율에 비례하여 배분함)

역대 의회	선거구 유형	선거구당 선출 정수	1인당 투표수
20대	지역구	1	1
	전국구	40	
21대	지역구	1	2
	전국구	80	

(1) 20대 선거에 비해 21대 선거에서 더 충실해진 민주 선거 원칙으로, 표의 등가성과 관련된 원칙이 무엇인지 쓰시오. (   )

(2) 20대 선거가 가지는 문제점에 대해 서술하시오.

_____

_____

_____

_____

14 다음 글을 읽고 물음에 답하시오.

> • 갑국에서는 지난 총선에서 10년간 집권했던 A당이 의석의 과반을 차지하는 데 실패하고, 과반 의석을 차지한 B당이 정권을 차지하게 되었다. 갑국은 거의 10년을 주기로 A당과 B당이 번갈아가며 집권하고 있다.
> • 을국은 이번 총선에서도 과반을 차지하는 정당이 나타나지 않았다. 을국은 어떤 정당도 40% 이상의 의석을 차지한 경우가 한 번도 존재하지 않았다.

(1) 갑국과 을국의 정당 제도의 유형을 쓰시오.

갑국: (   ), 을국: (   )

(2) 을국의 정당 제도가 갖는 단점을 <u>두 가지</u>를 서술하시오.

_____

_____

_____

15 그림은 갑국의 선거 결과이다. 물음에 답하시오. (단, 의원은 1인 1표제로 지역구에서만 선출하였고, 무소속은 없다.)

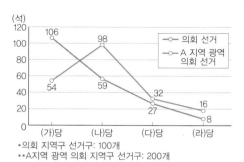

*의회 지역구 선거구: 100개
**A지역 광역 의회 지역구 선거구: 200개

(1) 의회 선거와 A지역 광역 의회 선거의 선거구제가 무엇인지 각각 쓰시오.

의회 선거: (   )

A지역 광역 의회 선거: (   )

(2) A지역 광역 의회 선거의 선거구제의 장점과 단점을 <u>각각 한 가지</u>씩 서술하시오.

장점: _____

_____

단점: _____

_____

16 다음 주장을 읽고 물음에 답하시오.

> 의회 의원 선거에 당의 후보자를 공천할 때 당원뿐만 아니라 일반 국민도 후보자 선출에 참여하도록 해야 한다.

(1) 위의 주장이 설명하는 제도가 무엇인지 쓰시오. (   )

(2) (1)의 장단점을 <u>한 가지</u>씩 서술하시오.

장점: _____

단점: _____

IV

개인 생활과 법

배울 내용 한눈에 보기

01 민법의 의의와 기본 원리

민법
- 민법의 의의와 기능
- 근대 민법의 기본 원리
- 근대 민법의 기본 원리 수정

02 재산 관계와 법

재산 관계
- 계약
  - 계약의 의미와 성립
  - 미성년자의 계약
- 불법 행위
  - 특수 불법 행위
- 손해 배상

03 가족 관계와 법

가족 관계
- 부부
  - 혼인의 성립과 효과
  - 이혼의 유형과 효과
- 부모와 자녀
  - 친자 관계
  - 친권
- 유언과 상속

01 민법의 의의와 기본 원리

① 민법의 구성

제1편 총칙	민법의 법원, 민법 전반에 걸쳐 적용되는 원칙 등을 규정함
제2편 물권, 제3편 채권	개인 간의 법률관계 중 주로 재산에 관한 내용을 규정함
제4편 친족, 제5편 상속	개인 간의 법률관계 중 주로 가족에 관한 내용을 규정함

② 민법의 규율 대상

재산 관계	・재산과 관련된 권리와 의무 관계 ・재산권, 계약, 손해 배상 등 예 갑과 을의 아파트 매매 계약 체결 관계
가족 관계	・부부나 자녀 등 가족과 관련된 권리와 의무 관계 ・혼인, 이혼, 상속 등 예 병과 정의 혼인 관계

A 민법의 의의와 기능

1. 법의 분류 ┌ 법은 규율하는 생활 관계에 따라 분류할 수 있음

구분	공법(公法)	사법(私法)
의미	국가 또는 공공 단체 간 또는 이들과 개인 간의 공적인 생활 관계를 규율하는 법	개인과 개인 간의 대등한 사적 생활 관계를 규율하는 법
종류	헌법, 형법, 소송법 등	민법, 상법 등

2. 민법의 의의와 기능

(1) **민법**①: 개인과 개인의 법률관계에서 발생하는 권리와 의무의 종류 및 내용을 다루는 대표적인 사법(私法)

(2) **민법의 규율 대상**②: 재산 관계, 가족 관계 등

(3) **민법의 기능**

① **재산 관계 규율**: 재산권의 의미와 대상, 계약의 종류와 내용, 불법 행위 등을 규정하여 개인의 경제 활동 및 경제적 권리와 관련한 법률관계를 합리적으로 조정함

② **가족 관계 규율**: 가족 및 친족과 관련된 법률관계를 안정적으로 유지함

③ **법의 일반 원칙 제시**: 신의 성실의 원칙, 권리 남용 금지의 원칙 등과 같은 법의 일반 원칙을 규정함 → 사법적 생활 관계의 행위 기준을 제시함

B 민법의 기본 원리

⭐ 한눈에 정리

근대 민법 기본 원리의 수정・보완

기본 원리	수정・보완된 원리
사유 재산권 존중의 원칙 →	소유권 공공 복리의 원칙
사적 자치의 원칙 →	계약 공정의 원칙
과실 책임의 원칙 →	무과실 책임의 원칙

1. 근대 민법의 기본 원리 ┌ 개인주의, 자유주의, 합리주의를 근본 이념으로 함

사유 재산권 존중의 원칙 (소유권 절대의 원칙)	개인 소유의 재산에 대해 사적 지배(절대적 권리)를 인정하고 국가나 다른 개인은 함부로 이를 간섭하거나 제한하지 못한다는 원칙
사적 자치의 원칙 (계약 자유의 원칙)	개인은 국가나 타인의 간섭을 받지 않고 자신의 자율적인 판단에 기초하여 법률관계를 형성해 나갈 수 있다는 원칙
과실 책임의 원칙 (자기 책임의 원칙)③	자신의 고의나 과실에 따른 위법한 행위로 타인에게 손해를 끼친 경우에만 책임을 진다는 원칙 ┌ 뜻 자신의 행위에 따른 결과를 예견할 수 있었으면서도 부주의로 말미암아 인식하지 못한 상태

2. 근대 민법의 기본 원리에 대한 수정・보완

(1) **수정・보완 배경**: 자본주의 발전 과정에서 빈부 격차의 심화, 환경 오염, 독과점 기업의 폐해 등의 문제 발생 → 경제적 약자 및 사회적 약자를 보호할 필요성이 대두됨

(2) **근대 민법의 기본 원리에 대한 수정・보완** ┌ 근대 민법의 기본 원리를 대체하는 것이 아니라 예외가 되는 상황에 적용되는 보완적인 원리임. 즉 근대 민법의 기본 원리와 수정・보완 원리가 병존함

소유권 공공복리의 원칙	・소유권에 공공의 개념을 적용하여 소유권은 공공복리에 적합하도록 행사해야 한다는 원칙 ┌ 뜻 개인의 개별적 이익과는 달리 사회 구성원 전체에 공통되는 이익 ・개인의 소유권 행사가 공공의 이익을 침해한다면 경우에 따라 제한될 수 있음 → 상대적 권리
계약 공정의 원칙	계약 내용이 사회 질서에 위반되거나 공정하지 못한 경우에는 법적 효력이 발생하지 않는다는 원칙 [자료1] ┌ 예 소비자에게 불리하게 작성된 약관은 법적 효력이 인정되지 않을 수 있음
무과실 책임의 원칙	자신에게 직접적인 고의나 과실이 없는 경우에도 일정한 요건에 따라 손해 배상 책임을 질 수 있다는 원칙 [자료2] ┌ 예 사업자의 환경 침해(환경 오염)나 제조물 책임(제조물의 결함으로 인해 발생한 손해) 등에 적용됨

③ 과실 책임의 원칙이 나타난 민법 조항

> **민법 제750조** 고의 또는 과실로 인한 위법 행위로 타인에게 손해를 가한 자는 그 손해를 배상할 책임이 있다.

민법 제750조에서는 위법 행위에 고의 또는 과실이 있어야 손해 배상 책임이 있음을 규정하여 '과실 책임의 원칙'을 밝히고 있다.

자료1 계약 공정의 원칙 위반 사례

다음은 우리나라 연예 기획사와 소속 연습생 간에 체결하는 '연습생 계약' 중 공정 거래 위원회로부터 시정 조치를 받은 내용 중 일부이다.

- 과도한 위약금 부과: 연습생 귀책사유로 계약 해지 시 일률적으로 투자 비용의 2~3배 금액을 위약금으로 배상하도록 함
- 전속 계약 체결 강요: 연습생 계약 기간이 만료된 이후에도 현재 소속된 연예 기획사와의 전속 계약 체결 의무를 강제하거나, 전속 계약 체결을 거부할 시 투자 비용의 2배를 반환하도록 함

| 자료 분석 | 연예 기획사와 소속 연습생이 체결한 계약은 과도한 위약금을 부과하고, 전속 계약 체결을 강요하는 내용을 담고 있으므로 불공정한 계약이다. 연습생이 연예인으로 데뷔하는 데 기획사가 큰 영향력을 미치기 때문에 연습생은 불공정한 내용의 계약서에 서명할 수밖에 없다. 이는 계약 내용이 사회 질서에 위반되거나 공정하지 못한 경우에는 법적 효력이 발생하지 않는다는 계약 공정의 원칙에 어긋난다.

한줄 핵심 계약 공정의 원칙에 따라 계약 내용이 사회 질서에 위반되거나 공정하지 못한 경우 법적 효력이 발생하지 않는다.

❶ □□ □□□ □□은/는 계약의 내용이 공정하지 못한 경우에는 법적 효력이 발생하지 않는다는 민법의 기본 원리이다.
( )

자료2 무과실 책임의 원칙이 적용되는 법

「환경 정책 기본법」

제44조(환경 오염의 피해에 대한 무과실 책임) ① 환경 오염 또는 환경 훼손으로 피해가 발생한 경우에는 해당 환경 오염 또는 환경 훼손의 원인자가 그 피해를 배상하여야 한다.
<u>무과실 책임의 원칙이 적용됨</u>

「제조물 책임법」

제3조(제조물 책임) ① 제조업자는 제조물의 결함으로 생명·신체 또는 재산에 손해(그 제조물에 대하여만 발생한 손해는 제외한다)를 입은 자에게 그 손해를 배상하여야 한다.
<u>무과실 책임의 원칙이 적용됨</u>

제3조의2(결함 등의 추정) 피해자가 다음 각 호의 사실을 증명한 경우에는 제조물을 공급할 당시 해당 제조물에 결함이 있었고 그 제조물의 결함으로 인하여 손해가 발생한 것으로 추정한다. 다만, 제조업자가 제조물의 결함이 아닌 다른 원인으로 인하여 그 손해가 발생한 사실을 증명한 경우에는 그러하지 아니하다.
<u>피해자가 가해자의 고의 또는 과실을 입증할 필요 없이 간단한 피해 정도만 입증 → 피해자의 입증 책임 완화</u>

| 자료 분석 | 「환경 정책 기본법」과 「제조물 책임법」은 경제적 강자가 약자를 지배하거나 자신의 책임을 회피하는 수단으로 남용되는 과실 책임의 원칙을 보완하여 무과실 책임의 원칙을 인정하고 있다. 이에 따라 사업자는 자신에게 직접적인 고의나 과실이 없는 경우에도 일정한 요건에 따라 손해 배상 책임을 질 수 있다.

한줄 핵심 「환경 정책 기본법」, 「제조물 책임법」은 무과실 책임의 원칙을 인정하고 있다.

❷ 민법의 기본 원리 중 □□ □□□ □□은/는 고의 또는 과실로 타인에게 손해를 끼친 경우에만 책임을 진다는 원칙이다.
( )

❸ 「환경 정책 기본법」, 「제조물 책임법」은 민법의 기본 원리 중 □□□ □□□ □□을/를 반영하여 일정한 부분에 있어서 고의나 과실이 없어도 책임을 지도록 하고 있다.
( )

정답 ❶ 계약 공정의 원칙 ❷ 과실 책임의 원칙 ❸ 무과실 책임의 원칙

민법의 원리

수능풀 Guide 근대 민법의 기본 원리와 근대 민법의 기본 원리를 수정·보완한 내용을 비교하여 각 원칙의 특징을 파악해 보자.

1 근대 민법의 기본 원리

근대 민법의 세 가지 기본 원리에는 사유 재산권 존중의 원칙, 사적 자치의 원칙, ㉠과실 책임의 원칙이 있다. 이러한 근대 민법의 원리들은 독과점, 빈부 격차 등 자
<small>자신의 고의나 과실에 따른 위법한 행위로 타인에게 손해를 끼친 경우에만 책임을 진다는 원칙</small>
본주의의 문제점을 보완하고자 각각 소유권 공공복리의 원칙, 계약 공정의 원칙, ㉡무과실 책임의 원칙으로 수정되었다.
<small>사업자의 환경 침해(환경 오염)나 제조물 책임 등에 적용됨</small>

기출 선택지로 확인하기

❶ ㉠은 새로운 원칙으로 대체되면서 현재 우리나라 민법에서는 폐기되었다. ○×

❷ ㉡을 적용한 예로 우리나라의 「제조물 책임법」을 들 수 있다. ○×

2 사적 자치의 원칙(계약 자유의 원칙)과 계약 공정의 원칙

(가) 계약을 체결할 것인가, 누구와 체결할 것인가, 계약의 내용을 어떻게 할 것인가는 당사자가 자유롭게 정할 수 있다. → 사적 자치의 원칙(계약 자유의 원칙)

(나) 개인 간에 체결한 계약이라도 그 계약의 내용이 사회 질서에 부합하여야 하고, 어느 한쪽의 무경험 등으로 인하여 현저하게 균형을 잃어서는 안 된다.
→ 계약 공정의 원칙

PLUS분석 자본주의 발전 과정에서 나타난 빈부 격차, 환경 오염, 독과점 기업의 폐해 등의 사회 문제가 발생함에 따라 사적 자치의 원칙은 계약 공정의 원칙으로 수정·보완되었다.

기출 선택지로 확인하기

❸ (가)는 원칙적으로 국가를 포함한 타인의 간섭을 받지 않고 자기의 법률관계를 스스로 정할 수 있다는 의미이다. ○×

❹ 근대 자본주의의 문제점을 겪은 이후 (나)는 (가)로 수정되었다. ○×

3 무과실 책임의 원칙 관련 문제 ▶ 131쪽 08번

법원은 "공단 내 공장들의 폐수 배출과 인근 양식장에서 발생한 손해 사이에 인과 관계가 증명되었다. 그러므로 공장들이 책임을 면하기 위해서는 폐수 중에 양식장 피해를 발생시킨 원인 물질이 들어 있지 않았다는 것을 입증해야 한다. 그리고 폐수
<small>입증이 되면 가해 행위와 손해 발생 간에 인과 관계가 없기 때문에 책임을 지지 않음</small>
중에 원인 물질이 들어 있다 하더라도 양식장에 피해를 일으킬 정도의 농도가 아니라는 사실 또는 피해가 전적으로 다른 원인에 의한 것임을 증명하지 못하는 한 공장들은 그 책임을 면할 수 없다."라고 판결하였다.
<small>법원은 무과실 책임의 원칙을 근거로 판결하였음</small>

PLUS분석 법원이 공장 폐수에 양식장 손해를 발생시킨 원인 물질이 들어있지 않다는 것을 증명하지 못한다면 손해 배상을 해야 한다고 판결한 것은 무과실 책임의 원칙을 따른 것이다.

기출 선택지로 확인하기

❺ 무과실 책임의 원칙에 따라 개인의 사유 재산에 대한 절대적 지배권을 인정한다. ○×

❻ 무과실 책임의 원칙에 따라 과실이 없을 때에도 일정한 상황에서 관계되는 자가 책임을 질 수 있다. ○×

A 민법의 의의와 기능

01 다음 설명이 맞으면 ○표, 틀리면 ×표를 하시오.

(1) 민법은 개인과 개인의 법률관계에서 발생하는 권리와 의무의 종류 및 내용을 다루는 대표적인 공법이다. ( )

(2) 민법은 계약, 손해 배상, 임차권 등 재산 관계에 관한 내용만을 규율한다. ( )

(3) 민법은 신의 성실의 원칙, 권리 남용 금지의 원칙 등 법의 일반 원칙을 규정하여 사법적 생활 관계의 행위 기준을 제시한다. ( )

02 다음 사례를 읽고 재산 관계에 해당하면 '재', 가족 관계에 해당하면 '가'라고 쓰시오.

(1) 갑과 을이 이혼하였다. ( )

(2) 병이 사망하자 법정 상속이 개시되었다. ( )

(3) 정이 자전거 판매점에서 자전거를 구매하였다. ( )

(4) 무가 친구로부터 돈을 빌리면서 계약서를 작성하였다. ( )

B 민법의 기본 원리

03 빈칸에 들어갈 알맞은 용어를 쓰시오.

(1) 근대 민법의 기본 원리는 □□□□와/과 자유주의, 합리주의를 기본 이념으로 한다.

(2) 개인의 자율적인 판단에 기초하여 법률관계를 형성해 나갈 수 있다는 원칙은 □□ □□ □ □□(□□ □□□□ □□)이다.

(3) 근대 민법의 수정 원리에 따라 소유권은 □□□□에 적합하도록 행사해야 한다.

04 다음 설명에 해당하는 민법의 원리를 〈보기〉에서 골라 기호를 쓰시오.

보기
ㄱ. 계약 공정의 원칙　　　　　　ㄴ. 소유권 절대의 원칙
ㄷ. 과실 책임의 원칙　　　　　　ㄹ. 무과실 책임의 원칙

(1) 자신의 고의나 과실에 따른 행위로 타인에게 손해를 끼친 경우에만 책임을 진다는 원칙
( )

(2) 계약 내용이 사회 질서에 위반되거나 공정하지 못한 경우에는 법적 효력이 발생하지 않는다는 원칙
( )

(3) 자신에게 직접적인 고의나 과실이 없는 경우에도 일정한 요건에 따라 배상 책임을 질 수 있다는 원칙
( )

(4) 개인 소유의 재산에 대한 사적 지배를 인정하고 국가나 다른 개인은 함부로 이를 간섭하거나 제한하지 못한다는 원칙
( )

A 민법의 의의와 기능

01 A법과 B법에 대한 설명으로 옳지 <u>않은</u> 것은?

> • A법: 개인과 개인 간의 법률관계를 규율하는 법
> • B법: 국가와 개인, 국가와 공공 단체 간의 법률관계를 규율하는 법

① 민법은 A법에 해당한다.
② 아파트 매매 계약 체결에 관한 것은 A법에 해당하는 법의 적용을 받는다.
③ 형법은 B법에 해당하는 대표적인 법이다.
④ 혼인, 이혼, 상속과 관련한 법은 B법에서 규정한다.
⑤ B법을 어겼을 경우 형벌이나 벌금 등의 공적인 제재를 받을 수 있다.

02 밑줄 친 A와 B에 해당하는 사례만을 〈보기〉에서 골라 바르게 연결한 것은?

> 민법은 개인과 개인의 법률관계에서 발생하는 권리와 의무의 종류 및 내용을 다루는 대표적인 사법이다. 민법의 규율 대상에는 <u>A</u>와 <u>B</u>가 있는데, A는 재산과 관련된 권리와 의무 관계이고, B는 부부나 자녀 등의 가족과 관련된 권리와 의무 관계이다.

> 보기
> ㄱ. 갑이 을과 결혼하였다.
> ㄴ. 병은 아버지의 재산을 상속받았다.
> ㄷ. 정이 노트북 판매점에서 노트북을 구입하였다.
> ㄹ. 무는 친구로부터 돈을 빌리는 계약을 체결하였다.

	A	B		A	B
①	ㄱ, ㄷ	ㄴ, ㄹ	②	ㄱ, ㄹ	ㄴ, ㄷ
③	ㄴ, ㄷ	ㄱ, ㄹ	④	ㄴ, ㄹ	ㄱ, ㄷ
⑤	ㄷ, ㄹ	ㄱ, ㄴ			

03 민법에 대한 설명으로 옳지 <u>않은</u> 것은?

① 개인 간의 법률관계를 다루는 법이다.
② 개인은 자신의 재산과 권리를 보장받을 수 있다.
③ 가족 및 친족과 연관된 법률관계를 안정적으로 유지하도록 한다.
④ 개인의 경제 활동과 경제적 권리를 둘러싼 법률관계를 합리적으로 조정한다.
⑤ 신의 성실의 원칙과 같이 민법에만 적용되는 법의 일반 원칙을 규정하고 행위 기준을 제시한다.

B 민법의 기본 원리

04 민법의 원리 A, B에 대한 설명으로 옳은 것은?

A	개인 소유의 재산에 대한 사적 지배를 인정하고 국가나 다른 개인은 함부로 이를 간섭하거나 제한하지 못한다.
B	소유권에 공공의 개념을 적용하여 소유권은 공공복리에 적합하도록 행사해야 한다.

① A는 공익을 위해 개인 소유 재산에 대한 제한이 가능하다고 본다.
② B는 사유 재산에 대한 개인의 절대적 지배권을 강조한다.
③ 현대 사회에서 A는 B로 수정·보완되었다.
④ A와 달리 B는 개인주의·자유주의를 기본 이념으로 한다.
⑤ A는 '사적 자치의 원칙', B는 '소유권 공공복리의 원칙'이다.

05 민법의 원리에 대한 옳은 설명만을 〈보기〉에서 고른 것은?

> 보기
> ㄱ. 계약 공정의 원칙은 경제적 약자를 보호하는 것을 목적으로 한다.
> ㄴ. 「제조물 책임법」의 제조물 책임은 무과실 책임의 원칙에 따라 인정된다.
> ㄷ. 계약 공정의 원칙에 따라 개인 간에 자유로운 계약 체결 자체가 배제된다.
> ㄹ. 계약 자유의 원칙에 따라 계약 내용이 사회 질서에 위반되는 경우 효력이 없다.

① ㄱ, ㄴ 　② ㄱ, ㄷ 　③ ㄴ, ㄷ
④ ㄴ, ㄹ 　⑤ ㄷ, ㄹ

06 민법의 원리인 (가)에 부합하는 진술로 옳은 것은?

법원은 아이돌 그룹 A와 대형 기획사 B사 간에 체결한 전속 계약은 민법의 원리인 <u>(가)</u>에 어긋나므로 무효라고 판결하였다. 법원은 연습생 기간이 과도하게 길고, 계약을 파기할 경우의 위약금의 크기가 한쪽 당사자에게 불리할 정도로 크다는 점을 근거로 삼아 계약의 효력을 인정하지 않았다.

① 사유 재산권을 상대적 권리로 본다.
② 공정하지 못한 계약은 효력을 인정하지 않는다.
③ 국가는 개인의 재산에 대해 제한을 가해서는 안 된다.
④ 법률관계는 당사자의 자유로운 의사 합치로 형성되어야 한다.
⑤ 타인에게 끼친 손해에 대해서는 고의 또는 과실이 있을 경우에만 책임을 진다.

07 근대 민법의 기본 원리 (가)~(다)에 대한 옳은 설명만을 〈보기〉에서 고른 것은?

구분	내용
(가)	개인 소유의 재산에 대해 사적 지배를 인정하고 국가나 다른 개인은 함부로 이를 간섭하거나 제한하지 못한다.
(나)	개인은 자율적인 판단에 기초하여 법률관계를 자유롭게 형성해 나갈 수 있다.
(다)	자신의 고의나 과실에 따른 행위로 타인에게 손해를 끼친 경우에만 책임을 진다.

보기
ㄱ. (가)는 개인의 재산권이 절대적 권리임을 강조한다.
ㄴ. (나)로 인해 계약 내용이 불공정한 경우 효력이 인정되지 않는다.
ㄷ. (다)는 '자기 책임의 원칙'이라고도 한다.
ㄹ. (가)는 (나), (다)와 달리 개인주의, 자유주의를 기본 이념으로 한다.

① ㄱ, ㄴ   ② ㄱ, ㄷ   ③ ㄴ, ㄷ
④ ㄴ, ㄹ   ⑤ ㄷ, ㄹ

08 다음 사례에서 법원의 판결 근거가 된 민법의 원리에 대한 설명으로 적절한 것은?

법원은 A 농장 주인이 B 회사를 상대로 제기한 손해 배상 청구 소송에서 A 농장 주인의 승소 판결을 내렸다. 법원은 A 농장의 가축이 집단으로 폐사한 원인이 B 회사가 방류한 폐수라는 것이 확실하므로, A 농장 주인이 B 회사의 과실 여부를 입증하지 않아도 피해의 원인자인 B 회사가 손해 배상을 해야 한다고 보았다.

① 개인은 자율적인 판단에 기초하여 법률관계를 형성해 나갈 수 있다.
② 개인의 소유권은 공공의 이익을 위해서 경우에 따라 제한될 수 있는 상대적 권리이다.
③ 계약 내용이 사회 질서에 위반되거나 공정하지 못한 경우에는 법적 효력이 발생하지 않는다.
④ 자신에게 직접적인 고의나 과실이 없는 경우에도 일정한 요건에 따라 손해 배상 책임을 질 수 있다.
⑤ 개인 소유의 재산에 대해 사적 지배를 인정하고 국가나 다른 개인은 함부로 이를 간섭하거나 제한할 수 없다.

서답형 문제

09 다음 글을 읽고 물음에 답하시오.

민법의 원리 A는 자신의 고의나 과실에 따른 행위로 타인에게 손해를 끼친 경우에만 책임을 진다는 원칙이다. 이는 자신의 행동에 충분한 주의를 기울였다면 책임을 질 필요가 없다는 원칙으로 자기 책임의 원칙이라고도 한다.

(1) A에 해당하는 근대 민법의 기본 원리를 쓰시오.
(   )

(2) A가 현대 민법에서는 어떻게 수정·보완되었는지 서술하시오.

01 밑줄 친 'A법', 'B법'에 대한 옳은 설명만을 〈보기〉에서 있는 대로 고른 것은?

> 갑은 친구인 을에게 돈을 빌려주면서 1년 후에 갚기로 하는 계약을 체결하였다. 그러나 1년이 넘도록 을이 돈을 갚지 않자 갑이 을을 직접 찾아가 돈을 갚으라고 요구하였다. 그러자 갑자기 을이 갑을 폭행하여 갑에게 상해를 입혔다. 이에 갑은 A법을 근거로 손해 배상을 청구하고, B법에 규정된 상해죄에 근거하여 갑을 고소하였다.

> **보기**
> ㄱ. A법은 개인과 개인 간의 법률관계에서 발생하는 권리와 의무의 종류 및 내용을 다루는 법이다.
> ㄴ. B법은 한쪽 당사자를 국가로 하는 법률관계를 규율하는 법이다.
> ㄷ. A법은 B법과 달리 법 규정 위반에 대해 공적 제재를 한다.
> ㄹ. 상법은 A법, 헌법은 B법과 같은 생활관계를 규율하는 법이다.

① ㄱ, ㄷ ② ㄱ, ㄹ ③ ㄴ, ㄷ
④ ㄱ, ㄴ, ㄹ ⑤ ㄴ, ㄷ, ㄹ

02 (가), (나)가 규율하는 생활 관계의 옳은 사례만을 〈보기〉에서 골라 바르게 연결한 것은?

> 교사: 생활 관계를 규율하는 법에는 어떤 것이 있을까요?
> A: 개인과 개인 간의 대등한 사적 생활 관계를 규율하는 ⎡(가)⎤이/가 있습니다.
> B: 국가나 공공 단체 간 또는 이들과 개인 간의 공적인 생활 관계를 규율하는 ⎡(나)⎤이/가 있습니다.
> 교사: A, B 학생 모두 잘 대답했습니다.

> **보기**
> ㄱ. 갑은 범죄를 저질러 경찰의 수사를 받고 있다.
> ㄴ. 을은 어머니의 유언에 따라 재산을 상속받았다.
> ㄷ. 병은 은행에서 자신의 1아파트를 담보로 대출을 받았다.
> ㄹ. 정은 아파트를 매매한 후 관련 세금을 국세청에 납부하였다.

	(가)	(나)		(가)	(나)
①	ㄱ, ㄷ	ㄴ, ㄹ	②	ㄱ, ㄹ	ㄴ, ㄷ
③	ㄴ, ㄷ	ㄱ, ㄹ	④	ㄴ, ㄹ	ㄱ, ㄷ
⑤	ㄷ, ㄹ	ㄱ, ㄴ			

03 다음의 법 조항에 나타난 민법의 원칙에 대한 설명으로 옳은 것은?

> • 「제조물 책임법」 제3조 ① 제조업자는 제조물의 결함으로 생명·신체 또는 재산에 손해(그 제조물에 대하여만 발생한 손해는 제외한다)를 입은 자에게 그 손해를 배상하여야 한다.
> • 「환경 정책 기본법」 제44조 ① 환경 오염 또는 환경 훼손으로 피해가 발생한 경우에는 해당 환경 오염 또는 환경 훼손의 원인자가 그 피해를 배상하여야 한다.

① 자신의 고의 또는 과실이 없다면 책임을 지지 않는다.
② 계약 내용이 공정하지 못한 경우에는 법적 효력이 발생하지 않는다.
③ 개인의 소유권이라고 하더라도 공공복리에 적합하게 행사되어야 한다.
④ 개인 소유의 재산에 대해 국가나 다른 개인은 간섭하거나 제한하지 못한다.
⑤ 자신에게 직접적인 고의나 과실이 없는 경우에도 일정한 요건에 따라 배상 책임을 질 수 있다.

04 민법의 원리 (가), (나)에 대한 설명으로 옳지 않은 것은?

> • ○○법원은 법정 이자율을 초과하는 계약을 체결하고 이에 대한 이자를 지급할 것을 요구하는 것은 그 내용이 당사자 일방에게 불리한 내용이므로 ⎡(가)⎤에 따라 효력이 없다고 판단하였다.
> • △△법원은 기존에 도로로 활용되던 토지에 대한 소유권을 자신이 가지고 있다는 이유로 다른 통행 방법이 없음에도 불구하고 통행을 금지하는 것은 ⎡(나)⎤에 위배되어 허용될 수 없다고 판단하였다.

① (가)에 따르면 공정성을 잃은 계약은 법적 효력이 없다.
② (나)는 개인 소유 재산에 대한 사적 소유권을 인정하지 않는다.
③ (나)에 따르면 재산권의 행사는 공공복리에 적합하게 해야 한다.
④ (가), (나) 모두 사회적 약자의 보호를 위해 강조된다.
⑤ (가)는 계약 공정의 원칙, (나)는 소유권 공공복리의 원칙이다.

05 밑줄 친 ㉠~㉤에 대한 설명으로 옳은 것은?

> 근대 자본주의 발달 과정에서 빈부 격차, 환경 오염, 독과점 등의 부작용이 발생하였다. 이에 따라 근대 민법의 원리인 ㉠계약 자유의 원칙, 소유권 절대의 원칙, ㉡과실 책임의 원칙은 각각 ㉢계약 공정의 원칙, ㉣소유권 공공복리의 원칙, ㉤무과실 책임의 원칙으로 수정되었다.

① ㉠에 따라 양 당사자가 합의하지 않은 내용의 계약이라도 효력이 인정된다.

② ㉡은 고의가 아닌 과실로 인해 타인에게 손해를 준 경우에만 배상 책임을 진다는 원칙이다.

③ 근대 민법의 기본 원리의 수정으로 현재는 ㉠이 아닌 ㉢만 인정된다.

④ ㉣은 개인의 재산권이 절대적 권리라는 것을 강조한다.

⑤ ㉤의 예로 제조물의 결함으로 인한 손해에 대해 사업자에게 인정되는 책임을 들 수 있다.

---

06 근대 민법의 기본 원리 (가)~(다)에 대한 옳은 설명만을 〈보기〉에서 고른 것은?

> 근대 민법의 기본 원리는 인간의 존엄성으로부터 도출되는 개인의 자율성에 기반을 둔다. 따라서 개인은 자신의 의지에 따라 자유롭게 법률관계를 형성할 수 있으며 이는 계약의 영역에서는 ___(가)___ (으)로, 소유권 영역에서는 ___(나)___ (으)로 구체화된다. 또한 ___(다)___ 을/를 통해 귀책사유가 있는 개인 행위에 대한 결과만 책임을 지게 함으로써 행위의 자유를 보장한다.

〈보기〉
ㄱ. (가)에 의해 당사자 일방에게만 불리한 계약의 효력은 인정되지 않는다.
ㄴ. (나)에 의해 개인 소유의 재산권을 상대적 권리로 인정한다.
ㄷ. (다)에 의해 고의 또는 과실로 상대방에 피해를 준 경우에만 손해 배상 책임을 인정한다.
ㄹ. (가)~(다) 모두 개인주의, 자유주의를 기본 이념으로 한다.

① ㄱ, ㄴ   ② ㄱ, ㄷ   ③ ㄴ, ㄷ
④ ㄴ, ㄹ   ⑤ ㄷ, ㄹ

---

07 민법의 원리 A~D에 대한 설명으로 옳은 것은?

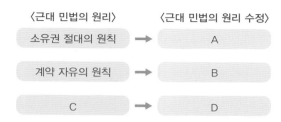

〈근대 민법의 원리〉		〈근대 민법의 원리 수정〉
소유권 절대의 원칙	→	A
계약 자유의 원칙	→	B
C	→	D

① A에 따르면 공공복리를 위해 개인의 재산권에 제한을 가할 수 있다.

② 현대 민법에서 계약 자유의 원칙은 B로 대체되었다.

③ C에 따르면 공정하지 못한 내용의 계약이라도 양 당사자가 합의만 하면 효력이 인정된다.

④ 현대 사회에서는 원칙적으로 D가 적용되고, C가 예외적으로 적용된다.

⑤ A와 달리 B, D는 경제적 약자 보호를 목적으로 한다.

---

08 다음 판결에 나타난 민법의 원리에 대한 설명으로 옳은 것은?

> 법원은 "공단 내 공장들의 폐수 배출과 인근 양식장에서 발생한 손해 사이에 인과 관계가 증명되었다. 그러므로 공장들이 책임을 면하기 위해서는 폐수 중에 양식장 피해를 발생시킨 원인 물질이 들어 있지 않았다는 것을 입증해야 한다. 그리고 폐수 중에 원인 물질이 들어 있다 하더라도 양식장에 피해를 일으킬 정도의 농도가 아니라는 사실 또는 피해가 전적으로 다른 원인에 의한 것임을 증명하지 못하는 한 공장들은 그 책임을 면할 수 없다."라고 판결하였다.

① 국가는 개인의 재산에 대해 제한을 가해서는 안 된다.

② 공정하지 않은 내용을 포함한 계약의 효력을 인정하지 않는다.

③ 자신의 고의나 과실이 아닌 행위에 대해서는 책임을 지지 않는다.

④ 개인은 자율적인 판단에 기초하여 법률관계를 형성해 나갈 수 있다.

⑤ 일정한 상황에서는 고의나 과실이 없을 경우에도 손해 배상 책임을 질 수 있다.

02 재산 관계와 법

A 계약의 이해

1. 계약의 의미와 성립

(1) 계약: 일정한 법률 효과를 발생시킬 목적으로 사람들 사이에 이루어지는 합의 또는 약속

(2) 계약의 성립: 계약을 체결하고 싶다는 의사 표시인 청약과 이를 받아들이겠다는 의사 표시인 승낙의 합치로 성립함

2. 계약의 효력과 발생 요건

(1) 계약의 효력

① 계약을 체결한 양 당사자에게 일정한 권리와 의무가 발생함

② 계약에 따른 의무를 불이행(채무 불이행)하였을 경우 강제 이행이나 손해 배상과 같은 법적 책임을 질 수 있음

(2) 계약의 효력 발생 요건

계약 당사자	❶의사 능력과 행위 능력이 있어야 함 → 의사 능력이 없는 자의 계약은 무효임, ❷행위 능력이 제한되는 자가 단독으로 한 계약은 취소가 가능함 [자료1] 法정 대리인의 동의가 필요함
계약 내용	• 실현 가능하고 적법해야 함 • 선량한 풍속이나 기타 사회 질서에 반하지 않아야 함 ┐ 갖추지 못하면 무효임
의사 표시	계약 당사자의 자유로운 판단에 의해 의사 표시가 이루어져야 함 → 협박 또는 강요 등에 의한 의사 표시로 계약이 성립되었다면 취소가 가능함

B 미성년자의 계약

1. 미성년자의 의미와 법적 지위

(1) 미성년자: 민법상 19세 미만인 자

(2) 미성년자의 법적 지위 [자료2]

① 미성년자는 제한 능력자에 해당하여 단독으로 유효한 법률 행위를 할 수 없음

② 미성년자가 법률 행위를 할 경우 원칙적으로 ❸법정 대리인의 동의를 얻어야 함 → 법정 대리인의 동의를 얻지 않은 법률 행위는 미성년자 본인이나 법정 대리인이 취소할 수 있음 ┌ 미성년자가 법정 대리인의 동의를 얻지 않고 체결한 계약은 일단 유효하지만
└ 미성년자 본인이나 법정 대리인이 취소하면 소급하여 무효가 됨

(3) 미성년자 단독으로 할 수 있는 법률 행위: 단순히 권리만을 얻거나 의무만을 면하는 행위, 법정 대리인이 범위를 정해 처분을 허락한 재산의 처분 행위 등 ┐ 예 부담 없는 증여를 받거나 채무 면제를 받는 경우
└ 예 용돈을 사용하는 경우

2. 미성년자와 거래한 상대방의 보호

미성년자의 법정 대리인이 확답을 하지 않으면 ┐
확정적으로 유효한 법률 행위가 됨 ┘

확답을 촉구할 권리	거래 상대방은 미성년자의 법정 대리인에게 계약을 취소할 것인지 여부를 확답하도록 촉구할 수 있음
철회권	거래 상대방은 미성년자의 법정 대리인의 ❹추인이 있기 전까지 먼저 계약 의사를 철회할 수 있음 (단, 계약 당시 미성년자임을 알았다면 철회권을 행사할 수 없음)
취소권 행사의 배제	미성년자가 속임수를 써서 자신을 행위 능력자로 믿게 하거나 법정 대리인의 동의를 받은 것처럼 믿게 한 경우에는 취소권이 배제됨

한눈에 정리

계약의 성립과 효력 발생

계약의 성립(청약⇄승낙)

↓

계약의 효력(권리와 의무 발생)

↓

계약 이행	계약 불이행

---

❶ 의사 능력과 행위 능력

의사 능력	자신이 행하는 행위의 의미나 결과를 판단할 수 있는 능력
행위 능력	단독으로 유효한 법률 행위를 할 수 있는 지위나 자격

❷ 무효와 취소

무효	특정인의 주장을 필요로 하지 않으며 당연히 효력이 없는 것으로 보아 법률 효과가 발생하지 않음
취소	특정인의 주장이 있어야 효력이 없어지며 취소한 법률 행위는 처음부터 무효인 것으로 봄

❸ 법정 대리인
법에 따라 당사자의 행위를 대리할 권한을 가진 사람으로, 미성년자의 경우 친권자가 법정 대리인이 되며 친권자가 없을 때는 후견인이 법정 대리인이 된다.

❹ 추인
요건을 갖추지 않은 불완전한 법률 행위를 사후에 보충하여 요건을 갖춤으로써 확정적으로 유효하게 만드는 일방적 의사 표시를 의미한다.

자료1 제한 능력자의 법률 행위

의사 능력이 없는 사람의 법률 행위는 무효이지만, 행위 당시 의사 능력이 없었음을 증명하는 것은 현실적으로 어렵다. 따라서 민법은 제한 능력자 제도를 두어 의사 능력이 없거나 불완전하다고 볼 수 있는 경우를 객관적으로 유형화하였으며, 미성년자는 민법상 제한 능력자의 대표적인 예이다. 제한 능력자 제도는 제한 능력자가 단독으로 행한 법률 행위를 <u>취소할 수 있게 함</u>으로써 제한 능력자를 보호하고, 해당 법률 행위가 취소되어 소급하여 무효가 됨에 따라 예기치 못한 피해를 보는 제한 능력자의 거래 상대방을 보호하기 위한 것이다.
취소하지 않으면 유효하게 성립함

– 김동근 외, 『법학 개론』 –

| **자료 분석** | 행위 능력이 제한되는 제한 능력자는 단독으로 유효한 법률 행위를 할 수 없다. 제한 능력자가 단독으로 법률 행위를 하였을 때 해당 법률 행위는 일단 유효하게 성립하지만 취소하면 소급하여 무효가 된다.

한줄 핵심 제한 능력자가 단독으로 행한 법률 행위는 취소할 수 있다.

자료2 미성년자의 법률 행위 관련 민법 규정

제5조 ① 미성년자가 법률 행위를 함에는 법정 대리인의 동의를 얻어야 한다. 그러나 <u>권리만을 얻거나 의무만을 면하는 행위</u>는 그러하지 아니하다.
부담 없는 증여를 받는 경우 / 채무를 면하게 해주는 경우
② 전항의 규정에 위반한 행위는 취소할 수 있다.

제15조 ① 제한 능력자의 상대방은 제한 능력자가 능력자가 된 후에 그에게 1개월 이상의 기간을 정하여 그 취소할 수 있는 행위를 추인할 것인지 여부의 확답을 촉구할 수 있다. 능력자로 된 사람이 그 기간 내에 <u>확답을 발송하지 아니하면 그 행위를 추인한 것으로 본다.</u>
확답을 하지 않으면 확정적으로 유효한 법률 행위가 됨

제16조 ① 제한 능력자가 맺은 계약은 추인이 있을 때까지 상대방이 그 의사 표시를 철회할 수 있다. 다만, <u>상대방이 계약 당시에 제한 능력자임을 알았을 경우에는 그러하지 아니하다.</u>
상대방이 법률 행위 당시 미성년자임을 몰랐을 때만 철회가 가능함

제17조 ① 제한 능력자가 <u>속임수로써 자기를 능력자로 믿게 한 경우</u>에는 그 행위를 취소할 수 없다.
신분증을 위조하는 경우 등을 예로 들 수 있음
② 미성년자나 피한정 후견인이 <u>속임수로써 법정 대리인의 동의가 있는 것으로 믿게 한 경우</u>에도 제1항과 같다.
동의서를 위조한 경우

| **자료 분석** | 민법의 각 조에 명시된 미성년자의 법률 행위에 대한 내용은 다음과 같다.

제5조	미성년자는 법정 대리인의 동의를 얻어 법률 행위를 해야 하는 제한 능력자임을 밝히고 있으며, 단독으로 할 수 있는 법률 행위를 규정함
제15조	미성년자와 거래한 상대방의 확답을 촉구할 권리를 규정함
제16조	미성년자와 거래한 상대방의 철회권을 규정함
제17조	미성년자가 속임수로 행위 능력자임을 믿게 하거나 법정 대리인의 동의를 얻은 것처럼 믿게 한 경우의 취소권 배제 조항을 규정함

한줄 핵심 민법에는 미성년자의 법률 행위의 효력과 미성년자와 거래한 상대방에 대한 보호 규정을 두고 있다.

⑤ 고의와 과실

고의	자기의 행위가 가져올 결과를 인식하면서 그 행위를 하는 경우의 심리 상태
과실	부주의로 인하여 어떤 결과의 발생을 미리 내다보지 못한 일

⑥ 위법성 조각 사유

정당방위	자기 또는 타인의 법익에 대한 현재의 부당한 침해를 방위하기 위한 상당한 이유가 있는 행위
긴급피난	자기 또는 타인의 법익에 대한 현재의 위난을 피하기 위한 상당한 이유가 있는 행위

⑦ 미성년자의 불법 행위에 대한 감독자 책임

미성년자가 책임 능력이 없는 경우	미성년자는 배상의 책임이 없고, 미성년자의 감독자가 특수 불법 행위에 대해 책임 무능력자의 감독자 책임을 짐
미성년자가 책임 능력이 있는 경우	미성년자 본인이나 미성년자의 감독자가 일반 불법 행위에 대한 책임을 짐

⑧ 점유자
물건을 직접 지배하거나 점유 보조자를 통하여 지배하고 있는 사람을 말한다. 예를 들어 건물을 소유한 것은 아니지만 임대하여 살고 있는 사람이 이에 해당한다.

C 불법 행위와 손해 배상

1. 불법 행위

(1) 불법 행위: 고의나 과실로 위법하게 타인에게 손해를 끼치는 행위

(2) 불법 행위의 성립 요건 [자료 3]

고의 또는 과실	가해 행위에 가해자의 고의 또는 과실이 있어야 함 ⑤
위법성	• 법이 보호할 가치가 있는 이익을 위법하게 침해해야 함 • 정당방위나 긴급 피난 등이 인정되면 위법성이 조각되어 불법 행위가 성립하지 않음 ⑥ <뜻 어떤 요건이 성립하지 않거나 어떤 사유에 해당하지 않는 것>
손해의 발생	• 가해자의 행위로 인해 피해자에게 손해가 발생해야 함 • 손해에는 재산적 손해뿐만 아니라 정신적인 손해도 포함됨 <예 생명, 자유, 명예 등의 침해>
인과 관계	가해자의 가해 행위와 피해자의 손해 사이에 상당한 인과 관계가 있어야 함
책임 능력	가해자에게 자신의 행위가 불법 행위로서 법률상 책임이 발생한다는 것을 분별할 수 있는 능력이 있어야 함 [자료 4] <책임 능력이 없는 자로는 심신 상실자, 어린아이 등이 있음>

2. 손해 배상

(1) 손해 배상: 채무 불이행 또는 불법 행위 등으로 발생한 손해를 보전해 주는 것 <뜻 채무자가 계약 내용에 따른 의무(채무)를 제대로 이행하지 않은 것>

(2) 손해 배상 방식

① 원칙: 금전 배상을 원칙으로 함 <정신적 손해에 대한 배상금을 '위자료'라고 함>

② 손해 배상 범위: 재산적 손해뿐만 아니라 정신적 손해까지 배상해야 함 <뜻 다른 것으로 바꾸어 대신함>

③ 특별한 사안의 손해 배상: 법원은 피해자의 청구에 따라 손해 배상에 갈음하거나 손해 배상과 함께 명예 회복에 필요한 적당한 처분을 명할 수 있음 예 명예 훼손

3. 특수 불법 행위

(1) 특수 불법 행위: 일반적인 불법 행위와 달리 타인의 가해 행위, 공동으로 저지른 행위, 사람 또는 물건의 관리·감독 소홀 등에 대해서도 책임을 지도록 하는 것

(2) 특수 불법 행위의 유형

책임 무능력자의 감독자 책임 ⑦	• 책임 능력이 없는 미성년자나 심신 상실자가 타인에게 손해를 가한 경우 이를 감독할 법정 의무가 있는 자가 배상할 책임이 있음 [자료 5] • 감독 의무를 게을리 하지 않았음을 감독자 스스로가 증명할 경우 책임이 면제됨
사용자의 배상 책임	• 피용자(직원)가 업무와 관련하여 타인에게 손해를 가한 경우 사용자(업주)는 피용자의 선임 및 사무 감독상의 과실에 대해 배상 책임을 짐 • 사용자가 피용자의 선임 및 사무 감독에 상당한 주의를 다하였음을 증명할 경우 책임이 면제됨 <뜻 인공적인 작업에 의해 만들어진 물건>
공작물 등의 점유자·소유자 배상 책임	• 공작물 등의 설치 또는 보존의 하자로 타인에게 손해를 가한 경우 점유자가 일차적으로 배상 책임을 짐 ⑧ • 점유자가 손해 방지를 위한 주의를 다하였음을 증명하면 점유자는 책임이 면제되며, 이 경우 소유자가 무과실 책임을 짐
동물 점유자의 배상 책임	• 점유하고 있는 동물이 타인에게 손해를 가한 경우 동물의 점유자가 배상 책임을 짐 • 점유자가 동물의 종류와 성질에 따라 그 보관에 상당한 주의를 기울였음을 증명하면 책임이 면제됨
공동 불법 행위자 책임	• 여러 사람이 공동으로 타인에게 손해를 입힌 경우 연대하여 배상 책임을 짐 • 공동이 아닌 여러 사람의 행위 중 어느 사람의 행위가 그 손해를 가한 것인지 알 수 없는 경우에도 연대하여 배상 책임을 짐

자료3 불법 행위와 관련된 민법 규정

제750조 고의 또는 과실로 인한 위법 행위로 타인에게 손해를 가한 자는 그 손해를 배상할
        책임이 있다.
        _{불법 행위의 성립 요건}

제751조 ① 타인의 신체, 자유 또는 명예를 해하거나 기타 정신상 고통을 가한 자는 재산
        이외의 손해에 대하여도 배상할 책임이 있다.
        _{정신적 손해에 대한 배상 책임도 인정함}

| 자료 분석 | 민법의 각 조에 명시된 불법 행위에 대한 내용은 다음과 같다.

제750조	불법 행위가 성립하기 위해서는 고의 또는 과실이 있어야 함. 이때 고의나 과실을 구분하지 않고 손해 배상 책임을 물음
제751조	불법 행위가 성립하기 위한 손해에는 재산적 손해뿐만 아니라 정신적 손해도 포함된다는 점을 규정함

한줄 핵심 ▶ 불법 행위가 성립하기 위해 가해자의 고의 또는 과실이 있어야 하며, 불법 행위로 인해 발생한 손해에는 재산적 손해뿐만 아니라 정신적 손해도 포함된다.

❹ 불법 행위가 성립하기 위해서는 가해자의 행위가 고의 또는 □□에 의한 행위여야 한다.
(   )

자료4 책임 능력

- 갑(8세)은 아파트 지하 주차장에서 불장난을 하다가 A의 차량을 훼손하였다.
  _{책임 능력이 없음}
- 심신 상실자 을은 아파트 옥상에서 돌을 던져 지나가던 B를 다치게 하였다.

| 자료 분석 | 갑과 을의 행위는 불법 행위의 성립 요건 중 고의 또는 과실, 위법성, 손해 발생, 인과 관계를 갖추고 있다. 그러나 갑과 을은 책임 능력을 갖추고 있지 못하기 때문에 이들의 행위는 불법 행위로 성립하지 않는다. 책임 능력은 가해자 스스로 자신의 행위가 불법 행위로서 법률상 책임이 발생할 수 있다는 것을 분별할 수 있는 능력을 의미한다. 책임 능력의 유무는 법률에 그 연령 기준이 정해져 있지 않고 사안에 따라 개별적으로 판단한다.

한줄 핵심 ▶ 어린아이나 심신 상실자의 행위는 책임 능력이 없어 불법 행위가 성립하지 않는다.

❺ 자신의 행위가 불법 행위로서 법률상 책임을 발생시킬 수 있다는 것을 분별할 수 있는 능력을 □□ 능력이라고 한다.
(   )

❻ 어린아이나 □□ □□□은/는 불법 행위로 인한 손해 배상 책임을 지지 않는다.
(   )

자료5 책임 무능력자의 감독자 책임

갑(10세)은 같은 학교에 다니던 을을 폭행하여 전치 6주의 상해를 입혔다. 을의 부모는 갑의 부모에게 손해 배상을 요구하였으나 갑의 부모는 이를 거절하였다. 이에 을의 부모는 갑의 부모를 상대로 손해 배상 청구 소송을 제기하였고, 법원은 갑의 부모에게 책임 능력이 없는 갑의 감독자로서 손해 배상 책임을 져야 한다고 판결하였다.
_{특수 불법 행위 유형 중 책임 무능력자의 감독자 책임을 인정함}

| 자료 분석 | 법원은 갑이 10세로 책임 능력이 없다고 판단하였고, 이에 따라 갑의 부모에게 특수 불법 행위 중 책임 무능력자의 감독자 책임을 인정하였다. 미성년자 중 책임 능력이 없는 자, 책임 능력이 없는 심신 상실자는 타인에게 손해를 입혔을 경우 당사자들은 책임을 지지 않으며, 이들을 감독할 의무가 있는 자가 손해 배상 책임을 진다.

한줄 핵심 ▶ 책임 능력이 없는 자가 타인에게 손해를 가했을 경우 감독자는 책임 무능력자의 감독자 책임을 진다.

❼ 책임 능력이 없는 미성년자나 심신 상실자가 타인에게 손해를 가했을 경우 감독자는 특수 불법 행위 중 □□ □□□□□ □□□ 책임을 진다.
(   )

_{정답확인하기}
_{❼ 책임 ❻ 책임무능력자 ❼ 책임 무능력자의}
_{감독자 ❺ 과실 ❻ 심신}

특수 불법 행위

수능풀 Guide 특수 불법 행위의 각 유형별 특징을 이해하고, 손해 배상 책임이 누구에게 있는가를 파악해 보자.

1 공작물 등의 점유자·소유자 배상 책임과 사용자의 배상 책임

- 갑 소유의 주택을 임차해서 살고 있는 을은 외벽 창틀에 하자가 있음을 알게 되었
  다. 그러던 어느 날 그 창틀이 갑자기 아래로 떨어져 주차장에 있던 병의 자동차
  가 파손되었다.
  을이 점유자임 / 공작물의 설치 또는 관리의 하자로 인한 손해 발생

- 정이 운영하는 음식점의 종업원 무(17세)는 오토바이를 타고 급하게 음식 배달을
  하던 중, 지나가던 사람을 치어 다치게 하였다.
  피용자(직원)가 업무와 관련하여 타인에게 손해를 입힘

  ✎ **PLUS분석** 을이 외벽 창틀로 인한 손해 발생에 대해 주의 의무를 다했음을 증명하면 을은 손해
  배상 책임을 지지 않으며, 갑이 무과실 책임을 진다. 종업원 무는 업무와 관련하여 타인에게 손해를
  입혔으므로 무는 일반 불법 행위 책임, 정은 사용자 배상 책임을 진다.

⠶ 기출 선택지로 확인하기

❶ 을이 공작물의 관리에 소홀함이
없었음을 증명하지 못하면 병에
게 금전으로 손해를 배상해야
한다. ○ ×

❷ 정은 무에 대한 감독상의 과실
이 없음을 증명할 경우 손해 배
상 책임을 면할 수 있다. ○ ×

2 동물 점유자의 배상 책임 관련 문제 ▶ 141쪽 06번

갑(19세)은 개를 데리고 공원을 산책하던 중 스마트폰으로 게임을 하느라 개의 목줄
을 놓치고 말았다. 이때 잔디밭에서 놀고 있던 을(7세)에게 개가 갑자기 달려들자,
동물의 점유자 책임 → 손해 배상 책임이 있음
을은 개의 공격을 피할 다른 방법이 없어 길가에 세워둔 병의 자전거와 부딪쳐서 넘
동물로 인한 긴급 피난으로 위법성이 조각되어 불법 행위가 성립하지 않음 → 자전거 파손에 대한 손해 배상 책임이 없음
어졌다. 이로 인해 병의 자전거가 파손되었고, 을은 전치 2주의 부상을 입었다.

⠶ 기출 선택지로 확인하기

❸ 갑은 을의 부모와 함께 병에게
공동 불법 행위자 책임을 진다.
○ ×

❹ 을의 행위는 위법성이 없으므로
을의 부모는 병에게 책임 무능
력자의 감독자 책임을 지지 않
는다. ○ ×

3 책임 무능력자의 감독자 책임, 공동 불법 행위자 책임 관련 문제 ▶ 141쪽 08번

A가 운영하는 학원에 다니는 갑(16세), 을(14세), 병(10세)은 수업을 받던 중, 고용
된 강사 B가 잠시 자리를 비운 사이에 정(13세)과 말다툼을 하게 되었다. 그 과정에
서 갑은 망을 보고 을과 병이 정을 때려 정에게 전치 5주의 치료를 요하는 상해를
갑, 을, 병은 공동 불법 행위자 책임을 짐
입혔다. 정은 폭행을 피하기 위해 강의실을 뛰쳐나가다 택배 기사 C를 밀어 C에게
긴급 피난에 해당함
2주의 치료를 요하는 부상을 입혔다. 현재 갑, 을, 병은 경찰에서 조사를 받고 있으
며, 정은 A에게 남은 기간의 수강료에 대한 환불을 요구하고 있다.
채무 불이행으로 인한 수강료 환불 요구

✎ **PLUS분석** 공동 불법 행위자인 갑, 을, 병은 책임 능력의 유무에 따라 부모의 특수 불법 행위 책
임이 인정되거나, 부모 또는 당사자의 일반 불법 행위 책임이 인정될 것이다.

⠶ 기출 선택지로 확인하기

❺ 정에 대한 을의 불법 행위 책임
이 인정되는 경우 을의 부모는
책임 무능력자의 감독자 책임을
지지 않는다. ○ ×

❻ 정이 C에게 부상을 입힌 행위는
정당방위에 해당하여 범죄가 성
립하지 않으므로 정의 불법 행
위 책임은 인정되지 않는다.
○ ×

정답 ❶ ○ ❷ ○ ❸ ×(갑은 책임 능력자임) ❹ ○ ❺ ○ ❻ ×(긴급 피난에 해당함)

A 계약의 이해

01 빈칸에 들어갈 알맞은 용어를 쓰시오.

> (1)□□은/는 일정한 법률 효과를 발생시킬 목적으로 사람들 사이에서 이루어지는 합의 또는 약속으로, 계약을 성립하겠다는 의사 표시인 (2)□□와/과 이를 받아들이겠다는 의사 표시인 (3)□□이/가 합치된 때 성립한다.

B 미성년자의 계약

02 다음 설명이 맞으면 ○표, 틀리면 ×표를 하시오.

(1) 미성년자가 법률 행위를 할 경우에는 법정 대리인의 동의를 얻어야 한다. (   )

(2) 권리만을 얻거나 의무만을 면하는 행위는 미성년자가 단독으로 할 수 있다. (   )

(3) 법정 대리인의 동의를 얻지 않은 미성년자의 계약은 미성년자가 아니라 법정 대리인이 취소할 수 있다. (   )

(4) 거래 상대방이 법률 행위 당시 미성년자임을 몰랐을 경우, 미성년자의 법정 대리인의 추인이 있기 전까지 먼저 계약 의사를 철회할 수 있다. (   )

C 불법 행위와 손해 배상

03 다음 사례와 관련 있는 특수 불법 행위의 유형을 〈보기〉에서 고르시오.

> 보기
> ㄱ. 동물 점유자의 배상 책임   ㄴ. 책임 무능력자의 감독자 책임   ㄷ. 사용자의 배상 책임

(1) 갑(7세)이 장난을 치다가 동네 주민의 자동차 유리를 깨뜨리자 갑의 어머니가 손해를 배상해 주었다. (   )

(2) 을이 공원에서 애완견의 목줄을 풀고 산책하던 중 애완견이 지나가던 행인을 물자 손해를 배상해 주었다. (   )

(3) 카페에서 일하는 직원 병이 손님에게 커피를 내어주다가 손님의 노트북에 커피를 쏟자 사장인 정이 손해를 배상해 주었다. (   )

04 다음 설명이 맞으면 ○표, 틀리면 ×표를 하시오.

(1) 손해에 대한 배상은 원상회복이 원칙이다. (   )

(2) 동물이 타인에게 손해를 끼친 경우 점유자가 손해 배상 책임을 진다. (   )

(3) 공작물 등의 설치 및 관리의 하자로 타인에게 손해를 끼친 경우 점유자가 1차적 책임을 진다. (   )

(4) 책임 능력이 없는 심신 상실자가 타인에게 손해를 끼친 경우 심신 상실자를 감독할 의무가 있는 자가 손해 배상 책임을 진다. (   )

(5) 공작물 등의 설치 및 관리의 하자로 타인에게 손해를 끼친 경우 점유자가 주의 의무를 다했음을 증명하면 소유자가 과실 책임을 진다. (   )

탄탄! 내신 다지기

A 계약의 이해

01 계약에 대한 설명으로 옳지 않은 것은?

① 계약은 청약과 승낙이 합치된 때 성립한다.
② 계약은 계약서를 작성해야만 효력이 발생한다.
③ 계약을 체결하면 양 당사자에게 권리와 의무가 발생한다.
④ 계약에 따른 의무를 불이행할 경우 손해 배상 책임 문제가 발생할 수 있다.
⑤ 일정한 법률 효과를 발생시킬 목적으로 사람들 사이에 이루어지는 합의이다.

02 (가), (나) 계약에 대한 옳은 설명만을 〈보기〉에서 있는 대로 고른 것은?

> (가) 심신 상실자 갑은 고가의 노트북을 을에게 싸게 판매하는 계약을 체결하였다.
> (나) 병은 정의 협박에 어쩔 수 없이 자신의 오토바이를 싸게 판매하는 계약을 체결하였다.

> 보기
> ㄱ. (가)의 계약은 무효이다.
> ㄴ. (가)의 계약은 일단 유효하게 성립하지만 취소하면 무효가 된다.
> ㄷ. (나)의 계약에 대해 병은 의사 표시를 취소할 수 있다.
> ㄹ. (나) 계약의 효력은 미성년자가 법정 대리인의 동의 없이 체결한 계약의 효력과 같다.

① ㄱ, ㄴ
② ㄱ, ㄹ
③ ㄴ, ㄷ
④ ㄱ, ㄷ, ㄹ
⑤ ㄴ, ㄷ, ㄹ

B 미성년자의 계약

03 밑줄 친 '특별한 규정'에 대한 옳은 설명만을 〈보기〉에서 고른 것은?

> 민법상 미성년자는 제한 능력자에 해당하여 민법에서는 미성년자의 법률 행위에 대해 <u>특별한 규정</u>을 마련해 두고 있다. 이는 사회 경험이 적고 합리적 의사 결정 능력이 부족하여 불리한 계약을 체결할 가능성이 높은 미성년자를 보호하기 위한 것이다.

> 보기
> ㄱ. 미성년자는 단독으로 유효한 법률 행위를 할 수 없다.
> ㄴ. 범위를 정한 용돈의 처분은 미성년자가 단독으로 할 수 없다.
> ㄷ. 단순히 권리만을 얻는 행위는 미성년자가 단독으로 체결할 수 있다.
> ㄹ. 미성년자가 부모의 동의를 얻지 않고 법률 행위를 한 경우 미성년자는 취소할 수 없다.

① ㄱ, ㄴ
② ㄱ, ㄷ
③ ㄴ, ㄷ
④ ㄴ, ㄹ
⑤ ㄷ, ㄹ

04 다음 사례에 대한 법적 판단으로 옳지 않은 것은?

> 갑(17세)은 부모의 동의를 얻지 않고 판매자 을로부터 고가의 노트북을 구매하였다. 며칠 후 갑의 부모는 갑이 자신들의 동의 없이 노트북을 구매한 사실을 알게 되었다.

① 갑은 노트북 구매 계약을 취소할 수 있다.
② 갑의 부모는 갑의 동의 없이 노트북 구매 계약을 취소할 수 있다.
③ 을은 갑에게 계약의 취소 여부에 대한 확답을 촉구할 수 있다.
④ 을이 판매 당시 갑이 미성년자임을 알았다면 을은 철회권을 행사할 수 없다.
⑤ 갑과 을이 체결한 노트북 구매 계약은 일단 유효하게 성립한다.

05 밑줄 친 ㈀~㈃ 중 미성년자 갑이 단독으로 할 수 있는 법률 행위만을 있는 대로 고른 것은?

> 갑은 아버지께서 주신 ㈀용돈으로 참고서를 샀으며, 평소 갖고 싶던 오토바이를 싸게 판다는 오토바이 판매상의 말에 ㈁아르바이트 했던 편의점 사장에게 월급을 달라고 하여 ㈂반값에 오토바이를 샀다. 또 아버지께서 컴퓨터를 처분하라고 하셔서 ㈃컴퓨터를 시가보다 싸게 처분하였다.

① ㈀, ㈁   ② ㈀, ㈂   ③ ㈂, ㈃
④ ㈀, ㈁, ㈃   ⑤ ㈁, ㈂, ㈃

C 불법 행위와 손해 배상

06 불법 행위에 대한 옳은 설명만을 〈보기〉에서 고른 것은?

> 〈보기〉
> ㄱ. 불법 행위가 성립하기 위해서는 가해자에게 고의 또는 과실이 있어야 한다.
> ㄴ. 피해자에게 발생한 손해에는 재산적 손해뿐만 아니라 정신적 손해도 포함된다.
> ㄷ. 가해 행위와 피해자의 손해 사이에 인과 관계가 없어도 불법 행위가 성립할 수 있다.
> ㄹ. 불법 행위의 성립 요건 중 책임 능력은 민법에 판단 기준이 되는 연령이 규정되어 있다.

① ㄱ, ㄴ   ② ㄱ, ㄷ   ③ ㄴ, ㄷ
④ ㄴ, ㄹ   ⑤ ㄷ, ㄹ

07 다음 사례에서 ○○ 법원의 판결 근거로 가장 적절한 것은?

> 을은 야간에 자신의 집에 무단으로 들어와 금품을 요구하며 흉기로 협박하는 갑을 제지하다가 갑에게 상해를 입혔다. 이에 갑은 을을 상대로 손해 배상 청구 소송을 제기하였는데, ○○ 법원은 을에게 손해 배상 책임이 없다고 판결하였다.

① 가해자에게 책임 능력이 없다.
② 가해자에게 고의 또는 과실이 없다.
③ 정당방위가 인정되어 위법성이 조각되었다.
④ 가해자가 손해를 발생시키는 행위를 하지 않았다.
⑤ 가해자의 행위로 피해자에게 손해가 발생하지 않았다.

---

08 다음 사례에 대한 법적 판단으로 옳은 것은?

> • 갑(8세)은 아파트 옥상에서 돌을 던져 밑을 지나가던 을에게 전치 5주의 상해를 입혔다.
> • 병은 친구의 반려견을 산책시키다가 잠깐 한눈을 판 사이 반려견이 정을 물어 전치 4주의 상해를 입혔다.

① 갑의 부모는 갑에 대한 감독상 주의 의무를 다했음을 증명하면 손해 배상 책임을 지지 않는다.
② 을은 갑에게 불법 행위 책임을 물을 수 있다.
③ 을은 갑의 부모에게 일반 불법 행위 책임을 물을 수 있다.
④ 병은 동물의 점유자로서 무과실 책임을 진다.
⑤ 정은 반려견의 소유주인 병의 친구에게 특수 불법 행위 책임을 물을 수 있다.

서답형 문제

09 다음 글을 읽고 물음에 답하시오.

> 갑 소유의 주택 옆집에 사는 A는 출근하려다 자신의 차가 파손된 것을 보았다. 그 이유를 살펴보니 갑 소유의 주택의 담이 무너져 자신의 차를 훼손한 것이었다. 이에 A는 갑 소유의 주택에 살고 있는 을에게 손해 배상을 요구하였지만 을은 자신은 세입자라며 갑에게 손해 배상을 청구하라고 하였다.

(1) A가 요구할 수 있는 특수 불법 행위의 유형을 쓰시오.
(   )

(2) 위 사례에 특수 불법 행위의 유형을 적용하여 손해 배상 책임 여부를 서술하시오.

_____

_____

01 다음 사례에 대한 옳은 설명만을 〈보기〉에서 고른 것은?

> 갑은 을에게 자신이 소유한 주택을 시장 가격보다 저렴하게 구입할 것을 제안하였고, 마침 신혼집을 구하고 있던 을은 갑의 제안을 수락하였다.

〈보기〉
ㄱ. 갑이 을에게 한 제안은 승낙에 해당한다.
ㄴ. 두 사람 간의 합의에 의해 갑에게는 권리만이, 을에게는 의무만이 발생한다.
ㄷ. 갑의 제안에 대한 을의 수락으로 두 사람 간의 주택 매매 계약은 성립되었다.
ㄹ. 갑이 주택 소유권을 을에게 이전하지 않으면 채무 불이행에 따른 손해 배상 책임이 발생한다.

① ㄱ, ㄴ ② ㄱ, ㄷ ③ ㄴ, ㄷ
④ ㄴ, ㄹ ⑤ ㄷ, ㄹ

03 다음 사례에 대한 옳은 법적 판단만을 〈보기〉에서 고른 것은?

> 갑(17세)은 판매자 을과 컴퓨터 구매 계약을 체결하였다. 이후 갑의 컴퓨터 구매 사실을 알게 된 갑의 부모는 갑에게 선물할 컴퓨터를 주문한 상태라며 갑에게 컴퓨터 구매 계약을 취소하라고 권유하였다.

〈보기〉
ㄱ. 갑의 부모는 갑의 동의 없이 갑이 계약한 컴퓨터 구매 계약을 취소할 수 있다.
ㄴ. 갑이 을과 체결한 컴퓨터 구매 계약은 일단 유효하게 성립하지만 취소하면 소급하여 무효가 된다.
ㄷ. 갑이 컴퓨터 구매 계약을 취소할 경우 을은 갑에게 채무 불이행으로 인한 손해 배상을 청구할 수 있다.
ㄹ. 컴퓨터 구매 계약 체결 당시 갑이 미성년자임을 을이 알았다면 을은 갑의 부모에게 확답을 촉구할 권리를 행사할 수 없다.

① ㄱ, ㄴ ② ㄱ, ㄷ ③ ㄴ, ㄷ
④ ㄴ, ㄹ ⑤ ㄷ, ㄹ

02 다음 사례에 대한 옳은 법적 판단만을 〈보기〉에서 고른 것은? (단, 갑~병은 모두 미성년자이다.)

> • 갑은 부모의 동의를 얻지 않고 고가의 노트북을 판매업자 A로부터 구매하였다.
> • 을은 부모의 동의를 얻어 고가의 노트북을 판매업자 B로부터 구매하였다.
> • 병은 부모의 동의서를 위조하여 고가의 노트북을 판매업자 C로부터 구매하였다.

〈보기〉
ㄱ. 갑의 부모는 노트북 구매 계약을 취소할 수 없다.
ㄴ. A가 노트북 거래 당시 갑이 미성년자임을 알았다면 A는 노트북 구매 계약에 대한 철회권을 행사할 수 없다.
ㄷ. 을과 을의 부모는 노트북 구매 계약을 취소할 수 있다.
ㄹ. 병과 병의 부모는 노트북 구매 계약을 취소할 수 없다.

① ㄱ, ㄴ ② ㄱ, ㄷ ③ ㄴ, ㄷ
④ ㄴ, ㄹ ⑤ ㄷ, ㄹ

04 다음 사례에 대한 옳은 법적 판단만을 〈보기〉에서 고른 것은?

> • 갑(8세)과 을(17세)이 아파트 지하 주차장에서 불장난을 하다가 불이 번지는 바람에 주변에 있던 A의 차량이 불에 타 피해가 발생하였다.
> • 병(20세)이 정의 식당에 고용되어 주차 대행 업무를 하다가 실수로 벽을 들이받아 B의 차량을 훼손하였다.

〈보기〉
ㄱ. A는 갑에게 손해 배상 책임을 물을 수 없다.
ㄴ. A는 을의 부모에게 특수 불법 행위 책임을 물을 수 있다.
ㄷ. B는 정에게 사용자 배상 책임을 물을 수 있다.
ㄹ. B는 병에게 특수 불법 행위 책임을 물을 수 있다.

① ㄱ, ㄴ ② ㄱ, ㄷ ③ ㄴ, ㄷ
④ ㄴ, ㄹ ⑤ ㄷ, ㄹ

05 밑줄 친 (가)에 들어갈 옳은 답변만을 〈보기〉에서 고른 것은?

질문: 고등학교에 다니는 제 아들이 어느 날 공원에서 같은 학교에 다니는 갑, 을, 병으로부터 집단 폭행을 당해 전치 8주의 상해를 입었습니다. 손해 배상을 요구하니 갑은 망을 봤다고 하고, 을과 병은 서로 자신이 덜 때렸다고 주장하고 있습니다. 저는 누구에게 손해 배상을 청구할 수 있을까요?

답변: _____ (가)

〈보기〉

ㄱ. 갑은 망을 보았기 때문에 갑에게는 손해 배상을 청구할 수 없습니다.
ㄴ. 을과 병 중 폭행에 더 많이 가담한 사람에게만 손해 배상을 청구할 수 있습니다.
ㄷ. 폭행으로 인해 정신적 손해를 입었다면 그에 대한 손해 배상도 청구할 수 있습니다.
ㄹ. 공동 불법 행위자 책임에 근거하여 갑, 을, 병 모두에게 손해 배상을 청구할 수 있습니다.

① ㄱ, ㄴ   ② ㄱ, ㄷ   ③ ㄴ, ㄷ
④ ㄴ, ㄹ   ⑤ ㄷ, ㄹ

06 다음 사례에 대한 옳은 법적 판단만을 〈보기〉에서 고른 것은?

갑은 개를 데리고 공원을 산책하던 중 스마트폰으로 게임을 하다가 개의 목줄을 놓치고 말았다. 개는 근처 잔디밭에서 놀고 있던 을(7세)에게 갑자기 달려들어 을을 넘어뜨리고 물려고 하였다. 이에 을의 아버지 병은 당장 을이 개의 공격을 피할 수 있는 방법이 없다고 판단하여 개를 발로 차서 다치게 하였다. 을은 개의 공격으로 인해 전치 4주의 상해를 입었다.

〈보기〉

ㄱ. 갑이 개의 소유자가 아니라면 갑은 손해 배상 책임을 지지 않는다.
ㄴ. 을이 정신적 손해를 입었다면 병은 갑에게 이에 대한 손해 배상 책임도 물을 수 있다.
ㄷ. 병이 개를 다치게 한 것은 긴급 피난에 해당한다.
ㄹ. 병은 개를 다치게 한 것에 대한 손해 배상 책임을 진다.

① ㄱ, ㄴ   ② ㄱ, ㄷ   ③ ㄴ, ㄷ
④ ㄴ, ㄹ   ⑤ ㄷ, ㄹ

07 다음 사례에 대한 법적 판단으로 옳지 않은 것은?

갑은 자신의 건물을 을에게 임대하였다. 임대 후 1개월이 지나 갑은 임차인 을과 약속한 외벽 도색을 위해 전문 업체 사장인 병과 도색 계약을 체결하였다. 도색 작업 중 병의 직원인 정의 부주의로 건물의 창문이 떨어져 행인 무가 상해를 입었다.

① 병은 을에게 채무 불이행으로 인한 손해 배상 책임을 지지 않는다.
② 병이 정의 선임 및 그 사무 감독에 상당한 주의를 다하였음을 증명하면 무에게 손해 배상 책임을 지지 않는다.
③ 정은 갑에게 채무 불이행으로 인한 손해 배상 책임을 진다.
④ 무는 정에게 손해 배상 책임을 물을 수 있다.
⑤ 무는 병에게 특수 불법 행위 책임을 물을 수 있다.

08 다음 사례에 대한 옳은 법적 판단만을 〈보기〉에서 고른 것은?

A가 운영하는 학원에 다니는 갑(16세), 을(14세), 병(10세)은 수업을 받던 중, 고용된 강사 B가 잠시 자리를 비운 사이에 정(13세)과 말다툼을 하게 되었다. 그 과정에서 갑은 망을 보고 을과 병이 정을 때려 정에게 전치 5주의 상해를 입혔다. 정은 폭행을 피하기 위해 강의실을 뛰쳐나가다 택배 기사 C를 밀어 C에게 전치 2주의 부상을 입혔다.

〈보기〉

ㄱ. 정에 대한 을의 불법 행위 책임이 인정되면, 을의 부모는 특수 불법 행위 책임을 진다.
ㄴ. 정에 대한 병의 불법 행위 책임이 인정되지 않으면, 갑과 을은 정에게 불법 행위 책임을 지지 않는다.
ㄷ. B가 정에 대한 불법 행위 책임을 지는 경우에만 A가 B에 대한 사용자로서 정에 대해 불법 행위 책임을 진다.
ㄹ. C에 대한 정의 불법 행위 책임은 위법성이 조각되어 인정되지 않는다.

① ㄱ, ㄴ   ② ㄱ, ㄷ   ③ ㄴ, ㄷ
④ ㄴ, ㄹ   ⑤ ㄷ, ㄹ

03 가족 관계와 법

❶ 법률혼과 사실혼

법률혼	혼인의 실질적 요건과 형식적 요건을 모두 갖춘 혼인
사실혼	혼인의 실질적 요건은 갖추었지만 형식적 요건인 혼인 신고를 하지 않은 경우 → 배우자 간 상속이 발생하지 않음

❷ 부부 별산제
부부 별산제는 부부의 일방이 혼인 전부터 가진 고유 재산과 혼인 중 본인 명의로 취득한 재산을 특유 재산으로 인정하고, 특유 재산을 부부가 각자 소유·관리·처분하는 제도이다. 다만 부부의 누구에게 속한 것인지 분명하지 아니한 재산은 부부의 공유 재산으로 추정한다.

❸ 일상 가사 대리권
부부는 가정의 공동생활을 위하여 필요한 일상적인 거래 행위(식료품, 자녀 학용품 구입 등)에 대하여 서로 대리권이 있으며, 일상 가사에 대한 채무는 부부가 연대하여 책임을 지도록 한다.

❹ 민법에 정해진 이혼 사유
- 배우자의 부정한 행위가 있었을 때
- 배우자가 악의로 다른 일방을 유기한 때
- 배우자 또는 그 직계 존속으로부터 심히 부당한 대우를 받았을 때
- 자기의 직계 존속이 배우자로부터 심히 부당한 대우를 받았을 때
- 배우자의 생사가 3년 이상 분명하지 않은 때
- 기타 혼인을 계속하기 어려운 중대한 사유가 있을 때

A 부부간의 법률관계

1. 혼인
┌─ 일종의 계약에 해당함
(1) 혼인: 남녀가 부부가 되는 것
(2) 혼인의 성립 요건: 실질적 요건과 형식적 요건을 모두 갖추어야 유효한 법률혼이 됨 ❶

실질적 요건	· 양 당사자의 자유로운 의사에 기초하여 혼인에 대해 동의할 것 · 법적으로 혼인할 수 있는 연령에 해당할 것 ┌─ 18세가 되면 혼인할 수 있으나 18세인 미성년자는 부모의 동의를 얻어야 함 · 법적으로 혼인할 수 없는 친족 관계가 아닐 것 · 중혼이 아닐 것 ┌─ 뜻 현재 배우자가 있는 사람이 또 다른 사람과 혼인하는 것
형식적 요건	혼인 신고를 할 것 → 법률혼주의

┌─ 사실혼은 친족 관계, 상속권 등이 발생하지 않음
(3) 혼인의 법적 효과
                        ┌─ 뜻 혼인으로 형성된 친족
① **새로운 친족 관계의 형성:** 배우자 및 인척 관계가 형성됨, 배우자에 대한 상속권 인정
② **부부간의 동거·협조·부양의 의무 발생:** 부부는 함께 생활하면서 서로 돕고 부양해야 할 의무가 있음
③ **부부 별산제와 일상 가사 대리권**
 · 부부가 각자의 재산을 따로 소유·관리·처분하는 부부 별산제를 원칙으로 함
 · 부부의 공동생활을 위해 일상적인 일을 서로 대신 처리해 주는 일상 가사에 대한 대리권을 인정함
④ **성년 의제의 효력 발생:** 18세인 미성년자가 부모의 동의를 얻어 법적으로 유효한 혼인을 한 경우에는 성년으로 의제되어 민법상 행위 능력이 인정됨 `자료1`

2. 이혼
(1) 이혼: 혼인 관계를 인위적으로 해소하는 것
(2) 이혼의 유형 `자료2`

협의상 이혼	의미	당사자 간 합의로 이루어지는 이혼
	절차	법원에 이혼 의사 확인 신청 → 이혼 숙려 기간 → 법원의 이혼 의사 확인 → 이혼 신고
	효력 발생	행정 관청에 이혼 신고를 한 때에 이혼의 효력 발생
재판상 이혼	의미	법이 정한 사유가 있는 경우에 법원의 판결로써 강제로 이루어지는 이혼
	절차	재판상 이혼 청구 → 이혼 조정 → 이혼 소송 → 이혼 판결 → 이혼 신고
	이혼 사유	재판상 이혼이 허용되기 위해서는 민법에 정해진 이혼 사유에 해당해야 함
	효력 발생	법원의 이혼 판결이 확정된 때에 이혼의 효력 발생

※ 양육할 자녀가 없으면 1개월, 양육할 자녀가 있으면 3개월의 생각할 시간을 줌으로써 이혼을 신중하게 결정할 수 있도록 함

※ 이혼 조정이 성립하면 이혼 판결이 확정된 것과 같은 효력을 가짐

(3) 이혼의 법적 효과
                                                    ┌─ 이혼에 책임이 있는 당사자도 재산 분할 청구가 가능함
① **재산 분할 청구권 발생:** 혼인 생활 중 취득한 재산에 대한 재산 분할 청구권 발생
② **친족 관계 소멸:** 혼인에 의해 발생한 친족 관계(배우자와 인척 관계) 소멸
③ **면접 교섭권 인정:** 자녀를 직접 양육하지 않는 부모의 일방과 해당 자녀에게 면접 교섭권 발생
                        ┌─ 뜻 자녀를 직접 양육하지 않는 부모가 자녀와 지속해서 만나거나 연락을 취할 수 있는 권리
④ **손해 배상 청구 가능:** 이혼의 책임이 있는 상대방에게 손해 배상을 청구할 수 있음
                        └─ 손해 배상과 재산 분할을 함께 청구할 수 있음

자료1 성년 의제

민법에서는 18세의 미성년자가 결혼하면 그때부터 성년에 달한 것으로 보는데, 이를 '성년 의제'라고 한다. 결혼한 미성년자는 성년자와 같이 단독으로 법률 행위를 할 수 있고, 아이를 낳으면 스스로 아이의 친권자가 될 수 있다. 단 성년 의제 효력이 생기는 혼인은 혼인 신고를 한 법률혼에만 해당한다.

일단 미성년자가 결혼하여 성년으로 의제가 되면 그 후 이혼, 배우자의 사망 등으로 혼인이 해소되더라도 성년 의제의 효과는 소멸하지 않는다. 하지만 성년 의제는 민법상에서만 적용되는 것으로, 민법 이외의 공법 관계에서는 적용되지 않는다. 예를 들어 혼인한 미성년자라도 공직 선거에 투표하는 것은 허용되지 않으며, <u>함부로 술이나 담배를 살 수 없다.</u>
<sub 청소년 보호법에 규정되어 있음>
청소년 보호법에 규정되어 있음
- 『한국일보』, 2017. 10. 3. -

| **자료 분석** | 미성년자의 정신적 성숙을 고려하고 혼인의 독립성을 보장하기 위해서 18세인 자는 부모의 동의를 얻어 유효한 법률혼을 할 수 있다. 민법상 성년 기준인 19세 미만이라 할지라도 혼인을 하면 민법상 행위 능력을 인정해 주는데, 이를 '성년 의제'라고 한다. 성년으로 의제가 되면 결혼한 미성년자는 단독으로 유효한 법률 행위를 할 수 있다.

한줄 핵심 18세인 미성년자가 부모 동의를 얻어 유효한 법률혼을 하면 성년 의제된다.

❶ 18세인 미성년자가 유효한 법률혼을 하면 □□ □□된다.
(   )

❷ 성년 의제는 □□상에서만 적용되며 투표에는 참여할 수 없는 등 공법 관계에서는 적용되지 않는다.
(   )

자료2 협의상 이혼과 재판상 이혼의 절차

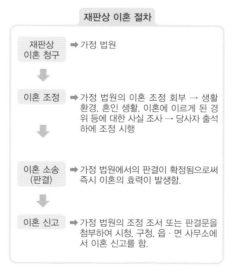

| **자료 분석** | 이혼의 유형은 협의상 이혼과 재판상 이혼으로 구분한다. 협의상 이혼은 양 당사자가 합의하여 법원에서의 일정 절차를 거쳐 이루어지는 이혼이며, 원칙적으로 이혼 숙려 기간을 거쳐야 한다. 반면, 재판상 이혼은 민법상 이혼 사유에 해당하여야 법원에서의 이혼 판결이 가능하며, 법원이 이혼 조정과 이혼 소송 절차를 담당한다.

한줄 핵심 협의상 이혼과 재판상 이혼은 모두 법원에서의 공식적인 절차를 거쳐야 한다.

❸ 협의상 이혼 시 양육할 자녀가 있으면 □개월, 없으면 □개월의 이혼 숙려 기간을 거쳐야 한다.
(   )

❹ 재판상 이혼의 효력은 법원의 □□이/가 □□된 때에 발생한다.
(   )

정답 ❶ 성년 의제 ❷ 민법
❸ 3, 1 ❹ 판결, 확정

⑤ 친생자의 구분

혼인 중 출생자	법률혼 관계에서 출생한 자녀
혼인 외 출생자	법률혼 관계가 아닌 남녀 사이(예사실혼)에서 출생한 자녀이며, 친자 관계 확인을 위해서는 인지 절차를 거쳐야 함

⑥ 공정 증서에 의한 유언
유언자가 증인 2명이 참여한 상태에서 공증인 앞에서 유언하고 공증인이 이를 필기·낭독하여 유언을 하는 자와 증인이 그 정확함을 승인한 후 각자 서명을 하거나 도장을 찍는 유언이다.

⑦ 유류분 제도
직계 비속과 배우자는 법정 상속분의 1/2, 직계 존속과 형제자매는 법정 상속분의 1/3의 유류분을 보장하는 제도이다. 상속인은 실제 상속분이 법정 유류분보다 부족할 경우 유류분 반환 청구를 할 수 있다.

⑧ 법정 상속 순위

1순위	직계 비속
2순위	직계 존속
3순위	형제자매
4순위	4촌 이내의 방계 혈족

B 부모와 자녀 간의 법률관계

1. 친자 관계

(1) **친자 관계**: 부모와 자녀 간의 법률관계

(2) **구분** [자료 3]

친생자	혼인 중 또는 혼인 외에 출생한 혈연관계의 자녀
양자	• 혈연관계는 없으나 입양 절차를 통해 입양한 자녀 • 일반 입양: 양부모의 친생자와 같은 지위를 가짐 → 재산 상속 및 부양의 권리와 의무 발생, 전 부모와의 친족 관계는 종료되지 않음 • 친양자: 양부모의 혼인 중 출생자로 취급되어 양부모의 성과 본을 따르고 입양 전의 친족 관계가 종료됨

2. 친권

(1) **친권**: 부모가 미성년인 자녀에 대해 가지는 신분·재산상의 여러 권리와 의무

(2) **내용**: 자녀에 대한 보호·양육의 권리와 의무, <u>거소 지정권</u>, <u>징계권</u>, 자녀의 재산 관리권 등

뜻 자녀가 거주할 장소를 지정할 수 있는 권리   뜻 보호 또는 교양의 목적으로 필요한 징계를 할 수 있는 권리

(3) **행사**

① 부모가 공동으로 행사하는 것이 원칙 → 부모 중 한쪽이 친권을 행사할 수 없을 때에는 다른 한쪽이 행사함

② 이혼 시 부모가 협의하여 친권 행사자를 정하되, 협의가 되지 않을 경우에는 가정 법원에서 친권 행사자를 지정함

③ 부모가 친권을 남용하거나 자녀의 복리를 현저히 해치거나 해칠 우려가 있을 경우에는 가정 법원의 선고에 의하여 <u>친권이 상실될 수 있음</u>

친권이 상실되더라도 친권을 상실한 부 또는 모의 재산에 대한 상속권은 남아 있음

C 유언과 상속

1. 유언

(1) **유언**: 유언자가 자신의 사망과 동시에 일정한 법률 효과를 발생시킬 목적으로 행하는 단독 행위

(2) **효력 발생 요건**: 유언자가 사망한 때 효력이 발생하며 요식주의에 따라 법에 규정된 요건을 갖추어야 함

(3) **방법**: 자필 증서, 공정 증서, 녹음, 비밀 증서, 구수 증서

유언자가 모든 것을 자필로 작성해야 함. 컴퓨터나 다른 사람이 작성하면 무효임

2. 상속

(1) **상속**: 피상속인이 사망함으로써 <u>그가 남긴 재산에 대한 권리와 의무가 타인(상속인)에게 승계되는 것</u>

피상속인의 채무도 상속되므로 상속 재산보다 채무가 많은 경우에는 상속 포기를 하고, 그 정도를 판단하기 어려운 경우에는 한정 승인을 할 수 있음

(2) **방법**

유언 상속	• 법적 효력을 갖는 유언이 있을 경우에는 유언의 내용에 따라 상속이 이루어짐 • 유류분 제도: 상속인의 최소한의 권익 보호를 위하여 배우자 및 일정 범위의 친족에게 상속 재산 중 일정 비율을 법적으로 보장해 주는 제도
법정 상속 [자료 4]	• 법적 효력을 갖는 유언이 없을 경우에는 법정 상속 순위에 따라 법정 상속이 이루어짐 • 선순위의 상속인이 있을 경우에 후순위는 상속을 받을 수 없음 • 같은 순위의 상속인 간의 상속분은 균등하게 함 • 배우자의 상속: 직계 비속이나 직계 존속이 없을 경우 단독 상속, 직계 비속이나 직계 존속이 있을 경우 공동 상속 → 배우자는 공동 상속인의 상속분에 50%를 가산하여 상속을 받음

자료3 친양자 제도

입양을 통해 양부모의 친생자와 같은 지위를 가지게 되었다고 해서 입양 전의 친족 관계가 없어지는 것은 아니다. 그래서 양자는 친부모와의 친족 관계를 그대로 유지하고 성과 본도 양부모를 따르지 않아 한집에 사는 양부와 양자의 성이 서로 다른 경우가 생기게 된다. 또한 양자라는 것이 겉으로 드러나기 때문에 입양을 꺼리는 등의 문제점이 있다. 이러한 문제를 해결하기 위해 민법에서는 일반 입양과는 별개로 친양자 제도를 규정하고 있다. 친양자로 입양되면 양부모의 성과 본을 따르고 입양 전의 친족 관계가 종료된다. 친양자 제도는 양자
친생부모의 재산에 대한 상속권이 없음
를 양부모의 친자와 동일하게 보아 입양 아동이 법적으로 뿐만 아니라 실제 생활에서도 완
양부모의 혼인 중 출생자로 취급함
전한 가족이 되도록 하기 위한 제도이다.

– 찾기 쉬운 생활 법령 정보 누리집, 2013 –

| **자료 분석** | 기존의 일반 입양 제도에서는 양자와 친생부모와의 관계가 유지되었기 때문에 양자와 친생자 사이에 차별의 문제가 존재할 수 있었다. 이에 따라 친양자 제도를 도입하여 양자에게 혼인 중 출생자와 동일한 지위를 보장하며, 친양자는 양부모의 성과 본을 따르고 입양 전의 친족 관계가 종료된다.

한줄 핵심 친양자는 양부모의 성과 본을 따르는 등 양부모의 혼인 중 출생자로 본다.

자료4 법정 상속

대학교 교수인 갑은 주말에 지방 강연을 다녀오는 길에 교통사고를 당하여 현장에서 사망하였다. 갑은 아무런 준비도 없이 갑작스럽게 사망한 관계로
유언을 남기지 못했다. 유족으로는 아
유언이 없을 경우 법정 상속이 이루어짐
내와 두 자녀(아들 1명, 딸 1명), 노모가 있고, 재산은 14억 원이다.
직계 비속에 해당함   법정 상속 순위에 따라 상속에서 제외됨

▲ 갑의 가계도
노모 / 갑 / 아내 / 아들 / 딸

| **자료 분석** | 사망자가 유언을 남기지 않았을 경우 유가족 간 분쟁이 발생할 수 있으므로 민법에서는 법정 상속 순위를 정하여 그 순위대로 상속이 이루어지도록 규정하고 있다. 배우자는 직계 비속(1순위), 직계 존속(2순위)과 공동 상속인이 될 수 있으며, 공동 상속이 이루어질 경우 공동 상속인의 상속분에 50%를 가산하여 상속받는다. 위 사례에서는 상속 1순위인 직계 비속에 해당하는 두 자녀가 있으므로 노모는 법정 상속을 받지 못한다. 자녀는 성별, 연령, 혼인 여부에 상관없이 균등한 상속분을 받는다. 따라서 배우자와 두 자녀가 1.5:1:1의 비율로 14억 원을 상속받는다. 이에 따라 각각의 상속 금액은 배우자 6억 원(=14억 원×3/7), 두 자녀 각각 4억 원(=14억 원×2/7)이다.

한줄 핵심 사망한 자의 유언이 없을 경우 법정 상속 순위에 따라 상속이 이루어진다.

법률 관계에 따른 상속

수능풀 Guide 부부 간의 법률관계, 부모와 자녀 간의 법률관계에 따른 상속의 유형에 대해 파악해 보자.

1 양자와 상속 관련 문제 ▶ 151쪽 07번

갑은 아내와 사별 후 을과 재혼하였다. 갑과 을은 아이가 없어서 병의 아들 A(5세)를 합법적인 절차에 의해 친양자가 아닌 양자로 입양하였다. 이듬해 갑의 아들이라 주장하는 B가 재판을 통해 인지되었다. 2년 후 갑이 지병으로 사망하였는데, 사망 당시 갑은 채무 없이 7억 원의 재산을 남겼고, '모든 재산을 A에게 준다.'는 취지의 유언장이 발견되었다.

> 친생부모와 양부모의 재산을 상속받을 수 있음
> 혼인 외 친생자가 됨

⚫ 기출 선택지로 확인하기

❶ 입양된 A와 병의 친자 관계는 종료된다. ○ ×

❷ 갑의 유언이 무효이더라도 A는 법정 상속권을 가진다. ○ ×

2 친양자와 상속

갑은 을과의 혼인 생활 중에 두 딸 A, B를 낳았고, C를 친양자로 입양하였다. 결혼한 지 20년이 지나 가정 불화로 갑은 을과 이혼하였다. A(17세), B(16세), C(14세)에 대한 양육권은 을이 갖기로 하였다. 이혼 6개월 뒤, 혼자 생활하던 갑은 교통사고로 사망하였다. 사망 당시 갑은 50억 원의 재산과 5억 원의 채무가 있었고, '모든 재산을 아들(C)에게 준다.'는 내용의 유언장을 남겼다.

> 혼인 중의 출생자가 됨
> 을은 갑의 재산에 대해 법정 상속을 받을 수 없음
> 45억 원의 재산이 상속됨

⚫ 기출 선택지로 확인하기

❸ 유언장이 무효인 경우 법정 상속인은 A, B이다. ○ ×

❹ 갑이 사망하더라도 을과 C의 친자 관계는 유지된다. ○ ×

3 유언과 상속 관련 문제 ▶ 151쪽 08번

A(남)는 B(여)와 이혼을 하였고, 혼인 중에 출생한 딸 C는 B가 키우고 있었다. 홀어머니 D를 모시는 A는 E와 혼인 신고는 하지 않은 채 사실혼 관계에 있으면서 E와의 사이에서 태어난 아들 F와 함께 살고 있었다. 그런데 A가 사고를 당해 사망하였다. A가 남긴 재산으로는 7천만 원이 전부이며 F는 상속 자격을 갖추고 있다. A는 자신의 모든 재산을 D와 E에게 각각 1/2씩 주겠다는 유언장을 남겼다.

> C는 A의 재산에 대한 법정 상속권이 있음
> E는 A의 재산에 대한 법정 상속권이 없음
> 사실혼 관계는 인지 절차를 통해 친자 관계가 형성됨

✎ **PLUS분석** A의 재산에 대한 법정 상속권자는 직계 비속인 C와 F이다. 그러므로 유언이 무효라면 C와 F는 각각 법정 상속분의 1/2인 3,500만 원을 상속받는다. 이때, C와 F가 모두 상속을 포기하면 후순위 상속자인 직계 존속 D가 7천만 원을 모두 상속받는다.

⚫ 기출 선택지로 확인하기

❺ A는 F를 친양자로 입양하는 절차를 거쳤다. ○ ×

❻ 유언이 무효라면 C는 2천만 원을 상속받는다. ○ ×

❼ 유언이 무효이고 C와 F가 상속을 포기하면 D는 7천만 원을 상속받을 수 있다. ○ ×

A 부부간의 법률관계

01 빈칸에 들어갈 알맞은 용어를 쓰시오.

(1) □□은/는 남녀가 부부가 되는 것으로서 일종의 계약에 해당한다.

(2) 혼인은 실질적 요건과 형식적 요건을 갖추어야 하는데, 형식적 요건은 □□ □□을/를 하는 것이다.

(3) 18세인 미성년자가 부모의 동의하에 혼인하게 되면 □□ □□된다.

(4) □□□ 이혼의 효력은 법원의 이혼 판결이 확정된 때 발생한다.

02 다음 설명이 맞으면 ○표, 틀리면 ×표를 하시오.

(1) 혼인할 수 있는 연령은 19세 이상이다. ( )

(2) 혼인을 하게 되면 인척 관계와 같은 친족 관계가 형성된다. ( )

(3) 협의상 이혼은 법에 정해진 사유에 해당하지 않아도 가능하다. ( )

(4) 협의상 이혼 시 양육할 자녀가 없으면 3개월의 이혼 숙려 기간을 거쳐야 한다. ( )

B 부모와 자녀 간의 법률관계

03 부모와 자녀 간의 법률관계와 그에 대한 설명을 바르게 연결하시오.

(1) 친생자 •
                   • ㉠ 혼인 중 또는 혼인 외에 출생한 혈연관계의 자녀

(2) 양자 •
                   • ㉡ 혈연관계는 없으나 입양 절차를 통해 입양한 자녀

04 다음 설명이 맞으면 ○표, 틀리면 ×표를 하시오.

(1) 친양자는 친생부모와의 친족 관계가 단절된다. ( )

(2) 일반 입양에 의한 양자는 양부모의 성과 본을 따르게 된다. ( )

(3) 혼인 외 출생자는 인지 절차를 거쳐야 친자 관계가 형성된다. ( )

(4) 부모가 미성년인 자녀에 대해 갖는 신분·재산상의 여러 권리와 의무를 친권이라고 한다.

( )

C 유언과 상속

05 빈칸에 들어갈 알맞은 용어를 쓰시오.

(1) 상속 시 피상속인의 재산뿐만 아니라 □□도 상속이 된다.

(2) 유언은 유언자가 □□한 때에 효력이 발생하며, 법에 규정된 요건을 갖추어야 한다.

(3) 법정 상속 1순위는 □□ □□, 2순위는 □□ □□, 3순위는 형제자매, 4순위는 4촌 이내의 방계 혈족이다.

(4) 배우자는 공동 상속인의 상속분에 □□%를 가산하여 상속을 받는다.

A 부부간의 법률관계

01 혼인에 대한 설명으로 옳지 않은 것은?

① 혼인 후 부부 별산제가 적용된다.
② 혼인의 형식적 요건은 혼인 신고이다.
③ 19세 이상인 자만 법률혼을 할 수 있다.
④ 혼인을 통해 인척과 같은 친족 관계가 형성된다.
⑤ 혼인은 남녀가 부부가 되는 것으로서 일종의 계약이다.

02 다음은 법률혼과 사실혼의 공통점과 차이점을 나타낸 것이다. (가)~(다)에 들어갈 내용으로 옳은 것은?

구분	법률혼	사실혼
공통점	(가)	
차이점	(나)	(다)

① (가) - 친족 관계 형성
② (가) - 혼인 신고를 함
③ (나) - 배우자 간 상속 문제 발생
④ (나) - 일상 가사에 대한 대리권 발생
⑤ (다) - 부부간의 동거, 협조, 부양의 의무 발생

03 이혼의 유형 (가), (나)에 대한 설명으로 옳은 것은?

(가)	법원에 이혼 의사 확인 신청 → 이혼 숙려 기간 → 법원의 이혼 의사 확인 → 이혼 신고
(나)	이혼 신청 → 이혼 조정 → 이혼 소송 → 이혼 판결 → 이혼 신고

① (가)의 이혼 숙려 기간은 양육할 자녀가 있으면 1개월이다.
② (가)를 위해서는 민법상 정해진 이혼 사유에 해당해야 한다.
③ (나)의 이혼에 대한 책임이 있는 배우자라도 부부 공유 재산에 대한 분할 청구권을 행사할 수 있다.
④ (가)와 달리 (나)의 경우 혼인에 의해 발생한 친족 관계가 소멸한다.
⑤ (가), (나) 모두 이혼의 효력은 이혼 신고를 한 때에 발생한다.

B 부모와 자녀 간의 법률관계

04 밑줄 친 ㉠에 해당하는 내용만을 〈보기〉에서 있는 대로 고른 것은?

친양자 제도는 양자와 친생자 사이에 발생할 수 있는 차별의 가능성을 없애기 위해 도입된 제도이다. 기존의 일반 입양에 의한 양자와 달리 친양자로 입양된 자는 특별한 경우를 제외하고는 친생부모와의 친족 관계가 단절된다. 이에 따라 ㉠친양자는 일반 입양에 의한 양자와 다른 법적 지위를 갖는다.

보기
ㄱ. 양부모의 성과 본을 따른다.
ㄴ. 양부모의 재산을 상속받을 수 있다.
ㄷ. 혼인 중 출생자와 같은 지위를 가진다.
ㄹ. 친생부모의 재산을 상속받을 수 없다.

① ㄱ, ㄴ   ② ㄱ, ㄹ   ③ ㄴ, ㄷ
④ ㄱ, ㄷ, ㄹ   ⑤ ㄴ, ㄷ, ㄹ

05 밑줄 친 '한 학생'에 해당하는 학생은?

교사: 친권에 대해 설명해 볼까요?
갑: 부모가 미성년인 자녀에 대해 갖는 신분·재산상의 여러 권리와 의무입니다.
을: 친권에는 거소 지정권, 징계권, 양육권 등이 있습니다.
병: 부모가 공동으로 행사하는 것이 원칙입니다.
정: 친자 관계에 따른 것으로 친권은 상실될 수 없습니다.
무: 부모가 이혼하는 경우 친권자가 법원에 의해 결정되는 경우도 있습니다.
교사: 한 학생을 제외하고 모두 옳은 답을 했어요.

① 갑   ② 을   ③ 병
④ 정   ⑤ 무

C 유언과 상속

06 유언 상속에 대한 옳은 설명만을 〈보기〉에서 고른 것은?

보기
ㄱ. 유언은 유언자가 사망한 때에 효력이 발생한다.
ㄴ. 유언은 법에 규정된 요건을 갖추지 못해도 유효하다.
ㄷ. 유언이 없을 경우에는 법정 상속 순위에 따라 상속이 이루어진다.
ㄹ. 자필 증서에 의한 유언은 유언자가 직접 컴퓨터로 작성해도 효력이 발생한다.

① ㄱ, ㄴ   ② ㄱ, ㄷ   ③ ㄴ, ㄷ
④ ㄴ, ㄹ   ⑤ ㄷ, ㄹ

07 다음 사례에 대한 법적 판단으로 옳은 것은?

갑과 을은 법률혼 관계에서 자녀 병과 정을 낳고 갑의 어머니 무와 함께 살고 있었다. 어느 날 갑은 여행 중 사고로 사망하였는데, '모든 재산을 ○○ 복지 재단에 물려준다.'라는 취지의 유효한 유언이 발견되었다. 갑의 재산은 14억 원이고 빚은 없다.

① 갑의 유언이 유효하려면 갑이 자필로 작성한 유언장이어야 한다.
② 을은 ○○ 복지 재단에 병보다 많은 유류분의 반환을 청구할 수 있다.
③ 병과 정이 ○○ 복지 재단에 청구할 수 있는 유류분액은 다르다.
④ 무는 ○○ 복지 재단에 유류분 반환을 청구할 수 있다.
⑤ 병과 정이 유류분 반환을 청구하더라도 ○○ 복지 재단은 갑의 재산 14억 원을 모두 받는다.

08 밑줄 친 ㉠~㉢에 대한 옳은 설명만을 〈보기〉에서 있는 대로 고른 것은?

자연인이 사망함으로써 그가 남긴 재산에 대한 권리와 의무가 상속인에게 ㉠포괄적으로 승계되는 것을 상속이라고 한다. 법적 효력을 갖는 유언이 없는 경우에는 ㉡민법에서 정한 방식대로 법정 상속이 이루어지며, 법적 효력을 갖는 유언이 있는 경우에는 유언대로 상속이 이루어지나 ㉢유류분을 고려한다.

보기
ㄱ. ㉠에 따라 피상속인의 재산뿐만 아니라 빚도 상속된다.
ㄴ. ㉡에 따르면 법정 상속 1순위는 피상속인의 직계 비속이다.
ㄷ. ㉡에 따르면 배우자의 상속분은 공동 상속인의 상속분보다 2배 많다.
ㄹ. ㉢은 피상속인의 자의로부터 상속인을 보호하기 위한 것이다.

① ㄱ, ㄷ   ② ㄱ, ㄹ   ③ ㄴ, ㄷ
④ ㄱ, ㄴ, ㄹ   ⑤ ㄴ, ㄷ, ㄹ

서답형 문제

09 다음 글을 읽고 물음에 답하시오.

유효한 법률혼이 되기 위해서는 형식적 요건인 혼인 신고와 ㉠실질적 요건 4가지를 갖추어야 한다. 민법상 성인은 자신의 의지대로 혼인을 할 수 있지만 미성년자인 경우에도 일정 연령인 경우에는 법률혼이 가능하다. 미성년자가 법률혼을 한 경우에는 ⬚ ㉡ ⬚ 의 효력이 발생하여 행위 능력을 인정받는다.

(1) 밑줄 친 ㉠에 해당하는 4가지 요건을 모두 쓰시오.

_____

(2) ㉡에 들어갈 알맞은 개념을 쓰시오.

(   )

01 혼인의 유형 A, B에 대한 옳은 설명만을 〈보기〉에서 고른 것은?

구분	A	B
혼인의 실질적 요건을 갖추었는가?	예	예
혼인의 형식적 요건을 갖추었는가?	아니요	예

〈보기〉
ㄱ. A는 B와 달리 친족 관계가 형성된다.
ㄴ. A는 B와 달리 배우자 간 일상 가사 대리권이 인정되지 않는다.
ㄷ. B는 A와 달리 배우자에 대한 상속권이 인정된다.
ㄹ. A, B 모두 부부간의 동거, 협조, 부양의 의무가 발생한다.

① ㄱ, ㄴ 　② ㄱ, ㄷ 　③ ㄴ, ㄷ
④ ㄴ, ㄹ 　⑤ ㄷ, ㄹ

기출 변형

02 밑줄 친 ㉠~㉫에 대한 설명으로 옳은 것은?

• 갑은 18세이며 할아버지가 물려주신 ㉠3억 원 상당의 주택이 있다. 갑은 부모님의 동의를 얻어 20세의 을과 ㉡결혼식을 올린 후 ㉢혼인 신고를 하였다.
• 병과 정은 35세이며, 병에게는 회사 생활을 하며 마련한 ㉣2억 원 상당의 주택이 있다. 혼인 의사가 있는 병과 정은 부부 공동 생활을 하고 있지만 아직 ㉤혼인 신고는 하지 않았다.

① ㉠은 갑과 을이 이혼한다면 재산 분할 대상이 된다.
② ㉡은 혼인의 실질적 요건이다.
③ ㉢을 통해 갑은 성년과 같은 행위 능력을 갖게 된다.
④ ㉣은 병과 정이 혼인 신고를 하면 병과 정의 공유 재산으로 된다.
⑤ ㉤에도 불구하고 병과 정 사이에는 상속권이 발생한다.

03 다음 사례의 밑줄 친 ㉠, ㉡에 대한 법적 판단으로 옳은 것은? (단, 다음 사례의 혼인은 모두 법률혼임)

• 갑은 과도한 주식 투자로 큰 손해를 보고 괴로워하며 가정을 돌보지 않았다. 이에 배우자 을은 갑에게 이혼을 요구하였고 갑은 이를 받아들여 ㉠이혼을 하였다.
• 병은 자주 술을 마시고 배우자 정을 폭행하였다. 이에 정은 병에게 이혼을 요구하였으나 거부당하자 재판을 통해 ㉡이혼을 하였다.

① ㉠에서 갑과 을에게 양육할 자녀가 없다면, 갑과 을은 이혼 숙려 기간을 거치지 않을 것이다.
② ㉠과 달리 ㉡은 민법에 정해진 이혼 사유에 해당해야 이혼이 가능하다.
③ ㉠과 달리 ㉡은 이혼의 책임이 있는 상대방에게 손해 배상을 청구할 수 있다.
④ ㉡과 달리 ㉠은 혼인 생활 중 취득한 재산에 대한 분할 청구권이 발생한다.
⑤ ㉠과 ㉡의 효력은 모두 행정 관청에 이혼 신고를 한 때에 발생한다.

기출 변형

04 다음 사례에 대한 옳은 법적 판단만을 〈보기〉에서 고른 것은?

(가) 갑과 을은 혼인 신고를 하지 않은 채 살며 자녀를 낳았고 갑은 그 자녀를 인지하였다. 그러나 갑이 가정을 잘 돌보지 않자 을은 이혼을 요구하고 있다.
(나) 병과 정은 법적으로 유효한 법률혼을 한 상태에서 자녀를 낳았다. 그러나 정이 도박에 빠지는 등 가정을 소홀히 하는 것을 견디다 못한 병이 이혼을 요구하고 있다.

〈보기〉
ㄱ. (가)와 달리 (나)에서는 법원의 절차를 거쳐야 이혼이 진행된다.
ㄴ. (나)의 혼인과 달리 (가)의 혼인은 인척 관계가 형성되지 않는다.
ㄷ. (나)에서 병과 정이 이혼하기 위해서는 민법에 정해진 이혼 사유에 해당해야 한다.
ㄹ. (가)의 갑과 자녀와 달리 (나)의 병과 자녀는 친자 관계가 형성되었다.

① ㄱ, ㄴ 　② ㄱ, ㄷ 　③ ㄴ, ㄷ
④ ㄴ, ㄹ 　⑤ ㄷ, ㄹ

05 그림의 A~C에 대한 옳은 설명만을 〈보기〉에서 고른 것은? (단, A~C는 각각 친생자, 일반 입양에 의한 양자, 친양자 중 하나이다.)

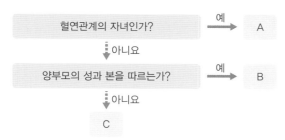

```
혈연관계의 자녀인가?  →예→  A
   ↓아니요
양부모의 성과 본을 따르는가?  →예→  B
   ↓아니요
         C
```

보기
ㄱ. A는 인지 절차를 거쳐야 친자 관계가 인정된다.
ㄴ. 사실혼 관계에서 태어난 자녀는 A가 될 수 있다.
ㄷ. B는 친생부모와의 친족 관계가 단절된다.
ㄹ. C는 B와 달리 양부모의 재산에 대한 상속권이 있다.

① ㄱ, ㄴ   ② ㄱ, ㄷ   ③ ㄴ, ㄷ
④ ㄴ, ㄹ   ⑤ ㄷ, ㄹ

07 다음 사례에 대한 법적 판단으로 옳은 것은?

갑은 아내와 사별 후 을과 재혼하였다. 갑과 을은 아이가 없어서 병의 아들 A(6세)를 합법적인 절차에 의해 친양자가 아닌 양자로 입양하였다. 이듬해 갑의 아들이라 주장하는 B가 재판을 통해 인지되었다. 2년 후 갑이 지병으로 사망하였는데, 사망 당시 갑은 채무 없이 7억 원의 재산을 남겼고, '모든 재산을 A에게 준다.'라는 취지의 유언장이 발견되었다.

① 입양된 A와 병과의 친자 관계는 종료된다.
② B는 인지 후 갑의 혼인 중 출생자가 된다.
③ 유언장이 효력이 있으면 B와 달리 을은 유류분 반환을 청구할 수 있다.
④ 유언장이 효력이 없으면 을은 3억 원을 상속받는다.
⑤ 유언장이 효력이 없으면 A는 법정 상속을 받을 수 없다.

06 다음 사례에 대한 옳은 법적 판단만을 〈보기〉에서 고른 것은?

A는 배우자 B, 자녀 C, D, 노모 E와 함께 살고 있었다. 그러던 어느 날 A는 여행 중 사고로 사망하였다. A의 사망 후 '모든 재산을 자녀 C에게 물려준다.'라는 취지의 유언장이 발견되었다. A의 재산은 25억 원이고, 빚은 4억 원이다.

보기
ㄱ. 유언장이 효력이 있다면 B와 D는 유류분 반환을 청구할 수 있다.
ㄴ. 유언장이 효력이 있다면 D가 유류분 반환을 청구하더라도 C는 A의 재산 21억 원을 모두 상속받는다.
ㄷ. 유언장이 효력이 없다면 C와 D의 법정 상속액의 합보다 B의 법정 상속액이 3억 원 적다.
ㄹ. 유언장이 효력이 없다면 E는 C, D와 공동 상속인이 된다.

① ㄱ, ㄴ   ② ㄱ, ㄷ   ③ ㄴ, ㄷ
④ ㄴ, ㄹ   ⑤ ㄷ, ㄹ

08 다음 사례에 대한 옳은 법적 판단만을 〈보기〉에서 고른 것은?

A는 B와 이혼을 하였고, 혼인 중에 출생한 딸 C는 B가 키우고 있다. A는 E와 혼인 신고는 하지 않고 노모 D를 모시며 살고 있었다. 또한 E와의 사이에서 태어난 아들 F가 있으며, F는 상속 자격을 갖추고 있다. 그런데 A가 사고를 당해 사망하였고 A는 7억 원의 재산을 남겼다. A는 자신의 모든 재산을 D와 E에게 각각 1/2씩 주겠다는 유언장을 남겼다.

보기
ㄱ. A는 F를 친양자로 입양하였다.
ㄴ. A의 사망 당시 B와 E는 모두 A의 친족이 아니다.
ㄷ. 유언이 효력이 있다면, D와 E는 유류분 반환을 청구할 수 있다.
ㄹ. 유언이 효력이 없다면, C와 F는 각각 3억 5천만 원씩 상속받는다.

① ㄱ, ㄴ   ② ㄱ, ㄷ   ③ ㄴ, ㄷ
④ ㄴ, ㄹ   ⑤ ㄷ, ㄹ

Ⅳ. 개인 생활과 법

01 민법의 의의와 기본 원리

A 민법의 의의와 기능

(1) 민법의 의의와 규율 대상

의의	개인과 개인의 법률관계에서 발생하는 권리와 의무의 종류 및 내용을 다루는 대표적인 사법
규율 대상	재산 관계, 가족 관계 등

(2) 민법의 기능

재산 관계 규율	개인의 경제 활동, 경제적 권리와 관련한 법률관계를 합리적으로 조정함
가족 관계 규율	가족 및 친족과 관련된 법률관계를 안정적으로 유지함
법의 일반 원칙 제시	법의 일반 원칙을 규정하여 사법적 생활 관계의 행위 기준을 제시함

B 민법의 기본 원리

(1) 근대 민법의 기본 원리

사유 재산권 존중의 원칙	개인 소유의 재산에 대해 사적 지배를 인정하고 국가나 다른 개인은 함부로 이를 간섭하거나 제한하지 못한다는 원칙
사적 자치의 원칙	개인은 자율적인 판단에 기초하여 법률관계를 형성해 나갈 수 있다는 원칙
과실 책임의 원칙	자신의 고의나 과실에 따른 위법한 행위로 타인에게 손해를 끼친 경우에만 책임을 진다는 원칙

(2) 근대 민법의 기본 원리에 대한 수정·보완

소유권 공공 복리의 원칙	소유권에 공공의 개념을 적용하여 소유권은 공공 복리에 적합하도록 행사해야 한다는 원칙
계약 공정의 원칙	계약 내용이 사회 질서에 위반되거나 공정하지 못한 경우에는 법적 효력이 발생하지 않는다는 원칙
무과실 책임의 원칙	자신에게 직접적인 고의나 과실이 없는 경우에도 일정한 요건에 따라 손해 배상 책임을 질 수 있다는 원칙

02 재산 관계와 법

A 계약의 이해

의미	일정한 법률 효과를 발생시킬 목적으로 사람들 사이에 이루어지는 합의
성립	청약과 승낙이 합치된 때 성립
효력 발생	• 계약 당사자: 의사 능력이 없는 자의 계약은 무효, 행위 능력이 제한되는 자가 단독으로 한 계약은 취소가 가능함 • 계약 내용: 실현 가능하고 적법해야 함, 선량한 풍속 및 기타 사회 질서에 반하지 않아야 함 • 의사 표시: 협박 또는 강요 등에 의해 의사를 표시한 경우 취소가 가능함

B 미성년자의 계약

(1) 미성년자의 의미와 법적 지위

의미	민법상 19세 미만인 자
법적 지위	제한 능력자: 미성년자는 제한 능력자에 해당하여 단독으로 유효한 법률 행위를 할 수 없음
법률 행위	• 원칙: 미성년자가 법률 행위를 할 경우에는 원칙적으로 법정 대리인의 동의를 얻어야 함 → 법정 대리인의 동의를 얻지 않은 미성년자의 법률 행위는 미성년자 본인이나 법정 대리인이 취소할 수 있음 • 미성년자가 단독으로 할 수 있는 법률 행위: 단순히 권리만을 얻거나 의무만을 면하는 행위, 법정 대리인이 범위를 정해 처분을 허락한 재산의 처분 행위 등

(2) 미성년자와 거래한 상대방 보호

확답을 촉구할 권리	거래 상대방은 미성년자의 법정 대리인에게 계약을 취소할 것인지 여부를 확정하도록 요구할 수 있음
철회권	거래 상대방은 미성년자의 법정 대리인의 추인이 있을 때까지 거래의 의사 표시를 철회할 수 있음 → 단, 계약 당시 미성년자임을 알았다면 철회권을 행사할 수 없음
취소권 행사의 배제	미성년자가 속임수를 써 자신을 능력자로 믿게 하거나 법정 대리인의 동의를 받은 것처럼 믿게 한 경우에는 미성년자 본인이나 법정 대리인의 취소권이 배제됨

C 불법 행위와 손해 배상

(1) 불법 행위

의미	고의나 과실로 위법하게 타인에게 손해를 끼치는 행위
성립 요건	• 가해 행위: 피해자에게 손해를 발생시키는 가해자의 행위가 있어야 함 • 고의 또는 과실: 가해 행위에 고의 또는 과실이 있어야 함 • 위법성: 법이 보호할 가치가 있는 이익을 위법하게 침해해야 함 • 손해의 발생: 가해자의 행위로 인해 피해자에게 손해가 발생해야 함 • 인과 관계: 가해 행위와 피해자의 손해 사이에 상당한 인과 관계가 있어야 함 • 책임 능력: 자신의 행위가 불법 행위로서 법률상 책임이 발생한다는 것을 분별할 수 있는 능력이 있어야 함

(2) 손해 배상

의미	채무 불이행 또는 불법 행위 등으로 발생한 손해를 보전해 주는 것
방식	• 금전 배상을 원칙으로 함 • 재산적 손해는 물론 정신적 손해까지 배상해야 하며, 정신적 손해에 대한 배상금을 위자료라고 함

(3) 특수 불법 행위

	의미	일반적인 불법 행위와 달리 타인의 가해 행위, 공동으로 저지른 행위, 사람 또는 물건의 관리 소홀 등에 대해서도 책임을 지도록 하는 것
유형	책임 무능력자의 감독자 책임	책임 능력이 없는 미성년자나 심신 상실자가 손해를 가한 경우 이를 감독할 법정 의무가 있는 자가 배상할 책임이 있음
	사용자 배상 책임	피용자(직원)가 업무와 관련하여 타인에게 손해를 가한 경우 사용자(업주)는 피용자의 선임 및 사무 감독상의 과실에 대해 배상 책임을 짐
	공작물 등의 점유자·소유자 배상 책임	공작물 등의 하자로 인하여 타인에게 손해를 가한 경우 점유자가 일차적으로 배상 책임을 짐
	동물 점유자의 배상 책임	동물이 타인에게 손해를 가한 경우 동물의 점유자가 배상 책임을 짐
	공동 불법 행위자 책임	여러 사람이 공동으로 타인에게 손해를 입힌 경우 연대하여 배상 책임을 짐

03 가족 관계와 법

A 부부간의 법률관계

(1) 혼인

의미	남녀가 부부가 되는 것으로서 일종의 계약에 해당함
성립 요건	• 실질적 요건: 당사자 간 합의가 있을 것, 법적으로 혼인할 수 있는 연령에 해당할 것, 법적으로 혼인할 수 없는 친족 관계가 아닐 것, 중혼이 아닐 것 • 형식적 요건: 혼인 신고
법적 효과	새로운 친족 관계의 형성, 부부간의 동거·협조·부양의 의무 발생, 부부 별산제, 성년 의제의 효력 발생 등

(2) 이혼

의미	혼인 관계를 인위적으로 해소하는 것
유형	• 협의상 이혼: 당사자 간 합의로 이루어지는 이혼 • 재판상 이혼: 법원의 판결로써 이루어지는 이혼
법적 효과	재산 분할 청구권, 위자료 청구권, 자녀를 직접 양육하지 않는 부모의 면접 교섭권 등 발생

B 부모와 자녀 간의 법률관계

(1) 친자 관계

친생자	혼인 중 또는 혼인 외에 출생한 혈연관계의 자녀
양자	혈연관계는 없으나 입양 절차를 통해 입양한 자녀(친양자, 일반 입양에 의한 양자)

(2) 친권

의미	부모가 미성년인 자녀에 대해 갖는 신분·재산상의 여러 권리와 의무
행사 방식	• 부모가 공동으로 행사하는 것이 원칙 • 부모가 친권을 남용할 경우에는 가정 법원의 선고에 의하여 친권이 상실될 수 있음

C 유언과 상속

유언	유언자가 자신의 사망과 동시에 일정한 법률 효과를 발생시킬 목적으로 행하는 단독 행위
상속	피상속인이 사망함으로써 그가 남긴 재산에 대한 권리와 의무가 타인에게 승계되는 것

01 근대 민법의 기본 원리 (가), (나)에 대한 옳은 설명만을 〈보기〉에서 고른 것은?

민법의 원리	내용
(가)	개인 소유의 재산에 대한 사적 지배를 인정하고 국가나 다른 개인은 함부로 이를 간섭하거나 제한하지 못한다는 원칙
(나)	자신의 고의나 과실에 따른 행위로 타인에게 손해를 끼친 경우에만 책임을 진다는 원칙

〈보기〉
ㄱ. (가)는 개인의 재산권을 절대적 권리로 본다.
ㄴ. (나)는 '자기 책임의 원칙'이라고도 한다.
ㄷ. (나)는 현대 민법에서 무과실 책임의 원칙으로 대체되었다.
ㄹ. (가)는 (나)와 달리 자유주의, 개인주의를 기본 이념으로 한다.

① ㄱ, ㄴ 　② ㄱ, ㄷ 　③ ㄴ, ㄷ
④ ㄴ, ㄹ 　⑤ ㄷ, ㄹ

02 다음 민법 조항의 밑줄 친 내용에 나타난 민법의 원리에 대한 설명으로 옳은 것은?

> 민법 제758조 ① 공작물의 설치 또는 보존의 하자로 인하여 타인에게 손해를 가한 때에는 공작물 점유자가 손해를 배상할 책임이 있다. 그러나 점유자가 손해의 방지에 필요한 주의를 해태하지 아니한 때에는 <u>그 소유자가 손해를 배상할 책임이 있다.</u>

① 개인의 소유권은 공공복리에 적합하도록 행사하여야 한다.
② 개인은 자율적인 판단에 기초하여 법률관계를 형성해 나갈 수 있다.
③ 계약 내용이 사회 질서에 위반되거나 공정하지 못한 경우에는 효력이 없다.
④ 개인 소유의 재산에 대해 사적 지배를 인정하고 국가는 함부로 이를 간섭하거나 제한할 수 없다.
⑤ 자신에게 직접적인 고의나 과실이 없는 경우에도 일정한 요건에 따라 손해 배상 책임을 질 수 있다.

03 민법의 원리 ㉠~㉢에 대한 설명으로 옳은 것은?

〈근대 민법의 원리〉 　　〈근대 민법의 원리 수정〉

소유권 절대의 원칙 ➡ (㉠)

(㉡) ➡ 계약 공정의 원칙

과실 책임의 원칙 ➡ (㉢)

① ㉠은 사적 자치의 원칙이다.
② ㉠은 개인의 소유권은 경우에 따라 제한될 수 있는 권리라는 것을 강조한다.
③ 현대 민법에서 ㉡은 인정되지 않는다.
④ ㉢에 따라 사회 질서에 위반되는 내용의 계약은 효력이 없다.
⑤ ㉢은 고의나 과실이 있는 경우에만 손해 배상 책임을 진다는 원칙이다.

04 법률 행위의 효과 (가), (나)에 대한 옳은 설명만을 〈보기〉에서 있는 대로 고른 것은?

(가)	특정인의 주장을 기다리지 않고 법률 행위가 성립한 때부터 당연히 그 효력이 없는 것으로 확정된 것
(나)	특정인의 주장이 있어야 법률 행위의 효력이 없어지는 것

〈보기〉
ㄱ. 의사 능력이 없는 자의 법률 행위의 효과는 (가)이다.
ㄴ. 협박이나 강요에 의해 의사 표시를 한 경우의 법률 효과는 (가)이다.
ㄷ. 미성년자가 부모의 동의 없이 체결한 계약의 효력은 (나)이다.
ㄹ. (나)는 (가)와 달리 특정인이 주장을 하지 않으면 확정적으로 유효가 될 수 있다.

① ㄱ, ㄴ 　② ㄱ, ㄹ 　③ ㄴ, ㄷ
④ ㄱ, ㄷ, ㄹ 　⑤ ㄴ, ㄷ, ㄹ

05 밑줄 친 ㉠~㉣에 대한 옳은 설명만을 〈보기〉에서 있는 대로 고른 것은?

- 미성년자가 법률 행위를 할 때에는 ㉠법정 대리인의 동의를 얻어야 한다. 그러나 ㉡권리만을 얻거나 의무만을 면하는 행위는 그러하지 아니하다.
- 미성년자가 맺은 계약은 법정 대리인의 추인이 있을 때까지 ㉢상대방이 그 의사 표시를 철회할 수 있다.
- 미성년자가 ㉣속임수로 자기를 행위 능력자로 믿게 한 경우에는 그 행위를 취소할 수 없다.

보기
ㄱ. 미성년자가 ㉠ 없이 계약을 체결하면 거래 상대방은 미성년자에게 확답을 촉구할 권리를 갖는다.
ㄴ. '부담 없는 증여'는 ㉡의 예이다.
ㄷ. 거래 당시 미성년자임을 알았다면 ㉢은 불가능하다.
ㄹ. '신분증 위조'는 ㉣의 예이다.

① ㄱ, ㄴ   ② ㄱ, ㄹ   ③ ㄴ, ㄷ
④ ㄱ, ㄷ, ㄹ   ⑤ ㄴ, ㄷ, ㄹ

06 다음 사례에 대한 법적 판단으로 옳지 <u>않은</u> 것은? (단, 갑, 을, 병은 미성년자이다.)

갑, 을, 병은 모두 부모의 동의를 얻지 않고 고가의 노트북을 판매업자 정으로부터 구매하였다. 갑은 부모의 동의서를 위조하였고, 병은 부모의 동의를 얻어 혼인 신고를 하였다. 거래 당시 정은 갑, 을, 병이 모두 미성년자임을 알고 있었다.

① 병의 연령은 18세이다.
② 갑의 부모와 갑은 노트북 구매 계약을 취소할 수 없다.
③ 을의 부모와 을은 노트북 구매 계약을 취소할 수 있다.
④ 병과 병의 부모는 노트북 구매 계약을 취소할 수 없다.
⑤ 정은 을과 체결한 계약에 대해 철회권을 행사할 수 있다.

07 다음 사례에 대한 옳은 법적 판단만을 〈보기〉에서 고른 것은?

- 갑(8세)은 자전거를 타다가 내리막길에서 제동을 못하고 길을 걷던 A를 치어 전치 4주의 상해를 입혔다.
- 을(17세)은 자전거를 빠른 속도로 타다가 앞에 가던 B를 보지 못하고 치어 전치 5주의 상해를 입혔다.

보기
ㄱ. A는 갑에게 손해 배상 책임을 물을 수 없다.
ㄴ. A는 갑의 부모에게 일반 불법 행위 책임을 물을 수 있다.
ㄷ. B는 을에게 특수 불법 행위 책임을 물을 수 없다.
ㄹ. B는 을의 부모에게 특수 불법 행위 책임을 물을 수 있다.

① ㄱ, ㄴ   ② ㄱ, ㄷ   ③ ㄴ, ㄷ
④ ㄴ, ㄹ   ⑤ ㄷ, ㄹ

08 빈칸 (가)에 들어갈 답변으로 옳지 <u>않은</u> 것은?

질문: 갑의 음식점에 고용된 을은 뜨거운 음식을 나르다가 넘어져서 저에게 음식을 쏟았습니다. 이로 인해 저는 화상을 입고 병원에 입원을 하였습니다. 저는 손해에 대해 갑에게 배상을 요구하였으나, 갑은 자신은 책임이 없다며 거부하고 있습니다. 제가 손해 배상을 받을 수 있을까요?

답변: _____(가)_____

① 을의 행위가 불법 행위로 성립하면 을에게 손해 배상을 청구할 수 있습니다.
② 을의 행위가 불법 행위로 성립하면 갑에게 사용자 배상 책임을 물을 수 있습니다.
③ 을의 행위가 불법 행위로 성립하면 정신적 손해에 대한 배상도 요구할 수 있습니다.
④ 을의 행위가 불법 행위로 성립하지 않아도 갑에게 손해 배상 책임을 물을 수 있습니다.
⑤ 을의 행위가 불법 행위로 성립하지 않으면 갑에게 특수 불법 행위 책임을 물을 수 없습니다.

09 다음 사례에 대한 옳은 법적 판단만을 〈보기〉에서 있는 대로 고른 것은?

> (가) 갑과 을은 혼인 의사를 가지고 부부 공동생활을 하고 있으나 혼인 신고는 하지 않았다.
> (나) 병과 정은 혼인 의사를 가지고 부부 공동생활을 하고 있으며 혼인 신고를 하였다.

보기

> ㄱ. (가)에서 갑이 사망하면 을은 갑의 재산에 대한 상속을 받을 수 없다.
> ㄴ. (가)에서 갑과 을은 혼인의 실질적 요건은 갖추었지만 형식적 요건을 갖추지 못했다.
> ㄷ. (나)에서 병과 정 사이에 자녀가 태어나면 혼인 외 출생자가 된다.
> ㄹ. (나)에서 병과 정 간에는 친족 관계가 형성되지만, (가)에서 갑과 을 간에는 친족 관계가 형성되지 않는다.

① ㄱ, ㄷ ② ㄱ, ㄹ ③ ㄴ, ㄷ
④ ㄱ, ㄴ, ㄹ ⑤ ㄴ, ㄷ, ㄹ

10 표는 이혼의 유형을 나타낸 것이다. 이에 대한 설명으로 옳은 것은?

A	• 당사자 간의 합의로 이루어지는 이혼 • 효력 발생 시점: (가) • 절차: (나)
B	• 법원의 판결로써 이루어지는 이혼 • 효력 발생 시점: (다) • 절차: (라)

① (가), (다) 모두에 '행정 관청에 이혼 신고를 한 때'가 들어간다.
② (나)의 내용에 '양육할 자녀가 있으면 1개월의 이혼 숙려 기간을 거친다.'가 들어갈 수 있다.
③ (라)의 내용에 '이혼 조정'이 들어갈 수 없다.
④ A와 달리 B는 인위적으로 혼인 관계를 해소시키는 것이다.
⑤ B와 달리 A는 민법에 정해진 이혼 사유에 해당하지 않더라도 이혼이 가능하다.

11 (가)에 들어갈 수 있는 내용만을 〈보기〉에서 고른 것은?

> 교사: 친권에 대해 발표해 볼까요?
> 갑: 부모가 공동으로 행사하는 것이 원칙입니다.
> 을: 부모 중 한쪽이 행사할 수 없는 경우에는 법원이 친권자를 정합니다.
> 병: (가)
> 정: 거소 지정권, 징계권 등을 내용으로 합니다.
> 교사: 한 사람을 제외하고 모두 옳게 답했어요.

보기

> ㄱ. 부모가 미성년인 자녀에 대해 갖는 권리입니다.
> ㄴ. 성년으로 의제되더라도 미성년자의 부모가 갖는 친권은 유지됩니다.
> ㄷ. 부모가 이혼하는 경우에 법원에서 친권 행사자를 지정하는 경우도 있습니다.
> ㄹ. 부모가 자녀에게 가지는 권리와 의무이므로 친권을 남용하더라도 상실되지 않습니다.

① ㄱ, ㄴ ② ㄱ, ㄷ ③ ㄴ, ㄷ
④ ㄴ, ㄹ ⑤ ㄷ, ㄹ

12 다음 사례에 대한 법적 판단으로 옳지 않은 것은?

> 법률혼 관계인 갑과 을은 자녀가 없어 갑의 친구 병의 자녀인 A를 친양자가 아닌 양자로 입양하였다. 노모 정을 모시고 살던 갑은 여행 중 갑작스럽게 사망하였다. 갑 사망 후 '모든 재산은 정에게 물려준다.'라는 유언장이 발견되었다. 갑의 재산은 10억 원이며, 빚은 없다.

① 입양으로 인해 병과 A의 친족 관계는 소멸되지 않는다.
② 유언장이 효력이 없는 경우, 정은 법정 상속을 받을 수 없다.
③ 유언장이 효력이 없는 경우, 을의 법정 상속액은 A의 법정 상속액보다 2억 원 더 많다.
④ 유언장이 효력이 있는 경우, 정이 최대로 받을 수 있는 재산은 10억 원이다.
⑤ 유언장이 효력이 있는 경우, 을과 A가 유류분 반환을 청구할 수 있는 금액은 같다.

13 다음 자료를 읽고 물음에 답하시오.

민법의 원리	내용
A	개인 소유의 재산에 대한 사적 지배를 인정하고 국가나 다른 개인은 함부로 이를 간섭하거나 제한하지 못한다.
B	계약 내용이 사회 질서에 반하는 경우에는 법적 효력이 발생하지 않는다.
C	자신에게 직접적인 고의나 과실이 없는 경우에도 일정한 요건에 따라 배상 책임을 질 수 있다.

(1) A~C에 해당하는 민법의 원리를 각각 쓰시오.

　A: (　　　　　), B: (　　　　　), C: (　　　　　)

(2) C가 적용되는 경우를 <u>두 가지</u> 서술하시오.

14 다음 사례를 읽고 물음에 답하시오.

> 갑, 을, 병은 골목길에서 시비가 붙은 A를 집단으로 폭행하여 상해를 입혔다. 이에 A는 손해 배상을 청구하려고 하였지만 누가 어느 정도의 손해를 주었는지를 파악하기 어려운 상태이다.

(1) 위의 사례와 관련한 특수 불법 행위의 유형을 쓰시오.
　　　　　　　　　　　　　　　　　(　　　　　)

(2) A가 손해 배상을 청구할 수 있는지 여부와 그 이유를 쓰시오.

15 다음 사례를 읽고 물음에 답하시오.

> (가) 갑과 을은 결혼식을 올렸으나 혼인 신고를 하지 않은 채 살고 있다가 갑이 생활비를 가져다주지 않는 등 가정에 소홀하자 을은 부부 공동생활을 그만두려고 한다.
> (나) 병과 정은 결혼식을 올리고 혼인 신고를 하였다. 그러나 병이 정의 부모에게 부당하게 대우하는 등의 행동을 하자 정은 병과의 부부 공동생활을 그만두려고 한다.

(1) (가)와 (나)의 혼인의 유형을 각각 쓰시오.

　(가): (　　　　　), (나): (　　　　　)

(2) 을과 정이 각자의 부부 공동생활을 그만두기 위한 방법을 각각 서술하시오.

16 다음 사례를 읽고 물음에 답하시오.

> 갑은 을과 이혼을 하고 병과 재혼을 하였으나 혼인 신고를 하지 않았다. 갑은 을과의 사이에서 낳은 자녀 A와 병과의 사이에서 낳은 자녀 B를 친자로 인지하고 노모 C를 모시고 살고 있었다. 갑은 출근하던 중 교통사고를 당해 사망하였고, 갑의 사망 후 '전 재산의 1/2은 A, 1/2은 B에게 물려준다.'라는 취지의 유언장이 발견되었다. 갑의 재산은 14억 원이며 빚은 없다.

(1) 유언장이 효력이 없는 경우 법정 상속을 받는 사람과 그 상속액을 각각 쓰시오.　(　　　　　)

(2) 유언장이 효력이 있는 경우 유류분 반환을 청구할 수 있는 사람과 그 이유를 서술하시오.

V

사회생활과 법

배울 내용 한눈에 보기

01 형법의 이해

형법의 이해
- 형법
  - 의의
  - 기능
- 죄형 법정주의
  - 관습 형법 금지
  - 소급효 금지
  - 명확성의 원칙
  - 적정성의 원칙
  - 유추 해석 금지
- 범죄의 성립 요건
  - 구성 요건 해당성
  - 위법성
  - 책임
- 형벌
  - 생명형
  - 자유형
  - 명예형
  - 재산형

02 형사 절차와 인권 보장

형사 절차와 인권 보장
- 형사 절차 → 수사 → 공소 제기와 공판 → 형 선고와 집행
- 형사 절차에서의 인권 보장 원칙
  - 적법 절차의 원칙
  - 무죄 추정의 원칙
  - 진술 거부권
  - 변호인의 조력을 받을 권리
- 수사·재판 절차에서의 인권 보장 제도
  - 구속 전 피의자 심문 제도
  - 구속 적부 심사 제도
- 범죄 피해자 보호와 형사 구제
  - 범죄 피해자 보호 및 지원 제도
  - 배상 명령 제도
  - 형사 보상 제도
  - 명예 회복 제도

03 근로자의 권리 보호

근로자의 권리
- 근로 3권
  - 단결권
  - 단체 교섭권
  - 단체 행동권
- 근로 기준
  - 임금
  - 근로 계약의 내용
  - 근로 시간
- 근로자의 권리 침해와 구제 방법
  - 부당 해고
  - 부당 노동 행위
- 청소년 근로자의 권리

01 ~ 형법의 이해

❶ 형식적 의미의 형법과 실질적 의미의 형법

형식적 의미의 형법은 「형법」이라는 명칭을 지닌 법률, 즉 형법전을 말한다. 실질적 의미의 형법은 형법전을 포함하여 「폭력 행위 등 처벌에 관한 법률」, 「특정 범죄 가중 처벌 등에 관한 법률」 등 범죄와 형벌의 내용을 정하고 있는 법들을 의미한다.

❷ 성문법과 불문법

성문법	일정한 법 제정 절차를 거쳐 문서 형식으로 만들어진 법
불문법	일정한 법 제정 절차를 거치지 않고 형성된 법 예 관습법, 판례법

❸ 관습법

사회생활에서 반복되어 나타나는 관습 중에 사회 구성원에게 법과 같은 강력한 구속력이 있다는 확신으로 자리 잡은 것을 의미한다. 민법 제1조에서는 관습법의 법원성을 명시하고 있지만, 형법에서는 관습 형법 금지의 원칙에 따라 관습법이 적용되지 않는다.

❹ 소급효 금지 및 유추 해석 금지 원칙의 예외

소급효 금지의 원칙 예외	• 사후 입법을 소급하여 적용하는 것이 행위자에게 유리하거나 정의에 부합하는 경우 • 중대한 공익상의 사유가 있는 경우
유추 해석 금지의 원칙 예외	행위자에게 유리한 유추 해석인 경우

A 형법의 의의와 기능

1. 형법의 의의

(1) **형법**: 어떤 행위가 범죄이고 이에 대해 어떤 형벌을 부과할 것인지를 규정한 법률

(2) 형법의 의의

① **인권 침해 방지**: 개인의 자의적인 복수를 금지하고 국가 권력에 의한 처벌만 가능하도록 하여 타인에 의한 인권 침해를 방지함

② **안정적인 법적 생활 보장**: 범죄와 형벌을 미리 법률에 규정함으로써 안정적인 법적 생활을 할 수 있음

2. 형법의 기능

(1) **보호적 기능**: 공동체의 존립을 해치는 행위를 범죄로 규정하고 형벌을 가함으로써 법익을 보호함

> **똣** 생명, 신체, 명예, 자유, 재산, 지위, 공공의 안전, 국가의 존립 등 법으로 보호하고자 하는 가치

(2) **보장적 기능**: 형벌권의 한계를 명백히 밝혀 국가의 자의적인 형벌로부터 국민의 자유와 권리를 보장함

(3) **규제적 기능**: 범죄 행위에 대해 형벌이 부과된다는 것을 알려 사람들이 범죄 행위를 하지 않도록 함

B 죄형 법정주의의 의미와 내용

1. 죄형 법정주의: 어떤 행위가 범죄가 되고 그 범죄에 대하여 어떤 처벌을 할 것인가를 미리 성문의 법률로 규정해 두어야 한다는 형법의 기본 원리 [자료1]

형식적 의미	"법률이 없으면 범죄도 없고 형벌도 없다." → 아무리 사회적으로 비난받아야 할 행위라도 법률이 이를 범죄로 규정하지 않는 한 처벌할 수 없음
실질적 의미	"적정한 법률이 없으면 범죄도 없고 형벌도 없다." → 형식적인 법률의 존재뿐만 아니라 법률의 내용이 정의에 합치되도록 요구함으로써 국민의 자유와 권리를 보장함

> **왜** 법률만 있으면 내용을 문제 삼지 않아 부당한 법률에 의한 형벌권의 남용을 방지하기 어려움

2. 죄형 법정주의의 내용 [자료2]

성문 법률주의라고도 함

관습 형법 금지의 원칙	범죄와 형벌은 국민의 대표 기관인 국회가 제정한 성문법에 규정되어야 한다는 원칙 → 관습법에 따른 처벌은 금지됨
명확성의 원칙	어떤 행위가 범죄이며 그에 대한 형벌이 무엇인지 법률에 명확하게 규정해야 한다는 원칙
적정성의 원칙	범죄로 규정되는 행위와 이에 대한 형벌 사이에 적정한 균형이 유지되어야 한다는 원칙 — 비례성의 원칙 또는 과잉 금지의 원칙이라고도 하여 책임에 비례해서 형벌을 부과해야 한다는 의미임
소급효 금지의 원칙	범죄와 그 처벌은 행위 당시의 법률에 의해야 하고, 행위 후에 법률을 제정하여 그 법으로 이전의 행위를 처벌해서는 안 된다는 원칙
유추 해석 금지의 원칙	법률에 규정이 없는 사항에 대해 그것과 유사한 내용을 가지는 법률을 적용해서는 안 된다는 원칙

자료1 죄형 법정주의와 관련된 법 규정

헌법

제12조 ① 모든 국민은 신체의 자유를 가진다. 누구든지 법률에 의하지 아니하고는 체포·구속·압수·수색 또는 심문을 받지 아니하며, 법률과 적법한 절차에 의하지 아니하고는 처벌·보안 처분 또는 강제 노역을 받지 아니한다.
<u>죄형 법정주의의 원칙</u>

제13조 ① 모든 국민은 행위 시의 법률에 의하여 범죄를 구성하지 아니하는 행위로 소추되지 아니하며, ……
<u>소급효 금지의 원칙</u>

형법

제1조 ① 범죄의 성립과 처벌은 행위 시의 법률에 의한다.
<u>소급효 금지의 원칙</u>

| 자료 분석 | 죄형 법정주의란 범죄와 형벌의 내용을 미리 성문의 법률에 규정해야 한다는 원칙으로 우리나라 헌법 제12조 제1항에서 규정하고 있다. 소급효 금지의 원칙이란 행위 후에 법률을 제정하여 이전의 행위를 처벌해서는 안 된다는 원칙으로 우리나라 헌법 제13조 제1항과 형법 제1조 제1항에서 규정하고 있다.

한줄 핵심 죄형 법정주의에 따라 범죄와 형벌은 미리 법률에 규정되어야 하며, 소급효는 금지된다.

❶ □□ □□□□은/는 범죄와 형벌의 내용을 법률에 미리 규정해야 한다는 형법의 기본 원리이다.
(   )

❷ 행위 후에 제정된 법률로 이전의 행위를 처벌할 수 없다는 원칙은?
(   )

자료2 죄형 법정주의의 세부 원칙 위반 사례

(가) 헌법 재판소는 '가려야 할 곳을 내놓아 다른 사람에게 부끄러운 느낌이나 불쾌감을 준 사람'을 처벌하는 「경범죄 처벌법」 조항에 관해 법 조항의 용어가 사람마다 평가의 기준이 다르고 의미를 확정하기도 곤란하다며 위헌 결정을 내렸다.
<u>법률의 내용이 명확하지 않음 → 명확성의 원칙 위반</u>

(나) 대법원은 흑염소도 양에 해당한다고 보아, 흑염소를 도살한 사람에게 소, 돼지, 말, 양을 위생 처리 시설이 아닌 장소에서 도축하면 처벌하는 법 규정을 적용하여 처벌하는 것은 죄형 법정주의의 원칙에 위배된다고 보았다.
<u>규정에 없는 사항에 대하여 유사한 법 규정을 적용 → 유추 해석 금지의 원칙 위반</u>

(다) 헌법 재판소는 반국가 행위자가 검사의 소환에 2회 이상 불응하면 전 재산을 몰수하는 법 규정은 행위에 비해 지나치게 무거운 형벌을 정하고 있으므로 형벌 체계상 정당성과 균형을 벗어난다고 보아 위헌 결정을 내렸다.
<u>행위와 형벌 간에 균형이 이루어지지 않음 → 적정성의 원칙 위반</u>

(라) 대법원은 게임 머니의 환전, 환전 알선, 재매입 영업 행위를 처벌하는 법규를 그 시행일 이전에 한 행동까지 적용하여 처벌하는 것은 죄형 법정주의의 원칙에 위배된다고 보았다.
<u>행위 이후에 시행된 법률을 소급해서 적용함 → 소급효 금지의 원칙 위반</u>

| 자료 분석 | (가)는 명확성의 원칙을 위반한 사례이다. 명확성의 원칙에 따라 법률의 규정은 무엇이 범죄이고 각각의 범죄에 어떤 형벌이 부과되는지 그 내용이 명확해야 한다. (나)는 유추 해석 금지의 원칙을 위반한 사례이다. 유추 해석 금지의 원칙에 따라 법률에 규정이 없는 사항에 대하여 그것과 유사한 법 규정을 적용하여 처벌할 수 없다. (다)는 적정성의 원칙을 위반한 사례이다. 적정성의 원칙에 따라 범죄 행위와 형벌 간에는 적정한 균형이 이루어져야 한다. (라)는 소급효 금지의 원칙을 위반한 사례이다. 소급효 금지의 원칙에 따라 범죄의 성립과 처벌은 행위 당시의 법률에 따라야 한다.

한줄 핵심 특정 행위를 법률로 처벌하기 위해서는 죄형 법정주의의 세부 원칙을 위반해서는 안 된다.

❸ 법률에 규정이 없는 사항에 대하여 그것과 유사한 법률을 적용하면 □□□□□의 원칙을 위반하게 된다.
(   )

❹ 범죄 행위와 형벌 간에 적정한 균형을 이루지 못하면 □□□의 원칙을 위반하게 된다.
(   )

정답 ❶ 죄형 법정주의 ❷ 소급효 금지의 원칙 ❸ 유추 해석 금지 ❹ 적정성

C 범죄의 의미와 성립 요건

1. 범죄: 반사회적인 행위 중 형법에 규정되어 있어 형벌이 부과되는 행위

2. 범죄의 성립 요건 [자료 3]

(1) 구성 요건 해당성: 어떤 행위가 법률에서 정해 놓은 **구성 요건에 해당**해야 함 ❺

└─ 아무리 나쁜 행위라도 형법에 규정된 구성 요건에 해당하지 않으면 범죄가 성립하지 않음

(2) 위법성

① **의미**: 범죄의 구성 요건에 해당하는 행위가 전체 법질서에 위배되는 것 (똣 방해하거나 울리침)

② **위법성 조각 사유**: 위법성을 배제하는 사유로 이에 해당하면 **범죄가 성립되지 않음** [자료 4]

정당 행위	법령에 의한 행위 또는 업무로 인한 행위 기타 사회 상규에 위배되지 아니하는 행위
정당방위	자기 또는 타인의 법익에 대한 현재의 부당한 침해를 방위하기 위한 상당한 이유가 있는 행위
긴급 피난	자기 또는 타인의 법익에 대한 현재의 위난을 피하기 위한 상당한 이유가 있는 행위
자구 행위	법적 절차에 의한 청구권의 보전이 어려운 상황에서 그 청구권의 실행 불능 또는 현저한 실행 곤란을 피하기 위한 상당한 이유가 있는 행위
피해자의 승낙	처분할 수 있는 자의 승낙에 의하여 그 법익을 훼손한 행위로 법률에 특별한 규정이 없는 경우

(3) 책임

① **의미**: 범죄의 구성 요건에 해당하고 위법 행위를 한 자에 대한 법적 비난 가능성

② **책임 조각 사유**: 형사 미성년자(14세 미만) 또는 **심신 상실자의 행위**, 폭력 등에 의해 강요된 행위 등 → 범죄가 성립되지 않음

└─ 똣 의식은 있으나 정신 장애의 정도가 심하여 자신의 행위 결과를 합리적으로 판단할 능력이 없는 사람

D 형벌과 보안 처분

1. 형벌

(1) 의미: 국가가 범죄자에게 공권력을 행사하여 부과하는 처벌

(2) 종류

생명형	사형: 범죄자의 생명을 박탈함
자유형	• 징역: 30일 이상 교도소에 구금하며, 정역을 부과함(유기 징역, 무기 징역) • 금고: 30일 이상 교도소에 구금하며, 정역을 부과하지 않음 • 구류: 1일 이상 30일 미만 교도소에 구금하며, 정역을 부과하지 않음
명예형	• 자격 상실: 사형, 무기 징역, 무기 금고의 선고를 받은 자의 일정한 자격을 상실시킴 • 자격 정지: 자격 상실에서 정한 권리를 일정 기간 정지시킴
재산형	• 벌금: 5만 원 이상을 부담하게 함 • 과료: 2천 원 이상 5만 원 미만을 부담하게 함 • 몰수: 범죄 행위에 제공하였거나 범죄 행위로 취득한 물건을 국고에 귀속시킴

똣 징역형을 선고받은 재소자에게 주어지는 일정한 노역(勞役)이나 부역(賦役)

예 공무원이 될 자격, 공법상의 선거권과 피선거권 등

2. 보안 처분 ┌ 보안 처분에는 소급효 금지의 원칙이 적용되지 않음

(1) 의미: 범죄자의 재범을 방지하고, 사회 복귀를 위한 **대안적 제재 수단**

(2) 종류: 보호 관찰, 치료 감호, 그 밖의 보안 처분 ❼

┌ 범죄성이나 비행성을 교정하고 재범을 방지하여 정상적으로 사회에 복귀할 수 있도록 도움

보호 관찰	집행 유예, 선고 유예, 가석방 처분 등을 받은 자를 보호 관찰관이 지도·감독하는 제도
치료 감호	심신 장애 상태, 마약류·알코올이나 그 밖의 약물 중독 상태에서 죄를 저지른 자에 대해 치료 감호 시설에서 보호와 치료를 받도록 하는 제도

한눈에 정리

범죄의 성립 요건

구성 요건에 해당하는가? ─ 아니요 ┐
 ↓ 예
위법한가? ─ 아니요 ┤ → 범죄 불성립
 ↓ 예
책임이 있는가? ─ 아니요 ┘
 ↓ 예
범죄 성립

❺ **고의범 처벌의 원칙**
범죄는 자신의 행위 결과에 대한 인식과 의사, 즉 고의가 있어야 구성 요건에 해당하는 범죄로 성립한다. 과실로 인한 경우에는 형법에서 따로 규정하고 있는 경우에만(과실 치사죄, 과실 치상죄, 실화죄 등) 범죄가 된다.

❻ **책임 경감 사유**
심신 미약자, 청각과 발음 기능에 모두 장애가 있는 자가 범죄를 저지른 경우로, 범죄는 성립되나 형을 감경한다.

❼ **그 밖의 보안 처분**

사회봉사 명령	유죄가 인정된 사람에게 일정 기간 사회봉사를 하도록 명령하는 제도
수강 명령	의존성·중독성 범죄자 등에게 범죄성 개선을 위한 진단, 상담, 교육을 받도록 명령하는 제도
성범죄자 신상 정보 등록 제도	성범죄로 유죄 판결이 확정된 자 등의 신상 정보를 등록하여 관리하는 제도

교과서 자료
모아 보기

자료 확인 문제

자료3 범죄의 성립 요건

(가) 갑은 학교에서 <u>다른 친구의 우산을 자기 것인 줄 알고 가져왔다.</u>
고의가 없어 범죄의 구성 요건에 해당하지 않음

(나) 을은 총으로 협박하는 은행 강도로부터 <u>자신을 방어하는 과정에서 강도에게 상해를 입</u>
<u>혔다.</u>
정당방위 → 위법성이 조각됨

(다) 보석상 점원인 병은 강도가 흉기로 위협하면서 보석상 금고문을 열라고 강요하자 협박
에 못 이겨 <u>금고문을 열어 주었다. 당시 병에게 다른 방법은 없었다.</u>
강요와 협박 → 책임이 조각됨

| **자료 분석** | (가)~(다)는 모두 범죄가 성립하지 않는 경우이다. (가)는 다른 사람의 것을 훔친다는 고의
가 없고, 형법상 과실 절도에 대해 규정하고 있지 않으므로 범죄의 구성 요건에 해당하지
않는다. (나)는 구성요건에 해당하나 자신의 법익에 대한 현재의 부당한 침해를 방어하기
위한 행위로 정당방위에 해당하여 위법성이 조각된다. (다)는 구성요건에 해당하고 위법성
이 있지만, 강도의 강요와 협박으로 어쩔 수 없이 금고문을 열어주었으므로 책임이 조각
된다.

| **한줄 핵심** | 형법에 따라 범죄가 성립하려면 구성 요건 해당성, 위법성, 책임이 모두 충족되어야 한다.

❺ (가)는 범죄의 □□ □□에
해당하지 않아 범죄가 성립
하지 않는다.
(   )

❻ (나)는 □□□이/가 조각되
고, (다)는 □□이/가 조각되
어 범죄가 성립하지 않는다.
(   )

자료4 위법성 조각 사유의 사례

(가) 갑은 갑자기 나타난 멧돼지의 공격을 피하고자 집주인의 허락을 받지 않고 남의 집으로
피신하였다. → 긴급 피난

(나) 을은 집에 강도가 침입하여 흉기를 휘두르자 자신과 가족의 생명을 지키기 위해 강도를
제압하는 과정에서 강도에게 상처를 입혔다. → 정당방위

(다) 병은 걸어가다가 소매치기하고 달아나는 범인을 발견하여 그를 붙잡아 경찰에게 인도
하였다. → 정당 행위

(라) 정은 거액의 돈을 빌려 가서 갚지 않던 친구가 해외로 도주하는 것을 막기 위해 공항에
서 친구의 멱살을 잡고 놓아주지 않았다. → 자구 행위

(마) 무는 친구가 언제든지 자기 자전거를 타도된다고 하여 친구의 자전거를 타고 마음대로
돌아다녔다. → 피해자의 승낙

| **자료 분석** | (가)~(마)는 모두 범죄의 구성 요건에 해당하지만, 위법성이 조각되는 사례들이다.

사례	위법성 조각 사유
(가)	현재의 긴급한 위난을 피하기 위한 행위로 긴급 피난에 해당함
(나)	자신과 가족의 법익에 대한 현재의 부당한 침해를 방어하기 위한 행위로 정당방위에 해당함
(다)	현행 범인 체포는 「형사 소송법」 제212조에 근거한 행위로 정당 행위에 해당함
(라)	법적 절차에 의하여 청구권을 보전하기 불능한 경우로 자구 행위에 해당함
(마)	처분할 수 있는 자의 승낙에 의한 행위로 피해자의 승낙에 해당함

| **한줄 핵심** | 위법성 조각 사유에는 정당방위, 정당 행위, 긴급 피난, 자구 행위, 피해자의 승낙이 있다.

❼ (가)는 현재의 긴급한 위난을
피하기 위한 행위로 □□
□□에 해당하여 위법성이
조각될 수 있다.
(   )

❽ (다)는 법령에 의한 행위로
□□ □□에 해당하여 위법
성이 조각될 수 있다.
(   )

정답 및 해설

❺ 구성 요건 ❻ 위법성, 책임 ❼ 긴급 피난 ❽ 정당 행위

위법성 조각 사유

수능풀 Guide 위법성 조각 사유를 고려하여 제시문에 나타난 사례가 범죄로 성립할 수 있는지 파악해 보자.

1 긴급 피난

갑(14세)은 하굣길에 갑자기 자신에게 달려오는 오토바이를 피하려다 지나가는 행
인과 부딪쳐 경미한 상해를 입혔다. 이후 다친 행인이 갑에게 형사 책임을 지우려
_{위급하고 곤란한 상황임}
하자 갑의 아버지는 변호사를 찾아가 상담을 요청하였다. 이에 변호사는 갑의 행위
_{범죄의 구성 요건에 해당함}
는 범죄가 성립하지 않는다고 설명하였다.
_{긴급 피난으로 위법성이 조각되기 때문임}

기출 선택지로 확인하기

❶ 갑의 행위는 범죄의 구성 요건
에 해당한다. ◻O ◻X

❷ 갑의 행위는 부당한 침해에 대
한 방어 행위이다. ◻O ◻X

2 정당 행위, 자구 행위

경찰관 갑은 심신 장애가 없는 만 20세의 A와 B가 을의 지갑을 훔치는 현장을 목격
하고 A를 체포하였다. 이때 A가 갑에게 상처를 입혔다. 한편 을은 도망가는 B를 현
_{경찰관의 업무상 행위로 정당 행위에 해당함} _{범죄가 성립함}
장에서부터 뒤쫓아 B에게 폭행을 가하여 지갑을 되찾았다. B는 이에 반격하여 을
_{지갑을 되찾기 위한 자력 구제 행위로 자구 행위에 해당함}
을 폭행하였다.
_{범죄가 성립함}

PLUS분석 경찰관이 A를 체포한 행위는 정당 행위, 을이 B를 폭행한 행위는 자구 행위로 위법성
이 조각된다. 그러나 A가 갑에게 상처를 입힌 것과 B가 을을 폭행한 것은 구성 요건 해당성, 위법성,
책임의 요건을 모두 만족하여 범죄 행위가 성립한다.

기출 선택지로 확인하기

❸ 갑이 A를 체포한 행위는 위법성
이 인정되지 않는다. ◻O ◻X

❹ 을이 B를 폭행한 행위는 범죄의
구성 요건에 해당하지 않는다.
◻O ◻X

3 정당 행위, 긴급 피난, 피해자의 승낙 관련 문제 ▶ 168쪽 04번

• 경찰관 갑은 범죄 현장에서 적법한 절차에 따라 강도를 체포하였다.
_{경찰관의 업무상 행위로 정당 행위에 해당함}
• 을은 강풍에 의해 간판이 머리 위로 떨어지자 이를 달리 피할 방도가 없어 남의 집
_{현재의 위난을 피하기 위한 행위로 긴급 피난에 해당함}
안으로 뛰어 들어갔다.
• 고등학생 병(17세)은 친구 A의 동의하에 A의 아버지 소유의 자전거를 훔쳤다.
_{┌ 자전거가 아버지 소유이므로 피해자의 승낙으로 볼 수 없음}
_{범죄가 성립함}

PLUS분석 갑, 을, 병의 행위는 모두 범죄의 구성 요건에 해당한다. 그러나 갑의 행위는 정당 행
위, 을의 행위는 긴급 피난에 해당하여 위법성이 조각된다. 한편 병의 행위는 범죄가 성립한다.

기출 선택지로 확인하기

❺ 갑의 행위는 정당 행위에 해당
한다. ◻O ◻X

❻ 을의 행위는 범죄의 구성 요건
에 해당한다. ◻O ◻X

❼ 병의 행위는 범죄의 성립 요건
을 충족하지 않는다. ◻O ◻X

정답 ❶ O ❷ ×(정당방위에 대한 설명임) ❸ O ❹ O ❺ ×(자구행위) ❻ O ❼ ×(범죄가 성립함)

A 형법의 의의와 기능

01 형법의 □□□ 기능이란 형법이 국가 형벌권의 한계를 명확히 하여 자의적인 형벌권 남용으로부터 국민의 자유와 권리를 지키는 기능을 의미한다.

B 죄형 법정주의의 의미와 내용

02 빈칸에 들어갈 알맞은 용어를 〈보기〉에서 고르시오.

> 보기 ㄱ. 관습 형법 금지의 원칙   ㄴ. 소급효 금지의 원칙   ㄷ. 유추 해석 금지의 원칙

(1) 행위 후에 제정한 법률로 이전 행위를 처벌하는 것은 (   )에 어긋난다.

(2) 범죄와 형벌이 국회가 제정한 법률에 규정되어야 한다는 원칙은 (   )이다.

(3) 법률에 규정이 없는 사항을 그것과 유사한 성질을 가지는 법 규정을 적용하여 피고인에게 불리하게 처벌하는 것은 (   )에 위배된다.

C 범죄의 의미와 성립 요건

03 빈칸에 들어갈 알맞은 용어를 쓰시오.

> 범죄의 성립 여부는 □□ □□ □□□ → □□□ → □□ 순으로 판단한다.

04 다음 설명이 맞으면 ○표, 틀리면 ×표를 하시오.

(1) 형법상 구성 요건에 해당하는 행위는 일단 위법성이 있다고 볼 수 있다.   (   )

(2) 정당방위와 긴급 피난은 범죄의 구성 요건에 해당하지 않고 위법성도 조각되는 사유들이다.
(   )

(3) 14세 미만인 사람의 행위는 책임이 조각되어 범죄로 성립되지 않는다.   (   )

D 형벌과 보안 처분

05 다음 괄호 안에 들어갈 알맞은 말에 ○표를 하시오.

(1) (징역, 금고)은/는 30일 이상 교도소에 구금하며 정역을 부과한다.

(2) (벌금, 몰수)은/는 범죄 행위에 제공하였거나 범죄 행위로 취득한 물건을 국고에 귀속시키는 형벌이다.

(3) (형벌, 보안 처분)은/는 범죄자의 재범을 방지하고, 범죄자의 사회 복귀와 사회 질서 보호의 목적을 달성하기 위한 대안적 제재 수단이다.

06 다음 용어에 해당하는 내용을 바르게 연결하시오.

(1) 보호 관찰 •

• ㄱ. 심신 장애 또는 알코올·마약 등에 중독되어 범죄를 저지른 자가 형벌 집행 전에 시설에서 치료를 받도록 하는 제도

(2) 치료 감호 •

• ㄴ. 집행 유예 또는 선고 유예 처분을 받았거나 가석방된 범죄자를 보호 관찰관이 지도·감독하는 제도

A 형법의 의의와 기능

01 우리나라 형법에 대한 설명으로 옳지 않은 것은?

① 개인의 생명, 신체, 자유, 안전, 재산 등과 사회의 근본 가치를 보호하는 기능을 한다.

② 개인의 자의적 보복이나 응징을 금지하고 국가 권력에 의한 처벌만 가능하도록 한다.

③ 국가 형벌권의 한계를 규정하여 자의적인 형벌로부터 국민의 자유와 권리를 보장하는 기능을 한다.

④ 범죄를 예방하고 범죄자가 다시 범죄를 저지르지 않도록 교화하여 사회로 복귀하는 데 도움을 준다.

⑤ 법의 형태에 관계없이 범죄와 형벌을 정하고 있는 법률은 모두 형식적 의미의 형법이라고 할 수 있다.

02 밑줄 친 ㉠, ㉡에 대한 옳은 설명만을 〈보기〉에서 고른 것은?

> ㉠ 「형법」
> 제329조 타인의 재물을 절취한 자는 6년 이하의 징역 또는 1천만 원 이하의 벌금에 처한다.
> ㉡ 「폭력 행위 등 처벌에 관한 법률」
> 제2조 ② 2명 이상이 공동하여 다음 각 호의 죄를 범한 사람은 형법 각 해당 조항에서 정한 형의 2분의 1까지 가중한다.
> 　1. 형법 제260조 제1항(폭행), 제283조 제1항(협박), 제319조(주거 침입, 퇴거 불응) 또는 제366조(재물 손괴 등)의 죄

> 보기
> ㄱ. ㉠은 국가의 자의적 형벌권 행사를 가능하게 한다.
> ㄴ. ㉡은 실질적 의미의 형법에 해당한다.
> ㄷ. ㉠, ㉡ 모두 범죄와 형벌을 규정하고 있다.
> ㄹ. ㉠은 보호적 기능만을, ㉡은 보장적 기능만을 수행한다.

① ㄱ, ㄴ　　　② ㄱ, ㄷ　　　③ ㄴ, ㄷ
④ ㄴ, ㄹ　　　⑤ ㄷ, ㄹ

B 죄형 법정주의의 의미와 내용

03 죄형 법정주의에 대한 설명으로 옳은 것은?

① 형법의 보장적 기능을 수행하기 위해 필요한 원리이다.

② 일반 시민에게는 적용되나 범죄인에게는 적용되지 않는다.

③ 범죄의 성립 및 처벌의 정도는 법관이 결정해야 한다는 원칙이다.

④ 최소한의 인간다운 삶을 보장하는 적극적인 기본권을 실현하기 위한 것이다.

⑤ 사회적으로 큰 비난을 받는 행위라면 관습에 의해서라도 처벌할 필요가 있다는 원칙을 포함한다.

04 다음 글의 빈칸에 들어갈 말로 적절한 것은?

> 흑염소 소주를 만들 생각으로 야산에서 흑염소를 도축하는 행위를 "소, 돼지, 말, 양을 위생 처리 시설이 아닌 장소에서 도축한 자는 처벌한다."라는 법 규정을 적용하여 범죄라고 해석하는 것은 죄형 법정주의 중 　　　에 위배된다.

① 명확성의 원칙　　　② 적정성의 원칙
③ 소급효 금지의 원칙　④ 관습 형법 금지의 원칙
⑤ 유추 해석 금지의 원칙

C 범죄의 의미와 성립 요건

05 범죄의 성립 요건과 관련된 설명으로 옳은 것은?

① 듣지도 말하지도 못하는 사람이 다른 사람의 물건을 훔친 행위는 범죄에 해당하지 않는다.

② 술에 취한 사람이 차에 시동을 걸고 운전하려는 것을 말리다 손목을 삐게 한 행인의 행위는 위법성이 있다.

③ 식사비를 내지 않고 도망간 손님을 길에서 발견하고 붙잡은 음식점 주인의 행위는 구성 요건에 해당하지 않는다.

④ 멧돼지에게 쫓기는 사람이 막다른 골목에서 담을 넘어 다른 사람의 집으로 들어간 행위는 위법성이 조각될 수 있다.

⑤ 점심식사를 하던 사람이 자신의 지갑을 훔치려는 사람을 막으려다 그에게 경미한 상처를 입힌 행위는 책임이 조각된다.

06 그림에 대한 옳은 설명만을 〈보기〉에서 고른 것은?

구성 요건에 해당하는가? ---아니요---→ (가)
↓ 예
위법한가? ---아니요---→ (나)
↓ 예
책임이 있는가? ---아니요---→ (다)
↓ 예
(라)

보기
ㄱ. 종업원이 편의점에서 물건을 훔치고 있는 사람을 붙잡은 행위는 (가)에 해당한다.
ㄴ. (나)와 (다)에 해당하는 행위는 법률로 정해 놓은 범죄 행위의 유형에 해당한다.
ㄷ. 범죄를 저지른 사람이 10세 어린이면 (나)에 해당하고, 강요로 범죄를 저지른 사람은 (다)에 해당한다.
ㄹ. (가)~(다)는 범죄가 성립하지 않는 경우이고, (라)는 범죄가 성립하는 경우이다.

① ㄱ, ㄴ   ② ㄱ, ㄷ   ③ ㄴ, ㄷ
④ ㄴ, ㄹ   ⑤ ㄷ, ㄹ

D 형벌과 보안 처분

07 ㉠~㉤에 대한 설명으로 옳은 것은?

형벌의 종류	
생명형	㉠
자유형	㉡ , 금고, 구류
㉢	㉣ , 자격 정지
재산형	벌금, ㉤ , 몰수

① ㉠은 헌법 재판소의 위헌 판결로 폐지되었다.
② ㉡은 정역을 부과한다는 점에서 금고와 구분된다.
③ ㉢은 행위자의 사회 복귀를 위한 대안적 제재 수단이다.
④ ㉣은 별도의 형 선고가 있어야만 효력이 발생한다.
⑤ ㉤은 과태료 등 행정 질서 의무를 위반했을 때 부과하는 강제금이다.

08 (가)에 대한 설명으로 옳지 <u>않은</u> 것은?

(가) 은/는 재범의 위험성이 있는 범죄인으로부터 사회를 보호하고 교육·개선 및 치료를 통하여 이러한 범죄인의 사회 복귀를 촉진하기 위한 형사적 제재이다.

① 형벌과 동시에 선고할 수 있다.
② 대표적으로 보호 관찰과 치료 감호가 있다.
③ 법률과 적법한 절차에 의해서만 부과할 수 있다.
④ 위치 추적 전자 장치(이른바 전자 발찌) 부착 명령을 포함한다.
⑤ 행위자에게 범죄 성립 요건인 책임이 인정되어야 부과할 수 있다.

서답형 문제 ▶

09 다음 글을 읽고 물음에 답하시오.

근대 사회에서는 형법을 통해 국가 권력의 힘으로 범죄를 처벌하였다. 이 과정에는 국가 형벌권이 확장되거나 국가 권력이 자의적으로 형벌권을 행사할 수 있는 여지가 존재하였다. 이에 대한 인식을 바탕으로 어떤 행위가 범죄가 되고 그 범죄에 대해 어떤 처벌을 할 것인가는 성문의 법률에 규정되어 있어야 한다는 근대 형법의 기본 원리인 (가) 이/가 등장하게 되었다.

(1) (가)에 들어갈 알맞은 용어를 쓰시오.
( )

(2) 오늘날 실질적 법치주의 관점에서 (가)를 해석하는 의미를 서술하시오.

01 (가), (나)에 대한 옳은 설명만을 〈보기〉에서 고른 것은?

(가) 형법은 일반 국민이 평화로운 공동생활을 영위할 수 있도록 법익을 보호해 주며, 사회·윤리적으로 합치되는 행위 자체를 보호하는 기능을 한다.

(나) 형법은 국가가 행사할 형벌권의 한계를 명확하게 규정하여 자의적인 형벌권 행사로부터 국민의 자유와 권리를 보장하는 기능을 수행한다.

보기
ㄱ. (가)의 법익은 개인적 법익을 제외한 사회적 법익만을 의미한다.
ㄴ. (나)는 일반 국민의 인권뿐만 아니라 범죄인의 인권도 보장한다.
ㄷ. 형법이 범죄 예방을 위해 사법 기관의 재량권을 확대할수록 (나)가 강화된다.
ㄹ. 형법이 질서 유지와 사회 안정을 중시할수록 (나)보다 (가)의 기능이 강조된다.

① ㄱ, ㄴ   ② ㄱ, ㄷ   ③ ㄴ, ㄷ
④ ㄴ, ㄹ   ⑤ ㄷ, ㄹ

02 밑줄 친 '두 사람'에 해당하는 학생만으로 옳은 것은?

교사: 죄형 법정주의에 대해 발표해 볼까요?
갑: 피고인에게 유리하더라도 유추 해석은 금지되어요.
을: 현대적 의미는 '적정한 법률이 없으면 범죄도 없고 형벌도 없다.'예요.
병: 범죄와 형벌이 미리 성문의 법률에 규정되어 있어야 한다는 원리예요.
정: 형법의 보장적 기능보다는 보호적 기능을 실현하기 위해 필요한 원리예요.
교사: 두 사람만 죄형 법정주의의 내용에 대해 옳은 내용을 발표하였어요.

① 갑, 을   ② 갑, 병   ③ 을, 병
④ 을, 정   ⑤ 병, 정

03 (가)에 들어갈 옳은 내용만을 〈보기〉에서 있는 대로 고른 것은?

제1조 형벌 법규의 기본 사상 및 건전한 국민감정에 따라서 형벌에 처할 만한 행위를 범한 자는 처벌한다.
제2조 그 행위에 직접 적용되는 형벌 법규가 없는 때에는 그 행위와 관련된 내용을 가진 법규에 따라 처벌한다.
부칙 이 법은 제정되기 이전의 행위에도 적용한다.

교사: 갑국의 형법 조항과 부칙은 죄형 법정주의의 내용 중 (가) 에 어긋납니다.

보기
ㄱ. 명확성의 원칙
ㄴ. 소급효 금지의 원칙
ㄷ. 관습 형법 금지의 원칙
ㄹ. 유추 해석 금지의 원칙

① ㄱ, ㄴ   ② ㄴ, ㄷ   ③ ㄷ, ㄹ
④ ㄱ, ㄴ, ㄹ   ⑤ ㄱ, ㄷ, ㄹ

기출 변형

04 다음 사례에 대한 법적 판단으로 가장 적절한 것은?

• 갑은 길을 가던 중 멧돼지가 갑자기 달려들자 이를 피할 방법이 없어 A의 집으로 뛰어들었다.
• 경찰관 을은 물건을 훔치는 B를 현장에서 목격하고 도주하려는 B를 넘어뜨린 뒤 적법한 절차에 따라 체포하였다.
• 정신 질환으로 인해 사물을 변별할 능력이 없는 병이 지나가던 C를 이유 없이 폭행하였다.

① 갑의 행위는 정당방위에 해당한다.
② 을의 행위는 자구 행위에 해당한다.
③ 병의 행위는 사회 상규에 어긋나지 않는 행위로 위법성이 조각된다.
④ 갑과 을의 행위는 구성 요건에 해당하지만 위법성이 조각된다.
⑤ 갑, 을과 달리 병의 행위는 범죄의 구성 요건에 해당하지 않는다.

기출 변형

05 다음 자료에 대한 옳은 설명만을 〈보기〉에서 고른 것은? (단, (가), (나)는 각각 ㉠ 또는 ㉡이 조각되는 경우의 사례이며, ㉠과 ㉡은 각각 위법성 또는 책임 중 하나이다.)

구분		사례
범죄의 구성 요건에 해당함	㉠이 조각됨	(가)
	㉡이 조각됨	(나)

〈보기〉
ㄱ. ㉠이 '위법성'이라면, (가)의 사례로는 '심신 상실자가 남의 물건을 훔치는 행위'를 들 수 있다.
ㄴ. ㉡이 '책임'이라면, (나)의 사례로는 '자신에게 돌진하는 자동차를 피하는 과정에서 가게 물건을 파손한 행위'를 들 수 있다.
ㄷ. 현행 범인을 체포하는 행위가 (가)라면 ㉠은 '위법성'이다.
ㄹ. 자신의 딸을 인질로 잡고 생명을 위협하는 테러범의 협박에 못 이겨 테러범을 숨겨준 행위가 (나)라면 ㉡은 '책임'이다.

① ㄱ, ㄴ   ② ㄱ, ㄷ   ③ ㄴ, ㄷ
④ ㄴ, ㄹ   ⑤ ㄷ, ㄹ

기출 변형

06 밑줄 친 ㉠에 해당하는 사례로 옳은 것은?

구성 요건에 해당하는 행위는 이미 사회에서 나쁜 행위라고 판단되어 형법에 규정된 것이므로 형법상 구성 요건에 해당하는 행위는 일단 위법성이 있다고 볼 수 있다. 그러나 법질서로 볼 때 부정적인 가치 판단이 불가능하여 위법하다고 보기 어려운 ㉠예외적인 경우도 있다.

① 8세 어린이가 남의 집에 방화를 한 행위
② 아들의 수술비를 마련하고자 은행에서 현금을 훔친 행위
③ 자신의 생명을 위해하는 협박을 받고 법정에서 위증한 행위
④ 심적 고통으로 괴로워하던 친구의 간절한 부탁을 받은 후 친구를 안락사시킨 행위
⑤ 총을 들고 협박하는 은행 강도로부터 자신을 방어하기 위하여 그 강도를 밀쳐 넘어뜨려 상처를 입힌 행위

기출 변형

07 (가)~(다)에 대한 옳은 설명만을 〈보기〉에서 있는 대로 고른 것은? (단, (가)~(다)는 모두 범죄로 성립되지 않는다.)

(가) 갑은 자신에게 갑자기 달려드는 맹견을 발로 차 그 개를 다치게 하였다.
(나) 병은 자신이 운영하는 식당에서 식사비를 내지 않고 도주했던 사람을 만나 강제로 붙들며 식사비를 요구하였다.
(다) 남편 정은 괴한이 임신한 아내의 멱살을 잡고 벽으로 내동댕이치려고 하자, 그를 떼어 놓는 과정에서 괴한에게 상처를 입혔다.

〈보기〉
ㄱ. (가)는 현재의 부당한 침해를 방위하기 위한 행위로 정당방위에 해당한다.
ㄴ. (나)는 현재의 위난을 피하기 위한 상당한 이유가 있는 행위에 해당한다.
ㄷ. (가)와 (다)는 자기뿐만 아니라 타인의 법익을 보호하기 위해서도 가능하다.
ㄹ. (가)~(다) 모두 행위의 위법성을 배제하기 위해서는 상당한 이유를 필요로 한다.

① ㄱ, ㄴ   ② ㄴ, ㄷ   ③ ㄷ, ㄹ
④ ㄱ, ㄴ, ㄹ   ⑤ ㄱ, ㄷ, ㄹ

기출 변형

08 형사 제재의 유형 (가), (나)에 대한 설명으로 옳은 것은? (단, (가), (나)는 각각 형벌, 보안 처분 중 하나이다.)

(가) 범죄 행위를 한 자에게 공권력을 행사하여 책임을 전제로 부과하는 처벌
(나) 범죄자의 재범 가능성을 낮추어 범죄로부터 사회를 보호하고, 범죄자를 재사회화하여 사회 복귀를 돕기 위한 대안적 제재 수단

① (가)의 종류로는 치료 감호와 보호 관찰을 들 수 있다.
② (나)의 종류로는 자격 상실과 과료를 들 수 있다.
③ (가)와 달리 (나)는 소급효 금지의 원칙이 적용되지 않는다.
④ (가)와 달리 (나)는 법률과 적법한 절차에 의하지 않고도 부과될 수 있다.
⑤ 법원은 (가)와 (나)를 동시에 선고할 수 없다.

02 ～ 형사 절차와 인권 보장

★ 한눈에 정리

형사 절차의 흐름

수사
고소, 고발 등의 수사 개시

⬇ 공소 제기

공판
모두 절차와 심리 절차를 거친 후 판사의 유무죄 판결 선고

⬇ 유죄 판결

형 집행
검사의 지휘로 형 집행(일정한 조건에 따라 가석방 가능)

❶ 형사 절차

형사 절차는 국가가 수사와 재판을 통해 범죄 사실과 범죄자에 관한 사건의 실체적 진실을 밝혀내어 형벌이나 보안 처분을 부과하고 형을 집행하는 과정이다. 피고인에게 형사 책임이 있다는 것을 검사가 입증하여야 하고 피고인과 변호인 측은 이를 방어하게 된다.

❷ 고소와 고발

고소	범죄의 피해자 또는 법정 대리인, 배우자 등 그와 일정한 관계에 있는 사람이 수사 기관에 대해 범죄의 처벌을 구하는 의사 표시
고발	고소권자 이외의 사람이 수사 기관에 대해 범인의 처벌을 구하는 의사 표시

❸ 집행 유예와 선고 유예를 할 수 있는 경우
• 집행 유예: 3년 이하의 징역이나 금고 또는 500만 원 이하의 벌금의 형을 선고할 경우 정상에 참작할 만한 사유가 있는 때
• 선고 유예: 1년 이하의 징역이나 금고, 자격 정지 또는 벌금의 형을 선고할 경우 범인의 개선 여지가 클 때

A ❶ 형사 절차의 이해 자료1 자료2

1. 수사 절차: 수사 기관이 범인을 찾고 증거를 수집하는 과정

중한 범죄 사건에서 피의자가 증거를 인멸할 우려가 있거나, 도주 가능성이 있는 경우 예외적으로 영장 없이 체포할 수 있음

수사 개시	❷ 고소, 고발, 현행 범인의 체포, 긴급 체포, 자수, 수사 기관의 인지 등으로 수사를 시작함
수사 똔 수사의 대상이 되는 사람	• 불구속 수사 원칙: 피의자를 체포·구속하지 않고 수사하는 것이 원칙임 • 구속 수사: 피의자가 죄를 범하였다고 의심할 만한 타당한 이유가 있고, 증거 인멸, 도주 우려 등이 있을 때 판사(법관)로부터 영장을 발부받아서 구속할 수 있음
검찰 송치	사법 경찰관이 피의자와 관련 서류를 검찰에 보냄
수사 종결	• 공소를 제기하는 경우: 수사 결과 피의자의 범죄 혐의가 인정되면 검사는 법원에 형사 재판을 요청하는 공소 제기(기소)를 함 • 불기소 처분을 하는 경우: 수사 결과 범죄 혐의가 인정되지 않는 경우, 공소 시효가 지난 경우, 범인의 성품이나 동기 등을 참작하여 검사가 기소하지 않는 경우(기소 유예) 등

2. 공판 절차: 피고인의 유무죄를 판단하는 형사 재판 절차로 검사의 공소 제기(기소)로 시작됨

넓은 의미로는 공소 제기부터 소송 종결까지의 모든 절차를 의미하지만, 좁은 의미로는 공판 기일의 절차만을 의미함

형사 재판의 당사자는 검사와 피고인이며, 범죄 피해자는 증인으로 재판에 참여할 수 있음

재판부 구성	사건의 경중에 따라 경한 사건은 단독 판사(1명의 법관), 중한 사건은 합의부(3명의 법관)로 구성됨
모두 절차	재판장이 피고인에게 진술 거부권을 알려 주고, 인정 신문을 함 → 검사가 공소 사실을 읽고 피고인이 공소 사실을 인정하는지 확인함 피고인의 성명, 연령 등을 물음 공소가 제기되면 피의자는 피고인이 됨
심리 절차	• 피고인과 증인에 대한 신문 및 변론: 검사는 피고인이 유죄임을 증명하기 위한 자료와 논거를 제시하고, 피고인은 자기의 처지에서 검사의 주장을 반박함 • 구형: 검사는 피고인의 죄의 경중을 파악하여 일정 형량을 구형함 • 피고인과 변호인의 최후 진술 똔 형사 재판에서 피고인에게 어떤 형벌을 줄 것을 검사가 판사에게 요구하는 의견 진술
판결 선고	심리 결과 유죄로 인정할 만한 증거가 없으면 무죄 판결을 내리고, 유죄가 입증되면 유죄 판결을 내림

3. 형의 선고와 집행

(1) 형의 선고

① 무죄 선고: 유죄를 인정할 증거나 범죄가 성립하지 않는 경우 무죄 판결을 내림

② 유죄 선고: 범죄가 인정되면 유죄 판결을 함

실형	법원의 선고를 받아 실제로 집행되는 형벌
❸ 집행 유예 자료3	형을 선고하면서 일정한 기간 형의 집행을 유예하고, 그 기간 동안 범죄를 저지르지 않으면 형 선고의 효력을 잃게 하는 제도
❸ 선고 유예	가벼운 범죄를 저지른 초범에 대하여 형의 선고 자체를 미루고 2년 동안 범죄를 저지르지 않으면 면소된 것으로 간주하는 제도 똔 공소 제기가 없었던 것과 같은 효과를 발생시키는 것

(2) 형 선고에 대한 불복: 1심 또는 2심 판결에 불복하는 검사 또는 피고인은 일정 기간 내에 상급 법원에 상소할 수 있음

(3) 형의 집행: 피고인의 유죄가 확정되고 실형이 선고되면 검사의 지휘에 따라 형이 집행됨

수형자가 성실히 복역하고 재범의 위험성이 없다고 판단되는 때에 일정한 조건에 따라 형기 만료 전에 석방할 수 있는 가석방 제도가 있음

자료1 국민 참여 재판

대상 사건	지방 법원 합의부(1심) 관할
배심원 자격	20세 이상의 대한민국 국민 중 특정 직업 등을 이유로 한 제외 사유 등에 해당하지 않는 사람
재판 절차	배심원 선정 → 공판 → 평의 및 평결 → 판결 선고
배심원 평결의 효력	배심원의 평결은 법관의 판결을 기속하지 않음

| 자료 분석 | 국민 참여 재판 제도는 **국민이 형사 재판에 배심원으로 참여하는 제도**로, 배심원이 인정된 증거를 보며 유·무죄에 관한 평결을 내리고 재판부와 토의하여 형벌에 대한 의견을 밝히면, 재판부는 배심원의 평결을 참고하여 판결을 내린다.

한줄 핵심 국민 참여 재판에서 판사는 배심원의 평결과 다르게 판결할 수 있다.

❶ 재판의 공정성과 신뢰를 향상하기 위해 국민이 형사 재판에 배심원으로 참여하는 재판 제도는?
( )

❷ 국민 참여 재판에서 판사는 배심원의 □□와/과 다르게 판결할 수 있다.
( )

자료2 소년 보호 사건의 처리 절차

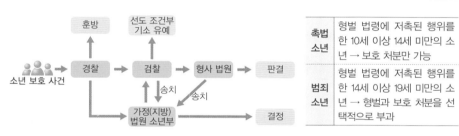

촉법 소년	형벌 법령에 저촉된 행위를 한 10세 이상 14세 미만의 소년 → 보호 처분만 가능
범죄 소년	형벌 법령에 저촉된 행위를 한 14세 이상 19세 미만의 소년 → 형벌과 보호 처분을 선택적으로 부과

| 자료 분석 |
• 10세 이상 14세 미만 촉법 소년의 경우 관할 **경찰서장이 가정(지방) 법원 소년부에 송치**하면 가정(지방) 법원 소년부가 판단하여 **보호 처분**을 받게 한다.
• 14세 이상 19세 미만 범죄 소년의 경우 검사가 소년을 수사하여 벌금 이하의 형에 해당하는 범죄를 행했거나 보호 처분에 해당하는 사유가 인정되면 그 소년을 가정(지방) 법원 소년부로 송치한다. 그렇지 않으면 **선도 조건부 기소 유예** 처분을 내리거나 기소하여 일반 법원에서 성인과 같은 재판을 받게 한다.

한줄 핵심 10세 이상 14세 미만 소년에게는 형벌을 부과할 수 없고 보호 처분의 대상이 되지만, 14세 이상 19세 미만 소년은 보호 처분의 대상이 될 수도 있고 형벌을 부과받을 수도 있다.

❸ 소년법상 □□ □□은/는 10세 이상 14세 미만의 소년이 받을 수 있는 처분이다.
( )

❹ □□ □□□□ □□ □□□□은/는 검사가 기소 유예 결정을 함에 있어 계속 선도할 필요가 있다고 판단되는 14세 이상 19세 미만인 소년에 대하여 선도 위원회의 선도 등을 조건으로 기소 유예를 결정하는 제도이다.
( )

자료3 기소 유예와 집행 유예

(가) 갑은 취객의 지갑을 훔친 후 경찰에게 적발되어 구속되었다. 검사는 <u>어려운 갑의 형편, 절도한 금액이 적은 점, 피해자가 처벌을 원치 않는 점 등을 참작</u>해 기소를 유예하였다.
_{검사가 기소 유예를 내린 근거}
(나) 을은 음주 운전을 하다가 지나가던 차량을 들이받아 운전자를 다치게 하여 기소되었다. 형사 재판 결과 징역 3년, <u>집행 유예 5년</u>, 120시간의 사회봉사를 선고받았다.
_{5년간 형의 집행을 유예함}

| 자료 분석 | (가)와 같이 검사는 피의자의 범죄 혐의가 인정되더라도 범인의 성품이나 동기 등을 참작하여 **기소를 유예**할 수 있다. (나)와 같이 피고인이 집행 유예를 선고받을 경우에는 보호 관찰, 사회봉사 명령 등의 보안 처분이 함께 부과될 수 있다.

한줄 핵심 범죄 혐의가 인정되더라도 기소 유예 등 불기소 처분을 받을 수 있고, 유죄가 선고되더라도 형의 집행을 유예받을 수 있다.

❺ 검사는 피의자의 범죄 혐의가 인정되더라도 범인의 성품, 동기 등을 참작하여 □□ □□ 처분을 할 수 있다.
( )

정답 ❶ 국민 참여 재판 제도 ❷ 평결 ❸ 보호 처분 ❹ 선도 조건부 기소 유예 ❺ 기소 유예

❹ 헌법에 나타난 형사 절차에서의 인권 보장을 위한 원칙

제12조 ① 모든 국민은 신체의 자유를 가진다. 누구든지 법률에 의하지 아니하고는 체포·구속·압수·수색 또는 심문을 받지 아니하며, 법률과 적법한 절차에 의하지 아니하고는 처벌·보안 처분 또는 강제 노역을 받지 아니한다.

② 모든 국민은 고문을 받지 아니하며, 형사상 자기에게 불리한 진술을 강요당하지 아니한다.

④ 누구든지 체포 또는 구속을 당한 때에는 즉시 변호인의 조력을 받을 권리를 가진다. 다만, 형사 피고인이 스스로 변호인을 구할 수 없을 때에는 법률이 정하는 바에 의하여 국가가 변호인을 붙인다.

제27조 ④ 형사 피고인은 유죄의 판결이 확정될 때까지는 무죄로 추정된다.

❺ 범죄 피해자의 형사 재판 참여권

범죄 피해자나 그 법정 대리인은 법원에 신청하여 해당 범죄자의 형사 재판에 증인으로 진술할 수 있고 공판 기록을 열람하거나 복사할 수 있다.

❻ 형사 보상을 받을 수 있는 경우

• 피의자로서 미결 구금된 사람이 무죄 취지의 불기소 처분을 받은 경우

• 피고인으로서 미결 구금되었던 사람의 무죄 판결이 확정된 경우

• 판결이 확정되어 형의 집행을 받거나 받았던 사람이 재심을 통해 무죄 판결이 확정된 경우

B 형사 절차에서의 인권 보장 원칙과 제도

1. ❹ 형사 절차에서의 인권 보장 원칙

> 왜 형사 절차에서 국가는 강력한 공권력을 사용할 수 있으므로 이를 남용하지 못하도록 제한을 두어 국민의 자유와 권리를 보호하기 위함

적법 절차의 원칙	• 의미: 국민의 자유와 권리를 제한하는 경우에는 반드시 **적법한 절차와 법률에 근거해야 한다**는 원칙 • 내용: 형사 절차의 실행은 적절한 법정 절차를 따라야 하며 국가 형벌권을 남용해서는 안 됨
무죄 추정의 원칙	• 의미: 피의자 또는 피고인은 유죄로 판결이 확정되기 전까지 무죄로 추정됨 • 내용: 유죄의 입증은 수사 기관의 몫이며 명확한 증거에 의해서만 유죄 판결을 할 수 있음, 수사 및 재판은 원칙적으로 불구속으로 진행되어야 함
진술 거부권 '묵비권'이라고도 함	• 의미: 피의자나 피고인이 수사 및 형사 재판 절차에서 불리한 진술을 강요당하지 않을 권리 • 내용: 수사 기관과 법원이 각각 피의자와 피고인에게 **진술 거부권을 고지할 의무**가 있으며 고지 없이 얻은 진술은 증거 능력을 인정하지 않음 자료4
변호인의 조력을 받을 권리	• 의미: 피의자나 피고인이 수사 기관과 대등한 지위에서 자신을 방어할 수 있도록 변호인의 조력을 받을 수 있는 권리 • 내용: 변호인의 조력을 받을 권리는 수사 단계에서부터 인정되며, 변호인을 선임할 수 없는 경우 국가가 변호인을 붙이는 **국선 변호인 제도**가 있음

2. 수사·재판 절차에서의 인권 보장 제도 자료5

영장 제도	피의자에 대한 체포·구속·압수·수색을 할 때에는 적법한 절차에 따라 법관이 발부한 영장을 제시해야 하는 제도
구속 전 피의자 심문 제도 (구속 영장 실질 심사 제도)	검사가 구속 영장을 청구한 경우 **법관이 피의자를 직접 심문하여 구속** 사유가 인정되는지를 판단하는 제도 └ 수사 기관에 의해 개인의 자유를 제한당할 때 법관의 판단을 따르도록 하여 국민의 인권을 보장함
구속 적부 심사 제도	구속된 피의자가 구속의 적법성과 필요성을 심사해 줄 것을 법원에 **청구**하는 제도 └ 구속 적부 심사는 구속 영장에 의해 구속된 피의자와 그 변호인, 법정 대리인, 배우자 등이 청구할 수 있음
보석 제도	형사 재판 중 피고인이 일정한 보증금을 납부하는 조건으로 구속의 집행을 정지하도록 신청하는 제도 → 기소 후 구속 단계에서 활용 가능

C 범죄 피해자 보호와 형사 구제 제도

1. ❺ 범죄 피해자 보호 제도

범죄 피해자 구조 제도	범죄 행위로 인해 생명 또는 신체에 피해를 당했음에도 가해자로부터 피해의 전부 또는 일부를 배상받지 못하는 경우 국가가 피해자 또는 유족에게 일정한 한도의 구조금을 지급하는 제도 └ 배상 명령을 신청할 수 있는 형사 사건은 상해, 과실 치상, 절도나 강도, 사기·공갈, 횡령·배임, 손괴, 강간·추행 등에 한정됨
배상 명령 제도	상해죄 등 **일정한 사건의** 형사 재판 과정에서 법원의 직권 또는 피해자의 신청으로 민사적 손해 배상 명령까지 내릴 수 있도록 한 제도

2. 형사 구제 제도

❻ 형사 보상 제도 자료6	형사 피의자 또는 피고인으로 구금되었다가 법률이 정하는 불기소 처분을 받거나 무죄 판결을 받은 경우 국가에 보상을 청구할 수 있는 제도
명예 회복 제도	무죄 판결 등이 법원에서 확정된 경우 무죄 재판 사건 등에 대한 재판서를 법무부 홈페이지에 게재해 줄 것을 무죄 재판 사건의 피고인이 검찰청에 청구할 수 있는 제도

교과서 자료 모아 보기

자료4 진술 거부권

1963년 3월 미국 애리조나주에서 미란다(Miranda, E.)는 납치 혐의로 경찰에 체포된 피의자였다. 미란다는 2시간의 경찰 신문 후에 범행을 자백하고 진술서를 썼다. 그러나 재판이 시작되자 미란다는 자백을 번복하고 진술서를 증거로 인정하는 것에 이의를 제기했다. 이에 주 법원은 미란다에게 유죄를 선고했지만, 끝내 연방 대법원은 무죄를 선고했다. 그 이유는 "미란다가 변호인과 상담하고 신문 중 변호인을 입회시킬 수 있는 권리를 고지받지 않았고, 이러한 피고인의 권리를 알리지 않았다면 그 진술은 증거로 인정될 수 없다."는 것이었다.

| 자료 분석 | 우리나라 형사 소송법에서도 진술 거부권에 대해 규정하고 있으며, 이에 따라 수사 기관은 피의자에게 진술 거부권을 고지할 의무가 있다. 고지 없이 얻어진 진술은 적법한 공무 집행으로 볼 수 없으므로 증거 능력이 인정되지 않는다.

| 한줄 핵심 | 수사 기관은 피의자에게 진술 거부권이 있음을 고지할 의무가 있다.

❻ 수사 기관은 피의자에게 □□ □□□을/를 고지할 의무가 있다.
( )

자료5 구속된 피의자 및 피고인의 석방 제도

피의자나 피고인이 구속되더라도 형사 절차 과정에서 석방 기회가 여러 차례 있다. 먼저 구속 전 피의자 심문(영장 실질 심사) 제도를 통해 검사가 피의자에 대한 구속 영장 발부 신청을 하더라도 판사가 영장을 발부하기 전에 직접 피의자와 심문하여 영장 발부 여부를 결정할 수 있다. 이때 구속 영장 청구가 기각되면 피의자는 구속되지 않는다. 만일 판사가 검사의 영장 청구를 받아들여 피의자가 구속되었더라도 피의자, 변호인, 법정 대리인, 배우자, 직계 친족, 형제자매나 가족, 동거인 또는 고용주 등이 관할 법원에 구속 적부 심사를 청구하면 심사 결과에 따라 석방될 수 있다. 한편, 갑이 구속 상태로 기소되어 피고인이 되더라도 보석 청구로 석방될 기회가 있다.

| 자료 분석 | 검사가 구속 영장을 신청하면 법관은 '구속 전 피의자 심문'을 실시하여 영장 발부 여부를 판단한다. 구속된 피의자는 '구속 적부 심사 제도'를 활용하여 석방될 수 있으며, 구속된 피고인의 경우 '보석 제도'를 활용할 수 있다.

| 한줄 핵심 | 피의자는 구속 전 피의자 심문 제도와 구속 적부 심사 제도를, 피고인은 보석 제도를 활용할 수 있다.

❼ 구속 영장이 발부되어 피의자가 구속되더라도 피의자는 □□ □□ □□ □□을/를 통해 구속 절차의 적법성과 필요성을 심사해 줄 것을 법원에 신청할 수 있다.
( )

❽ 구속된 피고인은 □□ □□을/를 통해 석방될 수 있다.
( )

자료6 형사 보상 제도와 명예 회복 제도

무죄가 밝혀져서 다행이지만 교도소에 갇혔던 것은 너무 억울해.
갑

나는 무죄인데 재판받는 동안 실추된 내 명예는 어떻게 회복하지?
을

| 자료 분석 | 형사 피의자 또는 형사 피고인으로서 구금되었던 사람이 법률이 정하는 불기소 처분을 받거나 무죄 판결을 받은 때에는 형사 보상 제도를 통해 국가에 보상을 청구할 수 있다. 피고인이 무죄 판결로 재판이 확정된 때에는 본인의 무죄 재판서를 법무부 인터넷 누리집에 게재하는 명예 회복 제도를 이용할 수도 있다.

| 한줄 핵심 | 형사 피의자나 피고인으로 구금되었다가 법률이 정한 불기소 처분을 받은 때에는 형사 보상 제도를, 피고인이 무죄 판결을 받은 때에는 명예 회복 제도를 활용할 수 있다.

❾ 법률이 정하는 불기소 처분을 받은 피의자나 무죄 판결을 받은 피고인은 □□ □□ □□을/를 통해 국가에 보상을 청구할 수 있다.
( )

정답 ❻ 진술 거부권 ❼ 구속 적부 심사 제도 ❽ 보석 제도 ❾ 형사 보상 제도

수능 자료로 개념 완성 수능 POOL

형사 절차에 대한 이해

수능풀 Guide   제시문에 나타난 형사 절차의 단계와 내용을 파악해 보자.

---

1 형사 절차   관련 문제 ▶ 178쪽 02번

갑(25세)은 을에 대한 사기죄로 고소되어 경찰에서 피의자 신문을 받았다. 갑의 사건이 검찰로 송치된 이후 **구속 영장이 발부되어** 갑은 구속되었다가 5일 후 석방되었고 불구속 상태에서 공소가 제기되었다. 갑은 1심 재판에서 징역형을 선고받아 항소하였고, ○○고등 법원 항소심 재판부는 갑에 대하여 **A를 선고하였으며** 그 판결은 항소심에서 최종 확정되었다.

> 구속 전 피의자 심문을 통해 발부될 수 있음

> 판결에 불복하는 피고인은 상소할 수 있음

> 무죄 선고를 받았다면 형사 보상을 청구할 수 있지만 유죄 선고를 받은 경우에는 청구할 수 없음

⚙ 기출 선택지로 확인하기

❶ A가 벌금형이라면 갑은 형사 보상을 청구할 수 없다.   [○][×]

❷ 수사 절차에서와 달리 1심 재판에서 갑은 진술 거부권을 보장받지 못했을 것이다.   [○][×]

---

2 소년 사건의 처리 절차   관련 문제 ▶ 178쪽 03번

> 14세 미만의 자로서 보호 처분만 부과할 수 있음

> 14세 이상 19세 미만의 소년으로 보호 처분 또는 형벌 중 한 가지만 부과할 수 있음

밤늦게 귀가하던 갑은 <u>A(13세)</u>, <u>B(14세)</u>, <u>C(18세)</u>로부터 무차별 폭행을 당했다. 경찰 조사 결과 A와 B는 갑을 폭행하는 데 깊이 가담하였지만, C는 한 차례 폭행 후 옆에서 망을 본 것에 불과하였다. 담당 검사는 A～C에 대한 불구속 수사 후 사건을 어떻게 처리해야 할지 고민하고 있다.

✎ **PLUS분석**   A는 13세로서 형사 미성년자이므로 형벌을 받을 수 없고 가정 법원 소년부의 심판에 의해 보호 처분을 받을 수 있다. 검사는 B와 C에 대해 보호 처분에 해당하는 사유가 있다고 인정할 경우 사건을 관할 법원 소년부에 송치할 수 있으며, 죄가 중하여 형벌을 받아야 한다고 판단할 경우 일반 법원에 기소해야 한다. 또한 검사는 죄가 가벼울 경우 선도 조건부 기소 유예 처분을 내려 보호 처분 및 형벌을 받지 않게 할 수도 있다.

⚙ 기출 선택지로 확인하기

❸ A가 폭행을 주도한 경우 A에게 형벌을 부과할 수 있다.   [○][×]

❹ 검사가 B를 기소할 경우, B는 형벌과 소년법상 보호 처분을 동시에 받을 수 없다.   [○][×]

❺ 검사가 C를 기소할 경우, 갑과 C는 형사 재판의 당사자가 된다.   [○][×]

---

3 형사 보상 제도

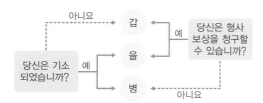

✎ **PLUS분석**   갑은 기소되지 않았지만 형사 보상을 청구할 수 있으므로 구금된 상태에서 불기소 처분을 받은 경우이다. 을은 기소되었고 형사 보상을 청구할 수 있는 상황이므로 법원으로부터 무죄 판결을 받은 경우이다. 병은 기소되었고 형사 보상은 청구할 수 없는 상황으로 판결이 확정되기 전이거나 유죄 판결을 받은 경우이다. 형사 보상 청구는 구금되었던 피의자나 피고인이 무죄 취지의 불기소 처분이나 무죄 판결을 받은 경우에 가능하다.

⚙ 기출 선택지로 확인하기

❻ 갑은 불구속 상태에서 수사를 받고 무혐의 처분을 받았을 것이다.   [○][×]

❼ 을은 무죄 판결이 확정되었을 것이다.   [○][×]

❽ 병이 유죄 판결을 받을 경우 형사 보상 청구가 가능하다.   [○][×]

정답 ❶ ○ ❷ ○ ❸×(형벌 부과 불가능. 형사 미성년자이기 때문) ❹ ○ ❺×(형사 재판의 당사자는 검사와 피고인 C) ❻ ○ ❼ ○ ❽×(유죄 판결 시 형사 보상 청구 불가)

174   V. 사회생활과 법

A 형사 절차의 이해

01 다음 설명이 맞으면 ○표, 틀리면 ×표를 하시오.

(1) 공소가 제기되어 형사 재판에 회부되면 피고인은 피의자가 된다. ( )

(2) 법원 판결로 형이 확정될 경우 판사의 지휘에 따라 형을 집행한다. ( )

(3) 범죄 현장에서 체포된 현행범에게는 무죄 추정의 원칙이 적용되지 않는다. ( )

(4) 집행 유예는 유예 기간 동안 일정한 범죄를 저지르지 않으면 형 선고 효력을 상실시킨다. ( )

(5) 14세 이상 19세 미만의 소년은 기소될 수도 있지만, 가정 법원 소년부로 송치되어 형벌 대신 보호 관찰이나 소년원 송치 등의 보호 처분을 받을 수도 있다. ( )

B 형사 절차에서의 인권 보장 원칙과 제도

02 다음 괄호에 들어갈 알맞은 말에 ○표를 하시오.

(1) 체포·구속 영장은 (검사, 판사)가 발부한다.

(2) 변호인의 조력을 받을 권리는 (피의자, 피고인, 피의자와 피고인)에게 있다.

(3) 진술을 거부할 수 있는 권리는 (피의자, 피고인, 피의자와 피고인)에게 있다.

(4) 범죄의 성립에 영향을 미치는 모든 사실에 대한 입증 책임은 (검사, 피고인)이/가 부담한다.

03 빈칸에 들어갈 알맞은 용어를 쓰시오.

(1) 구속 전 피의자 심문 제도와 구속 적부 심사 제도는 □□□이/가 활용할 수 있다.

(2) 구속 상태에 있는 형사 피고인은 일정한 보증금의 납부를 조건으로 하는 □□ 제도를 활용할 수 있다.

(3) 수사 기관은 피의자에게 자신에게 불리한 진술을 거부할 수 있는 권리인 □□ □□□이/가 있음을 미리 알려 주어야 한다.

(4) 형사 절차에서 인권 보장을 위한 원칙에는 적법 절차의 원칙, □□ 추정의 원칙, 진술 거부권, □□□의 조력을 받을 권리 등이 있다.

C 범죄 피해자 보호와 형사 구제 제도

04 다음 용어에 해당하는 내용을 바르게 연결하시오.

(1) 형사 보상 제도 •

(2) 배상 명령 제도 •

(3) 범죄 피해자 구조 제도 •

• ㉠ 범죄 피해자가 형사 재판에서 간편하게 민사상 손해 배상까지 받을 수 있도록 하는 제도

• ㉡ 미결 구금된 형사 피의자가 불기소 처분을 받거나, 미결 구금되었던 피고인이 무죄 판결을 받은 경우 국가에 보상을 청구하는 제도

• ㉢ 타인의 범죄 행위로 생명 또는 신체에 피해를 보았음에도 가해자로부터 피해의 전부 또는 일부를 배상받지 못할 때 국가가 피해자 또는 유족에게 일정한 한도의 구조금을 지급하는 제도

A 형사 절차의 이해

01 형사 절차에 대한 설명으로 옳은 것은?

① 재판 결과 확정된 형은 판사의 지휘에 따라 집행된다.
② 공판 과정에서 피고인은 가석방 제도를 통해 구속 상태에서 벗어날 수 있다.
③ 현행 범인이거나 긴급 체포가 필요할 때는 예외적으로 영장 없이 체포할 수 있다.
④ 고소는 고소권자 이외의 사람이, 고발은 범죄의 피해자가 수사 기관에 대해 범인의 처벌을 구하는 것이다.
⑤ 집행 유예는 형 선고를 미루고 유예를 받은 날로부터 2년을 경과한 때에는 면소된 것으로 간주하는 제도이다.

02 그림의 재판 제도에 대한 설명으로 옳은 것은?

① 1심과 2심에서 실시한다.
② 형사 재판과 민사 재판에서 실시한다.
③ 변호사, 경찰관 등도 배심원이 될 수 있다.
④ 판사는 배심원의 평결과 다르게 판결할 수 있다.
⑤ 19세 이상 대한민국 국민이라면 배심원이 될 수 있다.

03 다음 사례에 대한 법적 판단으로 옳은 것은?

갑(9세), 을(10세), 병(14세)은 동네 마트에서 상습적으로 물건을 훔쳤고, CCTV를 통해 주인에게 발각되어 경찰에 인계되었다.

① 갑은 소년법상 보호 처분의 대상이다.
② 을은 병과 달리 보호 처분을 받을 수 있다.
③ 을과 병은 형사 재판의 피고인이 될 수 있다.
④ 갑, 을과 달리 병에게는 선도 조건부 기소 유예 처분을 내릴 수 있다.
⑤ 갑~병은 경찰서장이 직접 가정(지방) 법원 소년부에 송치한다.

04 형사 재판의 판결 선고 유형 (가)~(다)에 대한 옳은 설명만을 〈보기〉에서 고른 것은?

(가) 형의 선고 자체를 미루었다가 2년이 지나면 형의 선고가 없었던 것으로 간주하는 유예 제도
(나) 범인의 연령, 품성, 지능, 환경, 범행의 동기나 범행 후의 정황 등을 고려하여 기소하지 않는 유예 제도
(다) 형을 선고한 뒤 특정한 사유에 따라 그 형의 집행을 일정 기간 미루었다가 그 기간이 지나면 형의 선고가 효력을 잃는 유예 제도

보기
ㄱ. (가)는 (나)와 달리 대상자가 구금되지 않는다.
ㄴ. (나)는 검사, (가)와 (다)는 판사에 의해 이루어진다.
ㄷ. (나)와 달리 (가)와 (다)에 대해서는 상소 제도를 활용할 수 있다.
ㄹ. (가)~(다) 모두 피고인이 유죄 판결일 경우 선고한다.

① ㄱ, ㄴ   ② ㄱ, ㄷ   ③ ㄴ, ㄷ
④ ㄴ, ㄹ   ⑤ ㄷ, ㄹ

B 형사 절차에서의 인권 보장 원칙과 제도

05 다음 헌법 조항을 보고 발표한 내용으로 옳은 것만을 〈보기〉에서 고른 것은?

제12조 ① 모든 국민은 신체의 자유를 가진다. 누구든지 법률에 의하지 아니하고는 체포·구속·압수·수색 또는 심문을 받지 아니하며, 법률과 적법한 절차에 의하지 아니하고는 처벌·보안 처분 또는 강제 노역을 받지 아니한다.
제27조 ④ 형사 피고인은 유죄의 판결이 확정될 때까지는 무죄로 추정된다.

보기
ㄱ. 적법 절차의 원칙에 따라 체포·구속 절차를 위해서는 검사가 발부한 영장이 필요해.
ㄴ. 적법 절차의 원칙은 죄형 법정주의와 함께 국가의 형벌권 남용을 견제하는 역할을 해.
ㄷ. 1심에서 유죄 판결을 받은 피고인은 2심에서 무죄로 추정되지 않아.
ㄹ. 무죄 추정의 원칙에 따라 수사 기관은 원칙적으로 불구속 수사와 불구속 재판을 해야 해.

① ㄱ, ㄴ   ② ㄱ, ㄷ   ③ ㄴ, ㄷ
④ ㄴ, ㄹ   ⑤ ㄷ, ㄹ

06 그림은 갑에 대해 진행된 형사 절차의 일부이다. 이에 대한 설명으로 옳은 것은?

> 갑의 절도 혐의에 대해 수사가 개시됨
> ↓
> 검사가 갑에 대한 구속 영장을 청구함
> ↓
> 판사가 갑에 대한 구속의 필요성을 심사함

① 갑에 대한 수사는 구속 수사가 원칙이다.
② 갑은 피고인 신분에서 수사를 받고 있다.
③ 갑이 구속되어야만 검사는 갑을 기소할 수 있다.
④ 갑이 구속되면 구속 적부 심사를 신청할 수 없다.
⑤ 갑은 구속되지 않더라도 변호인의 조력을 받을 수 있다.

07 (가)와 (나)에 대한 설명으로 옳은 것은?

> 수사 기관에 의하여 범죄 혐의를 받고 수사의 대상이 되는 사람을 ☐(가)☐(이)라고 한다. 반면 수사 종결 후 검사가 법원에 공소 제기를 한 사람은 ☐(나)☐(이)라고 부른다.

① 무죄 추정의 원칙은 (가)에만 적용된다.
② 영장 실질 심사 제도는 (가)에만 적용된다.
③ 진술 거부권은 (나)만 행사할 수 있다.
④ 변호인의 조력을 받을 권리는 (나)만 행사할 수 있다.
⑤ 가석방 제도는 (가)와 (나) 모두 활용할 수 있다.

08 그림은 형사 절차의 일부를 나타낸 것이다. 이에 대한 설명으로 옳은 것은?

(가)	(나)	(다)
기소	심리	선고

① (가)로 인해 피고인은 무죄로 추정되지 않는다.
② (나) 단계에서 피고인은 구속 적부 심사를 청구할 수 있다.
③ (다)에서 유죄 판결이 나오면 피고인만 상소할 수 있다.
④ (가) 이전의 피의자와 (나)에서의 피고인은 모두 진술 거부권을 행사할 수 있다.
⑤ (가)와 (다)는 검사에 의해 이루어진다.

C 범죄 피해자 보호와 형사 구제 제도

09 다음 사례에 대한 옳은 설명만을 〈보기〉에서 고른 것은?

> • 갑은 가해자로부터 폭행을 당해 6개월 동안 통원 치료를 받고 있다. 갑은 폭행 상처로 일하기 어렵고 병원비 부담도 크지만, 가해자로부터 손해 배상을 기대하기 어려운 상태이다.
> • 을은 누명을 쓰고 범인으로 몰려 구금되었다가 무죄 확정 판결을 받았다. 을은 범죄자라는 오명을 떨쳐버리고 싶고 억울한 구금도 보상을 받고자 한다.

> 〈보기〉
> ㄱ. 갑은 범죄 피해자 구조 제도를 이용할 수 있다.
> ㄴ. 갑은 형사 보상 제도를 통해 보상받을 수 있다.
> ㄷ. 을은 명예 회복 제도를 이용할 수 있다.
> ㄹ. 을은 배상 명령 제도를 통해 손해 배상을 받을 수 있다.

① ㄱ, ㄴ   ② ㄱ, ㄷ   ③ ㄴ, ㄷ
④ ㄴ, ㄹ   ⑤ ㄷ, ㄹ

서답형 문제

10 다음 글을 읽고 물음에 답하시오.

> 구속 전 피의자 심문 제도는 ☐(가)☐(으)로부터 구속 영장의 청구를 받은 ☐(나)☐이/가 피의자를 직접 심문하여 구속 사유를 판단하는 것으로 구속 영장 실질 심사 제도라고도 한다.

(1) (가)와 (나)에 들어갈 알맞은 용어를 쓰시오.
　(가): (　　　　　　　), (나): (　　　　　　　)

(2) (가)가 아닌 (나)가 영장 발부 여부를 판단하는 이유를 서술하시오.

01 다음 사례에 대한 옳은 법적 판단만을 〈보기〉에서 고른 것은?

> 갑: 절도죄 혐의로 구속 수사를 받고 있으나 구속이 부당하다고 생각하고 있다.
> 을: 사기죄 혐의로 구속·기소되어 현재 1심 법원에서 재판이 진행 중이다.
> 병: 상해죄 혐의로 구속·기소되었으나 1심 법원에서 무죄 판결을 받았고, 검사가 항소하지 않았다.

〈보기〉
> ㄱ. 갑이 한 자백은 진술 거부권을 고지받지 못한 상태에서 했어도 증거 효력이 있다.
> ㄴ. 법원은 을의 범죄가 경미하다는 이유로 불기소 처분을 선고할 수 있다.
> ㄷ. 병의 형사 재판에서 피해자는 소송의 당사자가 될 수 없다.
> ㄹ. 갑은 을과 달리 구속 적부 심사 청구를 할 수 있다.

① ㄱ, ㄴ　　② ㄱ, ㄷ　　③ ㄴ, ㄷ
④ ㄴ, ㄹ　　⑤ ㄷ, ㄹ

02 그림은 형사 절차의 일부이다. 이에 대한 설명으로 옳은 것은?

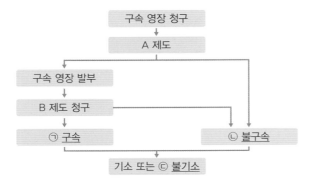

① A는 고소 또는 고발이 있어야만 실시된다.
② A는 검사, B는 판사가 심사한다.
③ B의 청구가 인용되면 피의자는 ⓒ 상태로 수사를 받게 된다.
④ ⓒ 상태였던 피의자가 ⓒ을 받으면 형사 보상을 청구할 수 있다.
⑤ 범죄가 경미하면 법원은 ⓒ을 선고할 수 있다.

03 그림은 형사 피의자 갑의 사건을 처리하는 절차이다. 이에 대한 설명으로 옳은 것은?

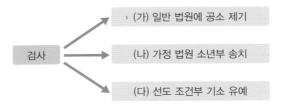

① 갑은 14세 미만의 소년이다.
② (가) 이후에도 갑은 진술 거부권, 변호인의 조력을 받을 권리를 가진다.
③ (나)에서 갑이 소년원 송치 처분을 받으면 전과로 기록된다.
④ (다) 이후 갑은 형사 보상을 청구할 수 있다.
⑤ (가)와 (나)에서 갑이 무죄 판결을 받을 경우 검사는 항소할 수 있다.

04 다음 사례에 대한 법적 판단 및 추론으로 옳은 것은?

> ○○ 법원(1심)은 폭행죄로 기소된 갑이 초범인 점과 진지한 반성 등을 이유로 징역 8월에 집행 유예 2년을 선고하였다. 또 사회봉사 40시간과 14시간의 강의 수강을 명령하였다.

① 갑은 형사 보상을 청구할 수 있다.
② 검사는 갑의 범죄 사실을 재판에서 입증하였다.
③ 갑에게는 책임이 인정되지 않아 보안 처분이 부과되었다.
④ 갑이 16개월 동안 범죄를 저지르지 않으면 형 선고의 효력이 상실된다.
⑤ 법원은 갑에게 유예 기간 동안 죄를 짓지 않으면 면소된 것으로 간주되는 제도를 선고하였다.

05 다음 문서에 대한 분석 및 추론으로 옳은 것은?

> • 청구 취지
> 피의자 '갑의 석방을 명한다.'는 결정을 구합니다.
>
> • 청구 이유
> 1. 피의 사실 인정 여부: 인정(　　), 불인정(　　)
> 2. 이 건 구속이 잘못되었다고 생각하는 이유:
> 3. 구속 후의 사정 변경(합의, 건강 악화, 가족의 생계 곤란 등):

① 기소 이후에 활용할 수 있다.
② 수사 기관에 제출하는 문서이다.
③ 갑이 석방되면 형사 보상을 받는다.
④ 영장 실질 심사를 요청하는 문서이다.
⑤ 구금 조치가 온당하다고 여겨지면 갑의 청구는 기각된다.

06 (가)~(마) 단계에 대한 법적 판단으로 옳은 것은?

> 갑이 상해 혐의로 체포됨
> ↓
> (가) 경찰이 갑을 구속 수사한 후 사건을 검찰에 송치함
> ↓
> (나) 갑은 법원의 허가를 받아 석방됨
> ↓
> (다) 검사가 갑을 상해 혐의로 기소함
> ↓
> (라) 갑의 의사에 따라 국민 참여 재판이 열림
> ↓
> (마) 1심 법원은 갑에게 무죄 판결을 선고함

① (가) 단계에서 갑은 검사가 발부한 영장에 의해 구속되었다.
② (나) 단계에서 갑은 가석방 제도를 활용하였다.
③ (다) 이후 검사와 갑은 형사 재판의 당사자가 된다.
④ (라)에서 배심원들이 만장일치로 결정을 내리면 법원은 이와 반대되는 판결을 선고할 수 없다.
⑤ (마) 단계 이후 판결이 확정되었다면 판사의 지휘에 따라 형이 집행된다.

07 표는 형사 사건으로 수사를 받은 갑~정의 응답이다. 이에 대한 옳은 법적 판단만을 〈보기〉에서 고른 것은?

질문	응답			
	갑	을	병	정
구속되어 수사를 받았는가?	×	○	×	○
검사에 의해 기소되었는가?	×	×	○	○
1심 법원에서 유죄 판결을 받았는가?	해당 없음	해당 없음	×	○

(○: 예, ×: 아니요)

> **보기**
> ㄱ. 정의 유죄 판결이 확정되면 검사 지휘에 따라 형이 집행된다.
> ㄴ. 을과 정은 법원에 형사 보상을 청구할 수 있다.
> ㄷ. 병과 정의 판결에 대해서 검사는 항소할 수 있다.
> ㄹ. 을, 정과 달리 갑, 병에게는 무죄 추정의 원칙이 적용되었다.

① ㄱ, ㄴ　　② ㄱ, ㄷ　　③ ㄴ, ㄷ
④ ㄴ, ㄹ　　⑤ ㄷ, ㄹ

08 교사의 질문에 대한 옳은 답변만을 〈보기〉에서 고른 것은?

> 갑을 폭행한 A는 현재 형사 재판을 받고 있다. 전치 2주의 상해를 입은 갑은 별도의 민사 소송을 거치지 않고 형사 재판에서 치료비를 배상받고자 한다.

> 이 사례에서 갑은 (가)를 활용할 수 있습니다. (가)에 대해 발표해 보세요.

> **보기**
> ㄱ. 특정 형사 사건의 피해자만 활용할 수 있다.
> ㄴ. 재판 과정에서 훼손된 본인의 명예를 회복하기 위한 제도이다.
> ㄷ. 법원이 민사적 손해 배상 명령까지 내릴 수 있도록 한 제도이다.
> ㄹ. 국가로부터 일정한 한도의 구조금을 지급 받을 수 있는 제도이다.

① ㄱ, ㄴ　　② ㄱ, ㄷ　　③ ㄴ, ㄷ
④ ㄴ, ㄹ　　⑤ ㄷ, ㄹ

03 ~ 근로자의 권리 보호

① 사회법
국가가 사적 영역에 개입할 수 있는 법으로 적극 국가, 실질적 평등을 주요 원리로 한다. 사회법은 사회적·경제적 약자를 보호하고 국민의 인간다운 삶을 보장하기 위해 제정되었으며 크게 노동법, 경제법, 사회 보장법으로 구분된다.

② 최저 임금법
우리 헌법 제32조 제1항은 "… 국가는 사회적·경제적 방법으로 근로자의 고용의 증진과 적정 임금의 보장에 노력하여야 하며, 법률이 정하는 바에 의하여 최저 임금제를 시행하여야 한다."라고 규정하고 있다. 이에 따라 1986년에 「최저 임금법」이 제정·시행되었으며, 매년 고용 노동부 장관이 최저 임금 위원회의 심의를 거쳐 최저 임금을 결정·고시하고 있다.

③ 쟁의 행위
노동관계 당사자가 그 주장을 관철할 것을 목적으로 하는 행위 및 이에 대응하는 행위로서, 업무의 정상적인 운영을 저해하는 행위를 말한다. 「노동조합 및 노동관계 조정법」에 명시된 근로자 쟁의 행위로는 파업·태업(근로자들이 의식적으로 작업 능률을 저하시킴) 등이 있고, 사용자의 쟁의 행위에는 직장 폐쇄가 있다.

A 노동법과 근로자의 권리

1. 노동법
(1) **의미**: 사회법의 한 종류로 근로관계를 규율하여 국가가 노동 문제를 해결하고 근로자를 보호하기 위해 제정한 법
(2) **등장 배경**: 빈익빈 부익부 현상, 노사 간 대립 등 근대 자본주의 발전 과정에서 나타난 모순과 부조리를 해결하기 위해 등장
(3) **대표적인 노동법의 종류**
① **근로 기준법**: 근로자의 실질적 지위를 보호·개선하고 기본적 생활을 보장하기 위해 근로의 조건과 기준을 정한 법률
② **최저 임금법**: 근로자의 생활 안정을 위하여 사용자가 최저 수준 이상의 임금을 근로자에게 지급하도록 규제하는 법률
③ **노동조합 및 노동관계 조정법**: 근로 3권을 중심으로 노동조합의 설립·관리·해산, 단체 교섭 및 단체 협약, 쟁의 행위, 노동 쟁의의 조정, 부당 노동 행위 등에 관해 규정한 법률
└ 단결권, 단체 교섭권, 단체 행동권

2. 법에 보장된 근로자의 권리
(1) **개인으로서 근로자의 권리** 자료1 자료2

근로 계약	• 근로 계약을 맺을 때 「근로 기준법」에 따라 임금, 근로 시간, 휴일 등의 사항을 명시하여 서면으로 작성해야 함 • 근로 계약 내용이 「근로 기준법」에서 정한 기준에 미달되면 안 됨 → 「근로 기준법」에서 정한 기준에 미달되는 근로 계약 조항은 무효임
임금	• 근로자에게 직접 통화의 형태로 매월 1회 이상 일정한 날짜에 전액 지급해야 함 • 법정 최저 임금 이상의 금액을 지급해야 함 • 연장 근로, 야간 근로, 휴일 근로 등 시간 외 노동을 할 경우 통상 임금의 50%를 가산하여 지급해야 함
근로 시간	• 휴게 시간을 제외하고 원칙적으로 1일 8시간, 1주 40시간을 초과할 수 없음 • 사용자와 근로자가 합의한 경우 연장 근로가 가능함 → 1주 12시간 이내 • 근로 시간 도중에 휴게 시간을 제공해야 함 → 근로 시간이 4시간인 경우 30분 이상, 8시간인 경우 1시간 이상
휴일	일정 기간 개근한 근로자에게 1주일에 1회 이상의 유급 휴일을 보장해야 함

(2) **단체로서 근로자의 권리**

근로 3권	단결권	근로자들이 자주적으로 노동조합 등의 단체를 조직·운영할 수 있는 권리
	단체 교섭권	노동조합이 근로 조건에 관하여 사용자와 교섭할 수 있는 권리 → 사용자는 정당한 이유 없이 교섭을 거부할 수 없음
	단체 행동권	단체 교섭의 실효성 확보를 위해 쟁의 행위 등의 단체 행동을 할 수 있는 권리 → 정당한 쟁의 행위에 대해서는 민형사상 책임이 면제됨

└ 정치 활동이나 경영에 관여할 목적으로 하는 단체 행동이나 폭력 또는 파괴 행위와 같은 쟁의 행위는 금지됨

자료1 근로 계약서의 작성

표준 근로 계약서

_____(이하 "사업주"라 함)과(와) _____(이하 "근로자"라 함)
은 다음과 같이 근로 계약을 체결한다.

1. 근로 계약 기간: ___년 ___월 ___일부터
___년 ___월 ___일까지

2. 근무 장소:

3. 업무의 내용:

4. 소정 근로 시간: ___시 ___분부터 ___시 ___분까지
(휴게 시간: ___시 ___분 ~ ___시 ___분)

5. 근무일 / 휴일: 매주 ___일(또는 매일 단위) 근무,
주휴일 매주 ___요일

6. 임금: 월(일, 시간)급: _____원(매월 1회 이상 일정한 날
짜에 지급)

7. 연차 유급 휴가

8. 사회 보험 적용 여부

9. 근로 계약서 교부

10. 이 계약에 정함이 없는 사항은 근로 기준 법령에 의함

| 자료 분석 |

근로 관계는 근로자와 사용자의 근로 계약을 통해 이루어진다. 국가에서는 표준 근로 계약서를 제정하고 이를 기준으로 근로 계약을 체결할 것을 권장하고 있다. 근로 계약서의 내용에는 업무에 관한 사항, 근로자의 근로 제공과 그에 대한 사용자의 임금 지급, 근로 시간, 휴일, 휴가 제도 등이 반드시 포함되어야 한다. 또한 사용자는 계약서 서면을 근로자에게 반드시 주어야 한다. 계약상의 근로 조건은 「근로 기준법」에서 정한 기준보다 낮아서는 안 되며, 만일 계약서상의 내용이 법령에 위배될 경우에는 해당 부분만 무효로 본다.

한줄 핵심 근로 계약을 체결할 때에는 구체적인 근로 조건이 명시된 근로 계약서를 작성해야 한다.

❶ 근로 계약의 내용이 「근로 기준법」 기준에 미달할 경우 해당 부분은 □□(이)다.
(　　　　　　　)

자료2 근로 기준법 위반 사례

(가) 갑은 1주일에 40시간을 근무하고 있다. 지난달과 달리 이번 달에는 휴일에도 출근하여 일했는데, 이번 달 월급은 지난달과 같았다. → 휴일 근로에 대한 임금을 지급하지 않음

(나) 을의 근무 시간은 오전 9시부터 오후 5시 30분까지이다. 회사에서는 점심시간을 30분으로 정하여 을은 매번 점심을 급하게 먹는다. → 적절한 휴게 시간을 제공하지 않음

(다) 병은 새로 취직하였는데 회사의 일방적인 결정에 따라 매달 임금의 일부를 회사 거래처의 상품권으로 받고 있다.
→ 임금의 전액을 통화로 지급하지 않음

| 자료 분석 |

(가)	연장 근로와 야간 근로 또는 휴일 근로에 대하여는 통상 임금의 50%를 가산하여 지급해야 하지만 이를 위반함
(나)	근로 시간이 4시간인 경우에는 30분 이상, 8시간인 경우에는 1시간 이상의 휴게 시간이 있어야 하지만 이를 위반함
(다)	임금은 통화(通貨)로 매월 1회 이상 일정한 날짜에 직접 근로자에게 전액을 지급해야 하지만 이를 위반함

한줄 핵심 근로 조건은 「근로 기준법」에서 정한 기준에 어긋나서는 안 된다.

❷ (가)의 갑은 휴일 근로에 대해 통상 임금의 □□%를 가산해서 지급받아야 한다.
(　　　　　　　)

❸ (나)의 을은 「근로 기준법」에 따라 □ 시간의 휴게 시간을 받아야 한다.
(　　　　　　　)

❹ (다)의 병은 임금의 전액을 □□(으)로 지급받아야 한다.
(　　　　　　　)

정답 ❶ 무효 ❷ 50 ❸ 1 시간 ❹ 통화

B 근로자의 권리 침해와 구제

1. 부당 해고 ┌ 용 사용자가 근로자와의 근로 계약을
　　　　　　　└ 일방적으로 해지하는 행위
(1) **의미**: 사용자가 정당한 이유 없이 근로자를 해고하거나 해고 절차를 지키지 않은 경우

(2) **정당한 해고의 요건**: 정당한 사유가 있고, 최소 30일 이전에 해고를 예고해야 하며, 해고의 사유와 시기를 근로자에게 서면으로 통지해야 함

(3) ★ **부당 해고의 구제 방법** 자료3

① 노동 위원회를 통한 구제: 근로자는 지방 노동 위원회에 구제를 신청할 수 있으며, 지방 노동 위원회의 판정에 불복할 경우 **중앙 노동 위원회에 재심을 신청**할 수 있음 → 중앙 노동 위원회의 판정에도 불복할 경우 행정 소송이 가능함

② 해고 무효 확인 소송: 노동 위원회를 거치지 않고 바로 법원에 해고 무효 확인 소송을 제기할 수 있음
　　　　　　　　　　　　　└ 민사 소송

2. 부당 노동 행위

(1) **의미**: 근로 3권의 행사를 방해하는 사용자의 행위

(2) **유형**: 근로자의 노동조합 가입·조직·활동 등을 이유로 근로자를 해고하거나 근로자에게 불이익을 주는 행위, 근로자가 노동조합에 가입하지 아니할 것 또는 탈퇴할 것을 고용 조건으로 하는 행위, 노동조합과의 단체 교섭을 정당한 이유 없이 거부하는 행위 등

(3) ★ **부당 노동 행위의 구제 방법** 자료3: 근로자 또는 노동조합은 지방 노동 위원회에 구제를 신청할 수 있으며, 지방 노동 위원회의 판정에 불복할 경우 **중앙 노동 위원회에 재심을 신청**할 수 있음 → 중앙 노동 위원회의 판정에도 불복할 경우 행정 소송이 가능함

C 청소년 근로자의 권리 보호 자료4

대상	• 연소 근로자(청소년 근로자): 15세 이상 18세 미만의 미성년자 • 예외: 15세 미만이지만 고용 노동부 장관이 발급한 취직 인허증을 지닌 청소년
근로 조건	• 근로 계약: 법정 대리인의 동의를 받아 연소 근로자 본인이 직접 체결함 • 사용자는 연소 근로자의 가족 관계 증명 서류와 부모(친권자 또는 후견인)의 동의서를 사업장에 비치해야 함 • 휴일, 휴식 시간, 최저 임금 등은 성인 근로자와 동일한 기준을 적용함 • 임금 청구: 법정 대리인의 동의 없이 연소 근로자 본인이 직접 청구할 수 있음 • 근로 시간: 1일 7시간, 1주 35시간을 초과할 수 없음 → 합의한 경우 1일 1시간, 1주 5시간까지 연장 근로 가능 └ 야간 근로나 휴일 근로는 원칙적으로 금지됨 ⑤ • 연소자 사용 금지 직종으로 분류된 도덕상·보건상 유해한 사업장에서의 근로는 금지됨
「근로 기준법」상 청소년 근로 보호 조항 청소년은 정신적·신체적으로 성장 단계에 있고, 교육이 우선시되어야 하므로 특별한 보호를 받음	• 제64조(최저 연령과 취직 인허증) ① 15세 미만인 자(중학교에 재학 중인 18세 미만인 자를 포함)는 근로자로 사용하지 못한다. …… • 제66조(연소자 증명서) 사용자는 18세 미만인 자에 대하여는 그 연령을 증명하는 가족 관계 기록 사항에 관한 증명서와 친권자 또는 후견인의 동의서를 사업장에 갖추어 두어야 한다. • 제67조(근로 계약) ① 친권자나 후견인은 미성년자의 근로 계약을 대리할 수 없다. • 제68조(임금의 청구) 미성년자는 독자적으로 임금을 청구할 수 있다. • 제69조(근로 시간) 15세 이상 18세 미만인 자의 근로 시간은 1일에 7시간, 1주에 35시간을 초과하지 못한다. 다만, 당사자 사이의 합의에 따라 1일에 1시간, 1주에 5시간을 한도로 연장할 수 있다.

★ 한눈에 정리

근로자의 권리 침해 구제 방법

부당 해고	부당 노동 행위
• 노동 위원회를 통한 구제 • 해고 무효 확인 소송	노동 위원회를 통한 구제(근로자뿐 아니라 노동조합도 신청 가능)

노동 위원회를 통한 구제 절차

지방 노동 위원회 → 중앙 노동 위원회 → 법원

---

❹ **노동 위원회**

의미	노·사·공익 3자로 구성된 준사법적 성격을 지닌 합의제 행정 기관
역할	노동관계에서 발생하는 노사 간의 이익 및 권리 분쟁을 신속하고 공정하게 조정·판정
운영 체제	• 지방 노동 위원회에서 심판 위원회를 구성하여 사실 관계 확인과 법령 검토 등을 통해 사용자에게 구제 명령을 내리거나 그 구제 신청에 대한 기각 결정을 내림 • 결정에 불복하는 당사자는 일정 기간 내에 중앙 노동 위원회에 재심을 청구하고, 중앙 노동 위원회의 재심 판정에도 불복하면 중앙 노동 위원회 위원장을 상대로 행정 소송을 제기함

---

❺ **연소자 사용 금지 직종**

고압 작업 및 잠수 작업, 연소자에게 면허 취득이 제한된 업종의 운전 및 조종, 「청소년 보호법」이나 다른 법률에서 고용이나 출입을 금지하는 직종, 교도소 또는 정신 병원 업무, 소각 또는 도살 업무 등이 있다.

자료3 부당 해고 및 부당 노동 행위의 구제 절차

사용자가 정당한 이유 없이 근로자를 부당하게 해고·휴직·정직·전직·감봉·기타 징계를 하거나 부당 노동 행위를 했을 경우 피해 당사자는 다음과 같은 절차를 통해 구제받을 수 있다.

```
피해      3개월 이내    지방        불복 시      중앙       불복 시 15일    법원
당사자    구제 신청      노동       10일 이내     노동       이내 행정
                        위원회      재심 신청     위원회      소송 제기
```

| 자료 분석 | 「노동 조합 및 노동 관계 조정법」에서 규제하는 부당 해고와 부당 노동 행위의 피해 당사자는 노동 위원회에 구제 신청을 할 수 있으며, 중앙 노동 위원회의 재심 결정에도 불복할 경우에는 중앙 노동 위원회 위원장을 상대로 행정 법원에 행정 소송을 제기할 수 있다. 부당 해고는 근로자만 노동 위원회에 구제 신청을 할 수 있는 데 반해, 부당 노동 행위에 대해서는 노동조합도 구제 신청을 할 수 있다. 한편 부당 해고의 피해자는 노동 위원회에 구제 신청을 하는 것과는 별도로 해고 무효 확인 소송(민사 소송)을 제기할 수 있다.

| 한줄 핵심 | 부당 해고 및 부당 노동 행위의 피해 당사자는 노동 위원회와 법원을 통해 구제받을 수 있다.

❺ 부당 해고를 구제받기 위해 근로자는 □□ □□□에 구제 신청을 하지 않고 바로 법원에 해고 무효 확인 소송을 제기할 수도 있다.
(   )

❻ 부당 노동 행위에 대해서는 근로자 또는 □□□□이/가 노동 위원회에 구제 신청을 할 수 있다.
(   )

자료4 청소년 아르바이트 십계명

❶ 원칙적으로 15세 이상의 청소년만 근로할 수 있습니다. (13~14세 청소년은 고용 노동부에서 발급한 취직 인허증이 있어야 근로 가능)

❷ 연소자를 고용한 경우 연소자의 부모님 동의서와 가족 관계 증명서를 사업장에 비치해야 합니다.

❸ 근로 조건을 명시한 근로 계약서를 작성하여 근로자에게 교부해야 합니다.

❹ 성인과 동일한 최저 임금을 적용받습니다.

❺ 위험한 일이나 유해한 업종의 일은 할 수 없습니다.

❻ 1일 7시간, 주 35시간 이하로 근무할 수 있습니다. (연장 근로는 근로자의 동의하에 1일 1시간, 주 5시간 이내 가능)

❼ 근로자가 5명 이상이면 휴일 및 초과 근무 시 50%의 가산 임금을 받을 수 있습니다.

❽ 1주일에 15시간 이상 일하고, 1주일 동안 개근한 경우, 하루의 유급 휴일을 받을 수 있습니다.

❾ 일하다가 다쳤다면 「산업 재해 보상 보험법」이나 「근로 기준법」에 따라 치료와 보상을 받을 수 있습니다.

❿ 부당한 처우를 당하거나 궁금한 사항에 대한 상담은 국번 없이 1644－3119!

| 자료 분석 | 「근로 기준법」에 따라 15세 미만인 청소년은 근로자로 일할 수 없다. 사용자는 18세 미만의 청소년을 도덕상 또는 보건상 유해하거나 위험한 사업에 고용해서는 안 되며, 18세 미만인 청소년을 고용하는 경우 나이를 증명하는 가족 관계 증명 서류와 부모(친권자 또는 후견인)의 동의서를 받아 사업장에 갖추어 두어야 한다. 청소년은 성인과 같이 최저 임금액 이상의 임금을 받을 수 있으며, 법정 대리인의 동의 없이 혼자서 임금을 청구할 수 있다. 18세 미만의 청소년은 하루 7시간, 일주일에 35시간을 초과하여 일할 수 없으나 합의한 경우에는 하루 1시간, 일주일에 5시간을 한도로 연장하여 일할 수 있다.

| 한줄 핵심 | 15세 이상 18세 미만인 청소년의 근로는 법으로 특별한 보호를 받는다.

❼ 원칙적으로 □□세 이상의 청소년만 근로자로서 일할 수 있다.
(   )

❽ 청소년은 원칙적으로 하루 □ 시간 이내, 일주일에 □□시간 이내에 근로가 가능하다.
(   )

근로자의 권리 침해와 구제 방법

수능풀 Guide　제시문의 사례를 통해 침해된 근로자의 권리를 이해하고 그에 대한 구제 절차를 파악해 보자.

1 부당 해고

갑이 운영하는 A 회사에서 2018년 7월부터 일하고 있는 을(20세)은 갑과 다음과 같은 내용의 근로 계약서를 작성하였다.

> • 계약 기간: 1년　　　　• 시급: 9,000원
> • 근로 시간: 14시부터 21시까지 (근무일 주 5일, 휴게 시간 17시부터 18시까지)
> • 업무 내용은 상품 개발 및 마케팅　휴게 시간을 제외하고 6시간을 근로하였다.

그러나 을은 근로 계약 내용과 달리 주차장 관리 업무도 담당하게 되었고, 이에 항의하는 과정에서 갑을 밀어 부상을 입혔다. 이에 갑은 징계 위원회의 해고 결정에 따라 2018년 10월 5일 을에게 해고 사유와 시기를 구두로 통보하였다. 그러나 A 회
부당 해고에 해당함
사 노동조합은 을의 해고를 반대하고 있다.
부당 노동 행위와 달리 노동조합은 부당 해고에 대해서 구제 신청을 할 수 없음

기출 선택지로 확인하기

❶ 갑의 을에 대한 해고 통보로 해고의 효력이 발생한다. ○ ☒

❷ 을은 노동 위원회 구제 신청과 별도로 법원에 해고의 효력을 다투는 소를 제기할 수 있다. ○ ☒

2 부당 해고의 구제 방법

퇴근 후 불법 사설 도박 사이트에 접속해 불법 도박을 했다는 이유로 해고 처분된
　　　　　　　　　　　　　　　　　　　　　　　행정 소송(3심제)
갑은 중앙노동위원회 위원장을 상대로 소송을 제기하였다. 재판부는 선고를 내리면
노동 위원회의 구제 절차를 거쳤으나 그에 불복했음을 알 수 있음
서 "사생활에서의 비행이 정당한 징계 사유가 되려면 사업 활동에 직접 관련이 있는 행위이거나 기업의 사회적 평가를 훼손할 우려가 있는 행위여야 한다. 이런 기준을 적용한다면 갑의 행위가 회사의 사회적 평가에 악영향을 미칠 정도로 볼 수 없으므로 해고 처분은 징계 재량권을 남용한 것으로 보아야 한다."라고 그 이유를 제시
　　　　　　　　갑의 해고를 부당 해고로 판단함
하였다. 이에 불복한 당사자는 항소하였다.

기출 선택지로 확인하기

❸ 갑이 제기한 소송은 노동조합도 제기할 수 있다. ○ ☒

❹ 중앙 노동 위원회의 재심 절차와 관계없이 갑이 제기한 소송은 3심제가 적용된다. ○ ☒

3 부당 해고 및 부당 노동 행위의 구제 방법　관련 문제 ▶ 188쪽 04번

A 식료품 회사 사용자와 노동조합은 근로 조건에 관해 단체 교섭을 진행하였으나 사용자가 안건에 합의하지 않아 결렬되었다. 이에 노동조합은 적법하게 파업을 이끌었다. A 식료품 회사는 인사 위원회를 열어 파업을 주도했다는 이유로 갑(28세)에게 해고를 통보하였다. 이에 갑은 즉시 해고의 효력을 다투는 소송을 제기하였
부당 해고이면서 부당 노동 행위에도 해당함　　　　　해고 무효 확인 소송(민사 소송)
다. 법원은 해고 처분이 재량권 범위를 일탈·남용하여 위법하다고 판결하였고, 이
　　　　　　　　　　　　　갑의 해고를 부당 해고로 판단함
판결은 확정되었다.

✎ **PLUS분석**　노동자는 부당 해고에 대해 노동 위원회의 구제 절차를 거치는 것과 별도로 민사 소송으로 해고 무효 확인 소송을 제기할 수 있다.

기출 선택지로 확인하기

❺ 갑은 해고 무효 확인 소송과 별도로 노동 위원회에 구제 신청을 할 수 있다. ○ ☒

❻ A 식료품 회사 사용자가 노동조합이 제시한 근로 조건에 관해 합의를 하지 않은 행위는 단체 교섭권을 침해한 것이다. ○ ☒

정답　❶ ☒(해고의 효력은 사유와 함께 서면으로 해야 함) ❷ ○ ❸ ☒(부당 해고는 당사자만 가능) ❹ ○ ❺ ○ ❻ ☒(사용자가 노동조합이 제시한 안건에 합의하지 않은 것은 을의 권리 침해가 아님)

A 노동법과 근로자의 권리

01 빈칸에 들어갈 알맞은 용어를 쓰시오.

(1) □□ □□□은/는 근로 조건과 기준을 정하여 경제적 약자인 근로자를 보호하는 법이다.

(2) 사용자가 최저 수준 이상의 임금을 근로자에게 지급하도록 하는 제도를 □□ □□ 제도라고 한다.

02 다음 설명이 맞으면 ○표, 틀리면 ×표를 하시오.

(1) 근로 시간이 8시간인 경우에는 30분 이상의 휴게 시간이 있어야 한다. ( )

(2) 당사자가 합의한다면 사용자는 근로자에게 최저 임금 미만의 임금을 지급해도 된다.

( )

(3) 임금은 통화 형태로 매월 1회 이상 일정한 날짜에 근로자에게 직접 전액을 지급해야 한다.

( )

(4) 성인의 근로 시간은 원칙적으로 1일 8시간, 1주 40시간을 초과할 수 없는데, 당사자 간에 합의하면 1주일에 최대 18시간까지 연장할 수 있다. ( )

B 근로자의 권리 침해와 구제

03 빈칸에 들어갈 알맞은 용어를 쓰시오.

(1) 사용자는 근로자를 정당한 이유 없이 해고할 수 없으며, 이를 위반한 해고는 □□ □□에 해당하여 구제를 받을 수 있다.

(2) 근로 3권의 행사를 방해하는 사용자의 행위는 □□ □□ □□에 해당한다.

(3) 부당 해고에 대해서는 노동 위원회를 통한 구제와 별도로 □□ 소송을 제기하여 해고의 무효를 확인받을 수 있다.

(4) 부당 노동 행위에 대해서는 피해 당사자뿐만 아니라 □□□□도 노동 위원회에 구제 신청을 할 수 있다.

(5) 사용자로부터 부당 해고를 당한 근로자나 사용자의 부당 노동 행위로 인하여 권리를 침해 당한 근로자 또는 노동조합은 □□ □□ □□□을/를 통해 구제를 받을 수 있고, 구제를 받지 못한 경우에는 □□ □□ □□□에 재심을 신청할 수 있다. 재심 판정에 불복하는 경우에는 □□ 소송을 제기할 수 있다.

C 청소년 근로자의 권리 보호

04 다음 괄호 안에 들어갈 알맞은 말에 ○표를 하시오.

(1) 원칙적으로 (14, 15)세가 되어야 근로할 수 있다.

(2) 청소년에게는 성인과 동일한 최저 임금이 (적용된다. 적용되지 않는다.)

(3) 청소년이 근로 계약을 맺을 때에는 법정 대리인의 동의를 얻어 (본인, 법정 대리인)이 근로 계약을 체결해야 한다.

(4) 연소 근로자의 근로 시간은 1일에 (7, 8)시간, 1주일에 (35, 40)시간을 초과하지 못하며, 당사자 사이의 합의에 따라 1주일에 (5, 12)시간을 한도로 연장할 수 있다.

A 노동법과 근로자의 권리

01 근로 3권에 대한 설명으로 옳은 것은?

① 단결권은 사용자에게도 인정되는 권리이다.

② 회사 경영에 관여할 목적으로 단체 행동권을 행사하는 것은 정당하다.

③ 단체 행동권을 행사할 때 폭력 행위와 같은 단체 행동은 금지된다.

④ 노동조합의 정당한 쟁의 행위에 대해서는 민형사상 책임을 질 수 있다.

⑤ 사용자는 경영상의 이유가 있다면 정당한 사유 없이 단체 교섭을 거부할 수 있다.

02 밑줄 친 ㉠~㉤에 대한 옳은 설명만을 〈보기〉에서 고른 것은?

근로 계약서
사용자와 근로자는 다음과 같이 ㉠근로 계약을 체결한다.
1. ㉡근로 시간:
2. ㉢임금:
3. ㉣휴게 시간:
  ⋮
7. 이 계약에 정함이 없는 사항은 ㉤근로 기준법 및 회사 규칙에 의함.

보기
ㄱ. ㉠의 내용 중 ㉤의 기준에 미치지 못하는 부분이 있다면 ㉠ 전체는 무효가 된다.

ㄴ. ㉡은 성인의 경우 1주일에 40시간을 초과할 수 없으나 당사자 간에 합의하면 1주일에 12시간까지 연장할 수 있다.

ㄷ. ㉢은 통화(通貨)로 매월 1회 이상 일정한 날짜에 직접 근로자에게 전액을 지급해야 한다.

ㄹ. ㉣은 근로 시간이 4시간인 경우에는 10분 이상, 8시간인 경우에는 30분 이상을 제공해야 한다.

① ㄱ, ㄴ   ② ㄱ, ㄷ   ③ ㄴ, ㄷ
④ ㄴ, ㄹ   ⑤ ㄷ, ㄹ

03 갑, 을에 대한 옳은 설명만을 〈보기〉에서 고른 것은?

- 갑은 주 5일 매일 오전 9시부터 오후 6시까지 근무하고 있으나 휴게 시간은 30분에 불과하다.
- 을은 시간당 8,000원을 받고, 3개월에 한 번씩 매월 초에 임금을 받는 근로 계약서를 체결하였다.(당시 최저 임금: 시간당 8,350원)

보기
ㄱ. 갑의 근로 시간이 근로 기준법에 위반되어 근로 계약 전체가 무효이다.

ㄴ. 갑은 사용자에게 근로 시간 도중에 30분의 휴게 시간을 추가로 요구할 수 있다.

ㄷ. 을에 대한 임금 지급 방법은 근로 기준법의 내용에 위배된다.

ㄹ. 을은 최저 임금보다 낮은 임금을 받고 있지만 계약서를 체결하였으므로 계약은 유효하다.

① ㄱ, ㄴ   ② ㄱ, ㄷ   ③ ㄴ, ㄷ
④ ㄴ, ㄹ   ⑤ ㄷ, ㄹ

B 근로자의 권리 침해와 구제

04 부당 해고와 부당 노동 행위에 대한 설명으로 옳지 <u>않은</u> 것은?

① 부당 해고와 부당 노동 행위는 「근로 기준법」에서 규제하고 있다.

② 사용자가 근로자를 해고하려면 적어도 30일 전에 예고해야 한다.

③ 근로자에 대한 해고는 해고 사유와 해고 시기를 서면으로 통지해야 효력이 있다.

④ 근로 3권의 행사를 방해하는 사용자의 행위는 부당 노동 행위에 해당하고 법으로 금지하고 있다.

⑤ 근로자의 노동조합 가입, 조직, 활동 등을 이유로 근로자를 해고하거나 근로자에게 불이익을 주는 행위는 부당 노동 행위이다.

05 그림에 대한 옳은 설명만을 〈보기〉에서 고른 것은? (단, A와 B는 각각 퇴직 또는 해고 중 하나이다.)

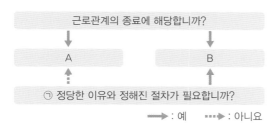

근로관계의 종료에 해당합니까?

| A | B |

㉠ 정당한 이유와 정해진 절차가 필요합니까?

⟶ : 예   ⤏ : 아니요

보기
ㄱ. A와 B는 사용자와 근로자가 합의해야만 효력이 발생한다.
ㄴ. ㉠을 위반하면 근로자는 노동 위원회에 구제를 신청할 수 있다.
ㄷ. ㉠에는 사유와 시기를 서면으로 통지해야 한다는 내용이 있다.
ㄹ. 근로자의 중대한 잘못은 A의 사유에는 해당하나 B의 사유에는 해당하지 않는다.

① ㄱ, ㄴ   ② ㄱ, ㄷ   ③ ㄴ, ㄷ
④ ㄴ, ㄹ   ⑤ ㄷ, ㄹ

06 (가)에 대한 옳은 설명만을 〈보기〉에서 고른 것은?

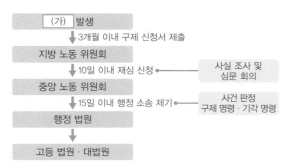

(가) 발생
↓ 3개월 이내 구제 신청서 제출
지방 노동 위원회
↓ 10일 이내 재심 신청 ── 사실 조사 및 심문 회의
중앙 노동 위원회
↓ 15일 이내 행정 소송 제기 ── 사건 판정 구제 명령·기각 명령
행정 법원
↓
고등 법원·대법원

보기
ㄱ. (가)에는 '부당 노동 행위'만 들어갈 수 있다.
ㄴ. (가)가 '부당 노동 행위'이면 노동조합도 피해에 대한 구제를 신청할 수 있다.
ㄷ. 근로자는 노동 위원회를 거치지 않고 행정 법원에 바로 소송을 제기할 수 있다.
ㄹ. 중앙 노동 위원회의 재심 결정에 대해서는 근로자와 사용자 모두 불복할 수 있다.

① ㄱ, ㄴ   ② ㄱ, ㄷ   ③ ㄴ, ㄷ
④ ㄴ, ㄹ   ⑤ ㄷ, ㄹ

07 (가)에 들어갈 내용으로 옳지 <u>않은</u> 것은?

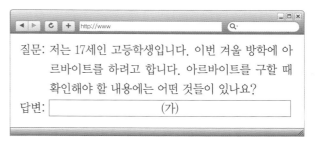

질문: 저는 17세인 고등학생입니다. 이번 겨울 방학에 아르바이트를 하려고 합니다. 아르바이트를 구할 때 확인해야 할 내용에는 어떤 것들이 있나요?
답변: (가)

① 휴게 시간은 근로 시간 도중에 주어야 해요.
② 성인과 동등한 지위에서 계약을 체결할 수 있어요.
③ 합의해도 일주일에 35시간을 초과하여 일할 수 없어요.
④ 임금을 받지 못한 경우에는 지방 고용 노동 관서 또는 근로 감독관에게 신고할 수 있어요.
⑤ 근로 계약을 체결할 때에는 근로 조건을 근로 계약서에 서면으로 명시하여 교부받아야 해요.

서답형 문제

08 다음 글을 읽고 물음에 답하시오.

사용자로부터 부당 해고를 당한 근로자나 사용자의 부당 노동 행위로 권리를 침해당한 근로자 또는 노동조합은 (가) 을/를 통해 구제를 받을 수 있다. (가) 의 심판에 불복하는 경우에는 법원에 행정 소송을 제기할 수 있다.

(1) (가)에 들어갈 알맞은 용어를 쓰시오.
( )

(2) 부당 해고와 부당 노동 행위 구제 절차의 차이점을 서술하시오.

01 (가)에 대한 설명으로 옳지 <u>않은</u> 것은?

> (가) 은/는 사회법의 한 종류로, 근로관계를 규율하여 노동 문제를 해결하고 근로자를 보호하기 위해 만들어진 법이다.

① 단체권, 단체 교섭권, 단체 행동권을 포함한다.
② 근로 기준법, 노동조합 및 노동관계 조정법 등이 있다.
③ 자유주의, 개인주의, 형식적 평등을 추구하는 법 영역이다.
④ 개인 간의 노동 계약에 국가가 개입하여 계약 자유의 원칙을 수정 또는 제한한다.
⑤ 사회법의 한 종류로 근대 자본주의 발전 과정에서 나타난 문제점을 해결하고자 한다.

02 다음 근로 계약서에 대한 옳은 설명만을 〈보기〉에서 고른 것은?

> **근로 계약서**
> 사업주 갑(음식점 사장)과 근로자 을(20세)은 다음과 같이 근로 계약을 체결한다.
> 1. 계약 기간: 2020년 1월 5일부터 2020년 10월 4일까지
> 2. ㉠근로 시간: 9시부터 18시까지
> 3. 근무일: 월~금(유급 휴일 토, 일)
> 4. ㉡임금: 시간당 10,000원
> 5. 업무: □□ 음식점 주차 관리
> ···(생략)···

〈보기〉
ㄱ. ㉠에는 휴게 시간 1시간이 포함되어야 한다.
ㄴ. ㉡에 매월 1회 이상 일정한 날짜에 통화의 형태로 지급한다는 내용이 추가되어야 한다.
ㄷ. 갑과 을이 합의하면 1주 8시간 이내에서만 연장 근로가 가능하다.
ㄹ. 근로 계약서에는 노동조합 가입과 관련한 내용이 반드시 포함되어야 한다.

① ㄱ, ㄴ   ② ㄱ, ㄷ   ③ ㄴ, ㄷ
④ ㄴ, ㄹ   ⑤ ㄷ, ㄹ

03 다음 근로 계약서에 대한 옳은 법적 판단만을 〈보기〉에서 고른 것은? (단, 2020년 최저 임금은 시간당 8,590원이다.)

> **근로 계약서**
> 사업주 갑(공장 사장)과 근로자 을(21세)은 다음과 같이 근로 계약을 체결한다.
> 1. 계약 기간: 2020년 1월 3일부터 2020년 12월 4일까지
> 2. ㉠근로 시간: 9시부터 18시까지
> 3. 근무일: 월~금(유급 휴일 토, 일)
> 4. ㉡임금: 시간당 8,000원
> 5. 업무: □□ 공장 가동
> 6. 기타: 을은 회사 내 노동조합에 가입하지 않으며, 이를 위반하면 해고된다.
> ···(생략)···

〈보기〉
ㄱ. ㉠은 1일에 7시간, 1주일에 35시간을 초과할 수 없다.
ㄴ. ㉡은 사용자가 근로자에게 직접 통화(通貨)로 지급해야 한다.
ㄷ. 근로 계약서에 부당 노동 행위에 해당하는 내용이 있다.
ㄹ. 근로자는 계약서상 명시된 금액보다 많은 임금을 사용자에게 요구할 수 없다.

① ㄱ, ㄴ   ② ㄱ, ㄷ   ③ ㄴ, ㄷ
④ ㄴ, ㄹ   ⑤ ㄷ, ㄹ

04 갑, 을에 대한 옳은 설명만을 〈보기〉에서 고른 것은?

> • 갑이 육아 휴직을 신청하자 회사는 갑을 해고하였다.
> • 을의 회사는 을이 노동조합에 가입했다는 이유만으로 해고하였다.

〈보기〉
ㄱ. 갑은 부당 노동 행위로 인해 근로 3권을 침해당했다.
ㄴ. 갑은 노동 위원회를 거치지 않고 법원에 해고 무효 확인 소송을 제기할 수 있다.
ㄷ. 을 회사의 노동조합은 노동 위원회에 을에 대한 구제 신청을 할 수 없다.
ㄹ. 을이 노동 위원회의 구제 절차를 거친 후 제기한 행정 소송은 3심제가 적용된다.

① ㄱ, ㄴ   ② ㄱ, ㄷ   ③ ㄴ, ㄷ
④ ㄴ, ㄹ   ⑤ ㄷ, ㄹ

05 ㉠~㉤에 대한 옳은 설명만을 〈보기〉에서 고른 것은?

근로자가 사용자의 ㉠부당 노동 행위 때문에 근로 3권을 침해당하거나 ㉡부당 해고를 당한 경우 ㉢지방 노동 위원회에 구제 신청을 할 수 있다. 만약 근로자 또는 사용자가 지방 노동 위원회의 구제 명령이나 기각 결정에 불만이 있을 경우에는 ㉣중앙 노동 위원회에 재심 청구가 가능하며, 결과에 이의가 있을 경우 법원에 중앙 노동 위원회 위원장을 상대로 ㉤소송을 제기할 수 있다.

보기
ㄱ. 노동조합에 가입했다는 이유로 근로자에게 불이익을 주는 행위는 ㉠의 사례에 해당한다.
ㄴ. ㉡의 경우 ㉠과 달리 노동조합은 ㉢에 구제 신청을 할 수 없다.
ㄷ. ㉢과 ㉣을 거쳐야 근로자는 해고 무효 확인 소송을 청구할 수 있다.
ㄹ. ㉤은 3심제가 적용되는 민사 소송으로, 재심 결정 후 15일 이내에 제기할 수 있다.

① ㄱ, ㄴ ② ㄱ, ㄷ ③ ㄴ, ㄷ
④ ㄴ, ㄹ ⑤ ㄷ, ㄹ

06 다음 사례에 대한 옳은 설명만을 〈보기〉에서 고른 것은?

A 회사의 사용자는 노동조합 간부 갑에게 파업을 주도했다는 이유로 급여를 삭감하는 징계 조치를 내렸다. B 회사의 사용자는 직원 을에게 근무 태도가 불량하다는 이유로 해고를 통보하였다. 갑과 을은 회사의 조치가 부당하다고 여겨 다음과 같은 구제 절차를 신청하려고 한다.

지방 노동 위원회 → 중앙 노동 위원회 → 법원

보기
ㄱ. A 회사의 노동조합도 노동 위원회에 갑에 대한 구제 신청을 할 수 있다.
ㄴ. 위의 구제 절차와 별도로 A 회사의 노동조합은 갑에 대한 해고 무효 확인 소송을 제기할 수 있다.
ㄷ. 을은 중앙 노동 위원회를 거쳐야만 법원에 행정 소송을 제기할 수 있다.
ㄹ. 갑과 을은 모두 사용자의 부당 노동 행위로 인한 피해를 구제받고자 한다.

① ㄱ, ㄴ ② ㄱ, ㄷ ③ ㄴ, ㄷ
④ ㄴ, ㄹ ⑤ ㄷ, ㄹ

07 (가)에 들어갈 내용으로 옳은 것은?

미성년자인 청소년은 정신적·신체적으로 성장 단계에 있고, 교육이 우선되어야 하는 시기이므로 성인 근로자와는 달리 특별한 보호를 받는다. 먼저 원칙적으로 15세가 되어야 근로할 수 있다. 또한 성인 근로자와 달리 (가)

① 근로 기준법이 적용된다.
② 최저 임금 제도가 적용된다.
③ 임금을 직접 청구할 수 있다.
④ 근로 계약을 법정 대리인이 체결할 수 있다.
⑤ 도덕상 또는 보건상 유해하거나 위험한 사업에 근무할 수 없다.

기출 변형

08 다음 자료에 대한 설명으로 옳지 않은 것은?

㉠취업 동의서
1. 법정 대리인: A(인적 사항)
2. 연소 근로자: B(인적 사항)
3. 사업장: ○○ 대형 마트(주소)
4. 사용자: C(인적 사항)

본인은 B의 법정 대리인으로서 B가 ○○ 대형 마트에서 아르바이트하는 것에 동의합니다.

2020년 7월 4일
법정 대리인 A(서명)

① A는 B의 근로 계약을 대리하여 체결할 수 없다.
② B는 18세 미만인 자일 것이다.
③ 근로 계약을 체결한 후 B는 A의 동의가 없어도 C에게 임금을 청구할 수 있다.
④ B가 ○○ 대형 마트에서 일하기 위해서는 고용 노동부 장관이 발급한 취직 인허증이 별도로 필요하다.
⑤ C는 ㉠을 사업장에 비치하여야 한다.

Ⅴ. 사회생활과 법

01 형법의 이해

A 형법의 의의와 기능

형법	범죄와 형벌의 관계를 규정한 법
형법의 기능	• 보호적 기능: 법익 보호, 범죄 예방 • 보장적 기능: 국민의 자유와 권리 보장

B 죄형 법정주의의 의미와 내용

죄형 법정주의	• 의미: 범죄와 형벌을 성문의 법률로 미리 규정해 두어야 한다는 원칙 • 의의: 형벌권의 남용을 방지하여 국민의 자유와 권리를 보장 • 형식적 의미: 법률이 없으면 범죄 없고 형벌 없다. • 실질적 의미: 적정한 법률이 없으면 범죄 없고 형벌 없다. • 세부 원칙: 관습 형법 금지의 원칙, 명확성의 원칙, 적정성의 원칙, 소급효 금지의 원칙, 유추 해석 금지의 원칙

C 범죄의 의미와 성립 요건

구성 요건 해당성	법질서 전체 관점에서 행위가 법률에 규정된 구성 요건을 충족해야 함
위법성	• 의미: 구성 요건에 해당하면 법질서를 위반했다는 위법성이 있는 것으로 추정됨 • 위법성 조각 사유: 정당 행위, 정당방위, 긴급 피난, 자구 행위, 피해자의 승낙
책임	• 의미: 행위자에 대한 법적 비난 가능성 • 책임 조각 사유: 14세 미만인 사람의 행위, 심신 장애가 있는 사람의 행위, 강요된 행위

D 형벌과 보안 처분

형벌	• 생명형: 사형 • 자유형: 징역, 금고, 구류 • 명예형: 자격 상실, 자격 정지 • 재산형: 벌금, 과료, 몰수
보안 처분	보호 관찰, 치료 감호, 사회봉사 명령, 수강 명령 등

02 형사 절차와 인권 보장

A 형사 절차의 이해

수사	• 의미: 범인을 발견하고 범죄의 증거를 수집·보전하는 활동 • 수사 개시: 고소, 고발, 긴급 체포, 자수 등 • 수사 대상자: 피의자
공소 제기	• 기소 또는 불기소 처분 • 19세 미만인 소년의 범죄 사건은 가정(지방) 법원 소년부에서 심판을 담당할 수 있음
공판	• 피의자는 피고인 신분이 됨 • 재판부 구성 → 심리 → 선고 • 검사가 피고인의 유죄를 입증해야 함 • 국민 참여 재판
형의 선고와 집행	• 유죄 선고: 실형, 집행 유예, 선고 유예 • 무죄 선고 • 형 선고에 대한 불복: 상소 제도를 통해 상급 법원에 상소 • 형의 집행과 가석방 제도

B 형사 절차에서의 인권 보장을 위한 원칙과 제도

형사 절차에서의 인권 보장 원칙	• 적법 절차의 원칙 • 무죄 추정의 원칙 • 진술 거부권 • 변호인의 조력을 받을 권리
수사·재판 절차에서의 인권 보장 제도	• 구속 전 피의자 심문 제도(구속 영장 실질 심사 제도) • 구속 적부 심사 제도 • 보석 제도

C 범죄 피해자 보호와 형사 구제 제도

범죄 피해자 보호	• 범죄 피해자 구조 제도 • 배상 명령 제도
형사 피의자 및 피고인 보호	• 형사 보상 제도 • 명예 회복 제도

03 근로자의 권리 보호

기억나는
키워드나 핵심 적어보기

A 노동법과 근로자의 권리

사회법의 등장	• 등장 배경: 자본주의의 문제점 해결 • 국가가 사적인 영역에 공적 규제를 가함 • 노동법, 경제법, 사회 보장법
대표적인 노동법	• 근로 기준법 • 최저 임금법 • 노동조합 및 노동관계 조정법
개인인 근로자의 권리	• 근로 계약 체결: 서면으로 작성 및 교부, 근로 기준법 기준에 미달 시 해당 부분만 무효 • 임금: 통화로 매월 1회 이상 일정한 날짜에 직접 근로자에게 전액을 지급 • 최저 임금액 이상 지급 • 근로 시간: 1일 8시간, 1주 40시간 • 연장 근로: 1주일 12시간 이내 • 휴게 시간: 근로 시간이 4시간인 경우 30분 이상, 8시간인 경우 1시간 이상
단체로서 근로자의 권리	• 단결권 • 단체 교섭권 • 단체 행동권

B 근로자의 권리 침해와 구제

부당 해고	• 정당한 해고의 요건을 모두 갖추지 못한 경우 • 노동 위원회 → 행정 소송 등을 통해 구제 • 해고 무효 확인 소송(민사 소송)
부당 노동 행위	• 근로 3권의 행사를 방해하는 사용자의 행위 • 노동 위원회 → 행정 소송 등을 통해 구제 • 노동조합도 구제 신청 가능

C 청소년 근로자의 권리 보호

근로 조건	• 15세 이상인 자가 부모의 동의를 얻어 본인이 직접 근로 계약 체결 • 가족 관계 증명서와 동의서를 사업장에 비치해야 함 • 최저 임금 제도의 적용을 받음 • 독자적으로 임금 청구 가능
근로 시간	• 1일 7시간, 1주일 35시간을 초과하지 못함 • 1일 1시간, 1주 5시간 이내로 연장 가능

자, 핵심 키워드도 모았으니, 문제 풀러 가자!

01 ⊙~ⓒ에 대한 옳은 설명만을 〈보기〉에서 고른 것은?

> 수업 주제: 죄형 법정주의의 세부 내용
> (1) ⊙명확성의 원칙
> (2) ⓛ소급효 금지의 원칙
> (3)   ⓒ
> (4) 관습 형법 금지의 원칙
> (5) 적정성의 원칙

보기
ㄱ. ⊙은 범죄와 달리 형벌의 내용이 명확하게 규정되어야 함을 강조한다.
ㄴ. ⓛ은 행위자에게 유리한 경우에도 예외 없이 적용된다.
ㄷ. ⓒ은 행위자에게 유리한 경우에는 적용에 예외가 허용된다.
ㄹ. ⊙~ⓒ은 모두 형법의 보장적 기능을 수행한다.

① ㄱ, ㄴ   ② ㄱ, ㄷ   ③ ㄴ, ㄷ
④ ㄴ, ㄹ   ⑤ ㄷ, ㄹ

02 (가)~(다)에 해당하는 사례로 옳은 것은?

① (가): 길을 가던 중 멧돼지가 갑자기 달려들자 이를 피할 방법이 없어 남의 집으로 뛰어든 경우
② (나): 자신을 향해 돌진하던 자동차를 피하려다 가게의 유리창을 파손한 경우
③ (나): 재판에서 위증하지 않으면 납치된 아들을 죽이겠다는 협박을 받은 사람이 위증한 경우
④ (다): 은행 앞에서 여자를 폭행하고 가방을 탈취하려는 남자를 때려 경미한 상처를 입힌 경우
⑤ (다): 만 14세의 학생이 다른 사람의 물건을 훔친 행위

03 자료에 대한 옳은 설명만을 〈보기〉에서 고른 것은?

> (가) 사람의 신체를 상해한 자는 7년 이하의 ⊙징역, 10년 이하의 자격 정지 또는 1천만 원 이하의 벌금에 처한다.
> (나) 사람의 신체에 대하여 폭행을 가한 자는 …(중략)… 500만 원 이하의 벌금, 구류 또는 ⓛ과료에 처한다.
> (다) 직무를 집행하는 공무원에 대하여 폭행 또는 협박한 자는 5년 이하의 징역 또는 1천만 원 이하의 벌금에 처한다.

보기
ㄱ. ⊙은 금고와 달리 30일 이상 구금한다.
ㄴ. ⓛ은 보안 처분이다.
ㄷ. (가)~(다)에는 모두 자유형이 나타난다.
ㄹ. (가)에서는 (나), (다)와 달리 명예형이 나타난다.

① ㄱ, ㄴ   ② ㄱ, ㄷ   ③ ㄴ, ㄷ
④ ㄴ, ㄹ   ⑤ ㄷ, ㄹ

04 A, B에 대한 설명으로 옳은 것은?

> 보호 관찰은 형벌이 아니라 [A]이므로, 과거의 불법에 대한 책임에 기초하고 있는 제재가 아니라 장래의 위험성으로부터 행위자를 보호하고 사회를 방위하기 위한 합목적인 조치이다. 따라서 그에 관하여 반드시 행위 이전에 규정되어 있어야 하는 것은 아니며, 재판 시의 규정에 의하여 보호 관찰을 받을 것을 명할 수 있다고 보아야 할 것이고, 이와 같은 해석이 죄형 법정주의의 [B]의 원칙에 위배되는 것이라고 볼 수 없다.

① A의 종류에는 치료 감호, 수강 명령, 과료 등이 있다.
② A는 심신 장애로 인해 무죄 판결을 선고받은 자에게 부과할 수 있다.
③ A는 행정 단속 법규의 위반 행위 등에 대하여 부과하는 행정 질서벌이다.
④ B는 범죄로 규정되는 행위와 이에 대한 형벌 간에 적정한 균형이 이루어져야 한다는 원칙이다
⑤ B는 법률에 규정이 없는 사항에 유사한 내용을 가지는 법률을 적용해서는 안 된다는 원칙이다.

05 (가), (나)에 대한 설명으로 옳은 것은?

> (가) 형의 선고 자체를 미루어 두었다가 일정 기간 무사히 경과하면 면소(免訴)된 것으로 간주하는 제도이다.
>
> (나) 실형을 선고하면서 일정 기간 그 형의 집행을 유예하였다가, 그 기간에 다른 범행 없이 지나면 형의 선고를 실효시키는 제도이다.

① (가)는 검사가 선고한다.
② (나)의 유예 기간 중에는 교도소에서 정역(定役)을 부과받게 된다.
③ 불기소 처분 시 (가)와 (나)를 부과할 수 있다.
④ (나)와 달리 (가)의 유예 기간은 일률적으로 정해져 있다.
⑤ (가)와 (나)의 유예 기간이 지나면 피고인은 형사 보상을 청구할 수 있다.

06 밑줄 친 ㉠에 대한 설명으로 옳은 것은?

> 저(을)는 갑에게 사기를 당해 금전적 손실을 입었으며 갑은 그 사건으로 현재 재판 중에 있습니다. 저는 손해 배상에 대응하여 갑을 상대로 민사 소송을 제기할 형편이 안 되는데 어떤 절차를 이용할 수 있는지요?
>
> ㉠ 제도를 이용하시면 됩니다.

① 국가로부터 피해 구조금을 지원받는 제도이다.
② 갑을 기소한 검사가 속한 검찰청에 형사 보상을 청구하는 제도이다.
③ 갑의 재판에서 을이 직접 갑의 재산을 몰수할 수 있도록 하는 제도이다.
④ 본인의 무고함을 법무부 인터넷 누리집에 게재하여 명예를 회복시켜주는 제도이다.
⑤ 을의 신청이 없어도 갑의 재판을 담당하는 법원이 직권으로 피해 배상을 명령할 수 있는 제도이다.

07 다음은 형사 소송의 절차를 도식화한 것이다. 이에 대한 옳은 설명만을 〈보기〉에서 고른 것은?

(가) → 공소 제기 → (나) → 형의 확정 → (다)

> 〈보기〉
>
> ㄱ. (가) 단계에서 피의자는 구속 적부 심사를 청구할 수 있다.
> ㄴ. (다) 단계에서 법원은 수형자에게 보석을 허가할 수 있다.
> ㄷ. (가) 단계의 피의자와 (나) 단계의 피고인에게 진술 거부권을 고지하는 주체는 다르다.
> ㄹ. (가) 단계와 달리 (나) 단계에서는 피고인에게 변호인의 조력을 받을 권리가 인정된다.

① ㄱ, ㄴ ② ㄱ, ㄷ ③ ㄴ, ㄷ
④ ㄴ, ㄹ ⑤ ㄷ, ㄹ

08 다음 사례에 대한 법적 분석 및 추론으로 옳은 것은?

> 가족들이 자신을 무시한다는 생각에 화를 이기지 못한 갑은 자신의 집 베란다에 불붙은 휴지 뭉치를 집어 던졌다. 아내는 갑이 던진 불씨를 바로 발로 밟아 껐고 아내의 신고로 갑은 구속 수사 절차를 거쳐 국민 참여 재판을 받게 되었다. ○○법원은 배심원들의 만장일치 평결을 그대로 받아들여 징역 9개월, 집행 유예 2년, 보호 관찰 1년을 선고했다.

① 갑은 판결 선고 직후 석방된다.
② ○○법원의 판결에 검사는 상고할 수 있다.
③ 아내의 행동은 위법성 조각 사유 중 긴급 피난에 해당한다.
④ 갑의 의사에 반하더라도 갑의 재판에 배심원이 참여할 수 있다.
⑤ 배심원들이 만장일치로 결정을 내리면 법원은 이와 반대되는 판결을 선고할 수 없다.

09 다음 자료에 대한 옳은 설명만을 〈보기〉에서 고른 것은?

(가) 근로자들이 자주적으로 노동조합을 조직·운영할 수 있는 권리
(나) 노동조합이 근로 조건의 유지 및 개선에 관하여 사용자와 교섭할 수 있는 권리
(다) 단체 교섭의 실효성 확보를 위해 ㉠쟁의 행위 등의 단체 행동을 할 수 있는 권리

〈보기〉
ㄱ. 사용자에게도 (가)가 인정된다.
ㄴ. 노동조합이 정치적 목적 또는 경영에 관여할 것을 목적으로 (나)를 행사하는 것은 허용된다.
ㄷ. 파업, 태업은 근로자의 (다) 행사 방식에 해당하고, 근로자가 ㉠을 하면 이에 대응하여 사용자는 직장폐쇄를 할 수 있다.
ㄹ. 근로자의 정당한 ㉠에 대해서는 민형사상 책임이 면제된다.

① ㄱ, ㄴ   ② ㄱ, ㄷ   ③ ㄴ, ㄷ
④ ㄴ, ㄹ   ⑤ ㄷ, ㄹ

10 다음 자료에 대한 옳은 설명만을 〈보기〉에서 있는 대로 고른 것은?

구제 명령
○○ ㉠노동 위원회
1. ＿(가)＿ 은/는 「노동조합 및 노동관계 조정법」 제81조의 부당 노동 행위임을 인정한다.
2. 사용자 갑은 재발 방지를 약속하는 공고문을 ㉡회사 내 게시판에 게시하도록 한다.
                                        20○○. ○○. ○○.
                                        …(중략)…

〈보기〉
ㄱ. 갑은 이 결정에 불복하여 행정 소송을 제기할 수 있다.
ㄴ. ㉠은 피해 당사자에 대한 해고의 무효를 확인하였다.
ㄷ. ㉡ 내 노동조합도 (가) 발생 시 ㉠에 구제를 신청할 수 있다.
ㄹ. 근로자의 노동조합 가입, 조직, 활동 등을 이유로 근로자를 해고하거나 근로자에게 불이익을 주는 행위는 (가)에 해당한다.

① ㄱ, ㄴ   ② ㄱ, ㄹ   ③ ㄴ, ㄷ
④ ㄱ, ㄷ, ㄹ   ⑤ ㄴ, ㄷ, ㄹ

11 다음 사례에 대한 법적 판단으로 옳은 것은?

난폭 운전을 일삼는 운전기사 갑을 해고한 버스 회사는 노동 위원회에서 갑의 해고에 대해 정당성 유무를 다툰 후 중앙 노동 위원회의 장을 상대로 소송을 제기하였다. 이후 재판이 진행되어 서울 고등 법원에서는 원심과 같은 원고 승소 판결을 하였다.

① 버스 회사 측은 민사 소송을 제기하였다.
② 사용자의 부당 노동 행위 여부가 재판의 쟁점이 되었다.
③ 고등 법원의 판결로 갑에 대한 모든 구제 절차는 종료된다.
④ 해고 처분의 정당성에 대해 중앙 노동 위원회와 재판부는 다르게 판단하였다.
⑤ 노동 위원회의 구제 절차를 거쳐야만 갑은 해고 무효 확인 소송을 청구할 수 있다.

12 다음 자료에 대한 설명으로 옳은 것은?

근로 계약서
사업주 갑(○○ 마트 사장)과 근로자 을(근로자, 17세)은 다음과 같이 근로 계약을 체결하고 이를 성실히 이행할 것을 약정한다.
1. 근로 계약 기간: 2020. 1. 31. ~ 2020. 12. 31.
2. 근무 장소: ○○ 마트
3. 업무 내용: 갑이 지시하는 사항
4. 근로 시간: 매일 오후 1시부터 오후 9시까지(휴게 시간 1시간 포함)
5. 근무일 / 휴일: 월~일요일 / 회사 창립일
6. 임금: 월(일, 시간)급: 10,000원(매월 말일 을의 급여 통장으로 지급)

① 을의 근무일은 근로 기준법을 준수하였다.
② 을의 1일 근로 시간은 근로 기준법에서 정한 근로 시간을 초과하였다.
③ 임금 지급 방법은 근로 기준법을 준수하였다.
④ 을의 법정 대리인은 근로 계약을 대신 체결할 수 있다.
⑤ 근로 계약서의 업무 내용 부분은 근로 기준법을 준수하였다.

13 다음 자료를 읽고 물음에 답하시오.

(가) 갑은 음식점에서 식사를 마친 후 자신의 우산인 줄 착각하고 남의 우산을 들고 집으로 가져갔다.
(나) 을은 길을 가던 중 저절로 목줄이 풀린 이웃집 개가 사납게 달려와 자신의 허벅지를 물려고 하자, 놀란 나머지 개를 걷어차 상처를 입혔다
(다) 심신 장애로 변별력이 없는 상태의 병이 남의 집에 방화를 하였다.

(1) (가)~(다) 중 범죄가 성립하지 않는 사례를 있는 대로 쓰시오. ( )

(2) (1)과 같이 답한 이유를 범죄의 성립 요건을 근거로 들어 서술하시오.

14 다음 자료를 읽고 물음에 답하시오.

· 질문: 국민 참여 재판의 특징에 대해 서술하시오.
· 답안
(가) 검사의 신청으로 개시된다.
(나) 민사 재판에서도 활용된다.
(다) 대한민국 국민은 누구나 배심원이 될 수 있다.
(라) 판사는 배심원의 평결과 다르게 판결할 수 있다.

(1) (가)~(라) 중 옳은 진술만을 쓰시오. ( )

(2) (가)~(라) 중 틀린 진술만을 골라 바르게 고쳐 쓰시오.

15 다음 자료를 읽고 물음에 답하시오.

· 갑(17세)은 같은 학교 친구를 폭행하여 전치 4주의 상해를 입혔다.
· 을(12세)은 주차장에서 차 위에 올라 장난을 치다 차량의 엔진을 파손하였다.
· 병(9세)은 아파트 옥상에서 장난으로 돌을 던져 행인을 다치게 하였다.

(1) 갑~병 중 형벌을 받을 수 있는 사람만을 쓰시오. ( )

(2) 갑~병에 대한 형사 절차의 차이점을 서술하시오.

16 다음 자료를 읽고 물음에 답하시오.

청소년은 성인과 같은 최저 임금이 적용되며, 동등한 지위에서 계약을 체결하고 근로 기준법의 적용을 받는다. 하지만 청소년은 성인 근로자와 달리 미성년자로 정신적·신체적으로 성장 단계에 있고, 교육이 우선되어야 하는 시기에 있다. 이에 청소년의 근로 시간은 1일에 (㉠)시간, 1주일에 (㉡)시간을 초과하지 못하며, 당사자 사이의 합의에 따라 1일에 (㉢)시간, 1주일에 (㉣)시간을 한도로 연장할 수 있다. 또한 청소년의 근로는 성인과 달리 [(가)]와/과 같은 특별한 보호를 받는다.

(1) ㉠~㉣에 들어갈 알맞은 숫자를 쓰시오. ( )

(2) (가)에 들어갈 내용을 <u>두 가지</u> 이상 서술하시오.

VI

국제 관계와 한반도

배울 내용 한눈에 보기

01 국제 관계와 국제법

국제 관계와 국제법

- 국제 관계의 변화 과정
- 국제 관계를 보는 관점
  - 현실주의적 관점
  - 자유주의적 관점
- 국제법의 법원
  - 조약
  - 국제 관습법
  - 법의 일반 원칙

02 국제 문제와 국제기구, 우리나라의 국제 관계

국제 관계

- 국제 문제
  - 국가 안보와 평화 문제
  - 경제 문제
  - 환경 문제
  - 인권 문제
- 국제 연합의 주요 기관
  - 총회
  - 안전 보장 이사회
  - 국제 사법 재판소
- 우리나라의 국제 관계와 외교 정책

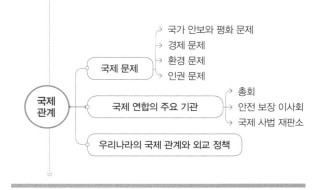

01 국제 관계와 국제법

❶ 국제 사회의 무정부성
국내 사회에는 강제력을 지닌 정부가 국민 간의 다툼을 해결하고 법과 질서를 유지한다. 하지만 국제 사회에는 국제 문제나 분쟁을 조정하고 해결할 수 있는 세계 정부는 존재하지 않는다. 국제기구가 국가 간의 다툼을 해결하고 법과 질서를 유지하고자 노력하지만 한계가 있다.

❷ 베스트팔렌 조약
중세 유럽 사회는 교황이 지배하는 종교 공동체에 가까웠으므로 왕과 영주들이 독립적으로 정치적 의사를 결정하기 어려웠다. 그러나 종교 문제로 일어난 30년 전쟁을 종결하기 위하여 유럽 각국이 맺은 베스트팔렌 조약(1648)을 계기로 종교에 대한 국가의 우위와 주권 국가 중심의 국제 질서가 형성되었다.

❸ 세계화와 국제 관계의 변화
세계화 현상이 나타나면서 국내 정치와 국제 정치의 구별이 약화되고 양자가 매우 긴밀하게 연결되고 있다. 이 과정에서 국제 관계는 국제법과 국제기구 등의 영향을 받고 있다. 최근 국제 관계는 과거에 비해 국제법을 통한 규율이 급격히 증대하였으며, 여러 국제기구가 설립되어 새로운 질서를 형성해 가고 있다.

A 국제 관계의 변화

1. 국제 관계의 의미와 특징

(1) **국제 관계**: 국가, 국제기구, 다국적 기업 등과 같은 행위 주체가 정치, 경제, 문화 등의 영역에서 서로 교류하고 의존하며 만드는 관계

(2) **국제 관계의 특징**
① 국가를 기본 단위로 구성 → 원칙적으로 평등한 주권을 가짐
② 세계 정부가 존재하지 않음 → 국가 간 갈등이나 분쟁을 해결하기가 쉽지 않음
③ 힘의 논리와 규범이 공존 → 자국의 이익을 추구하면서도 협력하기도 함

2. 국제 관계의 변천 과정 [자료1]

베스트팔렌 조약(1648년)	• 종교에 대한 국가의 우위 확립 • 주권 국가 중심의 국제 질서 형성
제국주의 시대 (19세기 후반)	유럽 열강의 식민지 확보 경쟁 → 유럽의 주권 국가 체제가 전 세계로 확산
국제 연맹 창설(1920년)	제1차 세계 대전 이후 세계 평화 유지를 위하여 설립
국제 연합 창설(1945년)	제2차 세계 대전 이후 전쟁 방지와 국제 평화를 위하여 설립
냉전 체제의 형성 (1940년대 중반 이후)	• 미국 중심의 자유 진영과 구소련 중심의 공산 진영으로 대립 • 트루먼 독트린(1947), 북대서양 조약 기구, 바르샤바 조약 기구 등
냉전 체제의 완화와 종식 (1970년대~1990년대)	• 제3 세계 등장, 닉슨 독트린(1969), 공산 진영의 중국과 소련의 분쟁으로 냉전이 완화됨 _{또 미국이 베트남 전쟁을 계기로 아시아 지역에 대한 군사적 개입 제한을 선언한 것} • 몰타 선언(1989), 독일 통일(1990), 구소련의 해체(1991) 등으로 냉전이 종식됨 _{또 냉전 체제에서 자유 진영과 공산 진영 어디에도 속하지 않고 비동맹 중립 노선을 지켰던 국가들}
오늘날의 국제 관계	• 이념 대립에서 벗어나 경제적 실리를 추구하는 경향 • 민족, 종교, 영토, 자원 등 다양한 이유로 분쟁이 발생

예 이스라엘과 팔레스타인 분쟁은 민족, 종교, 영토, 자원이 복합된 분쟁이라고 볼 수 있음. 미국과 중국 간의 무역 분쟁은 새로운 형태의 국제적 경제 분쟁임

3. 국제 관계를 보는 관점 [자료2]

현실주의적 관점	자유주의적 관점
• 국제 사회는 자국의 이익을 추구하는 무정부 상태임 • 개별 국가는 스스로의 힘으로 자국의 안보와 이익을 지켜야 함 • 세력 균형 전략으로 국가의 안전 보장	• 국가는 이성적 판단이 가능함을 전제함 • 국제법이나 국제기구의 중요성 강조 • 집단 안보 전략을 통해 국제 사회의 평화 보장

또 외부 세력이 침략 의도를 갖지 못하도록 힘의 균형이 존재해야 국가 안보가 가능하다는 입장이으로 군사력 증강을 중시하는 전략

또 국제 규범을 집행할 국제기구를 두고 공동으로 침략국을 응징하여 국제 평화를 실현할 수 있다는 전략

4. 세계화 현상 [자료3]

(1) **세계화**: 개별 국가의 경계를 넘어 세계가 하나로 통합되는 현상
왜 세계 여러 국가가 정치, 경제, 사회, 문화 등 다양한 분야에서 서로 영향을 주고받기 때문임
(2) **세계화의 영향**
① 국내 문제와 국제 문제의 경계 약화에 따른 국가 간 협력 강화
② 국가 이외에 다양한 국제 사회 행위 주체들의 활동과 영향력 증가
③ 국제법과 같은 국제 규범의 역할 증가 _{예 정부 간 국제기구, 국제 비정부 기구, 다국적 기업 등}

자료1 국제 관계의 변화

(가) 소련은 제2차 세계 대전 후 터키와 그리스 내 공산주의 세력을 지원하였다. 이에 미국의 트루먼 대통령은 1947년 의회 연설에서 소련의 팽창 전략에 맞서기 위해 자유 진영의 국가들을 지원해야 한다는 내용의 「트루먼 독트린」을 발표하였다.
　　냉전 체제의 시작

(나) 1989년 몰타 회담을 통해 미국과 소련의 두 정상은 군비 축소 협정 논의에 진전을 보았으며 동유럽 국가들의 시장 경제 체제 도입에 간섭하지 않는다는 원칙에 합의하였다.
　　냉전 체제의 종식
또 미국은 소련에 대한 광범위한 경제 지원을 약속하였다.

| 자료 분석 | (가)처럼 국제 사회는 제2차 세계 대전이 끝나면서 미국과 소련을 중심으로 한 자본주의와 공산주의 진영의 이념 대립으로 냉전을 맞이하게 되었다. 이후 다극 체제로 변화하면서 냉전이 완화되다가 (나)처럼 1989년 미국과 소련의 두 정상이 몰타에서 만나 냉전을 종식하기로 합의하였다.

한줄 핵심 ▶ 1947년 트루먼 독트린은 냉전의 시작을, 1989년 몰타 회담은 냉전의 종식을 의미한다.

❶ 1947년 미국은 공산화 위협에 직면한 나라에 대한 경제적·군사적 원조를 내용으로 하는 □□□ □□□을/를 발표함으로써 냉전 체제가 시작되었다.
(　　　　　)

❷ 1989년 □□ □□을/를 통해 미국과 소련이 군비 축소 협정에 합의하면서 냉전이 사실상 종식되었다.
(　　　　　)

자료2 국제 관계를 보는 관점

　홉스의 인간관계에 기초함

(가) — 현실주의적 관점	(나) — 자유주의적 관점
인간은 기본적으로 이기적이고, 인간이 모여 만든 국가 역시 자국의 이익을 추구한다. 국제 사회는 주권 국가들이 자국의 이익을 경쟁적으로 추구하는 무대에 불과하므로 무정부 상태라고 할 수 있다. 이러한 상황에서 세계 평화를 실현하려면 국제 사회의 여러 세력 간에 힘의 균형이 이루어지는 '세력 균형' 전략이 필요하다.	인간은 이성적인 존재이므로 이기적 욕망을 제어하고 공동의 이익을 추구할 수 있다. 따라서 국제법이 강화되고 각국 간의 교류가 활발해지면 국가 간 협력이 가능하다. 또한 국제 사회가 평화를 실현하기 위해서는 어느 한 국가가 공격을 받을 때 국제 사회가 이에 함께 저항하는 '집단 안보' 체제가 필요하다.

| 자료 분석 | (가)는 국제 관계를 보는 현실주의적 관점, (나)는 자유주의적 관점이다. 현실주의적 관점은 국제 관계를 힘의 논리로 설명하고, 자유주의적 관점은 국가를 이성적 판단이 가능한 존재로 본다.

한줄 핵심 ▶ 현실주의적 관점은 세력 균형 전략을, 자유주의적 관점은 집단 안보 체제를 통해 국제 평화가 유지된다고 본다.

❸ (가)의 관점은 국제 사회를 각국이 자국의 이익을 경쟁적으로 추구하는 무정부 상태로 보는 □□□□□ 관점이다.
(　　　　　)

❹ (나)의 관점은 집단 안보 체제를 통해 국제 평화의 보장이 가능하다고 보는 □□□□□ 관점이다.
(　　　　　)

자료3 세계화로 나타난 국제 변화

　경제적 협력 증대　　　　　　　　　　　　한 국가가 해결하기 어려운 국제 문제

우리나라 반도체 회사의 미국 진출
우리나라의 ○○반도체 회사가 미국 △△사의 전기 자동차에 차량용 반도체를 공급하기로 하였다.

세계 인권 도시 포럼 개회식
인권 의식이 전 세계에 걸쳐 확산하고 있으며, 국제 행위 주체의 활동과 역할이 증가하고 있다.

국제 문제로 등장한 유럽 난민 사태
국가 간 빈부 격차가 확대되면서 저개발국의 난민들이 유럽 등으로 유입되고 있다.

한줄 핵심 ▶ 세계화로 국제 관계가 더욱 밀접하고 복잡해지고 있다.

❺ □□□(으)로 국가들은 경제적·정치적·사회적으로 밀접해지고 있다.
(　　　　　)

정답 ❶ 트루먼 독트린 ❷ 몰타 회담 ❸ 현실주의적 ❹ 자유주의적 ❺ 세계화

④ 조약, 협약, 협정

조약	명칭과 관계없이 국제법 주체들이 법적 구속력을 갖도록 체결한 모든 국제적 합의
협약	• 여러 국제법 주체들이 공통의 행위 규칙을 마련하기 위해 체결하는 다자간 조약에 주로 쓰임 • 예 식량 원조 협약
협정	• 주로 행정권에 관한 사항으로 전문적인 주제를 다루는 경우 주로 쓰임 • 예 대한민국 정부와 이란 이슬람 공화국 정부 간의 해상 운송에 관한 협정

⑤ 외교관의 특권과 면제

외교관에 대하여 접수국에서 인정하는 일정한 특권과 면제를 가리킨다. 대표적으로 외교 공관에 대한 불가침 및 외교관의 불체포 특권, 외교관에 대한 형사 재판 관할권 면제, 일부 사건을 제외한 민사 및 행정 재판 관할권 면제, 일부 경우를 제외한 조세의 면제 등이 있다.

B 국제법의 이해

1. 국제법의 의미와 의의

(1) **국제법**: 국제 사회를 규율하는 법

(2) **국제법의 의의**

① **분쟁 해결 수단 제공**: 국제 분쟁을 겪는 당사자에게 유용한 분쟁 해결 수단을 제공함

② **국제 사회의 협력 유도**: 전 지구적 문제를 해결하는 데 필요한 공동의 행위 기준을 세우고 국제 사회의 협력을 유도함

③ **행동 규범과 판단 기준 제시**: 서로 다른 법과 문화를 지닌 행위 주체들의 공통 규범을 제시하여 세계 시민의 일상생활에 편리함을 제공하고 권리를 보호함 자료4

2. 국제법의 법원(法源) 뜻 법을 생기게 하는 근거 또는 존재 형식. 법관이 재판 기준으로 적용하는 법 규범의 존재 형식으로 크게 성문법과 불문법으로 구분함

조약	• 의미: 국가 간, 국제기구와 국가 간, 국제기구 간에 체결하는 법적 구속력을 가진 약속 • 의의: 원칙적으로 조약을 체결한 당사국 간에만 구속력을 지님 • 종류: 양자 조약(당사국이 둘인 경우), 다자 조약(당사국이 셋 이상인 경우) • 사례: 한미 상호 방위 조약, 한중 어업 협정, 교토 의정서 등
국제 관습법	• 의미: 국제 사회의 반복적인 관행이 법 규범으로 승인되어 효력을 가지게 된 규범 • 의의: 별도의 체결 절차 없이도 국제 사회의 다른 국가에 법적 구속력이 발생함(포괄적 구속력) ┌ 국제 관습법의 상당 부분이 조약으로 바뀌고 있음. 외교관 면책 특권은 외교관에 관한 비엔나 협약으로, 전쟁 포로에 관한 인도적 대우는 제네바 협약으로 바뀜. • 사례: 외교관의 특권과 면제, 전쟁 포로에 대한 인도적 대우, 국내 문제 불간섭의 원칙 등
법의 일반 원칙	• 의미: 문명국들이 공통적으로 승인하여 따르는 국내법에 수용된 법의 보편적인 원칙 • 의의: 국제 분쟁 발생 시 조약이나 국제 관습법이 없을 때 재판의 준거로 활용됨 • 사례: 신의 성실의 원칙, 권리 남용 금지의 원칙, 불법 행위에 대한 손해 배상 책임의 원칙 등

└ 뜻 겉으로 보기에는 권리 행사처럼 보이지만 실제로는 공공의 복리에 반하므로 정당한 권리 행사로 볼 수 없는 경우 그에 따른 법률 효과도 발생하지 않는다는 원칙

3. 우리나라에서 국내법과 국제법의 관계 자료5

(1) **국제법의 지위**: 법의 상호 관계에서 헌법이 국제법보다 상위의 지위를 가지는 것으로 봄

(2) **국제법의 효력**: 헌법에 의해 체결·공포된 조약과 일반적으로 승인된 국제 법규는 국내법과 같은 효력을 지님 ┌ 국내법은 조례보다 상위의 법이므로 조약에 어긋나는 조례 규정은 무효임

(3) **국제법의 국내법으로의 수용** ┌ 뜻 국가 원수와 같은 조약 체결권자가 조약에 대하여 최종적으로 확인하여 동의하는 행위

① **조약**: 대통령의 체결 및 비준, 헌법에 규정된 조약은 국회의 동의를 거쳐 국내법으로 수용

② **국제 관습법**: 별도의 절차 없이 국내법으로 수용

4. 국제법의 한계 자료6

(1) **고유한 입법 기구의 부재**: 고유한 입법 기구가 없어 국제 사회의 모든 국가에 적용할 수 있는 국제법을 제정하기가 어려움

(2) **재판 규범으로서의 한계**: 강제적인 법 집행 기구나 집행 수단이 없어 위반국에 대한 제재가 어려움

교과서 자료 모아 보기

자료4 국제법의 기능

(가)	(나)	(다)
길이, 부피, 무게 따위를 표시하는 국제적인 기준은 미터 협약에 따라 마련되었다.	각국의 전자 제품은 국제 표준화 기구(ISO)에서 정한 표준 규격에 따라 생산된다.	아포스티유 협약으로 외국 공문서에 요구되는 별도의 인증 절차가 간소화되었다.

1m의 길이는 어디서나 같아.

우리나라에서 가져온 USB를 미국에서도 사용할 수 있어.

인도에 있는 대학교에서 받은 성적 증명서가 우리나라에서도 인정되네.

| 자료 분석 | (가)는 미터 협약에 따라 국제적으로 길이 기준이 동일함을, (나)는 각국의 전자 제품이 국제 표준에 따라 생산됨을, (다)는 외국 공문서가 국내에서도 인증됨을 보여준다.

한줄 핵심 국제법은 국제적인 기준을 표준화하여 사람들의 일상생활을 보다 편리하게 한다.

❻ 국제법은 국제적인 기준을 □□□함으로써 사람들의 일상생활을 편안하게 하고 있다.
( )

자료5 국내법과 국제법의 관계

대한민국 헌법 제6조 제1항은 "헌법에 의하여 체결·공포된 조약과 일반적으로 승인된 국제 법규는 국내법과 같은 효력을 가진다."고 규정하고 있다. 우리나라뿐 아니라 대부분의 국가에서 국회의 동의를 얻어 체결된 조약은 일반적으로 국내법과 같은 지위를 가진다. 반면 유럽 국가들 중에는 국제법에 더욱 특별한 의의를 부여하는 국가들도 있다. 네덜란드 헌법은 조약을 국내법보다 우월한 효력을 가진 것으로 인정하며, 심지어는 헌법과 모순되는 조약이라도 의회에서 3분의 2 이상의 동의를 받는다면 헌법보다 우월한 효력을 갖는 것으로 인정한다. 룩셈부르크 또한 조약이 국내법과 헌법보다 우월한 효력을 가짐을 인정한다.

└─ 국제법은 국내법과 동일한 효력을 가짐

| 자료 분석 | 우리나라에서 국제법은 헌법보다 하위인 법률과 동등한 효력을 가진다. 따라서 헌법에 위배되는 그 조약은 위헌 법률 심판의 대상이 된다. 그러나 일부 국가에서 조약은 헌법보다 우월한 효력을 가지므로 위헌 법률 심판 대상이 되지 않는다.

한줄 핵심 우리나라에서 국제법은 국내법과 동등한 효력을 가진다.

❼ 우리나라에서 헌법에 의하여 체결·공포된 조약과 일반적으로 승인된 국제 법규는 □□□와/과 같은 효력을 가진다.
( )

자료6 국제법의 한계

대인 지뢰 금지 협약은 2014년 현재 162개국이 가입되어 있고, 많은 국제법 가운데 모범적으로 실천되고 있는 사례로 꼽힌다. 그런데도 대인 지뢰 금지 조약에 미국, 러시아, 중국, 인도 등이 참여하지 않고 있는 이유는 대인 지뢰를 적국의 침략을 막는 효과적인 수단이라고 보기 때문이다. 대인 지뢰로 인한 피해의 심각성을 인정하지만, 전쟁을 방지하기 위해서는 대인 지뢰의 사용이 불가피하다는 주장이다.

| 자료 분석 | 대인 지뢰 금지 협약은 인류의 평화를 위해 바람직한 국제법이지만, 주요 강대국들은 참여하지 않고 있다. 자국의 이익을 추구하는 경향이 강하기 때문이다. 이처럼 국제법은 강대국의 영향력에 따라 불평등한 내용이 되거나 국제 사회에서 무시되기도 하며, 국제법을 위반한다고 해서 어떤 제재를 가할 수단이 없다는 한계가 있다.

한줄 핵심 국제법은 강제력을 가진 사법 기관이 없어 위반 국가에 제재를 가하기 어렵다.

❽ 국제법은 강제력을 가진 □□ □□이/가 없어 위반 국가에 제재를 가하기 어렵다.
( )

❽ 사법 기관
❼ 국내법 ❻ 표준화 정답

국제법의 법원(法源)

수능풀 Guide 국제법의 법원인 조약, 국제 관습법, 법의 일반 원칙의 특징을 자료를 중심으로 파악해 보자.

1 국제법의 법원 관련 문제 ▶ 207쪽 08번

지난 시간에 배운 국제법의 법원 A, B, C에 대해서 설명해 볼까요?

법의 일반 원칙
A, B와 달리 C는 국가 간에 체결한 합의로 성립됩니다. 조약

국제 관습법
A는 반복적 관행이 국제 사회에서 법 규범으로 승인되어 효력을 가지게 된 것입니다.

✎ PLUS분석 A는 국제 관습법, B는 법의 일반 원칙, C는 조약으로 국제법의 성립 근거이자 존재 형식이다.

∵ 기출 선택지로 확인하기

❶ A는 당사국 간의 명시적 수용 절차를 거치지 않아도 법적 구속력이 발생한다. ○ ✕

❷ B의 예로는 신의 성실의 원칙과 권리 남용 금지의 원칙이 있다. ○ ✕

2 조약의 특징

교사: 국제법의 법원 중 A에 대해 발표해 볼까요?
조약
갑: 국가 간 체결하는 법적 구속력을 가진 명시적 합의입니다.
국가와 국제기구 간 체결도 가능
을: 우리나라에서는 헌법에 의하여 체결·공포되면 국내법과 같은 효력을 가집니다.
국내의 법률과 같은 효력
병: 문명국들이 공통적으로 승인하여 따르는 보편적인 법의 원칙입니다.
법의 일반 원칙
교사: 한 사람만 빼고 옳게 발표했네요.
병
✎ PLUS분석 조약은 국가 간, 국제기구와 국가 간, 국제기구 간에 체결할 수 있으며, 체결 당사국에게만 법적 구속력을 가진다.

∵ 기출 선택지로 확인하기

❸ 국제기구는 A의 체결 주체가 될 수 있다. ○ ✕

❹ 우리나라에서 A에 대한 체결·비준권은 국회에 있다. ○ ✕

❺ A는 원칙적으로 국제 사회에서 포괄적 구속력을 가진다. ○ ✕

3 국내법과 국제법의 관계 관련 문제 ▶ 207쪽 07번

우리나라에서는 국제적 합의 중 하나인 ㉠난민의 지위에 관한 협약이 1993년에 발효되어 이행되고 있다. 이후 난민 지위 및 처우 등에 관한 사항을 정하고자 ㉡난민
국제법-조약
법이 2012년에 국회에서 제정되어, 2013년부터 시행되고 있다.
국내법
✎ PLUS분석 우리나라에서 체결된 조약과 승인된 국제 법규는 국내법과 같은 효력을 지니며, 헌법이 더 상위법으로 우선한다.

∵ 기출 선택지로 확인하기

❻ ㉠은 ㉡과 달리 우리나라에서 헌법과 동등한 지위를 가진다. ○ ✕

❼ ㉡은 ㉠과 달리 강제적으로 집행할 기관이 없다. ○ ✕

A 국제 관계의 변화

01 다음 설명이 맞으면 ○표, 틀리면 ×표를 하시오.

(1) 국제 사회에는 국내 사회와 달리 구성원을 대상으로 강제력을 행사할 수 있는 세계 정부 가 존재하지 않는다. ( )

(2) 각 국가는 자국의 이익을 최우선시하며, 국제 사회 질서는 힘의 논리에 의해 움직인다고 보는 관점은 자유주의적 관점이다. ( )

(3) 세계화가 진행되면서 국내 문제와 국제 문제의 경계는 점차 흐릿해지고 각국 정부가 단 독으로 해결할 수 없는 문제가 증가하고 있다. ( )

02 다음 설명에 적절한 선언이나 사건을 〈보기〉에서 골라 기호를 쓰시오

보기 ㄱ. 베스트팔렌 조약   ㄴ. 트루먼 독트린   ㄷ. 닉슨 독트린   ㄹ. 몰타 선언

(1) 유럽 사회에 주권 국가 중심의 새로운 국제 질서가 형성되는 계기가 되었다. ( )
(2) 미국은 베트남 전쟁을 계기로 아시아 지역에 대한 군사적 개입 제한을 선언하였다. ( )
(3) 미국은 공산화 위협에 직면한 그리스와 터키에 대한 경제적·군사적 원조를 선언하였다. ( )
(4) 미국과 소련의 정상이 만나서 이념 대결의 종식을 선언하고, 군비 축소와 전략 핵무기 및 화학 무기 감축에 동의하였다. ( )

B 국제법의 이해

03 A, B에 들어갈 국제법의 법원을 쓰시오.

• [A] 의 사례
한·미 상호 방위 조약은 대한민국과 미국이 양국 간 상호 방위를 목적으로 1953년에 체결하였으 며 1954년에 발효되었다.
• [B] 의 사례
국내 문제 불간섭의 원칙은 국내 문제의 결정에 대한 외국이나 국제기구의 강제적 요소를 수반 한 간섭을 금지하는 것으로, 별도의 체결 절차 없이 널리 인정된다.

A: ( ), B: ( )

04 다음 괄호 안에 들어갈 알맞은 말에 ○표를 하시오.

(1) 당사국 간 명시적인 합의 절차를 거쳐야만 성립되는 것은 (조약, 국제 관습법)이다.
(2) 신의 성실의 원칙, 손해 배상 책임의 원칙은 (국제 관습법, 법의 일반 원칙)에 해당한다.
(3) 별도의 체결 절차 없이 국제 사회에 법적 구속력을 갖는 것은 (조약, 국제 관습법)이다.
(4) 우리나라 헌법에서는 헌법에 의해 체결된 조약과 일반적으로 승인된 국제 법규는 (헌법, 국내법)과 동일한 효력을 가진다고 규정하고 있다.
(5) 우리나라에서 조약의 체결 및 비준권자는 (국회, 대통령)이다.

탄탄! 내신 다지기

A 국제 관계의 변화

01 다음 자료를 통해 알 수 있는 국제 사회의 특성으로 가장 적절한 것은?

중국이 750억 달러 규모의 미국산 제품에 관세를 부과하기로 했다. 미국이 오는 9월 1일부터 무역 적자의 해소를 위해 중국산 수입품에 관세를 부과하는 것에 대한 보복 조치이다. 중국 국무원은 이날 성명을 통해 미국산 수입품 5,078개 품목에 대해 5~10%의 관세를 부과하겠다고 발표하였다. 미국산 콩과 원유 수입품 등 일부 품목은 다음 달 1일부터, 나머지 품목은 12월 15일부터 추가 관세를 매긴다. 이는 중국이 미국의 무역 규제 조치에 일방적으로 당하고 있지는 않겠다는 태도이다.

– 『○○신문』, 2019. 8. 24.

① 개별 국가의 주권은 동등하게 취급된다.
② 국가 간 분쟁은 제3국이 개입해야 해결된다.
③ 모든 국가가 동의하는 국제 규범이 존재한다.
④ 각국은 본질적으로 자국의 이익을 우선 추구한다.
⑤ 국제기구를 통해 국가 간 이해관계의 조정이 이루어진다.

02 (가)~(라)에 대한 옳은 설명만을 〈보기〉에서 고른 것은?

보기
ㄱ. (가)는 국제 사회에서 비정부 기구의 역할이 중시되던 시기이다.
ㄴ. (나)에 영향을 준 사건으로는 트루먼 독트린을 들 수 있다.
ㄷ. (다)는 몰타 선언, 독일 통일, 구소련의 붕괴 등이 그 배경이다.
ㄹ. (라)에서는 민족, 영토, 자원 등 다양한 이유로 분쟁이 발생하고 있다.

① ㄱ, ㄴ ② ㄱ, ㄷ ③ ㄴ, ㄷ
④ ㄴ, ㄹ ⑤ ㄷ, ㄹ

03 그림은 국제 사회에 영향을 주었던 사건을 시기별로 나열한 것이다. 이에 대한 설명으로 옳지 않은 것은?

```
베스트팔렌   제1차      제2차      제3 세계   몰타 선언
  조약     세계 대전   세계 대전    부상
  ◄──○────○────○────○────○──►
    A 시기  B 시기  C 시기  D 시기  E 시기
```

① A 시기에 주권 국가 중심의 국제 사회가 성립하였다.
② B 시기에 강대국 주도로 국제 연합이 창설되었다.
③ C 시기에 미국과 소련을 중심으로 한 냉전 체제가 시작되었다.
④ D 시기에 국제 사회는 양극 체제에서 다극 체제로 전환되었다.
⑤ E 시기에 이념적 가치보다 경제적 실리가 더욱 중시되었다.

04 다음 글에 나타난 국제 사회를 보는 관점에 부합하는 설명으로 옳은 것은?

강대국들의 세력 다툼 결과로 국제 사회에는 세력 균형의 법칙이 생기고 국제 질서가 유지된다. 강대국들은 세력 다툼을 하는 과정에서 필요할 경우 약소국을 돕기도 하지만, 자국의 이익을 위해 약소국을 희생시키기도 한다. 국가 간에 체결되는 조약도 강대국에게만 일방적으로 유리한 내용이 많다. 또한 강대국은 국제 관습법도 자기들에게 유리할 경우에만 적용하려고 한다.

① 인간의 본성은 선하고 신뢰할 수 있다.
② 국가 이익보다도 이념 문제가 중시되고 있다.
③ 국제기구의 중재를 통해 분쟁을 해결할 수 있다.
④ 국제 사회는 홉스가 가정한 자연 상태와 유사하다.
⑤ 대화와 타협을 통해 국가 간의 문제를 해결할 수 있다.

05 A의 영향에 대한 옳은 설명만을 〈보기〉에서 고른 것은?

> A는 국제 사회의 상호 의존성이 커짐에 따라 개별 국가의 경계를 넘어 세계가 하나로 통합되는 현상을 의미한다.

> 보기
> ㄱ. 국내 정치와 국제 정치의 구별이 명확해지고 있다.
> ㄴ. 국제법으로 표준화된 기준을 적용하는 일이 많아졌다.
> ㄷ. 지구적 문제에 대해 국가들이 협력하는 일이 늘어났다.
> ㄹ. 국제 사회의 주요한 행위 주체가 국가로 일원화되고 있다.

① ㄱ, ㄴ ② ㄱ, ㄷ ③ ㄴ, ㄷ
⑤ ㄴ, ㄹ ⑤ ㄷ, ㄹ

B 국제법의 이해

06 국제법의 의의에 대한 설명으로 옳지 않은 것은?

① 세계 시민의 일상생활에 편리함을 제공한다.
② 국제 분쟁 당사자에게 분쟁 해결 수단이 된다.
③ 강제력 행사를 통해 주권 평등의 원칙을 확립한다.
④ 지구적 문제를 해결하기 위한 국제 협력을 유도한다.
⑤ 국가 간의 관계를 합리적으로 조정하기 위한 판단 기준이다.

07 교사의 질문에 옳게 답변한 학생만을 고른 것은?

> 교사: 국제법 중 국제 사회의 관행이 법적 인식을 얻은 것을 A(이)라고 합니다. 오늘은 A에 대해 발표해 볼까요?
> 갑: 포로에 관한 인도적 대우, 국내 문제 불간섭의 원칙이 해당합니다.
> 을: 국내에 적용하기 위해서는 국회의 동의 절차가 필요합니다.
> 병: 원칙적으로 모든 국가에 대해 법적 구속력을 가지고 있습니다.
> 정: 국제 사법 재판소에서는 조약에 우선하여 재판 규범으로 적용합니다.

① 갑, 을 ② 갑, 병 ③ 을, 병
⑤ 을, 정 ⑤ 병, 정

---

08 다음에 나타난 협정의 성격에 대한 설명으로 옳은 것은?

> 〈대한민국 정부와 A국 정부 간의 항공 업무에 관한 협정〉
>
> 제11조(정의) 문맥상 달리 요구되지 아니하는 한 이 협정의 목적을 위하여
> 가. "항공당국"이란 대한민국 정부의 경우 국토교통부 또는 어느 경우든 이 협정에 관련된 기능을 수행할 권한을 부여받은 개인 또는 기관, A국 정부의 경우 민간항공청장을 의미한다.
> 제5조(합의된 업무의 운영을 규율하는 원칙)
> 1. 양 체약 당사자의 지정 항공사에게 특정 노선의 합의된 업무 운영 경쟁에 공평하고 동등한 기회를 주어야 한다.

① 국내법보다 우월한 지위를 가진다.
② 관련 국가들의 이해관계를 초월하여 존재한다.
③ 개인이나 기업에게는 구속력을 발휘하지 못한다.
④ 주무 부서의 장관이 서명함으로써 효력이 발생한다.
⑤ 미준수 시 따르는 제재 수단이 국내법에 비해 미약하다.

서답형 문제

09 다음 자료를 읽고 물음에 답하시오.

> (가) 미국은 공산주의의 위협을 받는 국가들에 대한 경제 원조를 약속하였으며, 그리스와 터키 정부에 경제적·군사적 원조를 제공하였다.
> (나) 미국의 아시아에 대한 직접적·군사적인 개입을 피하고 '베트남전의 베트남화'라는 말처럼 아시아 국가들의 안보는 스스로 책임지도록 선언하였다.

(1) (가), (나)에 해당되는 선언의 명칭을 쓰시오.
　　(가): (　　　　　), (나): (　　　　　)

(2) (가), (나)의 정치적 의의를 서술하시오.

기출 변형

01 갑국~병국에 공통적으로 나타난 국제 사회의 특징으로 가장 적절한 것은?

> • 갑국은 A국에 대한 수출 규제를 강화하면서도 국제법에 따른 민간 교류는 보장하고 있다.
> • 을국은 B국에서 발생하는 미세 먼지로 인한 피해 배상을 요구하면서도 B국과 환경 협약을 맺었다.
> • 병국은 자신의 영토를 무단 점유하는 C국과 전쟁을 벌이면서도 국내에 있는 C국의 국민에 대해서는 보호 조치를 취하고 있다.

① 국가는 도덕적 규범에 따라 외교 정책을 수립한다.
② 국내의 정치 상황에 따라 국가 간 협력이 무시된다.
③ 자국의 이익 추구와 국제 규범의 준수가 공존한다.
④ 개별 국가의 이익과 국제 사회 전체의 이익은 일치한다.
⑤ 개별 국가의 행위에는 현실주의보다 자유주의가 강하게 나타난다.

02 밑줄 친 '한 사람'에 해당하는 학생은?

> 교사: 국제 사회의 형성과 변천 과정에 대해 말해 볼까요?
> 갑: 1648년에 체결된 베스트팔렌 조약을 계기로 민족 단위의 주권 국가가 등장하였습니다.
> 을: 19세기 후반 유럽 열강들이 식민지 쟁탈전을 벌이면서 국제 사회의 무대가 전 세계로 확산되었습니다.
> 병: 제1차 세계 대전 이후 국제 사회의 평화를 위해 국제 연맹이 창설되었으나 강대국의 불참으로 실질적인 영향력을 행사하지 못했습니다.
> 정: 1940년대 후반에는 미국 중심의 자유 진영과 구소련 중심의 공산 진영으로 나뉘어 서로 대립하는 냉전 체제로 들어서게 되었습니다.
> 무: 1960년대에 제3 세계 국가들이 등장하고 1969년에 닉슨 독트린으로 냉전 체제가 공식적으로 종식되면서 각 국가는 자국의 실리를 추구하는 경향으로 바뀌었습니다.
> 교사: 모두 잘 발표했으나, 한 사람은 틀린 내용을 발표했습니다.

① 갑   ② 을   ③ 병
④ 정   ⑤ 무

03 다음 대화에서 갑이 을에게 제기할 비판으로 가장 적절한 것은?

> 갑: 국제 사회는 자국의 이익을 추구하는 것이 목적이므로 오로지 이해관계에 따라 동맹과 갈등이 반복될 뿐이다.
> 을: 국제 사회는 국제적으로 발생하는 다양한 문제들에 대응하기 위해 국가 간 연합과 협력이 이루어지는 공간이다.

① 국제기구와 국제법을 통한 문제 해결을 부인하고 있다.
② 국제 사회에 다양한 협력과 공존이 존재함을 무시하고 있다.
③ 경쟁과 대립이 상존하는 국제 관계를 설명하지 못하고 있다.
④ 인간의 선한 본성으로 이성적 대화가 가능함을 간과하고 있다.
⑤ 국제 분쟁의 해결을 위해 힘의 논리만을 지나치게 강조하고 있다.

기출 변형

04 국제 사회를 바라보는 관점 A, B에 대한 질문에 모두 옳게 응답한 학생은?

> A는 인간과 마찬가지로 국가도 이성적 행동을 할 수 있다는 전제하에 국가 간의 신뢰를 바탕으로 국제 사회의 평화와 질서를 확보하려 한다. 이에 비해 B는 단일의 통합된 통치권을 행사하는 주체가 없는 국제 사회는 무정부 상태이므로 동맹을 맺어 적대 세력의 침략을 방지하고 자국의 이익을 꾀하고자 한다.

구분	갑	을	병	정	무
A는 국제법과 국제기구의 역할을 중시하는가?	○	×	○	×	○
B는 힘의 논리가 지배하는 국제 사회의 현실을 간과하는가?	×	○	×	×	○
B와 달리 A는 국가 간의 상호 의존 관계를 경시한다는 비판을 받는가?	×	○	○	×	×
국제 평화 유지를 위해 A는 집단 안보를, B는 세력 균형을 강조하는가?	○	○	○	○	×

① 갑   ② 을   ③ 병
④ 정   ⑤ 무

05 다음은 국제 사법 재판소 규정의 일부이다. 이에 대한 설명으로 옳은 것은?

> 제38조 1. 재판소는 재판소에 회부된 분쟁을 국제법에 따라 재판하는 것을 임무로 하며, 다음을 적용한다.
> (가) 분쟁국에 의하여 명백히 인정된 규칙을 확립하고 있는 일반적인 또는 특별한 국제 협약
> (나) 법으로 수락된 일반 관행의 증거로서의 국제 관습
> (다) 문명국에 의하여 인정된 법의 일반 원칙
> … 후략 …

① 우리나라의 경우 (가)에 어긋나는 조례의 규정은 무효이다.

② 재판소가 당사자의 신의 성실을 기준으로 사용하였다면 (나)를 적용한 것이다.

③ (다)가 국내에 적용되려면 별도의 입법 절차를 거쳐야 한다.

④ 법적 안정성을 위해 (가)를 (나)의 형태로 변화시키는 경우가 늘고 있다.

⑤ (가)와 (나)는 (다)와 달리 모든 국가에 포괄적인 구속력을 갖는다.

06 국제법의 법원(法源) A~C에 대한 설명으로 옳은 것은? (단, A~C는 각각 조약, 국제 관습법, 법의 일반 원칙 중 하나이다.)

법원 \ 기준	합의 내용이 명시적 문서로 작성되었는가?	국제 관행이 국가 간에 법적으로 승인된 것인가?	(가)
A	예	(ⓒ)	예
B	아니요	예	예
C	(㉠)	아니요	예

① A는 국가와 국제기구 간 체결이 불가능하다.

② B와 달리 C는 모든 국가에 대해 포괄적 구속력을 가진다.

③ B의 예로 신의 성실의 원칙, C의 예로 국내 문제 불간섭의 원칙을 들 수 있다.

④ (가)에 '국제 사법 재판소의 재판 준거로 활용되는가?'가 들어갈 수 있다.

⑤ ㉠에는 '아니요', ⓒ에는 '예'가 들어간다.

07 (가), (나)에 대한 설명으로 옳은 것은?

(가)	(나)
난민의 지위에 관한 협약(1993년 3월 3일 조약 제1166호) 제22조(공공 교육) 1. 체약국은 난민에게 초등 교육에 대하여 자국민에게 부여하는 대우와 동등한 대우를 부여한다.	난민법(법률 제14408호 일부 개정 2016. 12. 20) 제33조(교육의 보장) ① 난민 인정자나 그 자녀가 「민법」에 따라 미성년자인 경우에는 국민과 동일하게 초등 교육과 중등 교육을 받는다.

① 우리나라에서 (가)에 대한 비준 권한은 국회에 있다.

② (가)는 (나)와 달리 우리나라에서 헌법과 동등한 지위를 가진다.

③ (가)는 (나)의 방식으로 변경되어야 국내에 적용될 수 있다.

④ (나)는 (가)와 달리 강제적으로 집행할 기관이 없다.

⑤ (가)와 (나)는 모두 위헌 법률 심판의 대상이 된다.

08 국제법의 법원(法源) A, B에 대한 옳은 설명만을 〈보기〉에서 있는 대로 고른 것은?(단, A와 B는 각각 국제 관습법, 조약 중 하나이다.)

> 외교 관계에 관한 국제법은 매우 오래된 역사이다. 대표적인 사례로는 '외교관은 어떠한 형태의 체포 또는 구금을 당하지 아니하며 접수국은 외교관의 신체, 자유, 품위가 침해되지 않도록 적절한 조치를 취해야 한다.'는 관행은 유럽에서 16세기 말 이전에 A가 되었다. 이후 상주 외교 사절의 파견이 일반화되면서 이 관행은 국가 간에 채택된 「외교 관계에 관한 비엔나 협약(1961년)」의 내용으로 포함되었고, 또 다른 국제법의 법원인 B가 되었다.

> 〈보기〉
> ㄱ. A의 사례로 국내 문제 불간섭의 원칙을 들 수 있다.
> ㄴ. B는 국가와 국제기구 간에는 체결할 수 없다.
> ㄷ. A와 달리 B는 체결 당사국에만 법적 구속력이 있다.
> ㄹ. A와 B는 모두 국제 사법 재판소의 재판 준거가 된다.

① ㄱ, ㄴ   ② ㄱ, ㄷ   ③ ㄴ, ㄹ

④ ㄱ, ㄷ, ㄹ   ⑤ ㄴ, ㄷ, ㄹ

02 ~ 국제 문제와 국제기구, 우리나라의 국제 관계

❷ 국제 문제와 관련된 국제법

국제 문제	국제법
환경 문제	기후 변화 협약
난민 문제	난민의 지위에 관한 협약
인종 차별 문제	인종 차별 철폐에 관한 협약
아동 인권 문제	아동의 권리에 관한 협약

A 국제 문제의 이해

1. 국제 문제: 개별 국가나 지역을 넘어 여러 국가나 국제 사회 전반에 악영향을 미치는 문제

2. 국제 문제의 양상 자료1

국가 안보와 평화 문제	• 자국의 안보를 위한 군비 경쟁 → 군사적 긴장 초래 • 종교, 인종, 자원 등을 이유로 국지적 전쟁이 증가 • 비무장 민간인을 공격하는 테러 증가
경제 문제	• 세계화로 자유 무역의 확대 → 국가 간 빈부 격차(남북문제) 심화 • 저개발 국가의 심각한 기아 문제
환경 문제	• 산성비, 오존층 파괴, 지구 온난화 현상 심화 • 자국의 이익 우선 추구로 문제 해결이 쉽지 않음
인권 문제	• 아동 노동, 난민, 종교적 관습 등으로 사회적 약자의 인권 침해 • 국가 권력에 의한 자국민의 인권 침해 발생

> **뜻** 특정 개인이나 단체가 자신의 목적을 달성하기 위해 폭력을 사용하여 적이나 상대편을 위협하거나 공포에 빠뜨리는 행위

> **뜻** 북반구의 부유한 국가들과 남반구의 가난한 국가들 간의 경제적 격차와 그에 따른 갈등이 발생하는 것

3. 국제 문제를 해결하기 위한 노력

국제법을 통한 해결	• 국제 사법 기관에 제소하여 국제법에 따라 해결함 • 공정하고 객관적인 해결 방안의 도출이 가능함
국제기구를 통한 해결	• 기존 해결 방식에 비해 신속하게 분쟁 해결이 가능함 • 최근 무역 및 투자 관련 분쟁이 증가하면서 국제 중재 기구에 의한 해결이 증가함
외교 활동을 통한 해결	• 분쟁 당사국끼리 절차에 합의하고 협상을 통해 해결책을 마련함 • 실질적인 분쟁 해결에 도달할 수 있고 향후 발생할 분쟁의 사전 예방이 가능함

B 국제기구의 역할

1. 국제기구: 국제 사회에서 공통적 목적을 위한 공식적 조직과 규정을 가진 조직체

2. 국제기구의 역할: 국제 분쟁 해결을 통한 평화 유지, 인권 신장, 지구 환경 보호 등

3. 국제기구의 종류: 국가를 회원으로 하는 정부 간 국제기구, 개인이나 민간 단체를 회원으로 하는 국제 비정부 기구 자료2 — 예 국제 사면 위원회, 그린피스 / 예 국제 연합 안전 보장 이사회, 국제 연합 평화 유지군

4. 국제 연합: 제2차 세계 대전 이후 국제 평화와 협력을 달성하기 위해 창설된 국제기구

(1) 주요 기관 국제 연합의 기타 기구로는 경제 사회 이사회, 신탁 통치 이사회, 사무국 등이 있음

총회	• 모든 회원국이 참여하는 최고 의결 기관(주권 평등의 원칙에 따라 1국 1표를 행사함) • 총회의 의결은 권고 효력만 있을 뿐 법적 구속력은 없음
안전 보장 이사회	• 국제 평화와 안전 유지에 관한 국제 연합의 실질적인 의사 결정 기관 • 국제 분쟁 조정 절차나 방법을 권고하고, 침략국에 대한 경제·외교적 제재나 군사적 개입을 함
국제 사법 재판소	• 국제 연합의 주요 사법 기관 → 국제법에 따라 국가 간의 분쟁 해결, 총회와 안전 보장 이사회 등의 법적 질의에 권고적 의견을 제시함 — 당사국의 판결 불복 시 직접적인 제재 수단이 없음 • 국제 연합 총회 및 안전 보장 이사회에서 선출한 다른 국적의 재판관 15명으로 구성 • 강제적 관할권이 없어 분쟁 당사국 간에 합의가 있어야 재판이 가능함

(2) 한계 자료3

• 안전 보장 이사회 상임 이사국의 거부권 행사로 중요한 의사 결정이 지연됨

• 회원국들이 분담금을 제대로 내지 않아 재정적인 어려움을 겪고 있음

• 중요한 문제는 국제 연합이 배제된 채 당사국과 관련 국가들의 협상으로 해결되고 있음

❸ 안전 보장 이사회

구성	• 5개의 상임 이사국(미, 영, 프, 러, 중)과 10개의 비상임 이사국(매년 5개국씩 총회에서 선출, 임기는 2년) • 비상임 이사국은 회원국의 투표로 선출됨
의사 결정 방식	• 15개 이사국 중 9개국 이상의 찬성으로 의결됨 • 실질 사항의 경우 상임 이사국 중 한 국가라도 거부권을 행사하면 안건이 부결됨

교과서 자료 모아 보기

자료 1 국제 문제의 양상

┌─ 난민 문제	┌─ 기아 문제	┌─ 환경 문제
(가)	(나)	(다)
▲ 내전으로 표류하는 난민	▲ 굶주림에 지친 어린이들	▲ 바다에 버려진 쓰레기

| 자료 분석 | (가)는 난민 문제, (나)는 기아 문제, (다)는 환경 오염 문제를 보여준다. 이는 어느 한 국가의 노력만으로 해결이 어려운 국제 문제이다. 국제 문제는 제대로 해결되지 않으면 전 지구적인 위기를 초래할 수 있으므로 모든 나라가 힘을 합쳐 극복해야 한다.

한줄 핵심 국제 문제는 제대로 해결되지 않으면 전 지구적인 위기를 초래할 수 있다.

자료 2 다양한 국제기구

┌──── 국제 비정부 기구 ────┐		┌──── 정부 간 국제 기구 ────┐	
국제 사면 위원회	그린피스	경제 협력 개발 기구	국제 연합

| 자료 분석 | 국제기구에는 국가를 회원으로 하는 정부 간 국제기구와 개인이나 민간단체를 회원으로 하는 국제 비정부 기구가 있다. 국제 사면 위원회는 인권 옹호를 목적으로 하는 국제 비정부 기구이며, 그린피스는 환경 보호를 목적으로 하는 국제 비정부 기구이다. 경제 협력 개발 기구는 경제 개발과 무역 촉진을 목적으로 설립된 정부 간 국제기구이고, 국제 연합은 국제 평화를 위해 설립한 정부 간 국제기구이다.

한줄 핵심 국제기구에는 국가를 회원으로 하는 정부 간 국제기구와 개인이나 민간단체를 회원으로 하는 국제 비정부 기구가 있다.

자료 3 국제 사법 재판소의 한계

일본 고래잡이(포경) 선단이 국제 사회의 지속적인 포경 중단 요구와 비판에도 불구하고 남극해에서 멸종 위기종인 밍크고래 333마리를 포획하였다. 국제 사회는 1986년부터 국제 포경 규제 협약에 따라 멸종 위기에 놓인 고래의 상업적 포경 활동을 금지하고 있다. 그러나 일본은 고래의 생태와 해양 생태 등을 연구한다고 주장하며 계속 고래잡이를 하고 있다. 특히 국제 사법 재판소가 일본에 대해 포경 활동을 중지하라는 <u>판결을 내렸지만</u>, 일본은 이 <u>판결마저 무시하고 있다.</u>

└ 판결에 불복하는 경우에 대한 직접적인 제재 수단이 없기 때문임

| 자료 분석 | 일본이 국제 포경 규제 협약을 무시하고 멸종 위기에 놓인 고래의 상업적 포경 활동을 하고 있지만 국제 사회는 어떤 제재도 못하고 있다. 국제 사법 재판소는 일본이 포경 활동을 중지하라 판결을 이행하지 않는 것에 강제력을 행사할 수 없다는 한계가 있다.

한줄 핵심 국제 사법 재판소는 판결에 불복하는 당사국을 직접 제재할 방법은 없다.

자료 확인 문제

❶ □□ □□은/는 제대로 해결되지 않으면 전 지구적인 위기를 초래할 수 있다.
( )

❷ □□ □□ □□□은/는 국제적으로 인권 옹호 활동을 펴는 인권 기구로서 국제 비정부 기구이다.
( )

❸ 국제기구에는 국가를 회원으로 하는 □□ □ □□□□와/과 개인이나 민간단체를 회원으로 하는 국제 비정부 기구가 있다.
( )

❹ 판결에 불복하는 국가를 □□ □□ □□□이/가 제재할 수 있는 수단은 현실적으로 마땅치가 않다.
( )

정답 ❶ 국제 문제 ❷ 국제 사면 위원회 ❸ 정부 간 국제 기구 ❹ 국제 사법 재판소

❹ 한반도의 지정학적 위치

한반도는 대륙과 해양 세력이 만나는 지점에 있어 국제적인 전략적 요충지에 위치해 있다. 이러한 이유로 역사적으로 한반도에는 외세 침략이 많았다.

❺ 동북 공정

중국의 국경 안에서 전개되었던 역사를 중국의 역사로 만들려는 연구이다. 중국은 만리장성의 동쪽 끝을 옛 고구려와 발해 지역까지 늘려 발표하여 고구려와 발해가 중국의 지방 정권이었다는 왜곡된 주장을 펼치고 있다.

❻ 소프트 파워

군사력이나 경제력과 같은 하드 파워(hard power)에 대응하는 개념으로, 강제나 보상이 아닌 설득과 매력을 통해 원하는 것을 얻는 능력을 말한다.

ⓒ 우리나라의 국제 관계와 외교 정책

1. 우리나라의 국제 관계 자료4

(1) 우리나라의 지정학적 위치

① 대륙과 해양 세력이 만나는 전략적 요충지 → 국제 질서의 변화, 중국과 일본의 역사적 관계 등에 큰 영향을 받음

② 동아시아 중심에서 중재자 역할 수행 → 경제 성장 및 국제 평화 유지에 기여 가능

(2) 최근의 한반도를 둘러싼 국제 분쟁

안보 문제	북한의 비핵화 문제를 둘러싸고 미국과 북한의 정상 회담, 남북 정상 회담 등이 이어지면서 중국, 일본 등도 주시함
무역 갈등	미국과 중국의 무역 분쟁, 한국과 일본의 경제 갈등 등
역사 갈등	중국의 동북 공정, 일본의 역사 교과서 왜곡과 관련한 문제
영토 갈등	중국과의 이어도 분쟁, 일본과의 독도 갈등 등

2. 우리나라의 외교 정책

(1) 외교와 외교 정책

① 외교: 한 국가가 자국의 이익을 위하여 국제 사회에서 평화적인 방법으로 펼치는 모든 대외 활동 ┌ 외교 정책을 잘 수행하면 자국의 대외적 위상이 상승하고 정치·경제적 이익을 획득할 수 있지만, 잘못 수행하면 국제 사회에서 고립되고 국익에 손실이 발생할 수 있음

② 외교 정책: 외교를 통해 자국의 이익 증진을 목적으로 시행하는 정책

★(2) 우리나라 외교 정책의 변화

1950년대	냉전 체제의 심화로 국가 안보를 최우선시 하는 외교 전략 추진 → 반공 외교, 미국 등 우방국과의 협력 강화
1960년대	제3 세계 비동맹 국가의 성장 → 제3 세계 국가에 대한 외교 강화
1970년대	냉전 체제의 완화 → 일부 사회주의 국가에 문호 개방, 공산권 외교 강화
1980년대	북방 외교 → 한반도의 평화 추구, 사회주의 국가들과의 관계 개선 추구
1990년대	탈냉전 시대의 도래 → 남북한 긴장 완화를 위한 노력, 실리 외교 전개
2000년대	6자 회담 추진, 6·15 남북 공동 선언
2010년대	북한 비핵화 추진, 문화 외교 강화

(3) 다양한 외교 전략 ┌ 이외에도 셋 이상의 국가가 이해관계를 조정하여 협력하는 다자 외교, 취약 계층의 인권 보호에 노력하는 인권 외교가 있음

공공 외교 자료5	• 외국 국민과의 직접적인 소통을 통해 자국의 역사, 전통, 문화, 예술, 정책 등에 공감대를 확산하고 신뢰를 확보하는 소프트 파워 중심의 외교 활동
	• 정부뿐 아니라 다양한 주체들의 자발적 참여가 필요함 ┤예 지방 자치 단체, 시민 단체, 기업, 개인 등
기여 외교 자료6	• 적극적인 대외 원조로 국가 이미지를 높이는 방식의 외교 활동
	• 원조 관련 정책과 제도를 꾸준히 개선해가고 있음

┌ 예 공적 개발 원조: 개발 도상국의 당면한 문제 해결 및 발전을 위해 무상 또는 유상으로 자금이나 기술, 물품 등을 개발 도상국이나 국제기구에 지원하는 활동

(4) 우리나라의 바람직한 외교 방향

① 한반도 평화 정착 노력: 우방국과의 동맹에 기초한 튼튼한 안보를 바탕으로 북한과의 평화적 교류와 협력을 확대함

② 국제법의 효과적 활용: 국제법은 국제 사회의 합의에 바탕을 두고 있으므로 강대국이라도 함부로 무시할 수 없는 권위가 있음

③ 민간 외교 자원의 활용: 정부의 공식적 외교뿐만 아니라 문화, 예술, 환경, 스포츠 등 다양한 분야에서 외교 활동 전개함

자료4 우리나라의 국제 관계

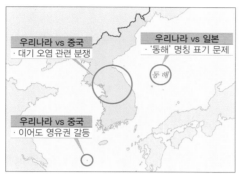

한반도와 주변 국가의 갈등

우리나라 vs 중국
· 대기 오염 관련 분쟁

우리나라 vs 일본
· '동해' 명칭 표기 문제

동해

우리나라 vs 중국
· 이어도 영유권 갈등

우리나라의 주요 무역 상대국

수출 비중
중국 25.1(%)
미국 13.4
일본 4.9
베트남 6.6
기타 50.0

수입 비중
중국 21.4(%)
일본 11.7
미국 10.6
베트남 3.1
기타 53.2

| **자료 분석** | 지도를 보면 우리나라는 중국과 대기 오염 문제, 이어도 영유권 등으로 갈등을 빚고 있고, 일본과는 동해 명칭 표기 문제로 갈등하고 있다. 또한 표에 따르면 우리나라 무역은 수출과 수입에 중국, 일본, 미국이 차지하는 비중이 매우 크므로 무역 상대국의 다변화가 요구된다.

한줄 핵심 ▶ 우리나라는 주변 국가들과 협력하는 동시에 안보, 역사 등의 다양한 측면에 크고 작은 갈등을 겪고 있으며, 특정 국가의 비중이 큰 무역 관계에 변화가 필요하다.

❺ 우리나라는 □□와/과 동해 명칭 표기 문제, 독도 영유권 문제, 위안부 배상 문제에 이어 최근에는 경제 보복, 안보 협정 파기 등으로 갈등이 심해지고 있다.
(   )

자료5 공공 외교

공공 외교란 주로 대사나 외교 사절이 국가 간의 관계를 조정해 나가는 전통적 외교에서 벗어나 상대 국가의 국민을 포함한 다양한 비정부 행위자에게 자국의 입장을 알리고 설득하며 여론 형성에 긍정적인 영향을 미치기 위해 노력하는 다양한 활동을 말한다. 즉, 다른 나라 국민과의 직접적인 소통을 통해 우리나라의 역사, 전통, 문화, 예술, 가치, 정책 등에 대한 공감대를 확산하고 신뢰를 확보함으로써 우호 관계를 증진하고, 국제 사회에서 우리나라의 영향력을 높이는 외교 활동이다.

| **자료 분석** | 공공 외교는 특정인을 중심으로 이루어진 전통 외교와 달리 다양한 행위자가 상대 국가의 행위자와 네트워크를 형성하고 공감대를 확산하여 상호 교류와 협력을 강화하는 것이다.

한줄 핵심 ▶ 성공적인 공공 외교를 위해서는 정부뿐 아니라 다양한 주체들의 자발적인 참여와 협력이 필요하다.

❻ □□ □□은/는 다양한 행위 주체들이 공감대를 확산하며 상호 교류와 협력하는 외교 활동이다.
(   )

자료6 기여 외교

(가) 우리나라 시민 단체와 기업의 빈곤국에 대한 의료 봉사로 인도적 지원 활동을 하고 있다.
　　　　　　　　　　　　　　　└적극적인 대외 원조 활동
(나) 우리 정부는 무상 원조 전담 기관인 한국 국제 협력단(KOICA)을 통해 앙코르 유적 중
　　　　　└적극적인 대외 원조 활동
의 하나인 프레아피투 사원의 복원 사업을 시작하였다.
　　　└적극적인 대외 원조 활동

| **자료 분석** | 기여 외교는 개발 도상 국가에 대해 적극적인 대외 원조, 빈곤 국가에 대한 국가 및 민간 차원의 지원, 재난 국가에 대한 지원 등에서 활발하게 이루어지고 있다.

한줄 핵심 ▶ 기여 외교란 적극적인 대외 원조를 통해 국가 이미지를 높이는 방식의 외교 활동을 말한다.

❼ □□ □□(이)란 적극적인 대외 원조를 통해 국가 이미지를 높이는 방식의 외교 활동을 말한다.
(   )

정답 ❺ 일본 ❻ 공공 외교 ❼ 기여 외교

국제 연합의 주요 기관

수능풀 Guide 국제 연합의 주요 기관인 총회, 안전 보장 이사회, 국제 사법 재판소의 역할과 한계 등을 파악해 보자.

1 총회, 안전 보장 이사회, 국제 사법 재판소 관련 문제 ▶ 216쪽 04번

- 15개 이사국으로 구성된 A는 만장일치로 자국민의 인권을 탄압하고 있는 갑국에 경제적 제재를 가하기로 결정하였다.
  _{안전 보장 이사회}
- 모든 회원국이 참여하는 B는 170개국의 찬성으로 을국 정부에 소수 민족 탄압 정책을 중지하도록 촉구하는 결의안을 채택하였다.
  _{총회}
- 15인의 재판관으로 구성된 C는 병국과 정국이 영토 분쟁을 겪고 있는 ○○ 지역에 대해 병국이 소유권을 가진다고 판결하였다.
  _{국제 사법 재판소}

기출 선택지로 확인하기

❶ A의 모든 이사국은 거부권을 가진다. ◯ ✕

❷ B는 의사 결정 과정에서 1국 1표의 원칙을 적용한다. ◯ ✕

❸ C는 판결의 강제 이행을 위해 당사국을 직접 제재할 수 있다. ◯ ✕

2 국제 연합의 개혁 논의

국제 연합을 개혁해야 한다는 논의는 꾸준히 있었다. 특히 국제 평화와 안전 유지에 일차적인 책임을 부여받은 (가)을/를 개혁하여 거부권을 가진 상임 이사국의 권한을 조정하고 규모를 확대하는 것이 논의의 핵심이다. 또한 국제 연합의 주요 사법 기관인 (나)의 관할권을 확대함으로써 국제 사회의 분쟁을 보다 효과적으로 해결해야 한다는 주장도 있다. 국제 연합의 개혁을 위해서는 모든 회원국이 참여하는 최고 의결 기관인 (다)에서 헌장을 개정해야 한다. 헌장 개정은 회원국 3분의 2 이상의 찬성으로 채택되며, (가)의 상임 이사국을 포함한 회원국 3분의 2가 자국 헌법상의 절차에 따라 비준한 경우에 효력이 발생한다.
_{안전 보장 이사회 / 국제 사법 재판소 / 총회}

기출 선택지로 확인하기

❹ (가)의 상임 이사국은 회원국의 투표로 선출된다. ◯ ✕

❺ 국가와 개인은 모두 분쟁 해결을 위해 (나)에 제소할 수 있다. ◯ ✕

❻ (가), (다)는 모두 (나)의 재판관을 선출하는 권한을 가진다. ◯ ✕

3 국제 사법 재판소의 판결

갑국과 을국을 관통하는 국제 하천의 상류에 있는 갑국이 댐을 건설하면서 수질이 악화되어 하류에 있는 을국의 농업에 큰 손해를 입혔다. 이에 을국은 국제 사법 재판소에서 다른 국가들과 체결한 다자 조약을 이유로 조약 당사국이 아닌 갑국에 대해 손해를 배상할 것을 주장하였으나, 갑국은 댐 건설이 내정에 관한 것이기에 을국은 간섭할 권한이 없다고 주장하였다. 또한 이에 대해 국제 사회의 묵시적인 합의에 따라 법으로 승인되고 준수되는 국제 사회의 반복적인 관행도 존재하지 않았다.

✎ **PLUS분석** 국제 사법 재판소가 판결을 내릴 때에는 조약과 국제 관습법, 법의 일반 원칙, 국제 사법 재판소의 판결 등을 준거로 판단하지만, 강제 집행 권한이 없다.

기출 선택지로 확인하기

❼ 국제 사법 재판소는 갑국의 행위가 법의 일반 원칙을 위반하였는지를 판단할 수 있다. ◯ ✕

❽ 국제 사법 재판소는 을국이 승소한 경우 강제 집행할 수 있다. ◯ ✕

정답 ❶✕(상임 이사국만 거부권 행사) ❷◯ ❸✕(직접 제재 불가능) ❹✕(비상임 이사국) ❺✕(개인은 제소 불가) ❻◯ ❼◯ ❽✕(강제 집행 권한 없음)

A 국제 문제의 이해

01 다음 설명이 맞으면 ○표, 틀리면 ×표를 하시오.

(1) 선진국과 개발 도상국 간 경제적 격차가 심화되어 갈등이 발생하는 국제 문제를 남북문제라고 한다. ( )

(2) 국제 문제를 해결할 만한 체계적이고 일원화된 기구와 절차가 없으므로 특정 국가가 독자적으로 해결해야 한다. ( )

(3) 국제 사회는 국제법과 국제기구 등을 통해 협력을 제도화하고, 세계 각국이 협력할 수 있는 공조 체제를 구축하여야 한다. ( )

B 국제기구의 역할

02 다음 설명에 적절한 국제기구를 〈보기〉에서 골라 기호를 쓰시오.

보기	ㄱ. 그린피스	ㄴ. 국제 사면 위원회	ㄷ. 국제 연합	ㄹ. 경제 협력 개발 기구

(1) 국제 평화를 위해 설립한 정부 간 국제 기구이다. ( )
(2) 지구 환경을 보호하고자 노력하는 국제 비정부 기구이다. ( )
(3) 경제 개발과 무역 촉진을 목적으로 설립된 정부 간 국제기구이다. ( )
(4) 국제적으로 인권 옹호 활동을 펴는 인권 기구로서 국제 비정부 기구이다. ( )

03 A~C에 들어갈 국제 연합의 주요 기관을 쓰시오.

- A : 국제 연합의 모든 회원국이 평등하게 참여하는 최고 의결 기구
- B : 국제 평화와 안보 유지의 책임을 지고 있는 실질적 의사 결정 기구
- C : 국가 간의 분쟁에 대해 사법적 판단을 내리는 재판 기구

A: ( ), B: ( ), C: ( )

C 우리나라의 국제 관계와 외교 정책

04 다음 괄호 안에 들어갈 알맞은 말에 ○표를 하시오.

(1) 한반도는 대륙과 해양 세력이 만나는 전략적 요충지에 있어 국제 질서의 변화에 큰 영향을 (받는다., 받지 않는다.)

(2) 우리나라와 (중국, 일본)은 이어도를 둘러싼 해상 영유권 갈등 및 대기 오염 분쟁을 겪고 있다.

(3) 1980년대 후반에는 평화 통일 기반을 조성하고 한반도의 평화를 안정적으로 관리하고자 소련, 중국, 동유럽 국가 등 사회주의 국가들과의 관계 개선을 추진하는 (북방 외교, 다자 외교)를 시도하였다.

(4) (공공 외교, 정상 외교)란 외국 국민과 직접적으로 소통하며 우리나라에 대한 공감대를 확산하고 국가 이미지를 높여 국제 사회에서 자국의 영향력을 높이는 외교 활동이다.

탄탄! 내신 다지기

A 국제 문제의 이해

01 다음 자료에 나타난 국제 문제의 특징으로 가장 적절한 것은?

> • 중국과 몽골에서 시작되는 황사는 우리나라와 일본, 멀리는 태평양까지 퍼져 환경 오염을 일으키고 있다.
> • 시리아 내전이 악화하면서 수백만 명의 시리아인이 자국에서 인권을 보장받지 못해 난민이 되었다. 이들 난민의 수용과 보호 문제는 국제적인 문제가 되었다.
> • 아직도 세계의 많은 아이가 가난과 굶주림 때문에 학교에 다니지 못하고 노동을 하고 있다. 게다가 많은 아이들이 어리다는 이유로 적정 임금도 받지 못한 채 혹사당하고 있다.

① 어느 한 국가의 노력만으로는 해결이 어렵다.
② 한정된 자원을 서로 차지하려는 국가 간 경쟁이다.
③ 국제 비정부 기구를 통해서만 해결이 가능한 문제이다.
④ 사법적 해결 방식에 따르면 신속하게 해결할 수 있다.
⑤ 종교적 신념의 차이가 극단적인 충돌로 이어진 것이다.

02 다음에서 활용한 국제 문제 해결 방안으로 옳은 것은?

> 러시아가 크림반도를 강제 병합한 이후 중단된 프랑스·러시아 안보 관계 장관 회의가 5년 만에 재개된다. 프랑스 외무부·국방부에 따르면, 외무 장관과 국방 장관이 9일 모스크바에서 러시아의 외무·국방 장관과 안보 관계 장관 회담에 참석한다. 5년 만에 다시 열리는 이번 회담에서 양측은 우크라이나 사태, 이란 핵 문제, 시리아 분쟁 등 유럽과 러시아가 얽혀 있는 주요 안보 이슈를 집중적으로 논의할 예정이다.
> ─『○○뉴스』, 2019. 9. 8.

① 사법적인 해결
② 국제기구를 통한 해결
③ 국제 여론을 통한 해결
④ 외교 활동을 통한 해결
⑤ 제3국의 중재를 통한 해결

03 다음 글에서 해결하고자 하는 국제 문제로 옳은 것은?

> 선진국은 후진국에 원조를 하는 것보다는 후진국의 교역 조건을 개선해 주고 무역량을 확대해야 한다. 후진국 수출의 대부분을 차지하는 1차 산업 생산품의 수출 증대와 교역 조건 개선을 위한 국제 상품 협정이 시급하다.

① 남북문제
② 안보 문제
③ 인구 문제
④ 인권 문제
⑤ 환경 문제

B 국제기구의 역할

04 국제 연합의 주요 기관 A, B에 대한 설명으로 옳은 것은?

> • A는 국제 연합의 모든 회원국으로 구성되는 형식상의 최고 의사 결정 기관이다.
> • B는 국적이 서로 다른 15명의 재판관으로 구성되며 국가 간의 분쟁을 법적으로 해결하는 사법 기관이다.

① A의 의결 과정에서 각국은 거부권을 행사할 수 있다.
② A는 국제 평화를 위해 군사적 제재를 할 수 있다.
③ B는 국제 연합 회원국만의 분쟁만 다룬다.
④ B는 당사국 일방의 신청으로 재판이 시작된다.
⑤ B는 재판 시 조약, 국제 관습법, 법의 일반 원칙 등을 적용할 수 있다.

05 밑줄 친 'A'에 대한 옳은 설명만을 〈보기〉에서 고른 것은?

> A은/는 국제 연합의 주요 기관으로 국제 평화와 안전 유지에 주요한 책임을 지고 있으며 5개의 상임 이사국과 10개의 비상임 이사국으로 구성된다.

<보기>
ㄱ. 투표로 선출된 15개 이사국으로 구성된다.
ㄴ. 국제법 위반 국가에 대한 군사적 조치를 취할 수 있다.
ㄷ. 국제 연합의 경제적·사회적·인도적 활동을 지휘·관리한다.
ㄹ. 이사국 3/5 이상의 찬성으로 의결하고 상임 이사국에게 거부권을 부여한다.

① ㄱ, ㄴ
② ㄱ, ㄷ
③ ㄴ, ㄷ
④ ㄴ, ㄹ
⑤ ㄷ, ㄹ

06 다음 글을 통해 알 수 있는 A의 한계로 옳은 것은?

> 국제 사회는 1986년부터 국제 포경 규제 협약에 따라 멸
> 종 위기에 놓인 고래의 상업적인 포경 활동을 금지하고
> 있다. 그러나 일본은 고래의 생태와 해양 생태 등을 연구
> 한다고 주장하며 고래잡이를 계속하고 있다. 오스트레일
> 리아는 국제 연합 산하의 재판 기관인 A에 일본이 사실상
> 상업 포경을 한다며 금지를 요청하는 소송을 제기하였고,
> A가 일본에 대해 포경 활동을 중지하라는 판결을 내렸지
> 만 일본은 이 판결마저 무시하고 있다.

① 판결에 적용할 조약이나 국제 관습법이 부족하다.
② 판결을 이행하지 않는 국가에 대한 제재 수단이 없다.
③ 한 국가만의 제소로 재판이 시작되어 재판이 남발되
　고 있다.
④ 판결에 대한 강대국의 영향력이 커서 판결에 대한 신
　뢰가 떨어진다.
⑤ 국제법이 아닌 국제 비정부 기구의 영향력에 의해 판
　결이 이루어진다.

C 우리나라의 국제 관계와 외교 정책

07 우리나라의 국제 관계 변화의 역사에 대한 설명으로 옳
지 않은 것은?

① 조선 시대에는 중국과의 관계를 중시하며 주변 나라
　와 관계를 맺었다.
② 19세기 말부터 제국주의 열강이 동아시아에 진출하
　면서 일본에 의해 식민지 지배를 겪었다.
③ 1950년대에는 자원 확보를 위해 제3 세계의 여러 국
　가와 수교하였다.
④ 1970년대에는 냉전이 완화되고 실리를 추구하는 경
　향 속에서 차츰 공산 진영 국가들과 관계를 맺기 시
　작하였다.
⑤ 1980년대 후반에는 적극적인 북방 외교 정책으로 구
　소련, 중국 등 공산권 국가와 수교하였다.

08 밑줄 친 A를 성공적으로 수행하기 위한 요건으로 적절하
지 않은 것은?

> A는 외국 국민과의 직접적인 소통을 통해 우리나라의 역
> 사, 전통, 문화, 예술, 가치, 정책, 비전 등에 대한 공감대
> 를 확산하고 국가 이미지를 높여 국제 사회에서 우리나라
> 의 영향력을 높이는 외교 활동을 말한다.

① 민간 부문의 교류를 활성화한다.
② 소프트 파워보다는 하드 파워를 중시한다.
③ 상대 국가의 행위자와 네트워크를 형성한다.
④ 문화, 예술, 지식, 미디어 등 다양한 수단을 활용한다.
⑤ 외국 대중에게 직접 다가가 그들의 마음을 사로잡는다.

서답형 문제

09 다음 자료를 읽고 물음에 답하시오.

> 일본은 "독도 문제를 A에 회부하자."고 우리 정부에 수차
> 례 제안하고 있다. 그들은 "이 제안에 응하지 않는다면
> 1965년 한일 협정 체결 당시 채택된 분쟁 해결에 관한 교
> 환 공문에 따른 조정에 들어가겠다."고 말하고 있다. 그러
> 나 ㉠일본의 제소만으로는 독도 문제에 대한 재판이 A에
> 서 열리지는 않는다.

(1) 국제 연합의 주요 기관 중 하나인 A의 기관명을 쓰시
　오.　　　　　　　　(　　　　　　　)

(2) ㉠의 이유를 서술하시오.

_____
_____

기출 변형

01 국제 연합의 주요 기관 A~C에 대한 설명으로 옳은 것은?

> • 15개 이사국으로 구성된 A는 정치인에 대한 탄압을 자행하는 갑국에 대한 경제적 제재를 논의했으나 한 회원국의 반대로 무산되었다.
> • 모든 회원국이 참여하는 B는 154개국의 찬성으로 을국 정부에 소수 민족의 자치권을 촉구하는 결의안을 채택하였다.
> • 15인의 재판관으로 구성된 C는 해양 쓰레기를 무분별하게 방출하는 병국에 대해 쓰레기 투기 행위를 중지하라는 판결을 내렸다.

① A에서 반대한 한 회원국은 비상임 이사국이었을 것이다.
② B에서 채택된 결의안은 국제 사회에서 법적 구속력을 갖는다.
③ C는 국가 간, 국가와 개인 간 법적 분쟁을 다룬다.
④ C는 당사국을 직접 제재하여 판결을 강제로 이행할 수 있다.
⑤ A와 B는 C의 재판관 선출에 관한 권한을 가진다.

02 다음과 같은 문제의 공통적인 특징에 대한 설명으로 옳지 <u>않은</u> 것은?

▲ 지구 온난화로 빙하가 녹아내리면서 북극곰이 생존을 위협받고 있다.

▲ 소말리아에서 발생한 최악의 테러로 수백 명이 사망하였다.

① 문제를 관리하는 국제기구가 많아 서로 충돌한다.
② 제대로 해결되지 않으면 전 지구적인 위기를 초래할 수 있다.
③ 국경을 초월하여 발생하므로 특정 국가만의 문제로 볼 수 없다.
④ 책임 소재가 불분명한 경우가 많아 사법적인 판단을 내리기가 어렵다.
⑤ 자국의 이해관계를 앞세우는 경우가 많아 해결 방안을 합의하기가 어렵다.

03 국제기구 A~C에 대한 설명으로 옳은 것은?

> • A 기구는 B, C 기구와 달리 국가에게만 회원 자격을 부여한다.
> • B 기구는 A, C 기구와 달리 한정된 지역을 토대로 활동한다.
> • C 기구는 A, B 기구와 달리 제한된 기능을 수행한다.

① A는 B와 달리 현실주의적인 국제 질서를 반영한다.
② 국제 연합은 A에 해당하며, 국제 사면 위원회는 C에 해당한다.
③ 세계화가 확대될수록 A와 B의 영향력은 커지고 C의 영향력은 줄어든다.
④ 한국과 중국의 인권 단체가 협의체를 구성하여 북한의 인권 문제 개선을 요구하는 것은 A에 해당한다.
⑤ 한국에 본사를 두고 세계 각국에 공장을 가진 다국적 기업은 B에는 해당하지만 C에는 해당하지 않는다.

기출 변형

04 다음 자료에 대한 설명으로 옳지 <u>않은</u> 것은?

> 제1차 세계 대전 이후 만들어진 국제 연맹이 국제 평화 유지에 실패하자 이를 보완하고자 1945년에 국제 연합이 창설되었다. 국제 연합의 주요 기관 중 (가)는 모든 회원국이 참여하는 형식상 최고 의결 기관이다. (나)는 국제 평화와 안전 유지의 책임을 맡은 기관으로 ㉠상임 이사국과 비상임 이사국으로 구성된다. (다)는 국가 간의 분쟁을 법적으로 해결하는 국제 연합의 사법 기관이다.

① ㉠이 가지는 거부권에는 힘의 논리가 반영되어 있다.
② (가)의 표결 방식은 주권 평등의 원칙에 기초한다.
③ (나)는 모든 의사 결정에서 ㉠의 거부권 행사를 적용한다.
④ (다)는 원칙적으로 분쟁 당사국이 합의해야 재판을 시작할 수 있다.
⑤ (다)는 (가)와 (나)에서 선출한 서로 다른 국적의 재판관으로 구성된다.

05 다음과 같은 사실에 대한 우리나라의 대응 방안으로 적절하지 않은 것은?

일본 정부는 침략 전쟁 과정에서 당시 일본의 식민지였던 조선과 타이완의 여성들을 포함하여 중국, 필리핀 등의 여성들을 일본군 '위안부'로 강제 동원하였다. 1990년대 초 한국에서 피해자들의 공개 증언이 잇따르자 일본 국내외에서 비판 여론이 일어나 고노 관방 장관이 공식적으로 사과하였지만, 현재 일본 정권은 일본군 '위안부'에 대한 강제성을 부정하고 있다.

① 일본 정부와 외교 관계를 단절한다.
② 역사 자료에서 정확한 근거를 찾는다.
③ 일본 정부에 공식 문서를 보내 항의한다.
④ 국제 사회에 정확한 사실을 적극 홍보한다.
⑤ 피해 국가와 연대하여 사실 관계를 조사한다.

06 다음 기사에서 나타난 외교 방식에 대한 설명으로 옳지 않은 것은?

지난해 11월까지만 해도 구글 사이트(www.google.com)에 독도의 영문 표기인 'dokdo'를 검색했을 때 '일본해' 위에 있는 섬으로 표기됐던 정보가 최근 '동해·일본해' 표기로 수정되었다. 사이버 외교사절단 반크는 한국과 미국의 구글 사이트에서 검색창에 영어로 'dokdo', 'Liancourt Rocks(리앙쿠르 암초)', 'takeshima(다케시마, 일본 주장 독도 표기)' 등을 입력했을 때 위치는 '동해, 일본해', 최고점은 독도 서도 이름인 '대한봉(Daehanbong)'으로 검색된다고 밝혔다. 이는 반크와 네티즌이 함께 독도 정보 시정 활동을 펼친 데에 따른 결과라는 게 반크 측 설명이다.
－『○○신문』, 2018. 8. 18.

① 민간 차원의 공공 외교 활동이다.
② 소프트 파워를 주요 내용으로 한다.
③ 설득과 활동을 통해 원하는 것을 얻어 낸다.
④ 다양한 주체들의 자발적인 참여로 이루어진다.
⑤ 정부 간 협상으로 상대국의 양보를 이끌어낸다.

07 다음 자료에 대한 옳은 설명만을 〈보기〉에서 고른 것은?

외교란 한 국가가 국제 사회에서 자국의 이익을 평화적인 방법으로 달성하려는 활동이다. 오늘날 국제 사회가 복잡해지고 교통·통신이 발달하면서 다양한 행위자들의 국제 교류가 활발해지고 있다. 외교의 중요성과 개방성이 더욱 강화되고, 국제 관계의 주요한 관심사가 바뀌고 있으며, 대부분의 국가들은 다양한 수단을 동원하여 자국의 대외적인 위상을 높이고 국익을 극대화하기 위해 노력하고 있다.

보기

ㄱ. 명분이나 실리보다는 이념을 추구하는 외교로 변화하고 있다.
ㄴ. 설득, 위협, 타협 등 가능한 모든 외교 수단이 사용되고 있다.
ㄷ. 민간 외교에 의한 혼란이 높아지면서 전문가에 의한 공식 외교가 중시되고 있다.
ㄹ. 외교의 범위가 안보 문제에 한정되지 않고 경제 및 문화 영역 등으로 확대되고 있다.

① ㄱ, ㄴ   ② ㄱ, ㄷ   ③ ㄴ, ㄷ
④ ㄴ, ㄹ   ⑤ ㄷ, ㄹ

08 다음은 우리나라 외교 정책을 나열한 것이다. 이를 순서대로 배열한 것은?

(가) 국가 안보를 최우선으로 미국 등 우방국과의 협력을 강화하였다.
(나) 안보 외교를 유지하는 동시에 실리를 중시하는 외교를 전개하였다.
(다) 일부 사회주의 국가에 문호를 개방하고 공산권 외교를 강화하였다.
(라) 제3 세계 비동맹 국가가 성장하는 것에 맞추어 이들에 대한 외교를 강화하였다.

① (가) － (다) － (라) － (나)   ② (가) － (라) － (다) － (나)
③ (나) － (다) － (가) － (라)   ④ (다) － (가) － (나) － (라)
⑤ (라) － (가) － (다) － (나)

한눈에 보는
대단원 정리

01 국제 관계와 국제법

A 국제 관계의 변화

(1) 국제 관계의 의미와 특징

의미	다양한 국제 사회의 행위 주체들이 정치, 경제, 사회, 문화 등 여러 영역에서 서로 교류하고 의존하며 만드는 관계
특징	• 원칙적으로 평등한 주권을 가진 국가를 기본 단위로 구성 • 강제력을 행사할 수 있는 세계 정부가 존재하지 않음 • 힘의 논리와 규범이 공존함

(2) 국제 사회의 변천 과정

베스트팔렌 조약(1648)	종교에 대한 국가의 우위와 주권 국가 중심의 국제 질서가 형성
제국주의 시대 (19세기 후반)	유럽 열강의 식민지 확보 경쟁 → 유럽의 주권 국가 체제가 전 세계로 확산
냉전 체제의 형성(1940년대 중반 이후)	• 미국 중심의 자유 진영과 구소련 중심의 공산 진영으로 대립 • 트루먼 독트린(1947), 북대서양 조약 기구, 바르샤바 조약 기구 등
냉전 체제의 완화와 종식 (1970년대 ~1990년대)	• 제3 세계 등장, 닉슨 독트린(1969), 중국과 소련의 분쟁으로 냉전의 완화 • 몰타 선언(1989), 독일 통일(1990), 구소련의 해체(1991) 등으로 냉전의 종식
오늘날의 국제 관계	• 이념 대립에서 벗어나 경제적 실리 추구 경향 • 민족, 종교, 영토, 자원 등 다양한 이유로 분쟁이 발생

(3) 국제 관계를 보는 관점

현실주의적 관점	자유주의적 관점
• 국제 사회는 자국의 이익을 추구하는 무정부 상태임 • 개별 국가는 스스로의 힘으로 자국의 안보와 이익을 지켜야 함 • 세력 균형 전략으로 국가의 안전을 보장함	• 국가가 이성적 판단이 가능하다고 전제함 • 국제법이나 국제기구의 중요성 강조 • 집단 안보 전략을 통해 평화 보장

(4) 세계화 현상

의미	개별 국가의 경계를 넘어 세계가 하나로 통합되는 현상
영향	국가 간 협력 강화, 다양한 국제 사회 행위 주체들의 활동과 영향력 증가, 국제 규범의 역할 증가

B 국제법의 이해

(1) 국제법의 의미 및 의의

의미	국제 사회를 규율하는 법
의의	• 국제 분쟁을 겪는 당사자에게 유용한 분쟁 해결 수단을 제공 • 전 지구적 문제를 해결하고자 국제 사회의 협력을 유도 • 세계 시민의 일상생활에 편리함을 제공하고 권리를 보호

(2) 국제법의 법원

조약	• 의미: 국가나 국제기구를 당사자로 하여 상호 간에 체결하는 법적 구속력을 가진 합의 • 종류: 양자 조약(당사국이 둘인 경우), 다자 조약(당사국이 셋 이상인 경우) • 사례: 한미 상호 방위 조약, 한중 어업 협정 등
국제 관습법	• 의미: 국제 사회의 반복적인 관행이 법 규범으로 승인되어 효력을 가지게 된 규범 • 국제 관습법이 성립되면 원칙적으로 국제 사회의 모든 국가에 대하여도 법적 구속력 발생(포괄적 구속력) • 사례: 국내 문제 불간섭 원칙 등
법의 일반 원칙	• 의미: 문명국들이 공통적으로 승인하여 따르는 법의 보편적인 원칙 • 국제 분쟁 발생 시 조약이나 국제 관습법이 없을 때 재판의 준거로 활용 • 사례: 신의 성실의 원칙, 권리 남용 금지의 원칙 등

(3) 국제법의 국내법으로의 수용

조약	대통령의 체결 및 비준, 헌법에 규정된 조약은 국회의 동의를 거쳐 국내법으로 수용
국제 관습법	별도의 절차 없이 국내법으로 수용

(4) 국제법의 한계

고유한 입법 기구가 없음	국제 사회의 모든 국가에 적용할 수 있는 국제법을 제정하기 어려움
재판 규범으로서의 한계	강제적인 법 집행 기구나 집행 수단이 없어 위반국에 대한 제재가 어려움

02 국제 문제와 국제기구, 우리나라의 국제 관계

A 국제 문제의 이해

(1) 국제 문제의 양상

국가 안보와 평화 문제	• 자국의 안보를 위한 군비 경쟁 → 군사적 긴장 초래 • 종교, 인종, 자원 등을 이유로 국지적 전쟁이 증가
경제 문제	• 세계화로 인한 자유 무역의 확대 → 국가 간 빈부 격차(남북문제) 심화 • 저개발 국가의 심각한 기아 문제
환경 문제	• 산성비, 오존층 파괴, 지구 온난화 현상 심화 • 자국의 이익 우선 추구로 문제 해결이 쉽지 않음
인권 문제	• 아동 노동, 내전으로 발생하는 난민, 종교적 관습 등으로 인한 여성 인권 침해 • 국가 권력에 의한 자국민의 인권 침해 발생

(2) 국제 문제의 해결 노력

국제법을 통한 해결	국제 사법 기관에 제소하여 국제법에 따라 해결
국제기구를 통한 해결	최근 무역 및 투자 관련 분쟁이 증가하면서 경제 분야의 국제 중재 기구에 의한 해결이 증가
외교 활동을 통한 해결	분쟁 당사국끼리 절차에 합의하고 협상을 통해 해결책을 마련

B 국제 연합의 주요 기관

총회	• 모든 회원국이 참여하는 최고 의결 기관(1국 1표를 행사) • 총회의 의결은 권고 효력만 있음
안전 보장 이사회	• 국제 평화와 안전 유지에 관한 국제 연합의 실질적인 의사 결정 기관 • 5개 상임 이사국과 10개 비상임 이사국으로 구성 • 15개 이사국 중 9개국 이상의 찬성으로 의결하는데, 절차 사항이 아닌 실질 사항의 경우에는 상임 이사국 중 한 국가라도 거부권을 행사하면 안건이 부결됨
국제 사법 재판소	• 국가 간의 분쟁에 대해 국제법을 적용하여 해결하는 국제 연합의 사법 기관 • 국적이 다른 15명의 재판관으로 구성됨 • 강제적 관할권이 없어 기본적으로 분쟁 당사국 간 합의가 있어야 재판이 가능함 • 당사국의 판결 불복 시 직접적인 제재 수단이 없음

C 우리나라의 국제 관계와 외교

(1) 최근 한반도를 둘러싼 국제 관계

안보 문제	북한의 비핵화 문제를 둘러싸고 미국과 북한의 정상 회담, 남북 정상 회담 등이 이어지면서 중국, 일본 등이 주시하고 있음
무역 갈등	미국과 중국의 무역 분쟁, 한국과 일본의 경제 갈등 등
역사 갈등	중국의 동북 공정, 일본의 역사 교과서 왜곡과 관련한 문제
영토 갈등	중국과의 이어도 분쟁, 일본과의 독도 갈등

(2) 우리나라 외교 정책의 역사

1950년대	냉전 체제의 심화 → 반공 외교, 미국 등 우방국과의 협력 강화
1960년대	제3 세계 비동맹 국가의 성장 → 제3 세계 국가에 대한 외교 강화
1970년대	냉전 체제의 완화 → 사회주의 국가에 문화 개방, 공산권 외교 강화
1980년대	소련이나 중국, 동유럽 국가 등의 사회주의 국가와 외교 영역 확대(북방 외교)
1990년대	탈냉전 시대의 도래 → 남북한 긴장 완화 노력, 실리 외교 전개
2000년대	6자 회담 추진, 6·15 남북 공동 선언
2010년대	북한 비핵화 추진, 문화 외교 강화

(3) 다양한 외교 전략

공공 외교	• 외국 국민과의 직접적인 소통을 통해 자국의 역사, 전통, 문화, 예술, 정책 등에 공감대를 확신하고 신뢰를 확보하는 소프트 파워 중심의 외교 활동 • 공공 외교를 성공적으로 수행하기 위해서는 정부뿐만 아니라 다양한 주체들의 자발적 참여가 필요함
기여 외교	• 적극적인 대외 원조를 통해 국가 이미지를 높이는 방식의 외교 활동 • 원조 관련 정책과 제도를 꾸준히 개선해가고 있음

01 다음은 국제 사회의 시기별 변화 모습이다. 이에 대한 설명으로 옳지 <u>않은</u> 것은?

> (가) 국제 사회는 자본주의 진영과 사회주의 진영으로 나뉘어 이념 및 체제 경쟁을 벌이게 되었다.
> (나) 중국과 프랑스, 일본이 부상하고, 제3 세계의 비동맹 국가들이 커다란 세력으로 등장하였다.
> (다) 소련의 붕괴, 독일 통일, 동유럽 공산권의 몰락 등으로 인해 국제 사회는 탈냉전 시대로 접어들었다.

① (가) 시기에는 미소 간에 힘의 균형이 형성되어 있었다.
② (나) 시기와 같은 변화를 통해 양극 체제가 약화되었다.
③ (다) 시기에 미소 정상이 만난 몰타 회담이 있었다.
④ (가)에서 (나) 시기로 넘어갈 때 우리나라는 문화 외교를 강화하였다.
⑤ (다) 시기 이후에 각국은 정치적 이념보다는 경제적 실리를 강조하였다.

02 다음 글에서 강조하는 국제 관계의 특징으로 가장 적절한 것은?

> 유럽 연합(EU)의 각 회원국에 등록된 휴대 전화를 다른 회원국에서 로밍을 하여 사용할 때 부과하는 수수료를 폐지하는 법안을 통과시켰다. 이에 따라 유럽 연합 내 로밍 수수료 폐지는 각 회원국의 승인 절차만 남겨 놓게 되었다. 로밍 수수료가 폐지되면 유럽 연합 회원국 내에서는 추가 수수료 부담 없이 휴대 전화로 자유롭게 통화하거나 인터넷을 사용할 수 있어 유럽 연합의 사회적 통합에 기여할 것이라는 기대가 높아지고 있다.

① 제3 세계 국가의 영향력이 확대되고 있다.
② 자국의 이익 추구로 분쟁이 증가하고 있다.
③ 국경을 초월하여 서로 긴밀하게 협력하고 있다.
④ 분쟁 해결에 국제 비정부 기구가 개입하고 있다.
⑤ 표준화된 국제 규범을 준수하려는 경향이 나타난다.

03 다음은 국제 사회에 대한 갑과 을의 대화이다. 이에 대한 옳은 설명만을 〈보기〉에서 있는 대로 고른 것은?

> 갑: 국제 사회는 인간의 이성을 바탕으로 이루어져. 이성의 산물인 국제법과 국제기구를 통해서 국제 분쟁을 해결하고, 국제 질서와 평화를 달성할 수 있거어.
> 을: 국제 사회의 본질은 인간의 이성이나 도덕이 아니라 권력이야. 국제 사회에서는 국가 간의 힘의 관계에 의해서 모든 것이 결정된다고 할 수 있지.

> **보기**
> ㄱ. 갑은 국제 규범에 의한 국가 간 이익 조화가 가능하다고 본다.
> ㄴ. 을은 국제 질서가 집단 안보 전략에 의해서 유지된다고 본다.
> ㄷ. 갑은 을에 비해 개별 국가가 이익을 추구할 것을 강조하고 있다.
> ㄹ. 을은 갑에 비해 패권적 국제 질서의 확장을 중시하고 있다.

① ㄱ, ㄴ   ② ㄱ, ㄹ   ③ ㄷ, ㄹ
④ ㄱ, ㄴ, ㄷ   ⑤ ㄴ, ㄷ, ㄹ

04 다음 글에 대한 설명으로 가장 적절한 것은?

> 중국 국유 기업인 중국 해양 석유 총공사가 중국과 일본 간 배타적 경제 수역이 겹치는 동중국해 가스전 부근에 새로운 가스전 개발을 추진하자 일본이 반발하고 나섰다. 일본은 중국이 가스전 개발을 시작하면, 분쟁 해역에 지질 조사선 두 척을 파견하기로 했다.

① 국제간 이념의 차이로 나타나는 분쟁이다.
② 다양한 국제 문제 중 인권 문제에 해당한다.
③ 국제 사법 재판소에 제소하는 것이 가장 신속한 해결책이다.
④ 국제기구의 조정이나 중재를 먼저 거쳐야 외교적 해결이 가능하다.
⑤ 분쟁 당사국끼리 원칙이나 절차에 합의하는 것이 가장 바람직하다.

05 밑줄 친 ⊙, ⓒ의 규범에 대한 옳은 설명만을 〈보기〉에서 있는 대로 고른 것은?

> • 우리나라와 중국은 상대국 국민이 체포·구금되었을 때 본인이 요청하지 않더라도 4일 이내 영사 기관에 통보하는 등의 내용을 담은 ⊙한중 영사 협정을 체결했다.
> • 중국은 첨예하게 대립 중인 미국과 베네수엘라를 향해 '상호 존중'과 'ⓒ국내 문제 불간섭의 원칙'을 기초로 관계를 발전시켜 나갈 것을 촉구했다. 중국 대변인은 "국가 내부의 일은 그 나라 국민이 결정할 문제"라고 말했다.

> 〈보기〉
> ㄱ. ⊙은 체결 당사국만 구속한다.
> ㄴ. ⓒ은 문명국에 의해 인정된 법의 일반 원칙이다.
> ㄷ. ⊙은 ⓒ과 달리 국내에서 법률의 효력을 가진다.
> ㄹ. ⊙과 ⓒ은 모두 국제 사법 재판소의 재판 규범으로 작용한다.

① ㄱ, ㄴ   ② ㄱ, ㄹ   ③ ㄷ, ㄹ
④ ㄱ, ㄴ, ㄷ   ⑤ ㄴ, ㄷ, ㄹ

06 (가), (나)의 규범과 관련된 설명으로 옳은 것은?

> (가) 장애인 차별 금지 및 권리 구제 등에 관한 법률 제15조(재화·용역 등의 제공에 있어서의 차별 금지) ① 재화·용역 등의 제공자는 장애인에 대하여 장애를 이유로 장애인 아닌 사람에게 제공하는 것과 실질적으로 동등하지 않은 수준의 편익을 가져다주는 물건, 서비스, 이익, 편의 등을 제공하여서는 아니 된다.
> (나) 장애인 권리 협약 제20조(개인의 이동성) 당사국은 장애인에 대하여 가능한 최대한의 독립적인 개인적 이동성을 보장하기 위하여 효과적인 조치를 취한다. 여기에는 다음의 사항이 포함된다.
> 　가. 장애인이 선택한 방법과 시기에, 그리고 장애인이 감당할 수 있는 비용으로 장애인이 개인적으로 이동하는 것을 촉진할 것

① (가)의 이행을 담당하는 집행 기구는 존재하지 않는다.
② (나)는 국제 사회에서 관행적으로 인정되어 온 규범이다.
③ (가)는 (나)와 달리 위헌 법률 심판의 대상이다.
④ (가)와 달리 (나)는 헌법의 하위 법규로 인정된다.
⑤ (가)는 (나)에 비해 위반 행위에 대한 제재가 엄격한 편이다.

07 다음 사례에서 강조하는 국제 문제의 특징으로 가장 적절한 것은?

> 2020년부터 적용되는 「파리 기후 변화 협약」은 산업화 이전 수준 대비 지구 평균 온도가 2℃ 이상 상승하지 않도록 온실가스 배출량을 단계적으로 감축하는 내용을 담고 있다. 2015년 총회에 참석한 195개 국가는 2100년까지 5년마다 자발적 감축 목표를 설정하여 실천하기로 하였다. 이 협약은 주요 온실가스 배출국인 미국과 중국이 협약에 참여하여 실질적인 효과를 거둘 수 있을 것이라는 기대가 높았다. 그러나 2017년 미국 대통령은 "파리 협약은 중국, 인도, 유럽 등에 비해 미국에 불리하게 체결되었다."고 주장하며, 탈퇴의 뜻을 분명히 밝혔다.

① 문제의 책임 소재가 분명하지 않다.
② 다수에게 무차별적으로 영향을 미친다.
③ 각국의 이해관계로 합의 이행이 어렵다.
④ 국제 비정부 기구가 문제 해결을 주도한다.
⑤ 이해 당사국을 배제한 제3자의 중재가 최선이다.

08 국제 연합 주요 기관 (가), (나)에 대한 설명으로 옳은 것은?

> • A국의 갑은 모든 회원국으로 구성된 (가)에 참석하여 ○○ 난민 사태에 대한 국제 연합 차원의 대책을 논의하였다.
> • B국의 을은 (나)의 재판관이다. C국과 D국이 제소한 영토 분쟁 사건의 심리에 참석하였다.

① (가)는 강대국이 지니는 힘의 우위를 인정하고 있다.
② (가)의 의사 결정 방식은 특정 국가에 유리할 수 있다.
③ (나)는 국제 관습법을 적용하여 재판할 수 있다.
④ (나)는 국제 평화 유지를 위해 군사적 제재를 가할 수 있다.
⑤ (나)의 판결에 불복할 경우 당사국은 (가)에 상소할 수 있다.

09 다음 글이 주장하는 바로 가장 적절한 것은?

> 우리나라는 분쟁 지역에 군대를 파견하여 국제 연합의 활동을 지원하기도 하고, 국제 연합 인권 이사회 활동을 통해 전 세계인들의 인권과 민주주의 증진에도 기여하고 있다. 또한 대량 살상 무기와 테러 확산 방지, 해적 소탕을 위해 세계 여러 국가와 협력하고, 우리나라의 개발 경험과 기술이 필요한 개발 도상국을 지원하며, 재난을 입은 국가에 긴급 구호 물품 등을 제공하고 있다.

① 국제 사회의 평화를 위한 국가 차원의 노력이다.
② 지구촌 구성원으로서 개인이 가져야 할 노력이다.
③ 모든 사회 구성원은 세계 시민 의식을 가져야 한다.
④ 국가 간 이해관계로 인한 분쟁은 해결하기가 쉽지 않다.
⑤ 개별 국가의 이익을 우선적인 가치로 두고 생각해야 한다.

10 다음은 오늘날 우리나라를 둘러싼 국제 관계를 나타낸다. ㉠~㉣에 해당하는 국제 관계로 옳지 않은 것은?

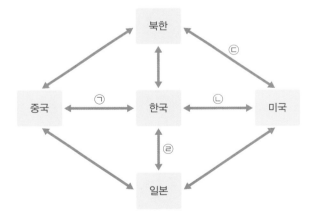

① ㉠ - 서해상 불법 조업 문제
② ㉡ - 동북 공정의 역사 문제
③ ㉢ - 핵 폐기 문제를 둘러싼 갈등
④ ㉣ - 경제 규제와 영유권 분쟁
⑤ ㉣ - 위안부 배상 문제

11 (가)와 (나)의 외교 활동의 특징으로 옳지 않은 것은?

(가)	(나)
▲ 한국-쿠웨이트 수형자 이송 조약 체결	▲ A대학교 해외 집짓기 봉사단 활동

① (가)는 국가의 주권 행사와 관련된다.
② (나)는 소프트 파워의 영향력이 크다.
③ (가)는 (나)와 달리 외교관이 중심이 되어 활동한다.
④ (나)는 (가)에 비해 민간 차원의 공감대를 형성한다.
⑤ (가)는 국제 평화 유지, (나)는 이윤 추구가 목적이다.

12 다음 사례가 우리나라의 외교 정책에 주는 교훈으로 가장 적절한 것은?

> 1975년 서독이 제2차 세계 대전 당시 일에 대한 배상으로 폴란드인들에게 15억 마르크를 제공하겠다는 협약을 체결하면서 양국은 화해 국면에 접어들었다. 1991년 독일 정부의 5억 마르크 지원으로 폴란드·독일 화해 재단이 설립된 이후 폴란드의 영원한 적으로 여겨졌던 독일은 이제 폴란드와 동맹국이 되었다. 이러한 토대 아래 폴란드는 1990년 동·서독의 통일에 반대하지 않았고, 독일은 이후 폴란드가 유럽 연합(EU)에 가입하는 데 변호인 역할을 해 주었다. 이는 단지 재정적·물질적 보상의 차원을 넘어 강제로 동원된 노동자 등에 대한 존경의 표현이자 상징이었다. 60년간 독일의 사과와 화해 조치를 기다려 왔던 많은 이에게 이것은 정치적·도덕적 회복을 의미하였다.

① 끈질긴 협상을 통해 상대국의 양보를 이끌어 내야 한다.
② 민간 외교보다 공식적인 외교 활동이 훨씬 효율적이다.
③ 상대국 국민의 마음을 얻는 일에서부터 출발해야 한다.
④ 상대국과 협상하기에 앞서 주변 국가에 도움을 요청해야 한다.
⑤ 외교 협상에서 자국의 이익만을 고려할 때 성공할 가능성이 높다.

13 A, B는 국제 사회를 보는 서로 다른 관점이다. 다음 글을 읽고 물음에 답하시오.

> A는 국가는 인간과 마찬가지로 이성적 행동을 할 수 있다는 전제하에 국가 간의 신뢰를 바탕으로 집단 안보를 통해 국제 사회의 평화와 질서를 확보하려 한다. 이에 비해 B는 단일의 통합된 통치권을 행사하는 주체가 없는 국제 사회는 무정부 상태이므로 동맹을 맺어 적대 세력과 힘의 균형을 갖추어 침략을 방지하고 자국의 이익을 꾀하고자 한다.

(1) 국제 사회를 보는 관점 A, B를 각각 쓰시오.

A: (   ), B: (   )

(2) A, B의 관점의 문제점을 각각 1가지씩 서술하시오.

14 다음은 국제 연합의 주요 기관인 A, B의 구성과 주요 기능을 정리한 것이다. 이를 보고 물음에 답하시오.

구분	구성	주요 기능
A	모든 회원국	국제 평화에 대한 권고
B	5개의 상임 이사국과 10개의 비상임 이사국	침략국에 대한 경제·외교적 제재나 군사적 개입

(1) A, B의 기관을 각각 쓰시오.

A: (   ), B: (   )

(2) B의 의사 결정 방식을 서술하시오.

15 다음 글을 읽고 물음에 답하시오.

> 우리나라는 한반도를 둘러싼 국제 질서의 변화에 맞추어 외교 전략을 변화시켜 왔다. 1970년대에는 냉전 체제가 완화되는 국제 질서의 흐름에 맞추어 일부 사회주의 국가들에 문호를 개방하였다. 더 나아가 1980년대 후반에는 A를 시도하여 소련, 중국, 동유럽 국가 등으로 외교 영역을 확대하였다.

(1) A에 해당하는 외교 정책을 쓰시오.

(   )

(2) A를 통해 우리나라가 달성하고자 한 목표를 서술하시오.

16 다음 자료를 보고 물음에 답하시오.

국가별 국내 총생산(2017년 기준)

(단위: 억 달러)

순위	국가	국내 총생산	대륙
1	미국	18조 6,244	북아메리카
2	중국	11조 2,321	동아시아
3	일본	4조 9,365	동아시아
4	독일	3조 4,792	유럽
5	영국	2조 6,291	유럽
6	프랑스	2조 4,664	유럽
120	말리	140	아프리카
121	가봉	140	아프리카
122	자메이카	139	중앙아메리카
123	니카라과	132	중앙아메리카
124	모리셔스	121	아프리카
125	부르키나파소	121	아프리카

(국제 통화 기금, 2017)

(1) 위의 자료에서 나타난 국제 문제를 쓰시오.

(   )

(2) (1)과 같은 문제가 발생하는 원인을 세계화와 관련지어 서술하시오.

집중력을 높이는 미로 Game

주방보조 몬스터!
냥냅에게 요리 대료를 무사히 전달하라!

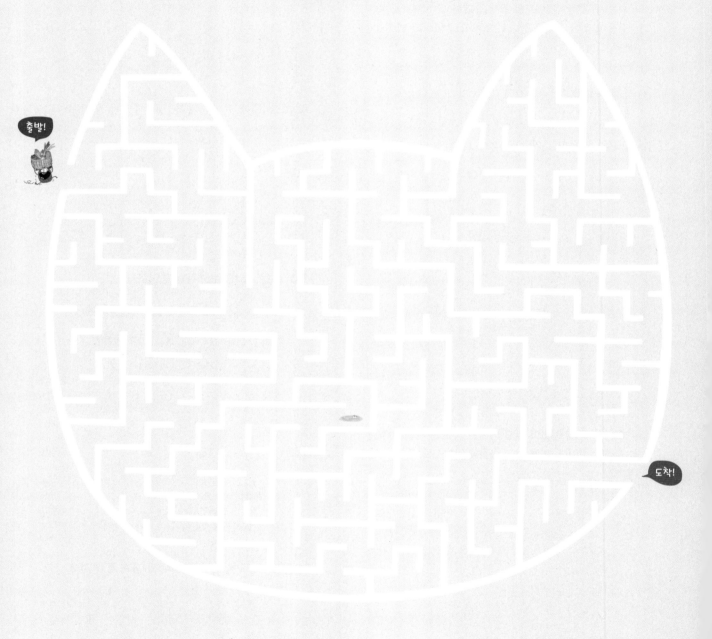

지학사

개념 학습과 정리가 한번에 끝나는 기본서

개념풀

정치와 법

정답과 해설

개념과 정리가 한번에 끝나는 기본서

개념풀
— 정치와 법 —

의구심이 남지 않는 완벽한

정답과 해설

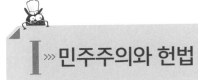

I ⟫ 민주주의와 헌법

01 ~ 민주 정치와 법

01 (2) 넓은 의미의 정치와 좁은 의미의 정치 모두 국가를 포함한 사회 집단에서 정치가 나타난다고 본다.

01 정치의 의미

자료 분석 | 갑은 정치를 국가와 관련된 활동으로만 한정해서 보고 있는 반면, 을은 정치를 국가를 포함하여 개인이나 집단에서 발생하는 이해관계의 대립을 조정하는 활동으로 보고 있다. 따라서 갑은 좁은 의미, 을은 넓은 의미에서 정치를 이해하고 있다. 좁은 의미의 정치는 정치를 국가만의 고유한 현상으로 보기 때문에 정치는 국가의 성립을 전제로 한다고 본다.

[선택지 분석]

①✓ 갑에 따르면 정치는 국가의 성립을 전제로 한다.
② 을에 따르면 정치는 민주 정치 체제에서만 나타난다.
③ 정치 활동의 주체는 ~~을보다 갑~~ 의 입장에서 더 광범위하다.
     갑보다 을의 입장에서
④ 을은 갑과 달리 행정부의 법 집행을 정치가 아니라고 본다.
     ➡ 넓은 의미의 정치는 좁은 의미의 정치를 포함하므로 갑과 을 모두 행정부의 법 집행을 정치로 본다.
⑤ ~~갑과 을은 모두~~ 정치를 집단 간 이해관계의 조정으로 본다.
     갑과 달리 을은

02 정치의 기능

자료 분석 | 제시된 사례에서 ○○ 여행사는 정기적인 간담회 개최를 통해 노사 간의 이해관계를 조정하고 있으며, 국회 여야 4당 위원들 또한 서로 다른 이해관계의 조정을 통해 선거제 개혁에 대한 해결책을 이끌어냈다. 이를 통해 정치는 다양한 개인과 집단 간의 이해관계를 조정하고 해결하는 기능을 한다는 것을 알 수 있다.

[선택지 분석]

① 구성원의 행위 규범을 정립한다. → 법의 기능
② 공동체의 발전 방향을 제시한다.
③ 공권력으로 사회 질서를 유지한다.
④✓ 다양한 이해관계를 조정하고 해결한다.
⑤ 사회적 희소가치를 합리적으로 배분한다.

03 법적 안정성의 요건

자료 분석 | 교통사고를 줄이기 위해 도로의 제한 속도를 크게 낮추고 위반자를 엄정하게 단속한 것은 법의 이념인 정의에는 맞으나, 그로 인해 국민이 큰 불편을 느끼고 결국에는 다시 법을 고치게 된 것은 법적 안정성의 측면에서 문제가 있다. 결국 법은 국민의 현실적인 생활에 도움을 주어야 국민이 안심하고 법을 신뢰하게 됨을 보여주는 사례이다.

[선택지 분석]

① 법의 내용이 명확해야 법 생활에 안정이 온다.
     ➡ 최고 속도를 30km 이하로 명확하게 규정하였다.
② 사회적 지위에 상관없이 벌금은 균등하게 부과되어야 한다.
     ➡ 법을 어길 경우에는 엄청난 벌금을 징수하고, 이를 위해 많은 경찰이 투입되었다.
③✓ 법이 실제로 실현 가능해야 법의 안정적인 운용이 보장된다.
     ➡ 법이 현실성이 없었기 때문에 결국 법을 고치게 되었다.
④ 범법자에게는 반드시 규범을 어긴 대가를 치르게 해야 한다.
     ➡ 법을 어긴 사람에게 엄청난 벌금을 징수하였다.
⑤ 벌금 부과는 정의롭지 못하나 질서 유지라는 목적에는 효과적이다.
     ➡ 정의에는 맞지만, 국민의 법적 생활의 안정에는 실패했다.

04 법의 이념

자료 분석 | 독립 유공자는 국가의 독립을 위해 헌신한 사람들이므로 이들에게 그에 상응하는 보상을 해주는 법률은 정의의 관점에서 정당한 것이다. 독립 유공자에 대한 보상은 그 공헌도에 따라 보상을 달리하는 것이므로 배분적 정의를 실현한다고 볼 수 있다.

[선택지 분석]

ㄱ✓ 법이 실현하고자 하는 궁극적 목표를 의미한다. → 정의
ㄴ✗ 법의 잦은 변동으로 인한 피해를 최소화하고자 한다.
     → 법적 안정성
ㄷ✓ '같은 것은 같게, 다른 것은 다르게' 대우하는 것을 말한다. → 배분적 정의
ㄹ✗ 법에 따라 안심하고 생활할 수 있도록 하기 위한 것이다.
     → 법적 안정성

05 배분적 정의

자료 분석 | 배분적 정의는 상대적·비례적·실질적 평등을 추구하는 정의이다. 이는 개인의 능력과 상황, 필요 등에 따른 차이를 반영하여 '같은 것은 같게, 다른 것은 다르게' 대우하는 것으로, 상대

적 평등을 통해 실현된다.

[선택지 분석]

✗ 대통령 선거에서 모든 유권자에게 1표씩 준다.
→ 평균적 정의

✗ 야간 당직 근무에서 여성 배제 원칙을 철폐한다.
→ 평균적 정의

ⓒ 빈곤 가정 자녀에게 우선적으로 기숙사를 배정한다.
→ 배분적 정의

ⓓ 18세 미만의 연소 근로자에게는 야간 근로를 제한한다.
→ 배분적 정의

06 법의 이념

자료 분석 | 법의 내용이 함부로 변경되지 않아야 한다는 주장은 법적 안정성과 관련 있는 내용으로, 법적 안정성은 법이 개인의 사회생활을 안정적으로 보호해야 한다는 이념이다.

[선택지 분석]

① 강제성
➡ 법이념 중 하나가 아니지만 법은 강제성을 가지고 있다.

② 합목적성
➡ 법이 해당 시대나 국가가 지향하는 가치관과 목적에 부합해야 한다는 이념이다.

③ 법적 안정성

④ 평균적 정의
➡ 차이를 고려하지 않고 누구에게나 똑같이 대우하는 것이다.

⑤ 배분적 정의
➡ 개인의 능력과 상황 등의 차이를 반영하여 대우하는 것이다.

07 사회 계약설

자료 분석 | 제시문에서 갑은 홉스, 을은 로크이다. 홉스는 절대 군주제를, 로크는 대의 민주제와 입헌 군주제를 강조하였으며, 홉스는 자연권의 전부 양도, 로크는 자연권의 일부 위임을 주장하였다.

[선택지 분석]

① 갑은 통치자의 권력이 분립되어야 한다고 보았다.
  을은

✓ 을은 시민들이 저항권을 행사할 수 있다고 보았다.
➡ 로크는 정부가 시민의 자유와 권리를 침해하면 저항권을 행사하여 정부를 재구성할 수 있다고 주장했다.

③ 갑은 을과 달리 정치 형태로 대의 민주제를 옹호하였다.
➡ 대의 민주제를 옹호한 사람은 로크이다.

④ 갑과 달리 을은 주권을 국가에 전부 양도해야 한다고
  을과 달리 갑은
보았다.

⑤ 갑과 을은 모두 국가를 수단이 아닌 목적으로 이해하였다.
  목적이 아닌 수단으로

08 민주 정치의 발전 과정

자료 분석 | A는 고대 아테네 민주 정치, B는 근대 민주 정치, C는 현대 민주 정치이다. 고대 아테네와 근대 민주 정치에서는 정치 참여에 제한이 있었으며, 근대와 현대 민주 정치는 모두 입헌주의, 국민 주권, 대의제에 입각한 정치 체제이다.

[선택지 분석]

ⓐ A와 B는 정치 참여에 제한을 두었다.

➡ 고대 아테네에서는 여성, 노예, 외국인은 정치에 참여하지 못하였고, 근대에는 재산·인종·성별 등에 따라 정치 참여에 제한이 있었다.

✗ C에 비해 A는 정치 참여자의 전문성을 중시하였다.
➡ 고대 아테네의 추첨제와 윤번제는 정치 참여자의 전문성보다는 참여 기회의 확대를 의도한 제도이다.

✗ ㉠에는 '직접 민주주의를 기본으로 하였다.'가 들어갈 수 있다.
➡ 직접 민주제를 기본으로 한 것은 고대 아테네 민주 정치이고, 근대 민주 정치는 대의제를 기본으로 하였다. ㉠에는 '정치 참여 제한'이 들어갈 수 있다.

ⓔ ㉡에는 '입헌주의에 입각한 통치 체제였다.'가 들어갈 수 있다.
➡ 근대 민주 정치는 시민 혁명을 통해 확립되었으며, 입헌주의, 국민 주권, 대의제에 입각한 통치 체제였다. 이것은 현대 민주 정치에도 그대로 계승되었다.

09 민주주의와 법치주의의 관계

(1) 보통 선거

(2) [예시 답안] 민주주의에 기초한 시민의 적극적인 정치 참여가 잘못된 법을 바꾸어 법치주의의 한계를 극복할 수 있도록 하였다.

채점기준		
상	시민의 적극적인 정치 참여로 잘못된 법을 바꿈으로써 법치주의의 한계를 극복했다고 서술한 경우
중	시민의 적극적인 참여로 잘못된 법이 바뀌었다고만 서술한 경우
하	민주주의와 법치주의의 관계를 애매하게 서술한 경우

도전! 실력 올리기   20~21쪽

01 ⑤   **02** ②   **03** ③   **04** ③   **05** ⑤   **06** ③   **07** ⑤
08 ②

01 정치의 의미

자료 분석 | 갑은 이해관계의 대립과 갈등을 조정하는 활동은 국가나 개인 또는 다른 사회 집단에서 발생하더라도 모두 정치로 볼 수 있다는 입장이다. 즉 정치를 넓은 의미에서 보고 있다. 반면 을은 정치는 정치권력에 한정하여 이해해야 하므로 주민 총회는 정치가 아니라는 입장이다. 즉 정치를 좁은 의미에서 보고 있다.

[선택지 분석]

① 갑의 관점은 국가 성립 이전의 정치 현상을 설명하기 곤란하다.
  용이하다.

② 갑의 관점은 을의 관점과 달리 소수 통치 엘리트의 활
  을의 관점은 갑의 관점과 달리
동을 중시한다.

③ 갑에 비해 을의 관점은 다원화된 현대 사회의 정치 현상을 설명하기에 적합하다.
  적합하지 않다.

④ 을에 비해 갑의 관점은 정치를 ~~좁은 의미로~~ 바라본다.
  → 넓은 의미로
✓⑤ 갑, 을의 관점은 모두 의회 의원의 입법 활동을 정치라고 본다.
  ➡ 넓은 의미의 정치는 좁은 의미의 정치를 포함하므로 두 관점 모두 의회 의원의 입법 활동을 정치라고 본다.

02 법의 이념

자료 분석 | 민법 제245조 제1항의 내용을 취득 시효 제도라고 한다. 이 제도는 현실적인 신뢰 관계를 우선시해야 한다는 취지에서 나온 것으로, 신뢰 관계를 중시하는 법이념은 법적 안정성이다. 법적 안정성이란 국민이 법의 권위를 믿고 법에 따라 안심하고 생활할 수 있는 상태를 의미한다. 법이 국민으로부터 신뢰를 얻고 안정적으로 기능하기 위해서는 법의 내용이 명확히 규정되어야 하고, 실현 가능성이 있어야 한다.

[선택지 분석]
① 한 사회가 추구하는 가치나 목적을 반영한다. → 합목적성
✓② 국민 생활과 사회 질서의 안정을 실현하고자 한다.
  → 법적 안정성
③ 인간이 언제 어디서나 마땅히 지켜야 하는 원칙이다.
  → 정의
④ '같은 것은 같게, 다른 것은 다르게' 대우하는 것을 말한다. → 정의
⑤ 각자에게 그 몫을 돌리려는 항구적인 의지로 표현할 수 있다. → 정의

03 정의와 합목적성

자료 분석 | 정의는 법이 추구하는 궁극적 이념이지만 그 의미와 내용이 추상적이다. 따라서 정의가 법을 통해 실현될 수 있도록 방향을 설정해 주는 기준이 필요한데, 이것이 바로 합목적성이다. 즉 합목적성은 법이 그 사회가 추구하는 가치나 목적에 구체적으로 합치되는 것을 의미한다.

[선택지 분석]
① 정의는 법이념에서 제외되어야 한다.
  ➡ 정의는 법이념의 핵심이다.
② 정의는 법적 안정성에 비해 합리적이지 않다.
  ➡ 정의, 합목적성, 법적 안정성은 모두 합리적인 생활을 하는 데 필요하다.
✓③ 정의와 함께 합목적성이라는 법이념이 요청된다.
④ 정의는 평등이라는 개념과는 함께 활용할 수 없다.
  ➡ 정의는 평등을 바탕으로 설명된다.
⑤ 평균적 정의보다 배분적 정의를 기준으로 삼아야 한다.
  ➡ 평균적 정의와 배분적 정의가 모두 필요하다.

04 사회 계약설

자료 분석 | 갑은 루소, 을은 로크이다. 루소는 일반 의지에 의한 통치를 주장하였으며, 주권은 양도할 수 없는 권리이기 때문에 인민에 의한 직접 민주제가 실현되어야 한다고 주장했다. 로크는 대의제, 저항권 사상, 주권의 일부 위임 등을 강조하였다.

[선택지 분석]
✗ 갑은 자연 상태를 '만인의 만인에 대한 투쟁 상태'로 보았다. → 홉스
ㄴ 을은 시민이 정부에 대해 저항권을 행사할 수 있다고 보았다. → 로크
ㄷ 을과 달리 갑은 직접 민주제를 바람직한 민주 정치 체제로 보았다. → 루소
✗ ~~갑과 달라 을~~은 국가를 인간의 자연권 보장을 위한 수단으로 보았다.
  → 갑과 을 모두

05 민주 정치의 발전 과정

자료 분석 | A는 고대 아테네 민주 정치, B는 근대 민주 정치, C는 현대 민주 정치이다. 고대 아테네는 공동체에 속한 모든 시민이 정치에 직접 참여하는 직접 민주제를 실시하였다. 근대 민주 정치는 시민 혁명으로 확립된 대의 민주제를 통해 국민 주권, 법치주의, 입헌주의의 기반 위에 성립되었다. 현대 민주 정치는 근대 민주 정치의 토대 위에서 보통 선거제의 확립으로 발전되었다.

[선택지 분석]
① A는 계몽사상의 영향을 받아 발전하였다.
  ➡ 계몽사상은 무지와 미신을 타파하고 합리적인 이성에 따라 낡고 모순된 제도를 개혁해야 한다는 사상으로, 근대 시민 혁명에 영향을 끼쳤다.
② ~~B에서는~~ 공직 선출에서 윤번제를 실시하였다.
  → A에서는
③ ~~C는~~ 근대 시민 혁명의 영향을 받아 등장하였다.
  → B는
④ A, B 모두 권력 분립의 원칙에 기초하였다.
  → B, C 모두
✓⑤ B, C 모두 입헌주의의 원리를 기반으로 하였다.

06 법치주의의 유형

자료 분석 | A는 형식적 법치주의, B는 실질적 법치주의이다. 형식적 법치주의에 따르면 의회가 적합한 절차를 거쳐 법을 제정하고 그 법에 따라 통치가 이루어지면 법의 내용이 무엇이든 법적 정당성을 인정받는다. 실질적 법치주의는 형식적 법치주의에 더하여 법의 목적과 내용도 인간의 존엄과 가치, 자유와 평등을 보장하는 헌법의 이념에 부합해야 한다는 것을 강조한다.

[선택지 분석]
✗ A는 사람에 의한 통치를 지향한다.
  ➡ A, B 모두 법에 의한 통치를 지향한다.
ㄴ B는 부당한 정치권력에 대한 저항을 인정한다.
ㄷ B보다 A에서 통치자의 권력 남용이 발생할 가능성이 높다.
✗ ~~B는 A와 달리~~ "악법도 법이다."라는 주장의 근거가 될 수 있다.
  → A는 B와 달리

➡ "악법도 법이다."라는 주장은 법의 내용과 관계없이 법의 형식성을 강조하므로 형식적 법치주의와 관련된다.

07 법치주의를 바라보는 관점

자료 분석 ┃ 헌법 제59조를 법치주의의 입장에서 설명해 보라는 질문에 대해 갑은 법률의 내용에 관계없이 형식적 절차성만을 중시하므로 형식적 법치주의의 입장이다. 반면 을은 법률의 내용이 기본권을 침해해서는 안 된다는 헌법 이념을 중시하므로 실질적 법치주의의 입장이다.

[선택지 분석]

① 갑의 관점은 통치의 정당성도 강조한다.
　　　　　　통치의 합법성만을 강조한다.

② 을의 관점은 합법적 독재를 정당화할 수 있다.
　　갑의 관점은

③ 갑과 달리 을의 관점은 어떠한 경우에도 기본권 제한은 불가능하다고 본다.
➡ 법치주의는 법률에 의할 경우 공공복리를 위한 기본권 제한이 가능하다고 본다.

④ 을과 달리 갑의 관점은 위헌 법률 심사제의 도입을 옹
　갑과 달리 을의 관점은
호한다.

☑ 갑과 을의 관점은 모두 국가 권력의 자의적 행사를 방지하고자 한다.
➡ 법치주의는 법에 의한 지배를 받도록 함으로써 국가 권력의 자의적 행사를 방지하고자 한다.

08 민주주의와 법치주의의 관계

자료 분석 ┃ 법치주의란 국가의 운영이 법률에 근거를 두어야 한다는 원칙이다. 그런데 법치주의의 형식만 너무 강조하면 인권을 침해하는 내용의 법이라도 무조건 지켜야 한다는 주장이 나올 수 있다. 이런 경우에는 시민의 뜻에 따라 움직이는 민주주의를 바탕으로 그 법의 내용을 고쳐야 한다. 즉 일반 국민이 적극적으로 정치에 참여하여 법이 올바른 방향으로 나가도록 도와야 한다는 점에서 참여 민주주의는 법치주의의 한계를 극복할 수 있다.

[선택지 분석]

① 국민의 과도한 정치 참여는 법치주의를 침해한다.
➡ 국민의 정치 참여가 실질적 법치주의를 확립하는 데 중요한 역할을 한다고 주장하고 있다.

☑ 참여 민주주의는 법치주의의 한계를 극복할 수 있다.

③ 법치주의를 강조할 경우 다수의 횡포가 초래될 수도
　민주주의를
있다.

④ 민주주의를 실현하기 위해서는 법치주의를 포기해야
　　　　　　　　　　　　법치주의의 도움을 받아야 한다.
한다.

⑤ 실질적 법치주의는 통치의 합법성을 강조할 때 이루어
　　　　　　　　　　절차적 합법성과 통치의 정당성을 모두
진다.

---

02 ～ 헌법의 의의와 기본 원리

콕콕! 개념 확인하기　　　　　　　　　27쪽

01 (1) ○　(2) ○　(3) ×
02 (1) ㄱ　(2) ㄷ　(3) ㄴ
03 (1) 자유 민주주의　(2) 민주주의　(3) 자유주의
04 (1) 국민 주권주의　(2) 자유 민주주의　(3) 복지 국가의 원리
　　(4) 침략적 전쟁　(5) 문화 국가의 원리

01 (3) 현대 복지 국가의 헌법에서도 자유권을 규정하고 있다.

탄탄! 내신 다지기　　　　　　　　28~29쪽

01 ①　**02** ④　**03** ③　**04** ⑤　**05** ⑤　**06** ③　**07** ④
08 ①　**09** 해설 참조

01 헌법의 의의

자료 분석 ┃ 법의 위계를 보면 가장 위에 헌법이 있고, 그 밑에 법률, 명령, 조례, 규칙의 순서로 되어 있다. 하위법은 상위법에 위배되어서는 안 된다. 헌법 재판소의 위헌 법률 심판이나 대법원의 명령·규칙·처분의 위헌성 심사는 모두 헌법의 최고 규범성을 전제로 하위 법령이 최고 규범인 헌법에 위배되지 않아야 함을 강조하고 있다.

[선택지 분석]

☑ 최고 규범

② 조직 수권 규범
➡ 국가 기관의 권한을 정해주는 조항에서 찾을 수 있다.

③ 국가 구성 규범
➡ 영토, 국민의 자격 등과 관련된 조항에서 찾을 수 있다.

④ 권력 제한 규범
➡ 국가 기관의 권력 분립 등과 관련된 조항에서 찾을 수 있다.

⑤ 기본권 보장 규범
➡ 자유권, 평등권 등 기본권 관련 조항에서 찾을 수 있다.

02 헌법의 의미 변천

자료 분석 ┃ A는 고유한 의미의 헌법, B는 근대 입헌주의 헌법, C는 현대 복지 국가 헌법이다. 고유한 의미의 헌법은 국가의 통치 조직 및 국가와 국민의 관계에 관한 기본 원칙을 정한 기본법으로, 동서양을 막론하고 국가가 존재하는 곳이면 반드시 존재한다고 볼 수 있다. 근대 입헌주의 헌법은 고유한 의미의 헌법에서 나아가 국민의 자유와 권리를 보장하기 위해 국가 권력을 제한하는 근본 규범으로서의 헌법을 말한다. 현대 복지 국가 헌법은 근대 입헌주의 헌법에서 나아가 국민의 인간다운 생활 보장을 추구하는 헌법을 말한다.

[선택지 분석]

① A는 국가가 존재하는 곳이면 반드시 존재한다.

② B는 인간 존엄성 실현을 기본 이념으로 하고 있다.
➡ 근대 입헌주의 헌법은 시민 혁명의 영향으로 인간 존엄성, 자유, 평등을 기본 이념으로 하고 있다.

③ C는 국민의 삶의 질 향상을 국가의 의무로 간주한다.
➡ 현대 복지 국가 헌법은 국민의 삶의 질 향상을 위해 사회권을 강조한다.

✔ A, B는 ~~C와 달리~~ 재산권의 공공복리 적합 의무를 강조
  C는 A, B와 달리
한다.

⑤ C는 A, B와 달리 사회적 기본권의 보장을 강조한다.

03 현대 복지 국가 헌법

자료 분석 | (가)는 현대 복지 국가 헌법이다. 현대 복지 국가 헌법은 근대 입헌주의 이념을 계승하고, 더 나아가 모든 국민의 인간다운 삶을 보장하는 것을 목표로 한다. 이에 따라 **사회권을 기본권에 추가하였으며, 실질적 평등의 실현을 위한 국가의 적극적 역할을** 인정하여 국가가 국민의 생활에 개입하는 영역이 확대되었다.

[선택지 분석]

① 재산권의 상대성을 강조한다.
➡ 공공복리를 위한 재산권의 제한을 강조한다.

② 실질적 평등의 실현을 추구한다.

✔ 국가의 간섭을 가능한 한 배제하고자 한다.
➡ 국민의 인간다운 생활 보장, 실질적 평등 실현을 위해 국가의 적극적인 역할을 인정한다.

④ 1919년 독일 바이마르 헌법이 그 시초이다.
➡ 독일 바이마르 헌법에서 사회권을 처음으로 규정하였다.

⑤ 자유권과 함께 사회권을 헌법에 추가하였다.
➡ 근대 입헌주의 헌법에서는 자유권을 강조했지만, 현대 복지 국가 헌법에서는 자유권과 함께 사회권을 헌법에 추가하였다.

04 헌법의 기능

자료 분석 | 헌법 제13조 제1항에서는 **형사 절차에서 소급효 금지 원칙과 일사 부재리 원칙을 규정하고 있다.** 행위 이후에 만들어진 법률로 처벌을 받거나 이미 처벌받았는데도 다시 처벌받는다면 국민의 기본권이 크게 침해될 수 있기 때문이다. 또 헌법 제16조에서는 영장에 의한 주거의 압수·수색을 규정하여 함부로 주거의 자유를 침해하지 못하도록 하고 있다. 두 조항을 통해서 헌법은 국민의 기본권을 보장하는 기능을 수행한다는 것을 알 수 있다.

[선택지 분석]

① 국가 통치 기관의 존립 근거이다.
② 국민의 인간다운 생활을 보장한다.
③ 사회 통합을 실현하는 수단이 된다.
④ 법령의 정당성을 평가하는 기준이 된다.
✔ 국민의 기본권을 보장하는 최고 규범이다.

05 국민 주권주의

자료 분석 | 정당 설립의 자유, 복수 정당제, 언론·출판의 자유와 집회·결사의 자유, 선거권, 국민 투표권 등은 국민 주권주의를 실현하는 방안들이다. **국민 주권주의란 국가의 의사를 결정할 수 있는 최고 권력인 주권이 국민에게 있다는 원리이다.**

[선택지 분석]

① 문화의 자율성을 인정하는 근거가 된다.
→ 문화 국가의 원리

② 국민의 복지에 대한 책임을 국가에 부여한다.
→ 복지 국가의 원리

③ 정치적 자유주의와 민주주의가 결합된 의미이다.
→ 자유 민주주의

④ 국가의 역할을 최소화함으로써 실현되는 원리이다.
→ 자유 민주주의

✔ 권력 창출의 정당성을 국민의 합의에 기초하고 있다.
→ 국민 주권주의

06 국제 평화주의

자료 분석 | 헌법 제5조 제1항과 제6조 제1항, 제2항에 공통적으로 나타난 헌법의 기본 원리는 국제 평화주의이다. 국제 평화주의는 국제 질서를 존중하고 세계 평화와 인류의 번영을 위해 노력한다는 원리이다. **국제 평화주의를 구현하기 위해 우리 헌법은 침략적 전쟁을 부인하고, 국제법을 존중하며, 상호주의 원칙에 따라 외국인의 지위를 보장하고 있다.**

[선택지 분석]

① 시민들의 평화적인 집회와 시위를 보장한다.
→ 자유 민주주의

② 통일 정책 수립을 위한 자문 기구를 설치한다.
→ 평화 통일 지향

✔ 우리 군대를 국제 연합의 평화 유지 활동에 파견한다.
➡ 평화 유지 활동은 국제 분쟁을 평화적으로 해결하기 위한 국제 연합(UN)의 군사 활동이다.

④ 국제 법규는 우리나라 내에서 국내법보다 우선하여 적용한다.
➡ 국제 법규는 국내법과 동일하게 적용한다.

⑤ 외국인에 대해 우리 국민과 동일하게 모든 기본권을 보장해 준다.
➡ 상호주의 원칙에 따라 외국인의 지위를 보장한다.

07 국민 주권주의

자료 분석 | 국민 투표를 통해 헌법 개정을 확정한다는 것은 **국가 의사의 최종 결정권을 국민이 갖고 있다는 의미이다.** 장기 항해 중인 선원들의 선상 투표 실시는 **주권자의 권리를 행사할 수 있는 기회를 주는 것이다.** 따라서 두 사례 모두 국민 주권주의에 해당한다.

[선택지 분석]

① 문화 발전을 위해 문화의 자율성을 보장해야 한다는 원리이다. → 문화 국가의 원리

② 항구적인 세계 평화와 인류 공영에 이바지해야 한다는 원리이다. → 국제 평화주의

③ 개인주의를 바탕으로 국가 권력의 간섭을 최소화한다는 원리이다. → 자유 민주주의

✔ 국가 권력의 정당성의 근원이 국민이라는 점을 강조하는 원리이다. → 국민 주권주의

⑤ 실질적 평등을 구현하기 위한 적극적 평등 실현 조치의 실시를 정당화할 수 있는 원리이다. → 복지 국가의 원리

08 자유 민주주의

자료 분석 | 법에 의한 통치를 중시하는 법치주의는 자유 민주주의를 실현하기 위한 방안이다. 자유 민주주의를 실현하기 위한 방안으로는 법치주의, 기본권 보장, 적법 절차의 원리, 사법권의 독립, 복수 정당제 등이 있다. 갑이 답변한 영장주의는 국민의 기본권 보장을 위한 적법 절차의 원리에 해당한다.

[선택지 분석]

☑ 갑: 범죄 혐의자를 구속하고자 할 경우에는 법관의 영장이 필요합니다. → 자유 민주주의

② 을: 상호주의 원칙에 따라 외국인의 신분과 지위를 보장하고 있습니다. → 국제 평화주의

③ 병: 일정 요건을 갖춘 재외 국민에게 대통령 선거권을 보장하고 있습니다. → 국민 주권주의

④ 정: 저개발국의 빈곤을 해결하기 위한 인도적 지원을 확대하고 있습니다. → 국제 평화주의

⑤ 무: 저소득층의 생계 보장을 위해 국민 기초 생활 보장 제도를 운영하고 있습니다. → 복지 국가의 원리

09 문화 국가의 원리

(1) 문화 국가의 원리

(2) [예시 답안] 국가가 문화를 보호하고 문화 활동의 자유를 보장함으로써 문화의 발전을 지향해야 한다는 원리이다.

채점 기준	
상	국가가 문화를 보호하고 국민의 자율적인 문화 활동을 보장한다는 내용을 논리적으로 서술한 경우
중	국가가 문화의 발전을 위해 노력해야 한다는 내용만을 서술한 경우
하	국가의 문화 책무에 대한 언급 없이 문화에 대한 내용만 서술한 경우

도전! 실력 올리기   30~31쪽

01 ⑤   **02** ①   **03** ⑤   **04** ③   **05** ③   **06** ④   **07** ④
08 ④

01 헌법의 의미 변천

자료 분석 | 국민의 인간다운 생활 보장은 복지 국가에서 강조하는 이념으로 C는 현대 복지 국가 헌법이고, B는 자유권을 강조하므로 근대 입헌주의 헌법이다. 따라서 A는 고유한 의미의 헌법이다.

[선택지 분석]

① A는 소유권의 공공복리 적합 의무를 중시한다.
　　C는

② 독일 바이마르 헌법은 B에 해당한다.
　　　　　　　　　　C에

③ A는 불문 헌법, B와 C는 성문 헌법이다.
　➡ 헌법의 형식과는 관련이 없다.

④ A~C 모두 국가 권력의 확대를 필요로 한다.
　　A, B와 달리 C는

☑ (가)에는 '국가 기관의 권한을 규정하고 있습니까?'가 들어갈 수 있다.
　➡ 어떤 형태의 헌법이든 국가 기관의 권한을 규정하고 있다.

02 헌법의 기능

자료 분석 | 우리나라에서 정부가 수립된 것은 국회 의원들이 헌법을 만들어 그 헌법에 따라 국가 기관을 구성했기 때문이다. 미국에서도 독립 선언만으로 국가가 구성된 것은 아니다. 연방 헌법이 만들어지면서 국가가 형성된 것이다. 이를 통해 헌법은 국가 창설 기능을 가지고 있음을 알 수 있다.

[선택지 분석]

☑ 국가 창설의 토대가 된다.

② 법령의 제정 근거로 작용한다.
　➡ 헌법의 최고 규범성을 의미한다.

③ 정치적 문제의 해결 기준을 제시한다.

④ 국가 권력을 제한하여 기본권을 보장한다.
　➡ 헌법의 기본권 조항에서 확인할 수 있다.

⑤ 국가 통치 조직에 일정한 권한을 부여한다.
　➡ 국가 기관의 역할에 관한 헌법 조항에서 확인할 수 있다.

03 입헌주의

자료 분석 | 헌법은 국민의 자유와 권리를 보장하기 위하여 국가 기관의 구성과 운영에 대한 사항을 규정하고, 국가 기관에 이 규정을 준수하도록 하는데, 이를 입헌주의라고 한다. 헌법은 국가의 최고 규범이므로 하위 법령의 근거가 될 수 있도록 국민의 기본권을 보장하고 국가 권력의 분립을 통해 권력 남용을 방지해야 한다. 따라서 헌법에는 기본권 보장, 권력 분립, 위헌 법률 심사 제도 등이 규정되어 있어야 한다.

[선택지 분석]

① 권력 분립이 제도적으로 명시되어 있는가?
　➡ 권력의 남용을 방지한다.

② 인간의 존엄성이 최고의 가치로 간주되고 있는가?
　➡ 기본권 보장의 이념을 제시한다.

③ 자유와 평등을 국민의 기본권으로 규정하고 있는가?
　➡ 자유와 평등은 국민의 기본권 보장의 핵심 요소이다.

④ 공권력이 헌법에 위반되는지를 심사하는 장치가 있는가?
　➡ 공권력에 의한 부당한 침해를 방지할 수 있다.

☑ 국민들의 삶의 질 향상을 위해 복지 국가를 추구하고 있는가?
　➡ 복지 국가의 추구는 입헌주의와는 직접적인 관련이 없다.

04 국민 주권주의와 복지 국가의 원리

자료 분석 | (가)는 국민 주권주의, (나)는 복지 국가의 원리이다. 국민 주권주의는 국가의 최고 의사를 결정하는 주권이 국민에게 있고, 모든 국가 권력의 근거가 국민에게 있다는 원리이다. 국민 주권주의를 실현하기 위해 우리 헌법은 민주적 선거 제도와 국민 투표제를 규정하고 있으며, 언론·출판·집회·결사의 자유 및 복수 정당제 등을 보장하고 있다. 또한 우리 헌법은 복지 국가의 원리를 실현

하기 위해 국가에 사회 보장 및 사회 복지의 증진 의무를 부여하고, 국민이 인간다운 생활을 할 권리를 국가에 요구할 수 있도록 규정하고 있다. 근로자에 대한 최저 임금제 실시, 여성 및 연소 근로자에 대한 특별 보호 등도 복지 국가의 원리를 실현하는 방안에 해당한다.

[선택지 분석]

✕ (카) – 현대 복지 국가 헌법에서 강조되었다.
　　　(나)

○ (가) – 국민이 국가 권력에 대한 정당성을 부여한다.

○ (나) – 국민의 인간다운 생활 보장을 목적으로 한다.

✕ (나) – 국가의 역할을 ~~최소화함으로써~~ 실현되는 원리
　　　　　　　　　　　　확대함으로써
이다.

05 헌법의 기본 원리

자료 분석 | ㉠은 자유 민주주의, ㉡은 복지 국가의 원리, ㉢은 국제 평화주의와 관련된다. 자유 민주주의의 실현을 위해 우리 헌법은 법치주의와 권력 분립, 의회 제도, 복수 정당제를 바탕으로 한 자유로운 정당 활동 보장 등을 규정하고 있다. 복지 국가의 원리란 국민 복지에 대한 책임을 국가에 부여하고, 사회권을 국민의 기본권으로 보장하는 원리를 가리킨다. 근로자에 대한 최저 임금제 실시, 여성 및 연소 근로자의 특별 보호 등이 복지 국가의 원리를 실현하는 방안에 해당한다. 국제 평화주의는 국제 질서를 존중하고 세계 평화와 인류의 번영을 위해 노력한다는 원리로, 국제 평화주의를 실현하기 위해 우리 헌법은 침략 전쟁을 부인하고, 법에 따라 체결·공포된 조약과 일반적으로 승인된 국제 법규에 국내법과 같은 효력을 인정하고 있다.

[선택지 분석]

① ㉠과 관련된 제도로 사회 보험, 공공 부조 등이 있다.
　　㉡과

② ㉡은 국가의 역할을 ~~최소화~~하는 것을 전제로 한다.
　　　　　　　　　　확장

③ ㉡은 국가가 소득 재분배 정책을 실시하는 근거가 된다.
　→ 복지 국가의 원리

④ ㉢은 남북 분단이라는 우리나라의 특수한 현실을 반영
한다. → 평화 통일 지향

⑤ ㉢에 근거하여 대한민국은 국제 평화의 유지에 노력하고 모든 전쟁을 부인한다.
　　　　　　　　침략적

06 우리 헌법의 기본 원리

자료 분석 | (가)는 자유 민주주의, (나)는 복지 국가의 원리, (다)는 평화 통일 지향, (라)는 문화 국가의 원리, (마)는 국제 평화주의이다. 국민의 자유를 보장하기 위해서는 국가의 역할이 최소한으로 그쳐야 하지만, 복지 국가의 원리를 실현하기 위해서는 국가의 적극적인 개입이 필요하다. 문화 국가의 원리를 실현하기 위해 우리 헌법은 전통문화의 계승·발전과 민족 문화의 창달, 평생 교육의 진흥을 위한 책무를 국가에 부과하고 있다.

[선택지 분석]

① (가)는 개인의 자유와 권리를 최대한 보장하기 위한 원리이다.

② (나)는 자본주의의 문제를 해결하기 위해 국가의 적극적인 역할을 강조한다.
　→ 국가의 역할이 확대되어야 복지 국가가 실현된다.

③ (다)는 남북 분단이라는 현실을 반영한 우리 헌법 특유의 원리이다.

○ (라)를 구현하는 방안으로 우리나라는 국민 기초 생활 보장 제도를 시행하고 있다.
　→ 국민 기초 생활 보장 제도는 복지 국가의 원리를 실현하기 위한 방안이다.

⑤ (마)를 실현하기 위해 조약 등의 국제 법규에 국내법과 동일한 효력을 부여하고 있다.
　→ 우리나라에서 국제법은 국내법과 동일한 효력을 가진다.

07 국민 주권주의

자료 분석 | A는 국민 주권주의이다. 국민 주권주의는 국가의 최고 의사를 결정하는 주권이 국민에게 있고, 모든 국가 권력의 근거가 국민에게 있다는 원리이다. 국민 주권주의를 실현하기 위해 우리 헌법에서는 주권자인 국민에게 선거권과 공무 담임권, 국민 투표권과 같은 참정권을 보장하고 있다. 또한 정당 설립의 자유와 더불어 다양한 정당이 정치적 활동을 할 수 있는 복수 정당제와 언론·출판·집회·결사의 자유를 보장하고 있다.

[선택지 분석]

① 갑: 공정한 재판을 위해 사법권의 독립을 보장합니다.
　→ 자유 민주주의

② 을: 사회 보장 제도를 통해 실질적 평등을 추구합니다.
　→ 복지 국가의 원리

③ 병: 상호주의 원칙을 바탕으로 외국인의 지위를 보장합니다. → 국제 평화주의

○ 정: 일정한 연령 이상의 국민 모두에게 선거권을 부여합니다. → 국민 주권주의

⑤ 무: 인간의 존엄성에 근거하는 근로 조건을 법률로 정합니다. → 복지 국가의 원리

08 문화 국가의 원리

자료 분석 | 문화 예술 진흥법은 전통 문화와 예술을 진흥시키자는 취지의 법률이므로 헌법상의 문화 국가의 원리를 실현하기 위한 것이다. 문화 국가의 원리란 국가가 문화를 보호하고 문화 활동의 자유를 보장함으로써 문화의 발전을 지향해야 한다는 원리이다. 학문과 예술의 자유 및 표현의 자유 보장, 평생 교육의 진흥 등이 문화 국가의 원리를 실현하는 방안들이다.

[선택지 분석]

✕ 국가 권력의 분립을 전제로 한다.
　→ 자유 민주주의와 관련된다.

○ 전통문화의 창조적 발전을 추구하고자 한다.

✕ 선진국의 문화를 적극 수용하는 것이 목적이다.
　→ 전통문화의 계승·발전 및 선진국 문화와의 조화 등을 추구해야 한다.

○ 평생 교육의 진흥과 의무 교육 제도를 통해 실현된다.

03 ~ 기본권의 보장과 제한

콕콕! 개념 확인하기

37쪽

01 (1) ○ (2) × (3) ○ (4) ○
02 (1) 참정권 (2) 청구권 (3) 자유권 (4) 사회권
03 (1) 질서 유지 (2) 법률 (3) 본질적
04 (1) ㄹ (2) ㄴ (3) ㄷ (4) ㄱ
05 (1) 국방 (2) 공공복리

01 (2) 법 앞의 평등은 합리적인 이유가 없는 불합리한 차별 대우를 금지하는 것이다.

탄탄! 내신 다지기

38~39쪽

01 ⑤ **02** ④ **03** ① **04** ③ **05** ① **06** ③ **07** ⑤
08 ② **09** 해설 참조

01 평등권

자료 분석 | 제시문에서 A당은 후보자의 기호를 정할 때 의석수를 기준으로 하는 것은 의석수가 많은 기성 정당은 앞 번호를 받고 그렇지 않은 정당이나 무소속 후보자는 뒷 번호를 받게 되므로 평등하지 못하다고 주장하고 있다. 따라서 밑줄 친 기본권은 평등권이다. 평등권은 사회생활에서 합리적 이유 없이 불평등한 대우를 받지 않을 권리로서 다른 기본권 보장의 전제 조건이 된다.

[선택지 분석]

① 소극적, 방어적인 성격의 권리이다. → 자유권
② 다른 기본권의 보장을 위한 수단적 권리이다. → 청구권
③ 최소한의 인간다운 생활을 보장받을 권리이다. → 사회권
④ 정치에 참여하고 국가 기관을 구성하는 권리이다. → 참정권
⑤ 합리적 이유 없이 부당한 대우를 받지 않을 권리이다.
→ 평등권

02 청구권의 특성

자료 분석 | 갑은 A에게 돈을 빌려줬지만 받지 못하고 있다. 그래서 재판을 통해 빌려준 돈을 받으려고 하므로 재판 청구권을 행사하고자 한다. 을은 형사 피고인으로 억울하게 구금되었다가 무죄 확정 판결을 받고 석방되었으므로 국가에 대해 형사 보상을 청구할 수 있다. 재판 청구권과 형사 보상 청구권은 모두 청구권에 해당한다. 청구권은 다른 기본권을 보장하기 위한 수단적·절차적 권리이다.

[선택지 분석]

① 국민 주권의 원리를 구체화한다. → 참정권
② '국가로부터의 자유' 확보를 목적으로 한다. → 자유권
③ 소극적·포괄적 권리로서의 성격을 갖는다. → 자유권
④ 다른 기본권을 보장하기 위한 수단이 된다. → 청구권
⑤ 복지 국가가 출범하면서 등장한 기본권이다. → 사회권

03 인간으로서의 존엄과 가치 및 행복 추구권

자료 분석 | 헌법 제10조에 제시된 기본권은 인간으로서의 존엄과 가치 및 행복 추구권이다. 인간으로서의 존엄과 가치는 헌법상 모든 기본권의 근거이자 원천이며, 국가 권력 행사의 기준이 된다. 행복 추구권은 물질적·정신적으로 안락하고 만족스러운 삶을 추구할 수 있는 권리이다. 행복 추구권은 인간으로서의 존엄과 가치를 보장하기 위한 본질적 기본권으로, 인간으로서 누려야 할 행복을 충족할 수 있는 모든 자유와 권리의 내용을 담고 있는 포괄적 권리이다.

[선택지 분석]

① 국가의 존재를 전제로 하고 있다.
➡ 국가의 존재와 관계없이 인간이라면 당연히 보장받아야 할 권리이다.
② 국가 권력 행사의 기준을 규정하고 있다.
③ 모든 기본권 조항에 적용되는 일반 원칙이다.
④ 헌법 개정에 의해서도 폐지될 수 없는 권리이다.
➡ 천부 인권이므로 헌법이 개정되더라도 폐지될 수 없다.
⑤ 우리 헌법이 지향하는 최고의 가치 지표에 해당한다.
➡ 모든 기본권의 핵심이며, 헌법의 가치는 이 조항에 근거해야 한다.

04 자유권

자료 분석 | 거주·이전의 자유, 사생활의 비밀과 자유, 언론·출판·집회·결사의 자유는 자유권에 해당한다. 자유권이란 개인의 자유로운 영역에 대하여 국가 권력의 간섭과 침해를 받지 않을 권리로서 역사적으로 가장 오래된 기본권이다. 자유권은 방어적 권리 또는 소극적 권리로서의 성격을 가지며, 포괄적 권리이다.

[선택지 분석]

① 열거적 권리이다.
　　포괄적
② 수단적 성격을 갖는 권리이다. → 청구권
③ 역사가 가장 오래된 권리이다.
④ 국가에 적극적으로 요구할 수 있는 권리이다.
→ 사회권, 청구권
⑤ 안락하고 풍족한 삶을 위해 정신적 만족까지 추구할 수 있는 권리이다. → 행복 추구권

05 사회권의 특징

자료 분석 | 자본주의가 발달하면서 물질적으로는 풍요로운 사회가 도래하였지만 빈부 격차 심화, 노동자들의 삶의 질 악화 등 심각한 사회 문제가 등장하였다. 이에 모든 사회 구성원이 최소한의 인간다운 삶을 누릴 수 있어야 한다는 인식이 확산하면서 사회권이 등장하였다. 사회권은 1919년 독일의 바이마르 헌법에서 최초로 규정되었다. 사회권은 국민이 국가에 대해 인간다운 생활의 보장을 요구한다는 점에서 적극적 권리이며, 국가의 존재를 전제로 한다.

[선택지 분석]

① 소극적, 방어적 기본권에 해당한다. → 자유권
② 국가의 존재를 전제로 하여 인정된다.
③ 공공복리를 위하여 법률로써 제한할 수 있다.
④ 1919년 독일 바이마르 헌법에서 최초로 규정되었다.

⑤ 근대 자본주의의 모순을 해결하기 위한 과정에서 등장하였다.

06 과잉 금지의 원칙

자료 분석 | 제시문에서 헌법 재판소는 통신비밀보호법 제5조 제2항이 인터넷 회선 감청의 집행 단계나 집행 이후에 수사 기관의 권한 남용을 통제하기 위한 제도적 조치가 제대로 마련되어 있지 않아 국민의 기본권을 크게 침해한다고 보았다. 즉 기본권 제한 원칙인 과잉 금지의 원칙 중에서 피해의 최소성에 반한다고 본 것이다.

[선택지 분석]

① 기본권은 공공복리를 위해 제한할 수 있다.
　➡ 자료는 국가 안전 보장을 위해 제한하는 경우이다.

② 기본권은 법률에 의해서만 제한되어야 한다.
　➡ 헌법 재판소는 해당 법률에 의한 기본권 제한이 부당하다고 보았다.

✓ 기본권의 제한은 필요한 최소 범위에서만 해야 한다.
　→ 피해의 최소성

④ 행정의 비효율성이 나타나는 경우에는 기본권을 제한할 수 있다.
　➡ 행정의 비효율성은 기본권 제한의 목적이 될 수 없다.

⑤ 기본권의 행사는 공중도덕이나 사회 윤리를 침해해서는 안 된다.
　➡ 자료에서는 국가 안전 보장을 위한 목적에서 제한하고 있다.

07 기본권 제한의 요건과 한계

자료 분석 | 국민의 기본권을 제한하는 경우 그 목적은 국가 안전 보장, 질서 유지 또는 공공복리로 한정되며, 국회에서 제정한 법률로써 제한하는 형식을 갖추어야 한다. 또한 기본권 제한의 목적과 형식 측면에서 요건을 갖추었다 하더라도 과잉 금지의 원칙을 지켜야 한다. 과잉 금지의 원칙은 기본권 제한의 목적이 정당하고, 방법이 적절해야 하며, 제한으로 인한 피해를 최소화하고, 그 피해보다 보호되는 공익이 더 커야 한다는 원칙이다. 우리 헌법은 기본권을 제한하는 경우에도 자유와 권리의 본질적인 내용을 침해할 수 없다고 규정함으로써 기본권 제한의 한계를 설정하고 있다.

[선택지 분석]

✗ 공공복리를 위한 경우에만 제한이 가능합니다.
　➡ 국가 안전 보장, 질서 유지를 위한 경우에도 제한이 가능하다.

✗ 원칙적으로 법률이나 조례로써 제한해야 합니다.
　➡ 국회에서 제정한 법률에 의해서만 제한이 가능하다.

㉿ 기본권 제한의 방법이 목적을 달성하는 방법으로써 효과적이고 적절해야 합니다.
　➡ 과잉 금지의 원칙 중 방법의 적절성에 대한 설명이다.

㉿ 기본권의 본질적인 내용을 침해해서는 안 됩니다.

08 국민의 의무

자료 분석 | 갑은 납세의 의무, 을은 국방의 의무 중 병역의 의무, 병은 재산권 행사의 공공복리 적합 의무를 수행하고 있다. 납세의 의무와 국방의 의무는 근대부터 국민에게 부과되어 온 의무이고,

교육의 의무, 근로의 의무, 재산권 행사의 공공복리 적합 의무, 환경 보전의 의무 등은 현대에 와서 국민에게 부과된 의무이다.

[선택지 분석]

① 갑과 을의 의무는 현대에서 강조된 것이다.
　　　　병의 의무는

✓ 병의 의무는 재산권 행사의 공공복리 적합 의무이다.

③ 갑과 을의 의무는 국가가 자의적으로 부과한 것이다.
　　　　　　　　　법률에 근거하여

④ 갑과 달리 병의 의무는 법적 의무가 아닌 윤리적 의무이다.
　➡ 납세의 의무와 재산권 행사의 공공복리 적합 의무는 모두 법적 의무이다.

⑤ 갑, 을, 병의 의무는 모두 복지 국가의 이념을 실현하기
　갑과 을의 의무와 달리 병의 의무는
　위한 것이다.

09 기본권의 유형과 특징

(1) 자유권

(2) [예시 답안] 을은 청구권(국가 배상 청구권)을 행사하려고 한다. 청구권은 국민의 기본권이 국가나 타인에 의해 침해당하였을 때 그 구제를 청구할 수 있는 권리로, 다른 기본권을 보장하기 위한 수단적 권리이다.

채점기준	
상	청구권을 언급하였으며, 수단적 권리라는 점을 강조하여 서술한 경우
중	청구권을 언급하지 않고 수단적 권리라는 점만 언급한 경우
하	청구권만 언급한 경우

도전! 실력 올리기　　　　　　　　40~41쪽

01 ③　**02** ④　**03** ⑤　**04** ③　**05** ②　**06** ④　**07** ③
08 ①

01 자유권과 참정권

자료 분석 | ㉠은 집회 및 시위의 자유로서 자유권에 해당하고, ㉡은 공무 담임권으로서 참정권에 해당한다. 자유권은 국가의 간섭과 침해를 배제함으로써 누릴 수 있는 권리이므로 방어적 권리 또는 소극적 권리로서의 성격을 가진다. 자유권은 매우 광범위하여 헌법에 일일이 열거하지 않아도 보장된다는 점에서 포괄적 권리이다. 참정권은 국민이 국가 기관의 형성과 국가의 정치적 의사 결정 과정에 참여할 수 있는 능동적 권리이다.

[선택지 분석]

① ㉠은 헌법에 열거되어야 보장받을 수 있는 권리이다.
　　　　　　　　열거되지 않아도

② ㉠은 기본권이 침해되었을 때 이를 구제받기 위한 수단적 권리이다. → 청구권

✓ ㉡은 국가의 정치 과정에 적극적으로 참여할 수 있는 권리이다. → 참정권

④ ㉠은 ㉡과 달리 인간다운 생활을 국가에 요구할 수 있는 적극적 권리이다. → 사회권

⑤ ~~㉡은 ㉠과~~ 달리 국가의 간섭을 받지 않을 소극적 권리
  ㉠은 ㉡과 달리
  이다.

02 사회권

자료 분석 | 국민 생활의 균등한 향상, 인간다운 생활, 경제에 관한 규제와 조정 등은 모두 사회권과 관련된다. 사회권은 인간다운 생활의 보장을 국가에 요구할 수 있는 권리이다. 근대 초기에는 국가가 질서 유지와 같은 최소한의 역할을 하면 이상적인 사회가 될 것이라고 생각하였다. 그러나 시간이 지나면서 실업, 독과점 등 다양한 사회 문제가 발생함에 따라 국가가 소극적인 질서 유지 기능을 넘어 적극적인 기능을 수행해야 한다는 복지 국가 사상이 등장하여 사회권이 기본권으로 헌법에 규정되었다.

[선택지 분석]

① 역사적으로 가장 오래된 권리이다. → 자유권

② 국가의 정치 과정에 참여할 수 있는 권리이다. → 참정권

③ 다른 기본권을 보장하기 위한 수단적 권리이다. → 청구권

☑ 복지 국가의 등장과 함께 보장되기 시작한 권리이다.
  → 사회권

⑤ 국가 권력의 간섭이나 침해를 받지 않을 방어적 권리이다.
  → 자유권

03 기본권의 유형

자료 분석 | A는 헌법에 열거되지 않아도 포괄적으로 보장되므로 자유권, C는 다른 기본권을 보장하기 위한 수단적 권리이므로 청구권이다. 따라서 B는 사회권이다. 자유권은 국민이 부당하게 국가의 침해를 받지 않고 자유롭게 생활할 수 있는 권리로, 국가의 간섭을 받지 않아야 보장되므로 천부 인권적 성격이 강하다.

[선택지 분석]

① ~~A는~~ 복지 국가에서 중시되는 권리이다.
  B는

② ~~B의~~ 예로 국가 배상 청구권을 들 수 있다.
  C의

③ ~~C는~~ 소극적·방어적 성격을 지닌다.
  A는

④ ~~B와 달리 C는~~ 국가의 존재를 전제로 한다.
  B와 C는 모두

☑ B, C에 비해 A는 천부 인권적 성격이 강하다.
  → 자유권과 평등권은 천부 인권적 성격이 강하다.

04 인간으로서의 존엄과 가치

자료 분석 | 교정 시설의 1인당 수용 면적이 수형자의 인간으로서의 기본 욕구에 따른 생활조차 어렵게 할 만큼 지나치게 협소하다면, 인간으로서의 존엄과 가치를 침해한다고 볼 수 있다. 따라서 밑줄 친 기본권은 인간으로서의 존엄과 가치이다. 인간으로서의 존엄과 가치는 모든 기본권의 근거이자 원천이며, 다른 모든 기본권 조항에 적용되는 일반 원칙이라고 볼 수 있다. 또한 어떤 경우에도 제한될 수 없는 절대적인 기본권이다.

[선택지 분석]

① 헌법에 ~~규정되어야~~ 보장받는 권리이다.
  규정되지 않아도

② 불합리한 이유로 차별받지 않을 권리이다. → 평등권

☑ 헌법상 모든 기본권의 근거이자 원천이다.
  → 인간으로서의 존엄과 가치

④ 다른 기본권을 보장하기 위한 수단적 성격을 가진다.
  → 청구권

⑤ 국가에 대하여 적극적으로 특정한 행위를 요구할 수 있는 권리이다. → 청구권

05 사회권과 청구권

자료 분석 | A는 근로자의 인간다운 생활을 보장하기 위한 권리이므로 사회권이다. B는 뺑소니 차량에 의해 신체의 자유를 침해받은 상태에서 국가에 대해 구조를 요청하는 권리이므로 청구권이다. 사회권은 국민이 국가에 대해 인간다운 생활의 보장을 요구할 수 있는 권리로 적극적이며, 열거적인 권리이다. 또한 가장 최근에 등장한 현대적 권리이다. 청구권은 다른 기본권이 침해되었을 때 이의 구제를 위한 수단적 권리이다.

[선택지 분석]

㉠ A는 가장 최근에 등장한 권리이다. → 사회권

✗ B는 다른 기본권 보장의 전제 조건이 된다. → 평등권

㉢ A가 침해되었을 때 B의 행사를 통해 구제받을 수 있다.
  → 청구권은 다른 기본권을 보장하기 위한 수단적 권리이므로, 청구권의 행사를 통해 사회권의 침해를 구제받을 수 있다.

✗ A는 B와 달리 헌법에 열거되지 않아도 보장되는 포괄적 권리이다.
  → 사회권과 청구권은 모두 헌법에 열거되어야 보장되는 열거적 권리이다.

06 기본권의 제한 방법

자료 분석 | 김 ○○ 학생이 흡연을 하여 교내 봉사 3일이라는 징계를 받았음을 교내 게시판에 공고했는데, 해당 공고문을 보고 갑은 인권 보호 측면에서 공고 방법이 적절하지 않았다고 주장하고 있으며, 을은 면학 분위기 조성이라는 공익을 위해 정보 공개는 필요하다고 주장하고 있다.

[선택지 분석]

① 갑은 학생의 교육받을 권리는 제한이 불가능한 권리라고 본다.
  → 징계 처분을 공고했다고 해서 대상 학생의 교육받을 권리가 제한된 것은 아니다. 또 교육받을 권리는 제한이 가능한 권리이다.

② 갑은 사실 공개가 헌법에 규정된 무죄 추정의 원칙에 어긋난다고 본다.
  → 이미 대상 학생의 잘못이 입증되어 징계를 받았으므로 무죄 추정의 원칙은 언급할 필요가 없다.

③ 을은 법 위반자의 인권은 보호받을 가치가 없다고 생각한다.
  → 을의 주장이 아니다.

④ 을은 공익을 위해서는 개인의 권리가 제한될 수 있다고
본다.
　➡ 면학 분위기 조성이라는 공익을 위해 개인의 명예 등의 권리는
　　제한될 수 있다고 보았다.
⑤ 을과 달리 갑은 학생에 대한 징계가 목적의 정당성이
없다고 본다.
　➡ 갑은 징계 목적의 정당성을 문제 삼는 것이 아니라 징계 처분
　　의 공고 방식이 적절하지 않다고 보는 것이다.

07 기본권 제한의 원칙

자료 분석ㅣ 국가가 기본권을 제한할 때에는 그 정도에 있어서 과잉
금지의 원칙을 지켜야 한다. 과잉 금지의 원칙은 기본권 제한의 목
적이 정당하고, 방법이 적절해야 하며, 제한으로 인한 피해를 최소
화하고, 그 피해보다 보호되는 공익이 더 커야 한다는 원칙이다. 제
시문에서 아동·청소년 대상 성범죄자의 신상을 공개하는 것은 사
생활의 자유를 지나치게 제한한 것이 아니냐는 주장이 있으나, 헌
법 재판소는 공개되는 범위가 유죄가 확정된 판결의 일부분에 불과
하므로 피해의 최소성에 부합한다고 보았다. 즉 기본권 제한으로
인한 피해가 최소한이었다는 것이다.

[선택지 분석]
① 제한의 목적이 정당해야 한다. → 목적의 정당성
② 제한의 방법이 적절해야 한다. → 방법의 적절성
③ 제한으로 인한 피해가 최소한이어야 한다.
　　　　　　　　→ 피해의 최소성
④ 국회에서 제정한 법률로만 제한해야 한다.
⑤ 권리 침해에 대한 구제 수단을 보장해야 한다.

08 기본권의 제한

자료 분석ㅣ 갑 등 2명은 A국에서 의료 봉사 활동을 해왔는데, 최근
A국의 치안이 불확실해져 정부에서 A국으로의 출국을 제한하자 헌
법 소원을 제기했다. 이에 대해 헌법 재판소는 A국으로의 출국을
제한하는 것은 국민의 생명과 신체 및 재산을 보호하기 위한 공공
복리의 목적에서 정당하다고 보았다. 즉 기본권 제한의 목적이 정
당하다는 결정이다.

[선택지 분석]
① 기본권 제한의 목적이 정당하다는 결정이다.
　➡ 공공복리를 위해 A국으로의 출국을 제한했다.
② 거주 이전의 자유는 제한할 수 없다고 보고 있다.
　➡ 기본권은 필요한 경우 제한이 가능하다.
③ 기본권 제한 방법이 적절하지 못하다고 보고 있다.
　➡ 제한 방법에 대한 언급은 없다.
④ 공익을 위한 기본권 제한은 한계가 없다는 결정이다.
　➡ 공익을 위한 기본권 제한이라도 기본권의 본질적인 내용은 침
　　해할 수 없다.
⑤ 보호하려는 공익보다 침해되는 사익이 더 크다고 보고
있다.
　➡ 보호하려는 공익(공공복리)이 침해되는 사익(갑 등의 자유권)보
　　다 더 크다고 보고 있다.

01 ②　　02 ①　　03 ③　　04 ④　　05 ⑤　　06 ④　　07 ④
08 ①　　09 ⑤　　10 ⑤　　11 ②　　12 ④
13 ~ 16 해설 참조

01 정치의 의미

자료 분석ㅣ (가)는 넓은 의미의 정치, (나)는 좁은 의미의 정치이다.
좁은 의미의 정치는 국가만의 고유한 현상으로서 정치권력을 형성
하고 정책을 결정하여 집행하는 일련의 활동을 의미한다. 이에 반
해 넓은 의미의 정치는 개인이나 집단 간의 다양한 이해관계를 합
리적으로 조정하고 해결해 나가는 과정을 말한다.

[선택지 분석]
① (가)는 국가 형성 이전의 정치 현상을 설명하기에 적합
하다.
　➡ 넓은 의미의 정치에서는 정치는 국가가 아닌 개인이나 집단 간
　　에서도 발생한다고 보기 때문에 국가 형성 이전의 정치 현상을
　　설명하기에 적합하다.
② (나)는 다원화된 현대 사회의 정치 현상을 설명하기에
적합하다.
　➡ 다원화된 현대 사회에서는 다양한 개인이나 집단 간의 이해관
　　계의 조정이 필요하므로 넓은 의미의 정치가 적절하다.
③ (가)와 달리 (나)는 정치를 국가 특유의 활동으로 본다.
　➡ 좁은 의미의 정치에서는 정치를 국가 특유의 활동으로 본다.
④ (나)와 달리 (가)는 학급 회의나 반장 선거를 정치라고
본다.
　➡ 학급 회의나 반장 선거는 국가만의 특유한 현상은 아니므로 넓
　　은 의미의 정치로 설명하기에 적합하다.
⑤ (가)와 (나)는 모두 국회 의원의 입법 활동을 정치라고
본다.
　➡ 넓은 의미의 정치는 좁은 의미의 정치를 포함하므로 국회 의원
　　의 입법 활동과 같은 정치권력의 행사를 모두 정치로 본다.

02 법의 이념

자료 분석ㅣ 갑은 30년 전의 ○○법은 국민의 기본권을 지나치게
제한했기 때문에 헌법 재판소가 정의의 이념을 중시하여 위헌 결정
을 내린 것을 환영하고 있다. 정의는 모든 사람이 인간으로서 동등
한 대접을 받고 각자가 노력한 만큼의 몫을 얻는 것을 의미하며, 우
리가 마땅히 지켜 나가야 하는 원칙으로서 옳고 그름의 판단 근거
로 작용한다. 반면 을은 이미 많은 세월이 흘러서 그 법을 믿고 따
랐던 사람들의 신뢰 관계를 흔들 수 있으므로 헌법 재판소의 위헌
결정은 문제라고 보았다. 즉 을은 당시의 법을 믿고 신뢰한 사람들
을 강조하므로 법의 이념 중에서 법적 안정성을 중시한다. 법적 안
정성을 구현하기 위해서는 법이 함부로 변동되어서는 안 되며, 법
의 내용이 명확하고 실현 가능해야 한다.

[선택지 분석]
ㄱ. 법이 너무 자주 변경되지 않아야 함을 요건으로 한다.
　　　　→ 법적 안정성

ⓛ 국민들이 안정적인 법률생활을 할 수 있도록 돕는다.
→ 법적 안정성

✗ "세상이 망하더라도 정의는 세워라."라는 법언과 관련이 있다. → 정의

✗ 개인의 자유와 권리보다는 사회 전체의 발전에 가치를 부여한다. → 합목적성

03 법치주의의 유형

자료 분석 | 통치의 합법성만을 강조하는 A가 형식적 법치주의이므로 B는 실질적 법치주의이다. 법치주의란 국가가 국민의 자유와 권리를 제한하거나 국민에게 의무를 부과할 때에는 반드시 국민의 대표 기관인 의회에서 제정한 법률로써 해야 하고, 국가 권력의 행사도 법률에 근거를 두어야 한다는 원칙이다. 초기의 법치주의에서는 형식과 절차의 합법성만 강조되고 그 내용이나 목적을 문제 삼지 않았는데, 이를 형식적 법치주의라고 한다. 현대 민주 국가에서는 법률의 형식뿐만 아니라 그 내용까지 정당해야 한다는 실질적 법치주의가 등장하였다. 실질적 법치주의는 형식적 법치주의에 더하여 법의 목적과 내용도 인간의 존엄과 가치, 자유와 평등을 보장하는 헌법의 이념에 부합해야 한다는 것을 강조한다. 따라서 법률이 헌법에 위배되는지를 심사하는 위헌 법률 심판 제도를 도입한다.

[선택지 분석]

① A는 국민의 기본권 제한을 엄격히 할 것을 요구한다.
B는

② B가 나타난 사례로는 독일의 나치 정권을 들 수 있다.
A가

✓ 위헌 법률 심사 제도는 A보다 B를 실현하기 위한 것이다.

④ ㉠에는 '예', ㉡에는 '아니요'가 들어갈 것이다.
➡ ㉠, ㉡ 모두 '아니요'가 들어갈 것이다.

⑤ (가)에는 '법의 내용보다 법 제정의 절차를 중시하는
법의 목적과 내용도
가?'가 들어갈 수 있다.

04 헌법의 기능

자료 분석 | 제시된 헌법 조항에는 국회의 역할, 정부의 역할, 법원의 역할이 명시되어 있다. 이를 통해 국회, 정부, 법원은 국가의 통치 기구이며, 헌법은 이러한 통치 기구에 일정한 권한을 부여하는 조직 수권 기능을 수행함을 알 수 있다.

[선택지 분석]

✗ 주권자인 국민의 자유와 권리를 명시한다.
→ 기본권 보장 기능

ⓛ 국가의 통치 기구와 통치 작용을 구성한다.
→ 조직 수권 기능

✗ 사회 집단 간의 이해관계 다툼을 해결하려고 한다.
→ 사회 통합 기능

ⓔ 각 권한이 어느 국가 기관에 귀속하는가를 규정한다.
→ 조직 수권 기능

05 시민 혁명과 민주주의

자료 분석 | (가)는 프랑스 인권 선언, (나)는 미국 독립 선언이다. 시민 혁명을 통해 인권 관련 문서가 나타났고, 이 문서에 시민의 자유

와 권리를 선언하였으며, 이 문서에 따라 법치주의, 국민 주권의 원리 등에 기초한 대의제를 실시하였다.

[선택지 분석]

① (가)에 의해 보통 선거 제도가 확립되었다.
➡ 보통 선거는 20세기에 들어와서 확립되었다.

② (나)는 개인보다 국가를 우위에 두고 있다.
국가보다 개인을

③ (가)는 (나)와 달리 저항권을 명시적으로 인정하고 있다.
(가)와 (나)는 모두

④ (나)는 (가)와 달리 입헌 군주제 확립의 바탕이 되었다.
➡ (가)와 (나) 모두 입헌 군주제의 확립과 관련이 없다.

✓ (가), (나) 모두 국민 주권의 원리를 강조하고 있다.

06 헌법의 의미 변천

자료 분석 | A는 근대 입헌주의 헌법, B는 현대 복지 국가 헌법이다. 근대 입헌주의 헌법에서는 국민의 자유권을 중심으로 기본권을 명시하고 이를 보장하기 위해 권력 분립의 원리와 법치주의 등을 강조하였다. 현대 복지 국가 헌법에서는 사회권을 기본권에 추가하였으며, 실질적 평등의 실현을 위한 국가의 적극적 역할을 인정하여 국가가 국민의 생활에 개입하는 영역이 확대되었다.

[선택지 분석]

① A는 재산권의 불가침성을 강조하였다.
➡ 개인의 자유권을 중시했으므로 사유 재산권의 불가침성을 강조하였다.

② A는 절대 왕정의 자의적 권력을 제한하려고 하였다.
➡ 국가 권력의 남용을 제한함으로써 국민의 기본권을 보장하고자 하였다.

③ B는 국민의 삶의 질 향상을 국가의 의무로 간주한다.
➡ 국민의 삶의 질 향상을 위해 국가가 적극적으로 나서야 함을 강조한다.

✓ A와 달리 B는 자유권을 포함하지 않는다.
➡ A와 B는 모두 자유권을 포함한다.

⑤ A와 B는 모두 권력 분립과 법치주의를 강조한다.
➡ 현대 복지 국가 헌법은 근대 입헌주의 헌법의 이념을 계승하였으므로 권력 분립과 법치주의를 강조한다.

07 우리 헌법의 기본 원리

자료 분석 | (가)는 국민 주권주의, (나)는 복지 국가의 원리, (다)는 문화 국가의 원리이다. 국민 주권주의란 국가의 의사를 결정할 수 있는 최고 권력인 주권이 국민에게 있다는 원리이다. 복지 국가의 원리란 국민 복지에 대한 책임을 국가에 부여하고, 사회권을 국민의 기본권으로 보장하는 원리를 가리킨다. 문화 국가의 원리란 국가가 문화를 보호하고 문화 활동의 자유를 보장함으로써 문화의 발전을 지향해야 한다는 원리이다. 최근 문화의 중요성이 대두되면서 문화 국가의 원리가 부각되고 있다.

[선택지 분석]

① (가)는 근대 자본주의의 문제점을 해결하기 위해 강조
(나)는
된 원리이다.

② (나)는 근대 입헌주의 헌법에서 강조되었다.
현대 복지 국가

③ (다)를 실현하기 위해서는 정부의 개입이 ~~최소화되어야~~ 한다.
　　　　　　　　　　　　　　　　　　　확대
☑ ㉠에는 '복수 정당제를 기반으로 하는 정당 설립의 자유'가 들어갈 수 있다. → 국민 주권주의 실현 방안
⑤ ㉡에는 '상호주의 원칙에 따른 외국인의 지위 보장'이 들어갈 수 있다. → 국제 평화주의 실현 방안

08 복지 국가의 원리

자료 분석 | 서민용 임대 주택의 대량 공급을 통해 서민들의 주거 안정을 목적으로 실질적인 평등을 실현하겠다는 의도이므로 복지 국가와 관련된다. 또한 국민 건강 보험은 사회 보장 제도에 해당하므로 복지 국가와 관련된다. 따라서 그림에 나타난 우리 헌법의 기본 원리는 복지 국가의 원리이다. 복지 국가의 원리란 국민 복지에 대한 책임을 국가에 부여하고, 사회권을 국민의 기본권으로 보장함으로써 국민의 인간다운 생활의 보장을 통해 실질적인 평등을 추구하는 원리이다.

[선택지 분석]
☑ 실질적 평등을 추구하는 내용의 원리이다.
　　　→ 복지 국가의 원리
② 역사적으로 가장 오래전에 등장한 원리이다.
　　　→ 자유 민주주의
③ 문화생활을 구현할 수 있도록 보장하는 원리이다.
　　　→ 문화 국가의 원리
④ 국가의 역할을 최소화하는 것을 전제로 하는 원리이다.
　　　→ 자유 민주주의
⑤ 국가 의사의 최종적인 결정권이 국민에게 있다는 원리이다. → 국민 주권주의

09 자유권

자료 분석 | 갑은 재산권 행사의 자유, 을은 양심의 자유, 병은 신체의 자유(적법 절차의 원리, 영장주의)를 행사하였는데, 이는 모두 자유권에 해당한다. 자유권은 개인의 자유로운 영역에 대하여 국가 권력의 간섭과 침해를 받지 않을 권리이다.

[선택지 분석]
① 국가의 존재를 전제로 ~~한다.~~
　　　　　　　　　　　하지 않는다.
② 실질적인 자유와 평등을 목적으로 한다. → 사회권
③ 국민 주권을 실현하는 수단으로 작용한다. → 참정권
④ 기본권 침해의 구제 수단으로 활용되는 권리이다.
　　　→ 청구권
☑ 국가 권력으로부터 개인의 자유를 보호하고자 한다.
　　　→ 자유권

10 기본권의 종류

자료 분석 | 헌법에 열거되지 않아도 포괄적으로 보장되는 권리는 자유권이다. 따라서 A는 자유권, B와 C는 (가)의 질문에 따라 사회권 또는 청구권이 된다. 자유권은 소극적, 방어적 권리이고, 사회권은 적극적 권리이며, 청구권은 수단적 권리이다. 사회권과 청구권은 모두 국가의 존재를 전제로 인정된다.

[선택지 분석]
① ~~A는~~ 국가의 존재를 전제로 인정된다.
　 B와 C는
② B, C는 모두 ~~소극적~~ 권리에 해당한다.
　　　　　　　적극적 권리
③ 역사적으로 가장 먼저 부각된 권리는 ~~B와 C 중 하나이다.~~
　　　　　　　　　　　　　　　　　　　A
④ (가)는 '다른 기본권 보장의 전제가 되는 권리인가?'가 될 수 있다.
　　➡ 다른 기본권 보장의 전제가 되는 권리는 평등권이므로 (가)에 들어갈 수 없다.
☑ (가)가 '수단적 성격을 갖는 권리인가?'라면 환경권은 C의 사례가 된다.
　　➡ 수단적 성격을 갖는 권리는 청구권이므로 B는 청구권, C는 사회권이 된다. 환경권은 사회권에 해당한다.

11 기본권의 충돌

자료 분석 | 태양광 시설 설치로 옆집의 조망권과 일조권이 침해받았다면 재산권 행사의 자유와 쾌적한 환경에서 살 권리가 충돌한 것이다. 이러한 기본권 충돌을 해결하기 위한 원리로는 법익 형량의 원칙과 규범 조화적 해석의 원칙 등이 있다. 제시된 자료에서는 태양광 시설로 인해 절약되는 전기료와 옆집의 일조권과 조망권이 침해되어 생기는 손실을 비교하고 있으므로 법익 형량의 원칙이 적용되었음을 알 수 있다.

[선택지 분석]
① 목적의 정당성에 입각하여 판단한다.
　　➡ 개인이 타인의 기본권을 침해한 것이므로 목적의 정당성에 해당하지 않는다.
☑ 법에 의해 보호되는 이익을 비교하여 판단한다.
③ 기본권의 본질적인 내용을 침해했는지 알아본다.
　　➡ 국가가 기본권을 제한하는 사례는 아니다.
④ 국가적 이익이 실현될 수 있는 방향으로 해결한다.
　　➡ 개인 간의 분쟁이므로 사익을 서로 비교해야 한다.
⑤ 명문의 법적 근거가 있는지 유무에 따라 판단한다.

12 기본권의 제한

자료 분석 | 헌법 재판소는 미결 수용자의 서신 검열은 통신의 비밀이 일부 제한되는 것이기는 하지만 질서 유지 또는 공공복리라는 정당한 목적을 위하여 불가피하다고 했으므로 목적의 정당성이 충족된다고 보았다. 또한 유효 적절한 방법에 의한 최소한의 제한이라고 했으므로 피해의 최소성에도 부합한다고 보았다.

[선택지 분석]
✗ 기본권은 법률의 형식으로 제한되어야 한다.
　　➡ 서신 검열의 근거가 법률이 아니라는 내용은 제시되어 있지 않다.
㉡ 기본권 제한의 목적은 정당성을 가져야 한다.
✗ 기본권은 행정상의 편의를 위해 제한할 수 있다.
　　➡ 행정상의 편의는 언급되지 않았으며 또 이러한 목적을 위해 기본권이 제한될 수 없다.
㉢ 기본권의 제한으로 인한 피해는 최소한도에 그쳐야 한다.

13 근대 민주 정치

(1) 영국 명예혁명, 미국 독립 혁명, 프랑스 혁명
(2) [예시 답안] 재산·인종·성별 등에 따라 참정권을 차등 부여하여 노동자, 농민, 여성 등은 참정권을 가질 수 없어 정치에 참여하지 못했다.

채점기준		
상	근대 민주 정치의 한계를 정확하게 서술한 경우	
중	근대 민주 정치의 한계를 서술하였으나 그 내용이 미흡한 경우	
하	근대 민주 정치의 한계를 제대로 서술하지 못한 경우	

14 민주주의와 법치주의

(1) A: 민주주의, B: 법치주의
(2) [예시 답안] 국민의 대표가 모인 의회에서 법을 제정하거나 개정함으로써 민주주의가 법치주의의 틀 안에서 실현되도록 한다.

채점기준		
상	의회에서 법을 제정 또는 개정한다는 내용을 민주주의와 법치주의의 틀 안에서 실현되도록 한다고 서술한 경우	
중	민주주의와 법치주의의 관계를 평이하게 서술한 경우	
하	민주주의가 왜곡되면 법치주의가 보완한다고만 간단하게 서술한 경우	

15 자유 민주주의

(1) 자유 민주주의
(2) [예시 답안] 민주적으로 구성된 정부를 바탕으로 개인의 자유와 권리를 최대한 보장해야 한다는 원리이다.

채점기준		
상	자유 민주주의의 의미를 자유주의와 민주주의의 의미를 모두 포함하여 정확하게 서술한 경우	
중	자유 민주주의의 의미를 서술하였으나 그 내용이 미흡한 경우	
하	자유 민주주의의 의미를 제대로 서술하지 못한 경우	

16 과잉 금지의 원칙과 자유권

(1) A: 피해의 최소성, B: 법익의 균형성
(2) [예시 답안] 국가의 부당한 권력 행사에서 벗어나기 위한 소극적·방어적 권리이다. 구체적 내용이 헌법에 열거되지 않아도 보장되는 포괄적 권리이다.

채점기준		
상	자유권의 특징 두 가지를 모두 정확하게 서술한 경우	
중	자유권의 특징 두 가지 중 한 가지만 정확하게 서술한 경우	
하	자유권의 특징 한 가지만 서술하였으며 그 내용이 미흡한 경우	

II》》 민주 국가와 정부

01 ~ 민주 국가와 우리나라의 정부 형태

콕콕! 개념 확인하기   55쪽

01 (1) 불신임권 (2) 총리 (3) 대통령제 (4) 국민 (5) 의회 의원
02 (1) × (2) ○ (3) ○ (4) × (5) ○
03 이원 집정부제
04 (1) ○ (2) × (3) ○ (4) × (5) ○

02 (1) 의원 내각제 국가에는 보통 형식적으로 국가 원수가 존재한다. 국가 원수는 명목상 존재할 뿐 실질적인 통치권은 가지지 않는다.
(4) 대통령제 정부 형태에서 의회 의원은 행정부의 각료를 겸직할 수 없다.
04 (2) 우리나라에서 국회 의원은 국무 위원을 겸직할 수 있다. 이는 우리나라 정부 형태의 의원 내각제 요소이다.
(4) 대통령은 국무총리 임명 시 반드시 국회의 동의를 받아야 한다.

탄탄! 내신 다지기   56~57쪽

01 ⑤   **02** ③   **03** ④   **04** ②   **05** ⑤   **06** ④   **07** ③
08 ④   **09** 해설 참조

01 의원 내각제의 특징

자료 분석 | 영국의 정부 형태는 의원 내각제이다. 의원 내각제는 입법부인 의회에 의해 행정권을 담당하는 내각이 구성되는 권력 융합형 정부 형태이다.

[선택지 분석]
① 행정부 수반의 임기는 엄격히 보장된다.
　➡ 의원 내각제에서 의회는 내각 불신임권을 통해 행정부 수반을 사퇴시킬 수 있으므로 행정부 수반의 임기가 엄격히 보장되지 않는다.
② 행정부는 의회에 법률안을 제출할 수 없다. 있다.
③ 의회에서 여소야대 현상이 나타날 수 있다.
　➡ 의원 내각제에서는 의회 의석의 과반수 이상을 차지한 정당에서 총리가 배출되므로 여소야대 현상이 나타날 수 없다.
④ 의회는 행정부 수반을 탄핵 소추할 수 있다.
　➡ 의원 내각제에서 의회는 행정부 수반을 견제하기 위해 내각 불신임권을 행사한다. 의회가 행정부 수반을 탄핵 소추할 수 있는 정부 형태는 대통령제이다.
☑ 의회 의원은 행정부 장관을 겸직할 수 있다.

02 대통령제의 특징

자료 분석 | 갑국의 대통령은 법률안 거부권을 행사하였으므로 갑국은 대통령제 정부 형태를 채택하고 있음을 알 수 있다. 대통령제는 행정권을 담당하는 대통령과 입법권을 담당하는 의회가 각각 선거를 통해 구성되는 정부 형태이다.

[선택지 분석]

✗ 의회는 내각 불신임권을 가진다. → 의원 내각제

ⓛ 의회는 탄핵 소추권을 행사할 수 있다.
　➡ 대통령제에서 의회는 대통령에 대한 탄핵 소추권을 가진다.

ⓒ 대통령은 국가 원수이자 행정부의 수반이다.
　➡ 대통령제에서 대통령은 국가 원수와 행정부 수반의 지위를 동시에 가진다.

✗ 대통령은 의회에 대하여 정치적 책임을 진다.
　　　　　　국민

03 민주 국가의 정부 형태

[선택지 분석]

① 대표적으로 대통령제와 의원 내각제가 있다.

② 입법부와 행정부의 구성 방식으로 구분한다.
　➡ 대통령제와 의원 내각제는 입법부와 행정부의 구성 방식 및 두 국가 기관 간의 관계 측면에서 서로 다른 특징을 지닌다.

③ 대통령제는 미국 독립 과정에서 성립되었다.
　➡ 대통령제는 미국의 독립 과정에서 삼권 분립의 원리에 따라 입법부와 행정부를 엄격히 분리하면서 성립되었다.

✔ 의원 내각제는 엄격한 권력 분립을 원칙으로 한다.
　➡ 의원 내각제는 입법부와 행정부가 긴밀한 협력 관계를 형성하는 권력 융합형 정부 형태이다. 엄격한 권력 분립을 원칙으로 하는 정부 형태는 대통령제이다.

⑤ 대통령제는 입법부와 행정부가 각각 선거를 통해 구성된다.

04 대통령제와 의원 내각제

자료 분석 | (가)는 입법부와 행정부가 각각 선거를 통해 구성되는 대통령제 정부 형태이고, (나)는 선거를 통해 구성된 입법부(의회)가 행정부를 구성하는 의원 내각제 정부 형태이다.

[선택지 분석]

① (가)는 (나)에 비해 국민적 요구에 민감하다.
　➡ 대통령제에서는 대통령의 임기가 엄격하게 보장되기 때문에 국민의 요구에 민감하지 않다는 문제점이 있다.

✔ (가)는 (나)와 달리 행정부 수반이 법률안 거부권을 갖는다.
　➡ 대통령제에서 대통령은 의원 내각제의 총리와 달리 법률안 거부권을 갖는다.

③ (나)는 (가)와 달리 사법부의 독립을 보장한다.
　　(가), (나) 모두

④ (나)는 (가)와 달리 몽테스키외의 삼권 분립론에 근거한다.
　➡ 대통령제는 몽테스키외의 삼권 분립론, 의원 내각제는 로크의 이권 분립론에 근거한다.

⑤ (가)와 (나) 모두 의회가 행정부 불신임권을 갖는다.
　(나)는 (가)와 달리

05 이원 집정부제

자료 분석 | 갑국의 정부 형태는 의원 내각제와 대통령제의 특징을 절충한 이원 집정부제이다.

[선택지 분석]

✗ 갑국의 정부 형태는 신대통령제이다.
　　　　　　　이원 집정부제

✗ 의회는 내각과 대통령을 불신임할 수 있다.
　➡ 이원 집정부제에서 의회는 내각을 불신임할 수 있지만, 국민에 의해 직접 선출된 대통령을 불신임할 수는 없다.

ⓒ 대통령은 총리 임명권과 의회 해산권을 갖는다.

ⓔ 대통령제와 의원 내각제를 절충한 정부 형태이다.

06 우리나라의 정부 형태

자료 분석 | 우리나라는 대통령제 정부 형태를 기본으로 하되, 행정부와 국회 간의 긴밀한 협조를 통하여 국가의 정책을 효율적으로 수행하기 위해 국무총리와 국무 회의 등 의원 내각제 요소를 일부 도입하고 있다.

[선택지 분석]

ⓒ 국무 회의는 정부의 권한에 속하는 중요한 정책을 심의한다. → 의원 내각제 요소

✗ 대통령은 국민의 보통·평등·직접·비밀 선거에 의하여 선출한다. → 대통령제 요소

ⓒ 국회는 국무총리 또는 국무 위원의 해임을 대통령에게 건의할 수 있다. → 의원 내각제 요소

ⓔ 국무총리는 대통령을 보좌하며, 행정에 관하여 대통령의 명을 받아 행정 각부를 통할한다. → 의원 내각제 요소

07 우리나라의 정부 형태

자료 분석 | 우리나라는 대통령제를 기본으로 하면서도 의원 내각제 요소를 일부 가미한 정부 형태를 채택하고 있다. 또한 대통령제 국가로서 대통령과 국회 간의 상호 독립성과 권력 분립의 원리가 강조되는데, 대통령의 법률안 거부권과 국회의 탄핵 소추권이 대표적인 예이다.

[선택지 분석]

① ㉠과 ㉡은 전형적인 대통령제의 특징이다.
　➡ 대통령과 국회 의원을 별개의 선거를 통해 선출하는 것, 국회가 대통령에 대한 탄핵 소추권을 가지는 것은 전형적인 대통령제 정부 형태의 특징이다.

② ㉡을 통해 입법부가 행정부를 견제할 수 있다.
　➡ 입법부인 국회는 대통령에 대한 탄핵 소추권을 통해 행정부를 견제할 수 있다.

✔ ㉢은 행정부가 사법부를 견제하기 위한 수단이다.
　　　　　　　입법부

④ ㉢은 ㉣과 달리 대통령제 요소이다.
　➡ 대통령의 법률안 거부권은 전형적인 대통령제 요소이고, 국무총리와 국무 회의는 의원 내각제 요소이다.

⑤ ㉣과 ㉤은 모두 의원 내각제 요소이다.
　➡ 국무총리와 국무 회의를 두는 것, 국회 의원이 국무총리나 국무 위원을 겸할 수 있는 것은 의원 내각제 요소이다.

08 우리나라 정부 형태의 변천 과정

자료 분석 | (가) 유신 헌법 공포는 1972년, (나) 6월 민주 항쟁은 1987년, (다) 4·19 혁명은 1960년에 발생하였다. (나)의 6월 민주 항쟁은 대통령 직선제를 내용으로 하는 제9차 개헌을 이끌어냈으며, (다)의 4·19 혁명으로 인해 부정 선거로 정당성을 잃은 이승만 대통령이 하야하였다.

[선택지 분석]

㉠ (가)로 인해 삼권 분립의 원칙이 약화되었다.
　➡ 유신 헌법 공포로 인해 대통령의 권한이 크게 확대되었고, 이는 삼권 분립 원칙의 약화를 가져왔다.

㉡ (나)로 인해 국민 주권의 원리가 강화되었다.
　➡ 6월 민주 항쟁으로 인해 대통령 직선제가 도입되었고, 이로 인해 국민 주권의 원리가 강화되었다.

㉢ (다)로 인해 도입된 정부 형태는 권력 융합형이다.
　➡ 4·19 혁명 이후 도입된 의원 내각제는 의회에 의해 행정권을 담당하는 내각이 구성되는 권력 융합형 정부 형태이다.

✗ 위 사건들은 (가) → (다) → (나)의 순서로 발생하였다.
　(다) → (가) → (나)

09 의원 내각제의 장점

(1) 의원 내각제
(2) [예시 답안] 내각은 정치적 책임감이 높고 국민의 정치적 요구에 민감하다. 의회와 내각의 긴밀한 협조를 통해 능률적인 국정 운영이 가능하다.

채점 기준	상	의원 내각제의 장점을 두 가지 모두 정확하게 서술한 경우
	중	의원 내각제의 장점을 두 가지 서술하였으나 내용이 미흡한 경우
	하	의원 내각제의 장점을 한 가지만 서술한 경우

도전! 실력 올리기
58~59쪽

01 ②　02 ⑤　03 ②　04 ⑤　05 ②　06 ③　07 ⑤
08 ①

01 의원 내각제와 대통령제

자료 분석 | 전형적인 정부 형태는 입법부와 행정부의 구성 방식 등에 따라 대통령제와 의원 내각제로 구분된다. (가)는 행정부가 의회에 대해 정치적 책임을 지는 의원 내각제이고, (나)는 행정부가 국민에 대해 정치적 책임을 지는 대통령제이다.

[선택지 분석]

① (가)는 (나)와 달리 사법부의 독립을 보장한다.
　(가)와 (나) 모두

✓ (가)는 (나)와 달리 내각이 의회를 해산할 수 있다.
　➡ 의원 내각제에서는 내각이 의회를 해산할 수 있다. 대통령제에서는 내각의 의회 해산권이 인정되지 않는다.

③ (나)는 (가)와 달리 의회 의원이 각료를 겸직할 수 있다.
　(가)는 (나)와 달리

④ (나)는 (가)와 달리 행정부와 입법부의 권력이 융합되어 있는 정부 형태이다.
　(가)는 (나)와 달리

⑤ (가)와 (나) 모두 행정부가 법률안 제출권을 갖는다.
　(가)는 (나)와 달리

02 민주 국가의 정부 형태

자료 분석 | 갑국은 행정부 수반의 법률안 거부권을 인정하는 것으로 보아 대통령제 정부 형태를 택하고 있고, 을국은 의회의 내각 불신임권과 행정부 수반의 의회 해산권을 인정하는 것으로 보아 의원 내각제 정부 형태를 택하고 있음을 알 수 있다.

[선택지 분석]

① 갑국에서는 의회 의원의 각료 겸직이 가능하다.
　을국

② 을국에서는 국민의 선거로 행정부 수반을 선출한다.
　갑국

③ 갑국이 을국에 비해 정치적 책임과 국민적 요구에 민감하다.
　을국이 갑국에 비해

④ 갑국과 달리 을국의 행정부 수반의 임기는 엄격히 보장된다.
　을국과 달리 갑국의

✓ 을국과 달리 갑국의 행정부 수반은 국가 원수의 역할도 수행한다.

03 의원 내각제와 대통령제 비교

자료 분석 | 행정부 수반이 법률안 거부권을 가지는 (가)는 대통령제, 입법부와 행정부가 융합되어 있는 (나)는 의원 내각제이다.

[선택지 분석]

㉠ (가)에서는 국가 원수와 행정부 수반의 역할을 1인이 담당한다.
　➡ 대통령제에서는 대통령이 국가 원수와 행정부 수반의 지위를 동시에 가진다.

✗ (가)에서 행정부 수반은 입법부에 대한 견제 장치로 탄핵 소추권을 갖는다.
　의회는 대통령에 대한

㉢ (나)에서 입법부는 행정부를 불신임할 수 있고, 행정부는 입법부를 해산할 수 있다.
　➡ 의원 내각제에서 의회는 내각을 불신임할 수 있고, 내각은 의회를 해산할 수 있다.

✗ (가), (나) 모두 국정 운영의 효율성을 향상시키기 위해 의원의 각료 겸직을 허용한다.
　(나)는 (가)와 달리

04 의원 내각제와 대통령제

자료 분석 | 갑국은 대통령제, 을국은 의원 내각제 정부 형태를 채택하고 있다. 갑국의 (가) 시기는 여대야소, (나) 시기는 여소야대로 볼 수 있고, 을국의 (가) 시기는 연립 내각이 구성되었을 것이며, (나) 시기는 과반 의석을 확보한 정당이 단독으로 내각을 구성하였을 것이다.

[선택지 분석]

① 갑국의 행정부 수반은 국가 원수를 겸직하지 않는다.
　➡ 대통령제에서 대통령은 행정부 수반과 국가 원수의 지위를 동시에 가진다.

II

② 을국의 행정부 수반은 의회에 법률안을 제출할 수 있는 권한이 없다.
➡ 의원 내각제에서 총리는 의회에 법률안을 제출할 수 있다.

③ 갑국의 경우, 여소야대 현상은 (가) 시기에 나타난다.
➡ 갑국의 (가) 시기는 행정부 수반 소속 정당이 의회의 과반 의석을 차지하고 있으므로 여대야소 상황으로 볼 수 있다.

④ 을국의 경우, 연립 내각은 (나) 시기에 구성될 것이다.
➡ 을국에서 연립 내각은 행정부 수반 소속 정당이 의회의 과반 의석을 차지하지 못한 (가) 시기에 구성될 것이다.

⑤ 을국의 경우, 의회와 내각이 긴밀하게 협조할 가능성은 (가) 시기보다 (나) 시기에 높을 것이다.
➡ 을국에서 (나) 시기는 행정부 수반 소속 정당이 의회의 과반 의석을 차지하고 있으므로 의회와 내각이 긴밀하게 협조할 가능성이 (가) 시기보다 높다고 볼 수 있다.

05 민주 국가의 정부 형태

자료 분석 | 행정부의 법률안 제출권이 인정되는 것은 의원 내각제이다. 갑은 2점을 받았으므로 ㉠에는 의원 내각제의 특징이 들어가야 한다. 따라서 A는 대통령제, B는 의원 내각제이다. 을은 1점을 받았으므로 ㉡에는 의원 내각제의 고유한 특징이 아닌 것이 들어가야 한다.

[선택지 분석]

① A에서는 연립 내각이 구성될 수 있다.
➡ 연립 내각은 의원 내각제에서만 구성될 수 있다.

⑤ B에서는 국가 원수와 행정부 수반이 다르다.
➡ 의원 내각제에서 국가 원수는 상징적 존재이고, 행정부 수반이 실질적으로 국정을 운영한다.

③ B와 달리 A의 의회는 행정부에 대한 불신임권을 가진다.
→ 의원 내각제의 특징

④ ㉠에는 '행정부 수반을 국민이 선출한다.'가 들어갈 수 있다.
→ 대통령제의 특징

⑤ ㉡에는 '의회 의원의 각료 겸직이 가능하다.'가 들어갈 수 있다. → 의원 내각제의 특징

06 민주 국가의 정부 형태

자료 분석 | 갑국 의회의 정당별 의석률은 A당이 60%, B당이 40%이므로, 만약 의원 내각제 정부 형태라면 행정부 수반이 A당에서 배출되어야 한다. 하지만 현재 갑국의 행정부 수반은 B당 소속이므로 갑국은 대통령제 정부 형태를 가지고 있음을 알 수 있다.

[선택지 분석]

① 갑국은 연립 내각이 구성되어 있다. → 의원 내각제

② '탄핵 소추권'은 ㉠에 들어갈 수 있다.
➡ 탄핵 소추권은 의회가 행정부를 견제하는 것이므로 ㉡에 들어갈 수 있다.

③ '법률안 거부권'은 ㉠에 들어갈 수 있다.
➡ 대통령제에서는 법률안 거부권을 통해 행정부가 의회를 견제할 수 있다.

④ '내각 불신임권'은 ㉡에 들어갈 수 있다. → 의원 내각제

⑤ B당 소속 의원은 각료를 겸직할 수 있다.
없다.

07 우리나라 정부 형태의 특징

자료 분석 | 게임 규칙에서 2장의 카드가 모두 우리나라 정부 형태의 특징이 적힌 것이어야 한다. 따라서 (가)에는 우리나라 정부 형태의 특징이 아닌 것이 적혀 있어야 한다. 우리나라는 대통령제를 원칙으로 하면서 의원 내각제의 요소를 가미한 정부 형태를 채택하고 있다.

[선택지 분석]

① 행정부는 법률안을 제출할 수 있다.
→ 우리나라가 채택하는 의원 내각제의 요소

② 행정부 수반과 국가 원수는 동일 인물이다.
→ 대통령제의 특징

③ 의회 의원은 행정부의 각료를 겸직할 수 있다.
→ 우리나라가 채택하는 의원 내각제의 요소

④ 행정부 수반은 법률안 거부권을 행사할 수 있다.
→ 대통령제의 특징

⑤ 의회는 행정부 수반에 대하여 불신임권을 행사할 수 있다.
→ 의원 내각제의 특징이지만 우리나라에서는 채택하지 않음

08 우리나라 정부 형태의 특징

자료 분석 | 우리나라는 대통령제를 중심으로 하면서도 의원 내각제적 요소를 도입하고 있다. 국무총리를 두어 행정 각부를 관리하게 하고 있으며, 내각 회의 기구와 유사한 국무 회의를 두고 있다. 국회 의원뿐만 아니라 정부도 법률안 제출권을 가지고 있으며, 국회 의원이 국무총리나 국무 위원을 겸할 수 있다.

[선택지 분석]

① ㉠ – 국회가 국무 위원의 해임을 건의할 수 있다.
→ 우리나라가 채택하는 의원 내각제의 요소

② ㉡ – 의회 다수당의 횡포를 견제하기가 어렵다.
→ 의원 내각제의 단점

③ ㉢ – 행정부 수반의 장기 집권과 독재가 우려된다.
→ 대통령제의 단점

④ ㉣ – 의회 의원의 국무 위원 겸직이 가능하다.
→ 의원 내각제의 특징

⑤ ㉤ – 행정부 수반을 국민이 직접 선출한다.
→ 대통령제의 특징

02 ~ 국가 기관의 구성과 역할

콕콕! 개념 확인하기   65쪽

01 (1) 지역구 의원 (2) 비례 대표 의원
02 (1) 과반수 (2) 동의권 (3) 대통령
03 (1) 국가 원수 (2) 행정부 수반
04 (1) × (2) ○ (3) ×
05 (1) 대법원장 (2) 대법관
06 (1) × (2) ○

04 (1) 국무 회의는 정부의 권한에 속하는 중요 정책에 대한 최고 심의 기관이다.

(3) 감사원은 대통령 직속의 독립성을 갖는 헌법 기관으로, 감사원장을 포함한 감사 위원으로 구성된다.

06 (1) 재판의 전제가 된 법률의 위헌 여부를 심판하는 것은 위헌 법률 심판이다.

탄탄! 내신 다지기   66~67쪽

01 ④   **02** ②   **03** ④   **04** ②   **05** ②   **06** ⑤   **07** ④
08 ②   **09** 해설 참조

01 헌법 개정 절차

자료 분석 | 제시된 자료는 헌법 개정 절차를 나타낸 것이다. 헌법 개정은 국회 재적 의원 과반수 또는 대통령의 발의로 제안된다. 헌법 개정안은 대통령이 공고하는 절차를 거쳐 국회에서 재적 의원 3분의 2 이상의 찬성으로 의결된다. 국회에서 헌법 개정안이 의결되면 국민 투표를 실시하여 국회 의원 선거권자 과반수의 투표와 투표자 과반수의 찬성으로 헌법 개정을 확정하며, 대통령은 즉시 이를 공포해야 한다.

[선택지 분석]

① ㉠ - 국회 재적 의원 ~~3분의 1~~ 이상 또는 대통령이 제안
          과반수
할 수 있다.

② ㉡ - ~~국회 의장이~~ 20일 이상 공고한다.
    대통령이

③ ㉢ - 국회 재적 의원 ~~과반수~~ 이상의 찬성으로 의결한다.
         3분의 2

✔④ ㉣ - 국민 투표를 통과하면 개정이 확정된다.

⑤ ㉤ - ~~국무총리가~~ 공포한다.
    대통령이

02 법률 제정 절차

자료 분석 | 법률 제정 및 개정 절차는 법률안의 발의로 개시되는데, 국회 의원 10인 이상, 국회의 위원회 또는 정부가 법률안을 제출할 수 있다. 제출된 법률안은 상임 위원회의 심사를 거쳐 본회의에 상정되면 재적 의원 과반수의 출석과 출석 의원 과반수의 찬성으로 의결된다.

[선택지 분석]

① (가) - 정부 또는 10인 이상의 ~~국민이~~ 법률안을 제출할
              국회 의원
수 있다.

✔② (나) - 소관 상임 위원회에서 해당 분야에 대한 전문적인 심사를 한다.
   ➡ 상임 위원회는 법률안이 본회의에 상정되기 전에 전문적인 심사를 한다.

③ (다) - 국회 재적 의원 과반수 출석과 ~~재적 의원~~ 과반수
                     출석 의원
의 찬성으로 통과된다.

---

④ (라) - 대통령이 거부권을 행사하면 해당 법률안은 폐기된다.
   ➡ 대통령이 법률안 거부권을 행사한 경우 해당 법률안은 국회로 환부된다.

⑤ (마) - ~~국무총리가~~ 15일 이내에 공포한다.
    대통령이

03 국정 감사와 국정 조사

자료 분석 | 국회는 국정 감사와 국정 조사를 통해 행정부의 국정 운영을 감시하여 권력 남용을 견제할 수 있다.

[선택지 분석]

✗ ㉠의 범위에는 사법부의 활동은 ~~포함되지 않는다.~~
                          포함된다.

㉡ ㉠은 ㉡과 달리 매년 정기적으로 실시된다.
   ➡ 국회는 매년 정기적으로 국정 전반에 대하여 감사할 수 있고, 수시로 특정한 국정 사안에 대하여 조사할 수 있다.

✗ ㉢은 ~~㉠과~~ 달리 국회의 국정 감시 및 통제 권한이다.
        ㉠, ㉡ 모두

㉣ ㉠, ㉡ 모두 국회가 행정부를 견제하는 수단이 된다.

04 행정부 각 기관의 역할

자료 분석 | 행정부의 최고 심의 기관인 (가)는 국무 회의, 행정 기관 및 공무원의 직무를 감찰하는 (나)는 감사원이다.

[선택지 분석]

㉠ 대통령은 (가)의 의사 결정에 따르지 않을 수도 있다.
   ➡ 국무 회의의 심의는 대통령의 권한 행사를 통제하는 역할을 하지만 심의 결과가 대통령을 구속하지는 못한다.

✗ 정부에 속하는 모든 정책은 (가)의 심의를 반드시 거쳐야 한다.
   ➡ 정부에 속하는 중요 정책은 국무 회의의 심의를 거쳐야 하지만, 모든 정책이 국무 회의의 심의를 거쳐야 하는 것은 아니다.

㉢ (나)는 국가의 세입·세출의 결산을 감사한다.
   ➡ 감사원은 대통령 직속의 독립성을 갖는 헌법 기관으로 국가의 세입·세출의 결산, 국가 및 법률이 정한 단체의 회계 검사와 행정 기관 및 공무원의 직무에 대한 감찰을 담당한다.

✗ 대통령이 (나)의 장을 임명할 때는 국회의 동의를 필요로 ~~하지 않는다.~~
           한다.

05 국가 기관의 역할

자료 분석 | 국가 기관은 크게 입법부, 행정부, 사법부로 구성된다. 입법부인 국회는 국민의 대표인 국회 의원으로 구성되며, 법을 만들거나 국정 감사 등을 통해 행정부나 사법부를 견제한다. 행정부는 국회가 만든 법을 집행하는 기관으로서 대통령, 국무총리와 국무 위원, 국무 회의, 행정 각부, 감사원 등으로 구성된다. 사법(司法)은 국가와 개인, 개인과 개인 간의 분쟁에 법을 적용하여 적법과 위법을 가리는 작용으로, 법원의 사법권 행사는 재판으로 구체화된다.

[선택지 분석]

① ㉠은 의원 내각제적 요소이다. → 대통령제의 요소

✔② ㉡은 직무 수행에서 독립적이다.
   ➡ 감사원은 대통령 직속 기관이지만 직무 수행에서는 독립적이다.

③ ⓒ은 국무 회의의 의장이 된다.
부의장
④ ⓔ은 국회의 자주성 보장이 목적이다.
➡ 행정부나 사법부를 견제하는 수단이다.
⑤ ⓜ에 대해 대법원이 위헌 여부를 판단한다.
헌법 재판소

06 심급 제도의 이해

자료 분석 | 심급 제도란 급을 달리하는 법원에서 여러 번 재판을 받을 수 있도록 하는 제도로, 1심 판결에 불복하여 2심 재판을 청구하는 것을 항소, 2심 판결에 불복하여 3심 재판을 청구하는 것을 상고라고 하며, 이를 합쳐서 상소라고 한다.

[선택지 분석]

✕ 상고와 재항고 사건은 고등 법원이 담당한다.
대법원

✕ 행정 사건에는 심급 제도를 적용하지 않는다.
➡ 행정 사건에도 심급 제도를 적용한다.

ⓒ 우리나라는 원칙적으로 3심제를 채택하고 있다.
➡ 우리나라의 심급 제도는 공정한 재판을 위해 3심제를 원칙으로 하고 있다.

ⓔ 공정한 재판을 실현하여 국민의 기본권을 보장하기 위한 제도이다.

07 대법원의 역할

자료 분석 | 대법원은 최고 법원으로서 상고 및 재항고 사건을 담당한다. 그리고 명령·규칙 또는 처분의 위헌성 및 위법성에 대한 최종 심사권을 갖는데, 이 권한은 대통령 및 정부를 견제하는 역할을 한다. 또한, 대법원은 선거 소송에 대한 재판권을 가진다.

[선택지 분석]

① 위헌 법률 심판을 제청한다.
➡ 법률이 헌법에 위반되는 여부가 재판의 전제가 된 경우에 법원이 제청한다.

② 상고 및 재항고 사건을 담당한다.

③ 선거 소송에 대한 재판을 담당한다.

☑ 위헌 정당에 대한 해산 여부를 심판한다. ➡ 헌법 재판소

⑤ 명령이나 규칙의 위법성 여부를 심사한다.

08 헌법 재판

자료 분석 | 헌법 재판은 헌법 해석을 통해 헌법과 관련된 분쟁을 해결하고 헌법의 내용을 확정하는 재판을 가리킨다. 헌법 재판소는 사법과 관련된 국가의 역할 중 헌법 재판에 관한 권한을 가진 국가 기관이다. 헌법 재판소에서 이루어지는 심판 중 대부분은 위헌 법률 심판과 헌법 소원 심판이다. 제시문에서 갑은 법원에 위헌 법률 심판 제청 신청을 하였으나 기각되자 직접 헌법 재판소에 헌법 소원을 제기하였는데, 이때의 헌법 소원은 위헌 심사형 헌법 소원이다.

[선택지 분석]

① A는 대법원, B는 헌법 재판소이다.
➡ 위헌 법률 심판 제청은 모든 법원이 할 수 있다. 따라서 A는 대법원이 아니라 갑이 현재 재판을 받고 있는 1심 법원이다.

☑ ⓐ의 위헌 여부에 대해 A와 B는 의견을 달리하였다.

➡ 1심 법원은 갑의 신청을 기각하였으나 헌법 재판소는 갑의 의견을 수용하였다.

③ ⓑ은 재판 당사자의 신청에 의해서만 가능하다.
➡ 위헌 법률 심판 제청은 재판 당사자의 신청이 없더라도 법원의 직권으로 가능하다.

④ ⓒ은 권리 구제형 헌법 소원에 해당한다.
위헌 심사형 헌법 소원

⑤ ⓓ에 의해 ⓐ은 개정 조항이 생길 때까지만 효력을 유지한다.
➡ 위헌 결정이 내려지면 해당 법률 조항의 효력은 즉시 상실된다.

09 국회의 법률 제정 및 개정 절차

(1) ⓐ: 10, ⓑ: 정부

(2) [예시 답안] 대통령이 재의를 요구하는 법률안에 대해 국회가 재적 의원 과반수의 출석과 출석 의원 3분의 2 이상의 찬성으로 재의결하면 그 법률안은 법률로 확정되며, 대통령은 이를 지체 없이 공포해야 한다. 또한 이미 법률로 확정되었으므로 대통령은 더 이상 거부권을 행사할 수 없다.

채점기준		
상	국회 재의결 정족수, 재의결 시 효력, 대통령의 거부권 행사 불가가 모두 서술된 경우	
중	국회 재의결 정족수, 재의결 시 효력, 대통령의 거부권 행사 불가 중 2개만 정확하게 서술된 경우	
하	국회 재의결 정족수, 재의결 시 효력, 대통령의 거부권 행사 불가 중 1개만 정확하게 서술된 경우	

도전! 실력 올리기 68~69쪽

01 ④ **02** ④ **03** ① **04** ② **05** ④ **06** ④ **07** ①
08 ③

01 국회 의원의 특권

자료 분석 | (가)는 국회 의원의 불체포 특권, (나)는 국회 의원의 면책 특권과 관련 있는 조항이다. 국회 의원은 정기회나 임시회 등이 열리고 있는 중에는 현행범이 아닌 한 국회의 동의 없이 체포 또는 구금되지 않는다. 또한 국회의 위원회나 본회의에서 행한 발언과 표결이 직무와 관련되어 있다면 민사상 손해 배상 책임을 지지 않고, 형사 처벌을 받지 않는다.

[선택지 분석]

ⓐ (가)는 불법 행위를 한 국회 의원을 보호하는 수단으로 악용될 수 있다.

✕ (가)는 정기회에만 적용되고 임시회에는 적용되지 않는다.
➡ 불체포 특권은 정기회와 임시회 모두에 적용된다.

ⓒ (나)의 책임은 형사 처벌과 민사상 손해 배상 모두를 포함한다.

ㄹ (가), (나) 모두 국회 의원이 소신 있게 의정 활동을 수행할 수 있도록 하는 것을 목적으로 한다.

02 법률 제정 절차

자료 분석 | 국회 의원 10인 이상 또는 국회의 위원회와 정부는 법률안을 제출할 수 있다. 대통령은 법률안에 대하여 이의가 있을 때 법률안 거부권을 행사하여 해당 법률안을 국회로 환부하고 재의를 요구할 수 있다.

[선택지 분석]

ㄱ ㉠은 국회 의원 10인 이상도 국회에 제출할 수 있다.

ㄴ ㉠은 원칙적으로 상임 위원회의 심사를 거쳐야 한다.

ㄷ ㉡이 본회의에서 가결되면 대통령은 다시 재의를 요구할 수 없다.

➡ 대통령이 거부권을 행사한 법률안이 국회에서 재의결되어 통과되면 그 법률안은 법률로 확정되고, 대통령은 다시 재의를 요구할 수 없다.

✗ ㉡이 본회의를 통과하기 위해서는 반드시 국회 재적 의원 1/2 이상이 찬성해야 한다.

➡ 대통령이 거부권을 행사한 법률안은 국회 재적 의원 과반수의 출석과 출석 의원 3분의 2 이상의 찬성으로 재의결된다.

03 국회의 운영

자료 분석 | 국회의 회의는 정기회와 임시회로 구분되며, 임시회는 대통령 또는 국회 재적 의원 4분의 1 이상의 요구로 열린다. 회의 의결 방식은 보통 재적 의원 과반수의 출석과 출석 의원 과반수의 찬성으로 의결된다.

[선택지 분석]

ㄱ ㉠의 개최를 대통령이 요구할 수도 있다.

ㄴ ㉡이 국회를 통과하지 못하면 대통령은 감사원장을 임명할 수 없다.

➡ 대통령이 감사원장을 임명하려면 반드시 국회의 동의를 받아야 한다.

✗ ㉢은 매년 1회 이상 시행하는 것이 원칙이다.

➡ 국정 감사는 매년 정기적으로 실시하고, 국정 조사는 특정한 사안에 대하여 실시한다.

✗ ㉣이 국회를 통과하기 위해서는 재적 의원 ~~과반수~~ 이 3분의 2 상의 찬성이 필요하다.

04 국회의 회의 유형

자료 분석 | 매년 정기적으로 열리는 A는 정기회, 필요할 때 수시로 열리는 B는 임시회이다. 정기회는 100일 이내의 회기로 매년 1회 개최되며, 임시회는 대통령 또는 국회 재적 의원 4분의 1 이상의 요구가 있을 경우 집회되고 30일을 초과할 수 없다.

[선택지 분석]

① A는 매년 ~~2회~~ 정기적으로 개회한다. 1회

✓ B는 대통령 또는 국회 재적 의원 1/4 이상의 요구에 의해 열린다.

③ A와 달리 B는 비공개가 원칙이다.

➡ 정기회와 임시회 모두 회의를 공개하는 것이 원칙이다.

④ 법률 개정안은 ~~B가 아닌 A~~에서 의결해야 한다. A, B 모두

⑤ A, B 모두 회기는 100일을 초과할 수 없다.

➡ 정기회의 회기는 100일, 임시회의 회기는 30일을 초과할 수 없다.

05 국무 회의의 구성 및 역할

자료 분석 | 국무 회의는 행정부의 최고 심의 기관으로 중요한 정책을 심의한다. 국무 회의는 의장(대통령), 부의장(국무총리), 국무 위원으로 구성된다.

[선택지 분석]

✗ 국회 의원은 해당 기관의 구성원이 될 수 없다.

➡ 우리나라는 국회 의원도 국무 위원이 될 수 있다.

ㄴ 행정부 수반은 해당 기관의 결정에 구속되지 않는다.

➡ 대통령은 국무 회의의 심의 결과를 존중해야 하지만 반드시 따라야 할 의무는 없다.

✗ 해당 기관의 장을 임명할 때에는 국회의 동의가 필요하다.

➡ 국무 회의의 의장은 대통령으로, 대통령은 국민이 선출한다.

ㄹ 해당 기관은 우리나라 정부 형태의 의원 내각제적 요소를 보여 준다.

➡ 국무 회의는 의원 내각제적 요소로 볼 수 있다.

06 행정부와 국회 간의 견제 수단

자료 분석 | 우리나라 헌법은 국가 기관 간 엄격한 권력 분립의 원리에 따른 견제와 균형을 강조한다. 국회(입법부)는 대통령의 권한 행사에 대한 동의 및 승인권, 탄핵 소추권, 국무총리 및 국무 위원에 대한 해임 건의권, 국정 감사 및 조사권 등으로 행정부를 견제하고, 행정부는 법률안 거부권 등으로 국회를 견제한다.

[선택지 분석]

✗ 탄핵 소추권은 ㉠에 해당한다. ㉡

ㄴ 법률안 거부권은 ㉠에 해당한다.

➡ 법률안 거부권은 행정부가 입법부를 견제하는 수단이다.

✗ 내각 불신임권은 ㉡에 해당한다.

➡ 내각 불신임권은 의원 내각제에서 의회가 내각을 견제하는 수단인데, 우리나라에서는 채택하고 있지 않다.

ㄹ 조약 체결 및 비준 동의권은 ㉡에 해당한다.

➡ 조약 체결 및 비준 동의권은 입법부인 국회가 행정부를 견제하는 수단이다.

07 국회와 헌법 재판소

자료 분석 | 조약 체결 및 비준 동의권을 가진 A는 국회, 권한 쟁의 심판 권한을 가진 B는 헌법 재판소이다. 헌법 재판소는 헌법을 기준으로 분쟁을 해결하는 기관으로, 헌법 수호 기관이자 국민의 기본권 보장 기관이다.

[선택지 분석]

✓ A는 국무총리 해임 건의권을 가진다.

➡ 국회는 대통령에게 국무총리 또는 국무 위원의 해임을 건의할 수 있다.

② A는 명령·규칙·처분의 위법성에 대한 최종 심사권을 가진다. → 대법원

③ B는 위헌 법률 심판 제청권을 가진다. → 법원

④ B는 하급 법원의 판결에 대한 최종심을 담당한다. → 대법원

⑤ A는 B의 구성원 9인에 대한 임명권을 가진다. → 대통령

08 국가 기관의 구성과 역할

자료 분석 | 우리 헌법에 규정된 국가 원수인 A는 대통령. 대통령의 권한 행사에 대한 동의권 및 승인권을 가지는 B는 국회. 국회의 탄핵 소추에 의해 대통령의 파면 여부를 결정하는 탄핵 심판 권한을 가진 C는 헌법 재판소이다.

[선택지 분석]

✗ A는 국가의 예산안을 심의·확정한다.
B

✗ A는 사면, 감형 등을 명할 수 있는 권한을 행사하여 B를 견제할 수 있다.
법원

㉢ A는 국가 원수의 지위에서 C의 모든 구성원을 임명한다.
➡ 대통령은 국가 원수의 지위에서 헌법 재판소의 재판관 9명을 모두 임명한다.

㉣ B는 C의 구성원 중 3인을 선출한다.
➡ 헌법 재판소의 재판관 9인 중 3인은 국회에서 선출, 3인은 대법원장이 지명, 3인은 대통령이 지명한다.

03 ~ 지방 자치의 의의와 과제

콕콕! 개념 확인하기
75쪽

01 (1) 주민 자치 (2) 단체 자치
02 (1) ○ (2) × (3) ○
03 (1) 광역, 기초 (2) 지방 자치 단체장 (3) 조례
04 주민 소환
05 (1) ○ (2) × (3) ×

02 (2) 지방 자치 단체와 중앙 정부 간에는 수직적인 권력 분립의 관계가 존재한다.

05 (2) 지방 자치의 본래 목적을 달성하기 위해서는 중앙 정부의 권한을 줄이고 지방 자치 단체의 자율성을 확대해야 한다.

(3) 지방 자치 단체의 재정 자립도를 높이고 격차를 완화하기 위해서는 재정이 열악한 지방 자치 단체에 대한 중앙 정부의 재정 지원을 강화하고, 지방 자치 단체의 수입 확대를 위한 제도 개선이 요구된다.

탄탄! 내신 다지기
76~77쪽

01 ① **02** ④ **03** ④ **04** ② **05** ④ **06** ⑤ **07** ④
08 ⑤ **09** 해설 참조

01 지방 자치의 의미

자료 분석 | 밑줄 친 '이것'은 지방 자치이다. 지방 자치는 일정한 지역의 주민이 스스로 단체를 구성하여 그 지역의 사무를 자율적으로 처리하는 제도이다.

[선택지 분석]

㉠ 지역의 자율성과 균형 발전을 추구한다.

✗ 권력의 중앙 집중으로 인한 폐단을 발생시킨다.
방지한다.

㉢ 지역 주민의 정치의식과 책임 의식을 고양한다.

✗ 중앙 정부의 지방 정부에 대한 통제를 강화한다.
줄일 수 있다.

02 지방 자치의 형태

자료 분석 | A는 단체 자치. B는 주민 자치이다. 단체 자치는 지방 자치 단체가 중앙 정부로부터 자치권을 인정받아 스스로 지역 사무를 처리하는 지방 자치이고, 주민 자치는 지역 주민들이 해당 지역의 문제에 관한 정책을 스스로 결정하고 집행하는 지방 자치이다.

[선택지 분석]

✗ A는 정치 활동이 중심이 되고, B는 행정 활동이 중심이 된다.
행정 활동   정치 활동

㉡ A는 지방 분권을 강조하고, B는 자기 통치의 원리를 강조한다.
➡ 단체 자치는 지방 분권을 강조하고, 주민 자치는 자기 통치의 원리를 강조한다.

✗ A는 자치권을 국가 이전의 권리로 보고, B는 국가 제도 내에서의 권리로 본다.
국가 제도 내에서의 권리   국가 이전의 권리

㉣ A와 B 모두 시행될 때 바람직한 지방 자치가 실현될 수 있다.

03 우리나라의 지방 자치 단체

자료 분석 | 우리나라의 지방 자치 단체는 광역 자치 단체와 기초 자치 단체로 구분되며, 지방 자치 단체의 기관은 의결 기관인 지방 의회와 집행 기관인 지방 자치 단체장으로 구분된다.

[선택지 분석]

✗ 교육감은 기초 자치 단체에서 선출된다.
광역

㉡ 광역 자치 단체와 기초 자치 단체로 구성된다.
➡ 특별시, 광역시, 특별 자치시, 도, 특별 자치도와 같은 광역 자치 단체와 시, 군, 구(자치구)와 같은 기초 자치 단체로 구성된다.

✗ 지방 의회는 지방 자치 단체의 집행 기관이다.
의결

㉣ 지방 자치 단체장은 법령 또는 조례가 위임한 범위 안에서 규칙을 제정한다.

04 주민 소환 제도

자료 분석| 밑줄 친 '이 제도'는 주민 소환 제도이다. 주민 소환 제도는 선거에 의해 선출된 지방 자치 단체장이나 지방 의회 의원(지역구)을 임기 중에 주민의 투표로 해임하는 제도를 말한다.

[선택지 분석]

① 지역에서 시민 단체 활동을 활성화하기 위한 것이다.

☑ 지방 행정에 대한 주민의 통제를 강화하기 위한 것이다.

➡ 주민 소환 제도의 실시를 통해 지방 행정에 대한 주민의 통제를 강화하여 지방 행정의 책임성을 높일 수 있다.

③ 지방 행정에서 정당의 역할과 책임을 강화하기 위한 것이다.

④ 지방 행정에 대한 주민 감사 청구를 활성화하기 위한 것이다.

⑤ 지방 자치 단체장이 소신 있는 행정을 펼칠 수 있도록 하는 것이다.

➡ 주민 소환 제도의 실시를 통해 지방 자치 단체장이 소신 있는 행정을 펼치기 어려워질 수 있다.

05 주민 조례 제정 및 개폐 청구 제도

자료 분석| 우리나라에서는 주민 발안 제도의 한 형태로 주민이 조례 제정안이나 개정안, 폐지안을 제출할 수 있는 주민 조례 제정 및 개폐 청구 제도를 두고 있다.

[선택지 분석]

① 지방 자치 단체의 재정 자립도를 높여준다.

➡ 주민 조례 제정 및 개폐 청구 제도가 직접적으로 지방 자치 단체의 재정 자립도를 높여주는 것은 아니다.

② 주요 정책을 주민의 투표로 결정하는 제도이다.
→ 주민 투표 제도

③ 지방 선출직 공직자에 대한 사법적 통제 수단이다.
→ 주민 소환 제도

☑ 지방 자치 단체의 정책 결정 과정의 정당성을 높여주는 기능을 한다.

➡ 주민 조례 제정 및 개폐 청구 제도는 주민의 발의권을 인정하여 지방 자치 단체의 정책 결정 과정의 정당성을 높여주는 기능을 한다.

⑤ 지방 자치 단체의 예산 편성 과정에 주민이 참여할 수 있는 제도이다. → 주민 참여 예산 제도

06 주민 참여 제도

자료 분석| 주민 투표, 주민 발안, 주민 소환은 모두 직접 민주 정치의 요소를 지닌 제도이다. 주민 발안 제도는 주민이 직접 조례안을 발의할 수 있는 제도로, 우리나라는 주민 조례 제정 및 개폐 청구 제도를 두고 있다. 주민 소환 제도는 지방 자치 단체장이나 지방 의회 의원(지역구)을 임기 중에 주민 투표로 해임하는 제도이다.

[선택지 분석]

✕ ㉠은 지역 주민 1인이 단독으로 청구할 수 있다.

➡ 우리나라는 일정 주민 수 이상의 연서로 해당 지방 자치 단체의 장에게 조례의 제정이나 개정·폐지를 청구할 수 있다.

✕ ㉡과 같은 참여 방식은 중앙 정부에도 적용된다.

➡ 중앙 정부에 적용되는 주민 소환 형태의 참여 방식은 국민 소환이다. 우리나라는 국민 소환을 인정하지 않는다.

ⓒ ㉡의 대상에는 광역 자치 단체장과 기초 자치 단체장이 모두 포함된다.

ⓔ ㉠, ㉡ 모두 직접 민주 정치의 요소를 지닌 제도에 해당한다.

07 주민 참여 제도

자료 분석| (가) 제도는 주민 감사 청구 제도, (나) 제도는 주민 소환 제도이다.

[선택지 분석]

✕ (가) 제도는 지방 자치 단체의 자치 사무에는 적용되지 ~~않는다.~~ 적용된다.

ⓛ (나) 제도는 지방 자치 단체의 민주적인 의사 결정에 도움이 된다.

✕ ~~(가) 제도는 (나) 제도와 달리~~ 국민 주권의 원리 실현에 기여한다.
(가), (나) 제도 모두

ⓔ (가) 제도와 (나) 제도는 모두 주민 참여 활성화에 기여한다.

08 우리나라 지방 자치의 문제점

[선택지 분석]

✕ 중앙 정부의 지도 감독 및 통제가 부족하다.

➡ 중앙 정부의 지도와 감독 및 법률을 통한 통제로 인하여 지방 자치 단체의 독립성과 자율성이 부족한 편이다.

ⓛ 지방 자치에 대한 주민의 관심과 참여가 부족하다.

ⓒ 지방 자치 단체의 재정 자립도가 낮고, 지역별 차이가 크다.

➡ 대부분의 지방 자치 단체는 중앙 정부의 지원에 의존하고 있으며, 지역 간 격차도 큰 편이다.

ⓔ 각 지방 자치 단체가 자기 지역의 이익을 우선시하여 갈등이 발생한다.

➡ 지역 주민이 사회 전체의 이익을 고려하지 않고 자기 지역의 이익만을 우선시하다 보면 사회적 갈등이 발생할 수 있다.

09 주민 참여 예산 제도

(1) 주민 참여 예산 제도

(2) [예시 답안] 주민 참여 예산 제도는 지역 주민이 참여하여 지방 자치 단체의 예산 사업을 직접 설계한다는 점에서 풀뿌리 민주주의로서 지방 자치의 실현에 큰 의의가 있다.

채점 기준		
상	지방 자치의 실현과 관련한 주민 참여 예산 제도의 의의를 정확하게 서술한 경우	
중	지방 자치의 실현과 관련한 주민 참여 예산 제도의 의의를 서술하였으나 내용이 미흡한 경우	
하	지방 자치의 실현과 관련한 주민 참여 예산 제도의 의의를 제대로 서술하지 못한 경우	

01 지방 자치의 형태

자료 분석 | ㉠은 주민 자치, ㉡은 단체 자치이다.

[선택지 분석]

① ㉠은 주민의 정치에 관한 관심을 높일 수 있다.

② ㉡은 중앙 정부의 한계를 보완하는 역할을 한다.

③ ㉡은 ㉠에 비해 자율적인 행정 활동이 중심이 된다.

➡ 주민 자치는 정치 활동이 중심이 되고, 단체 자치는 자율적인 행정 활동이 중심이 된다.

④ ㉠은 ㉡과 달리 해당 지역 주민의 의사에 따라 운영된다.
                 ㉠, ㉡ 모두

⑤ 우리나라는 ㉠과 ㉡을 결합하여 시행하고 있다.

02 우리나라의 주민 참여 제도

[선택지 분석]

㉠ ㉠은 주민의 정치 참여를 활성화하는 데 기여할 수 있다.

➡ 주민 투표는 주민에게 중대한 영향을 끼치는 지방 자치 단체의 중요 정책 등에 대해 주민이 직접 투표로 의사를 표현하는 것으로, 주민의 정치 참여를 활성화하는 데 기여할 수 있다.

✗ ㉡은 주민이 직접 조례안을 발의할 수 있는 제도이다.

➡ 주민 조례 제정 및 개폐 청구 제도를 통해 주민은 조례안의 발의를 청구할 수 있지만 직접 조례안을 발의할 수는 없다.

㉢ ㉢은 지방 자치 단체장의 소신 있는 정책 결정을 어렵게 할 수 있다.

➡ 주민 소환은 지방 자치 단체장이나 지방 의회 의원을 투표를 통해 해임할 수 있는 제도로, 지방 자치 단체장이나 지방 의회 의원의 소신 있는 정책 결정을 어렵게 할 수 있다.

✗ ㉠, ㉡은 ㉢과 달리 직접 민주 정치의 요소를 지닌 제도이다.

➡ 주민 투표, 주민 조례 제정 및 개폐 청구 제도, 주민 소환은 모두 직접 민주 정치의 요소를 지닌 제도이다.

03 우리나라의 지방 자치

[선택지 분석]

✗ ㉠의 장은 조례를 제정할 수 있는 권한을 갖는다.
              규칙을

㉡ ㉡은 지방 자치 단체의 자율성 실현에 기여한다.

✗ ㉢은 지역구 의원으로만 구성된다.

➡ 지방 의회는 지역구 의원과 비례 대표 의원으로 구성된다.

㉣ ㉣에는 주민 투표 제도와 주민 소환 제도가 해당된다.

04 우리나라의 지방 자치 제도

자료 분석 | (가)는 광역 의회, (나)는 기초 자치 단체장이다. 광역 의회는 지방 의회에 해당하며, 기초 자치 단체장은 지방 자치 단체장에 해당한다.

[선택지 분석]

㉠ (가)는 법령의 범위 내에서 조례를 제정한다.

㉡ (나)는 조례안을 지방 의회에 제출할 수 있다.

✗ ㉠은 주민들의 간접 선거에 의해 이루어진다.
                     직접 선거

✗ ㉡에 참가한 주민은 1인 1표를 행사한다.

➡ 기초 의회(지방 의회) 의원은 지역구 의원과 비례 대표 의원으로 구성된다. 따라서 선거에서 유권자는 1인 2표를 행사한다.

05 지방 자치의 의의

자료 분석 | (가)는 권력 분립, (나)는 지방 자치이다.

[선택지 분석]

✗ 주민 감사 청구 제도는 (가)를 실현하는 수단이다.

➡ 주민 감사 청구 제도는 지방 자치를 실현하는 수단이다.

㉡ 삼권 분립을 추구하는 것은 (가)를 실현하기 위한 것이다.

㉢ (나)의 실현을 위해 주민 참여 예산 제도를 실시하고 있다.

㉣ (나)를 통해 권력의 중앙 집중으로 인한 폐단을 방지할 수 있다.

➡ 지방 자치를 통해 지방 자치 단체와 중앙 정부 간의 수직적 권력 분립을 실현하여 권력의 중앙 집중으로 인한 폐단을 방지할 수 있다.

06 우리나라의 지방 자치

[선택지 분석]

① ㉠은 지방 자치 단체의 예산을 심의·의결한다.

② ㉡의 장(長)은 지방 자치 단체를 대표한다.

③ ㉢으로 인해 주민이 직접 조례안을 발의할 수 있다.

➡ 우리나라에서는 조례 제정 및 개폐에 대한 주민의 청구를 인정하고 있지만 주민이 직접 조례안을 발의할 수는 없다.

④ ㉣을 통해 해당 지역의 자치 단체장을 해임할 수 있다.

➡ 일정 수 이상의 주민은 주민 소환제를 통해 해당 지역의 자치 단체장을 해임할 수 있다.

⑤ ㉢과 ㉣은 모두 직접 민주제의 요소에 해당한다.

07 우리나라 지방 자치의 문제점

자료 분석 | 자료를 보면 우리나라의 조세 체계는 지방세보다는 국세 중심이다. 국세는 중앙 정부가 거두는 세금이고, 지방세는 지방 자치 단체가 거두는 세금이다. 국세에 비해 지방세 비중이 너무 낮아서 대부분의 지방 자치 단체는 독자적 재원이 부족해 중앙 정부의 경제적 지원에 크게 의존하는 경향이 있다. 그 결과 지방 자치 단체들이 중앙 정부의 요구에 제약되어 지역의 문제를 자율적으로 처리하기 어려울 수 있다.

[선택지 분석]

① 지역 주민의 조세 저항이 클 것이다.

➡ 조세 저항은 세금 납부에 대한 불만을 말한다. 조세 저항은 공평하지 못한 조세 징수 체제에서 크다. 국세 비중이 높다고 해서 조세 저항이 크다고 볼 수는 없다.

✔ 지방 정부의 자율성이 약화될 것이다.
➡ 지방 자치 단체가 활용할 수 있는 재원이 부족하므로 중앙 정부에 의존하게 되고 이로 인해 지방 정부의 자율성이 약화된다.

③ 중앙 정부와 지방 정부 간 갈등이 클 것이다.
➡ 지방 정부는 중앙 정부에 대한 재정 의존도가 높으므로 중앙 정부와 갈등을 일으키려고 하지 않는다.

④ 지방 정부 간 재정 자립도의 격차가 클 것이다.
➡ 제시된 자료에서는 알 수 없다.

⑤ 지방 자치 단체장의 부정부패가 심각할 것이다.
➡ 제시된 자료에서는 파악할 수 없다.

08 우리나라 지방 자치의 과제

자료 분석 ㅣ 화장장은 필요한 시설이면서도 자기 지역에는 설립되기를 꺼리는 기피 시설이다. 광역 화장장 건설을 둘러싸고 지방 자치 단체 간 갈등이 발생하는 이유는 지역 주민이 사회 전체의 이익을 고려하지 않고 자기 지역의 이익만을 우선시하기 때문이다.

[선택지 분석]

① 지방 정부의 재정 확보 방안을 마련해야 한다.
➡ 재정 확보 문제가 아니라 자기 지역에 설치하는 것을 반대하고 있다.

② 지방 정부가 수행하는 국가 사무를 줄여야 한다.
➡ 화장장의 설치는 국가 사무가 아니다.

③ 지역 문제에 대한 주민들의 관심이 높아져야 한다.
➡ 화장장 설치의 필요성은 인정한다는 점에서 주민들의 관심이 낮은 것은 아님을 알 수 있다.

✔ 지방 자치 단체의 지역 이기주의를 극복해야 한다.
➡ 화장장 설치의 필요성은 인정하면서도 자기 지역에 설치하는 것을 반대한다는 점에서 지역 이기주의 극복이 해결 방안임을 알 수 있다.

⑤ 지방 행정에 대한 주민 참여 요건을 완화시켜야 한다.
➡ 주민 참여 요건과는 관련이 없다.

한번에 끝내는 대단원 문제　　　　82~85쪽

01 ②　**02** ③　**03** ②　**04** ④　**05** ①　**06** ④　**07** ②
08 ④　**09** ②　**10** ①　**11** ②　**12** ④
13~16 해설 참조

---

01 민주 국가의 정부 형태

자료 분석 ㅣ 제시된 자료를 통해 갑국은 의원 내각제, 을국은 대통령제 정부 형태를 채택하고 있음을 알 수 있다. 갑국에서는 국민의 선거에 의해 선출된 A가 B를 선출하므로 A는 의회, B는 내각이다. 을국에서는 A가 B를 탄핵 소추할 수 있으므로 A가 의회, B는 대통령이다.

[선택지 분석]

㉠ 의회 해산권은 ㉠에 해당한다.
➡ 갑국의 A는 의회, B는 내각이다. 따라서 의회 해산권은 ㉠에 해당한다고 볼 수 있다.

✗ 조약 체결 동의권은 ㉡에 해당한다.
➡ 대통령제에서 조약 체결 동의권은 의회(A)의 권한이다.

㉢ 갑국에서 A는 내각 불신임권을 통해 B를 견제할 수 있다.
➡ 의원 내각제에서 의회는 내각 불신임권을 통해 내각을 견제할 수 있다.

✗ 을국에서 A는 법률안 거부권을 통해 B를 견제할 수 있다.
　　　　　　　　　　　　　　　　　　B　　　　　　A

02 민주 국가의 정부 형태

자료 분석 ㅣ 자료의 A에는 대통령제의 고유한 요소, B에는 대통령제와 의원 내각제의 공통된 요소, C에는 의원 내각제의 고유한 요소가 들어가야 한다.

[선택지 분석]

✗ A - 행정부는 법률안을 제출할 수 있다.
➡ 전형적인 대통령제 정부 형태에서는 행정부가 법률안을 제출할 수 없다.

㉡ B - 사법부가 독립되어 있다.
➡ 대통령제 정부 형태와 의원 내각제 정부 형태 모두 사법부는 엄격히 독립되어 있다.

㉢ C - 의회 의원이 각료를 겸직할 수 있다.
➡ 의회 의원이 각료를 겸직할 수 있는 것은 의원 내각제의 요소이다.

✗ C - 의회 의원이 법률안을 발의할 수 없다.
➡ 대통령제와 의원 내각제 정부 형태 모두 의회 의원이 법률안을 발의할 수 있다.

03 이원 집정부제

자료 분석 ㅣ 제시된 자료를 통해 갑국의 정부 형태는 이원 집정부제임을 알 수 있다. 이원 집정부제에서는 행정부의 권한을 이원화하여 대통령과 총리가 각각 담당한다. 대통령은 외교와 국방 등 외치에 관한 권한을 가지며, 비상시에 행정권을 전적으로 행사한다. 총리는 내정을 총괄하며 각료 제청권을 가진다.

[선택지 분석]

① 대통령은 의회를 해산할 수 있다.
➡ 이원 집정부제에서 대통령은 총리 및 각료 임명권과 의회 해산권을 가진다.

✔ 비상 시에는 ~~총리가~~ 강력한 권한을 행사한다.
　　　　　　　　대통령이

③ 대통령제와 의원 내각제가 절충된 형태이다.

④ 대통령과 총리는 행정권을 분담하여 행사한다.

⑤ 대통령과 총리의 소속 정당이 일치하지 않을 수도 있다.
➡ 이원 집정부제에서 대통령은 국민이 직접 선출하고 총리는 일반적으로 의회 다수당의 대표가 임명되기 때문에 대통령과 총리의 소속 정당이 다른 동거 정부가 구성되기도 한다.

04 우리나라의 정부 형태

자료 분석 ㅣ 빈칸 ㉠에는 우리나라 정부 형태에 포함되어 있는 의원 내각제 요소가 들어가야 한다. 우리나라 정부 형태가 지닌 의원 내각제 요소로는 국무총리를 두어 행정 각부를 관리하게 하는 것, 국무 회의를 두고 있는 것, 정부도 법률안 제출권을 가지고 있는 것, 국회 의원이 국무총리나 국무 위원을 겸할 수 있는 것, 국회가 대통령에게 국무총리나 국무 위원의 해임을 건의할 수 있는 것 등이 있다.

[선택지 분석]

ⓒ 국무총리와 국무 회의를 두고 있는 것 → 의원 내각제 요소

✗ 대통령이 법률안을 거부할 수 있는 것 → 대통령제 요소

ⓒ 행정부가 법률안을 제출할 수 있는 것 → 의원 내각제 요소

ⓔ 국회 의원이 국무 위원을 겸직할 수 있는 것
　　　　　→ 의원 내각제 요소

05 국회의 운영과 역할

자료 분석 | 제시된 자료의 국정 감사, 교섭 단체 대표 연설, 헌법 개정안 논의, 헌법 재판소장 임명 동의안을 위한 임시회 개회 등의 일정을 통해 해당 기관이 국회임을 알 수 있다.

[선택지 분석]

✓ ㉠은 특정 국정 사안에 대해서 조사할 때 열린다.

➡ 국회는 매년 정기적으로 국정 전반에 대하여 국정 감사를 실시한다.

② ㉡은 국회 의원 20인 이상으로 구성된다.

➡ 국회에 20인 이상의 소속 의원을 가진 정당은 하나의 교섭 단체가 되며, 다른 교섭 단체에 속하지 않은 20인 이상의 의원은 따로 교섭 단체를 구성할 수 있다.

③ ㉢은 국회 재적 의원 과반수 이상의 동의가 있어야 제안된다.

➡ 헌법 개정안은 국회 재적 의원 과반수 또는 대통령의 발의로 제안될 수 있다.

④ ㉣의 임명을 국회가 동의하지 않으면 대통령은 ㉣을 임명할 수 없다.

➡ 대통령이 국무총리, 감사원장, 대법원장, 대법관, 헌법 재판소장 등을 임명할 때에는 국회의 동의를 받아야 한다.

⑤ ㉤은 대통령의 요구에 의해서도 열릴 수 있다.

➡ 임시회는 대통령 또는 국회 재적 의원 4분의 1 이상의 요구가 있을 경우 집회된다.

06 국회의 조직

자료 분석 | (가)는 교섭 단체, (나)는 위원회로, 모두 국회의 효율적인 의사 진행을 위한 조직들이다. 위원회에는 상임 위원회와 특별 위원회가 있다.

[선택지 분석]

ⓒ (가)는 2개의 정당이 연합하여 구성할 수 있다.

➡ 일반적으로 20인 이상의 소속 의원을 가진 1개의 정당이 하나의 교섭 단체를 구성하지만, 2개 이상의 정당이 연합하여 하나의 교섭 단체를 구성할 수도 있다.

ⓒ (나)는 법률안을 발의할 수 있다.

➡ 법률안은 국회 의원 10인 이상, 위원회 그리고 정부가 제출할 수 있다.

✗ (가)는 (나)와 달리 특별히 필요하다고 인정한 안건을 심사하기 위해 구성된다. → 특별 위원회

ⓔ (가)와 (나) 모두 국회의 효율적인 의사 진행을 위한 조직이다.

07 국무총리와 국무 회의

자료 분석 | 국무총리는 국회의 동의를 얻어 대통령이 임명하고, 대통령을 보좌하며 행정 각부를 통할한다. 국무 회의는 정부의 권한에 속하는 중요 정책에 대한 최고 심의 기관으로, 의장인 대통령과 부의장인 국무총리, 국무 위원으로 구성된다.

[선택지 분석]

① ㉠은 대통령을 보좌하는 행정부의 최고 책임자이다.

➡ 행정부의 최고 책임자는 대통령이다.

✓ ㉠은 국무 위원의 임명을 제청한다.

➡ 국무총리는 대통령에게 국무 위원의 임명을 제청할 수 있다.

③ ㉡은 행정부의 최고 의결 기관이다.
　　　　　　　　　　　　심의

④ 정부의 모든 정책은 ㉡을 거쳐야 한다.

➡ 정부의 권한에 속하는 중요한 정책은 국무 회의의 심의를 거치지만, 정부의 모든 정책이 국무 회의를 거쳐야 하는 것은 아니다.

⑤ ㉠은 ㉡의 의장을 맡는다.

➡ 국무 회의의 의장은 대통령, 부의장은 국무총리가 맡는다.

08 국가 권력 간의 견제와 균형

자료 분석 | 우리나라는 대통령제 정부 형태를 채택하고 있다. 대통령제는 국가 기관 간 엄격한 권력 분립의 원리에 따른 견제와 균형을 강조한다.

[선택지 분석]

ⓒ ㉠이 위헌 법률 심판 제청권이면 (나)는 입법부이다.

➡ ㉠이 위헌 법률 심판 제청권이면 (가)는 사법부, (나)는 입법부이다.

✗ ㉡이 국무 위원 해임 건의권이면, (가)는 행정부이다.

➡ ㉡이 국무 위원 해임 건의권이면 (나)는 입법부, (다)는 행정부이다. 따라서 (가)는 사법부이다.

ⓒ (가)가 사법부이고 (나)가 행정부라면, ㉢에는 법관 탄핵 소추권이 들어갈 수 있다.

➡ (가)가 사법부이고 (나)가 행정부라면 (다)는 입법부이다. 입법부는 사법부를 법관 탄핵 소추권으로 견제할 수 있다.

ⓔ (나)가 사법부이고 (다)가 행정부라면, ㉡에 위헌·위법 명령 및 규칙 심사권이 들어갈 수 있다.

➡ 사법부는 행정부를 위헌·위법 명령 및 규칙 심사권으로 견제할 수 있다.

09 심급 제도

자료 분석 | 제시된 자료는 우리나라의 심급 제도이다. ㉠은 대법원, ㉡은 고등 법원, ㉢은 항소, ㉣은 재항고이다.

[선택지 분석]

ⓒ ㉠은 명령과 규칙 및 처분에 대한 최종 심사권을 가지고 있다.

✗ ㉡은 2심제를 적용하는 선거 소송에서 제2심을 담당한다.
　　　　　　　　　　　　　　　　　　　제1심

ⓒ ㉣은 ㉢과 달리 법원의 결정이나 명령에 불복하여 재판을 청구한 것이다.

➡ 재항고는 법원의 판결이 아닌 결정과 명령에 대하여 3심을 청구하는 것이다.

✗ 특허 관련 소송도 위와 같은 절차를 거친다.
➡ 특허 관련 소송은 2심제가 적용된다.

10 헌법 재판소의 역할

자료 분석 | (가)는 위헌 법률 심판, (나)는 헌법 소원 심판, (다)는 정당 해산 심판이다.

[선택지 분석]

㉠ (가)는 반드시 법원을 통해 신청해야 한다.
➡ 위헌 법률 심판은 소송 당사자가 법원에 제청을 신청하거나 법원의 직권에 의한 제청으로 해당 법률의 위헌 여부를 심판한다. 따라서 반드시 법원을 통해 신청해야 한다.

㉡ 법원의 재판을 대상으로 (나)를 청구할 수 없다.
➡ 헌법에 부합하는 법률을 적용하는 법원의 재판은 헌법 소원의 대상이 되지 않는다.

✗ (다)는 국회의 요청에 의해 판결이 이루어진다.
➡ 정당 해산 심판은 정부의 제소에 의해 위헌 정당의 해산 여부를 결정하는 심판이다.

✗ (가), (나)는 정부, (다)는 국회에 대한 견제 수단에 해당한다.
➡ 위헌 법률 심판은 헌법 재판소가 국회를 견제하는 수단이며, 헌법 소원 심판은 국회와 정부를 견제하는 수단이다.

11 주민 감사 청구 제도

자료 분석 | 자료의 내용을 통해 밑줄 친 '이 제도'가 주민 감사 청구 제도임을 알 수 있다.

[선택지 분석]

㉠ 주민들의 정치 사회화에 기여한다.
➡ 주민 감사 청구 제도 등 다양한 주민 참여 제도는 지역 주민들의 정치 사회화에 기여한다.

✗ 주민들이 입법에 참여할 수 있는 제도이다.
→ 주민 발안 제도

㉢ 주민들의 청구에 의한 행정적 통제 제도이다.
➡ 주민 감사 청구 제도를 통해 지역 주민은 지방 자치 단체와 그 장의 권한에 속하는 사무의 처리가 법령에 위반되거나 공익을 현저히 해친다고 인정되면 감사를 청구할 수 있다. 이는 주민들의 청구에 의한 행정적 통제 제도로 볼 수 있다.

✗ 지방 자치 단체장을 주민 투표로 해임할 수 있는 제도이다. → 주민 소환 제도

12 우리나라 지방 자치의 문제점

자료 분석 | 교사는 우리나라 지방 자치의 문제점을 물어보는 질문에 대한 갑, 을, 병의 대답을 통해 한 사람은 지방 자치의 문제점을 잘 이해하지 못하고 있다고 이야기하고 있다. 갑과 을은 우리나라 지방 자치의 문제점에 대해 올바르게 대답하였으므로, 병이 옳지 않은 대답을 하였음을 알 수 있다.

[선택지 분석]

① 지역 이기주의 문제가 빈번히 나타나고 있습니다.
➡ 우리나라에서는 각 지방 자치 단체가 자기 지역의 이익만 우선시하여 갈등이 빈번히 발생하고 있다.

② 지방 자치에 대한 주민의 관심과 참여가 부족합니다.
➡ 우리나라는 지방 자치에 대한 주민의 관심과 참여가 부족한 점이 개선해야 할 문제점으로 지적되고 있다.

③ 중앙 정부에 대한 경제적 의존도가 높게 나타납니다.
➡ 우리나라는 지방 자치 단체의 재정 자립도가 낮아 대부분의 지방 자치 단체가 중앙 정부의 지원에 의존하고 있다.

✔ 지방 자치 단체들이 중앙 정부의 요구에 아무런 제약을 받지 않고 있습니다.
➡ 우리나라 대부분의 지방 자치 단체는 중앙 정부의 재정 지원에 크게 의존하고 있어 중앙 정부의 요구에서 자유롭기 어렵다.

⑤ 지방 자치 단체에 대한 주민의 감시와 통제가 제대로 이루어지지 않고 있습니다.
➡ 우리나라는 지역 주민의 관심과 참여 부족으로 지방 자치 단체에 대한 주민의 감시와 통제가 제대로 이루어지지 않고 있다.

13 의원 내각제의 특징

(1) 의원 내각제

(2) [예시 답안] 장점: 입법부와 행정부가 긴밀하게 협조할 수 있다. 국민의 요구에 민감하게 반응하는 책임 정치를 구현할 수 있다. 단점: 다수당이 입법부와 행정부를 모두 담당하기 때문에 국가 권력의 독점에 따른 횡포를 견제하기 어렵다. 의회 내 과반수 정당이 없어 연립 내각이 구성될 경우 정국이 불안정해질 수 있다.

채점기준		
상	의원 내각제 정부 형태의 장점과 단점을 모두 정확하게 서술한 경우
중	의원 내각제 정부 형태의 장점과 단점을 모두 서술하였지만 내용이 미흡한 경우
하	의원 내각제 정부 형태의 장점과 단점 중 한 가지만 서술한 경우

14 교섭 단체

(1) 교섭 단체

(2) [예시 답안] 교섭 단체는 국회의 효율적인 의사 진행을 위하여 운영한다.

채점기준		
상	교섭 단체를 운영하는 목적을 정확하게 서술한 경우
중	교섭 단체를 운영하는 목적을 서술하였지만 내용이 미흡한 경우
하	교섭 단체를 운영하는 목적을 제대로 서술하지 못한 경우

15 헌법 재판소의 역할 및 의의

(1) ㉠: 위헌 법률 심판, ㉡: 헌법 소원 심판

(2) [예시 답안] ㉢은 헌법 재판소이다. 헌법 재판소는 헌법 해석과 관련된 분쟁을 해결하여 헌법을 수호하고 국민

의 기본권을 보장하는 역할을 한다.

채점기준		
상	헌법 재판소의 명칭과 의의를 모두 정확하게 서술한 경우
중	헌법 재판소의 의의만 서술한 경우
하	헌법 재판소의 명칭만 서술한 경우

16 우리나라 지방 자치의 현실과 과제

(1) [예시 답안] 중앙 정부

(2) [예시 답안] 지방세의 비중을 높이는 등 조세 제도를 개선하고, 지방 의회와 지방 자치 단체의 권한을 확대한다.

채점기준		
상	지방 자치 단체의 재정 자립도를 높일 수 있는 방안을 정확하게 서술한 경우
중	지방 자치 단체의 재정 자립도를 높일 수 있는 방안을 서술하였지만 내용이 미흡한 경우
하	지방 자치 단체의 재정 자립도를 높일 수 있는 방안을 제대로 서술하지 못한 경우

III ≫ 정치 과정과 참여

01 ~ 정치 과정과 정치 참여

콕콕! 개념 확인하기   91쪽

01 (1) 투입 (2) 산출 (3) 환류
02 (1) 환류 (2) 국가 기관 (3) 시민과 정부 간
03 (1) × (2) × (3) × (4) ○
04 (1) 정치 참여 (2) 정치적 효능감 (3) 개인적 참여

03 (1) 시민의 정치적 효능감이 높을수록 시민의 정치 참여가 활발해진다.

(2) 이익 집단의 활동에 참여하는 것은 집단적 참여로, 같은 목적을 추구하는 사람들이 함께 참여하므로 개인적 참여보다 효과적이고 지속적이다.

(3) 선거는 가장 기본적인 시민의 정치 참여 방법으로, 개인적 참여에 해당한다.

탄탄! 내신 다지기   92~93쪽

01 ③   **02** ①   **03** ①   **04** ②   **05** ⑤   **06** ④   **07** ③
08 ③   **09** 해설 참조

01 현대 사회의 정치 과정

[선택지 분석]

① 시민 단체의 정치적 영향력이 점차 약화되고 있다.
　　　　　　　　　　　　　　　　　　　강화

② 주로 국가 기관을 중심으로 정치 과정이 이루어진다.

➡ 과거에는 주로 국가 기관이 정치 과정을 주도하였으나, 현대 민주 사회에서는 다양한 주체들의 역할이 증대되었다.

✅ 정당, 이익 집단, 언론 등 다양한 주체들의 역할이 커지고 있다.

➡ 현대 민주 사회의 정치 과정은 시민과 정부 간 상호 작용이 활발하며 정당, 시민 단체, 이익 집단, 언론 등 다양한 주체의 정치 참여가 이루어진다.

④ 정책 결정이 정부의 하향식 의사 결정 방식으로 이루어지고 있다.

➡ 하향식이라고 단정할 수 없다. 오히려 현대 민주 사회의 정치 과정은 다양한 주체들의 역할이 커지고 있기 때문에 상향식 의사 결정 모습도 나타난다.

⑤ 개인이 정책 결정 기구의 정책 결정과 집행에 직접 참여하여 정책의 정당성을 높이고 있다.

➡ 정책 결정과 집행에 직접 참여하는 것은 정책 결정 기구이다.

02 정치 과정

자료 분석 | 밑줄 친 두 명은 갑과 을이다. 정치 과정의 의미와 특징을 통해 옳지 않게 발표한 사람이 '갑'과 '을'이라는 것을 알 수 있다.

[선택지 분석]

㉮ 의회와 정당은 모두 ㉡에 해당해요.

➡ 의회는 정책 결정 기구에 해당하지만 정당은 정책 결정 기구에 해당하지 않는다. 정책 결정 기구에는 입법부, 사법부, 행정부가 해당된다.

㉯ 정당이 주최하는 정책 토론회는 ㉢에 해당해요.

㉧ ㉣은 산출된 정책에 대한 사회의 평가가 재투입되는 과정으로, 선거를 예로 들 수 있어요.

➡ 선거는 국민의 의사를 표출하는 과정이므로 투입과 환류 모두에 해당된다.

㉧ ㉠이 ㉢에 잘 반영될수록 국민의 정치적 효능감이 높아질 수 있어요.

➡ 정치적 효능감은 시민 자신의 정치적 견해와 행동이 정치 과정에 영향을 미칠 수 있다고 생각하는 정치적 자신감을 말하며, 투입이 산출에 잘 반영될수록 높아진다.

03 정치 과정의 이해

자료 분석 | 밑줄 친 '이것'은 산출에 해당한다. 산출은 정치 체계에 투입된 국민의 요구가 정책으로 수립·집행되는 것을 의미한다.

[선택지 분석]

㉠ 정책 결정 기구의 결정과 집행을 의미한다. → 산출

㉡ 정치 체계에 투입된 국민의 요구가 정책으로 형성되는 과정이다. → 산출

㉧ 언론이 일정한 방향으로 여론을 형성하는 것을 사례로 들 수 있다. → 투입

㉧ 정책이 실제로 집행된 이후 이에 대한 국민의 평가가 이루어지는 과정을 의미한다. → 환류

04 정치 과정의 사례

자료 분석 | 제시문은 시민들의 간접흡연 피해 호소로 ○○시 의회가 '○○시 간접흡연 피해 방지 조례'를 제정하였으나, 큰 효과를 얻지 못해 시민들이 개선책을 요구하고 있는 상황이다.

[선택지 분석]

㉠ 흡연 금지 구역을 설정하는 정치 과정 사례이다.

➡ 제시문은 흡연 금지 구역을 정책으로 설정하는 정치 과정 사례에 해당한다.

㉧ 투입과 산출 과정은 나타나 있지만 환류 과정은 나타나 있지 않다.

➡ 시민들이 집행된 정책에 대한 개선책을 요구하는 과정은 환류 과정에 해당한다.

㉢ 시민의 정치 참여를 통해 국민 주권과 국민 자치의 원리가 실현되고 있다.

➡ 시민의 요구로 정책 결정이 이루어졌고, 시민들이 그에 따른 개선책을 요구하는 모습을 통해 알 수 있다.

㉧ 특정 집단이 정부의 정책을 좌우하고 소수의 이익만을 보장하는 정책을 결정하였다.

➡ ○○시 의회는 시민들의 의견을 반영하여 간접흡연 피해 방지 조례를 제정하였다.

05 정치 참여의 의의

자료 분석 | 밑줄 친 '이것'은 정치 참여이다. 정치 참여는 시민이 정치에 관심을 가지고 정치 과정에 영향력을 행사하려는 모든 활동을 의미한다.

[선택지 분석]

① 정치적 효능감을 높일 수 있다.

➡ 정치 과정에 시민의 요구가 반영되면 국가 기관에 대한 신뢰가 강화되어 시민의 정치적 효능감이 높아진다.

② 시민의 주권 의식을 신장시킨다.

➡ 시민의 능동적인 정치 참여를 통해 시민의 의사가 정확하게 정책에 반영되어 국민 주권의 원리를 구현할 수 있다.

③ 대의 민주 정치의 한계를 보완한다.

➡ 정치 과정에서 시민과 정부를 이어주는 통로 역할을 함으로써 정책 결정 과정에 시민의 의사를 전달할 수 있다.

④ 정치권력의 남용을 방지할 수 있다.

➡ 시민의 정치 참여를 통해 정치권력을 감시함으로써 독재 정치를 차단하고 진정한 다수의 지배를 구현할 수 있다.

㉤ 정부의 정책 결정에 신속성과 효율성을 높여준다.

➡ 시민의 정치 참여가 정부의 정책 결정에 신속성과 효율성을 높여준다고 단정할 수 없다.

06 시민의 정치 참여 방법

[선택지 분석]

① 자신이 지지하는 정당과 후보자에게 투표한다.
　→ 개인적 참여 유형

② 정당에 가입하여 자신의 정치적 의사를 표출한다.
　→ 집단적 참여 유형

③ 행정 기관에 자신의 희망이나 의사를 문서로 요구한다.
　→ 개인적 참여 유형

㉤ 시민 단체 활동에 참여하며 국가 정책을 직접 결정한다.

➡ 시민 단체 활동에 참여하는 것은 집단적 참여 유형에 해당하지만 국가 정책을 직접 결정하는 것은 아니다. 정책 결정은 입법부, 행정부, 사법부와 같은 정책 결정 기구에서 이루어진다.

⑤ 공공 기관이 주최한 공청회에 참여하여 해당 분야의 전문가에게 의견을 들어본다. → 개인적 참여 유형

07 정치 참여 유형

자료 분석 | 제시문은 정치 참여 유형 중 집단적 참여에 대한 내용이다. 집단적 참여는 같은 목적을 추구하는 사람들이 함께 참여하기 때문에 개인적 참여보다 효과적이고 지속적일 수 있다.

[선택지 분석]

① 언론사에 독자 투고를 한다. → 개인적 참여 유형

② 공직 선거에 후보로 직접 출마한다. → 개인적 참여 유형

㉤ 시민 단체의 구성원이 되어 활동한다. → 집단적 참여 유형

④ 정치 토론회에 참가하여 의견을 개진한다.
　→ 개인적 참여 유형

⑤ 행정 기관에 원하는 바를 문서로 청원한다.
　→ 개인적 참여 유형

08 바람직한 정치 참여 태도

자료 분석 | 제시문은 민주 정치가 발전하기 위해서는 시민의 바람직한 정치 참여 태도가 필요하다는 내용이다.

[선택지 분석]

✗ 국가의 정책을 항상 지지한다.

　➡ 국가의 정책이 잘못된 경우가 발생할 수 있으므로 비판적인 태도가 필요하다.

㉡ 자발적이고 능동적으로 참여한다.

　➡ 정치적 무관심은 민주주의의 발전을 저해할 수 있으므로 자발적이고 능동적으로 정치에 참여해야 한다.

㉢ 합법적인 절차에 따라 정치에 참여한다.

　➡ 민주적 절차를 준수하여 합법적인 절차에 따라 정치에 참여한다.

✗ 사익과 공익이 충돌하면 공익을 추구한다.

　➡ 사익과 공익이 충돌할 경우 사익과 공익의 조화를 추구해야 한다.

09 정치적 효능감과 정치적 무관심

(1) A: 정치적 효능감, B: 정치적 무관심

(2) [예시 답안] 정치 자체에 대한 불신이나 혐오 등으로 이어져 민주주의의 발전을 저해할 수 있다.

채점기준	상	정치적 무관심의 문제점을 정확하게 서술한 경우
	하	정치적 무관심의 문제점을 단순히 단어 뜻풀이로만 서술한 경우

도전! 실력 올리기　　　94~95쪽

01 ②　**02** ②　**03** ①　**04** ④　**05** ③　**06** ⑤　**07** ④

08 ⑤

01 정치 과정

자료 분석 | 밑줄 친 '한 사람'은 을이다. 정치 과정의 의미와 특징을 통해 옳지 않게 발표한 사람이 '을'이라는 것을 알 수 있다.

[선택지 분석]

① 갑: 이해관계의 대립과 사회적 갈등을 해결하고자 해요.

　➡ 정치 과정을 통해 다양한 이해관계를 합리적으로 조정하고 갈등을 해결할 수 있다.

✔ 을: 환류는 전통적인 정치 과정에서 더 중시되었습니다.

　➡ 환류는 전통적인 정치 과정보다 현대 사회의 정치 과정에서 더 중시되고 있다.

③ 병: 시민들의 정치적 효능감이 높은 국가에서는 투입 활동이 활발해요.

　➡ 시민 자신의 정치적 견해와 행동이 정치 과정에 영향을 미칠 수 있다는 믿음인 정치적 효능감이 높은 경우 투입 활동이 활발해질 수 있다.

④ 정: 사회 구성원들이 표출하는 이해관계를 정책으로 만드는 과정이에요.

　➡ 정치 과정은 사회 구성원들의 이해관계가 정책 결정 기구에 투입되어 정책으로 만드는 모든 과정이다.

⑤ 무: 정책 결정 기구가 정책을 결정하고 집행하는 것은 산출에 해당합니다.

02 정책 결정 과정

자료 분석 | 제시된 자료는 정책 결정 과정에 대한 질문에 답한 수행 평가지이다. A는 투입, B는 산출, C는 환류이다. 학생은 1번 질문만 맞혔으므로 1점을 받게 된다.

[선택지 분석]

①1번: ○○협회가 양육비 지원에 관한 입법 청원을 한 것은 A에 해당합니까?

　➡ 입법 청원은 투입에 해당하므로 ○(정답 → 1점 부여)

✗2번: 시민 갑이 정책 입안을 위한 공청회에 참석한 것은 B에 해당합니까?

　➡ 시민의 공청회 참석은 투입에 해당하므로 ✗(오답)

✗3번: 정부가 경제 활성화를 위한 정책을 시행한 것은 B에 해당합니까?

　➡ 정부의 정책 시행은 산출에 해당하므로 ○(오답)

✗4번: 국회가 한중 FTA 체결·비준에 대한 동의권을 행사한 것은 C에 해당합니까?

　➡ 정부의 정책 시행에 대한 국회의 동의권 행사는 산출에 해당하므로 ✗(오답)

03 정책 결정 과정

자료 분석 | 제시된 자료는 이스턴의 정치 과정 모형이다.

[선택지 분석]

✔ 시민의 입법 청원 활동은 ㉠의 예이다.

　➡ 입법 청원 활동은 투입에 해당한다.

② 입법부와 사법부, ~~어익 집단~~은 ㉡의 대표적인 예이다.
　　　　　　　　　　행정부는

③ 시민 단체의 공익 추구를 위한 환경 정화 활동은 ㉢의 예이다.
　　　　　　　　　　　　　　　　　㉠

④ 국민들이 정책에 대해 어떤 요구를 하거나 지지를 하는 것은 ㉣에 해당한다.
　　　　　　　　　　　㉠

⑤ 국민들의 반응과 평가를 받아 지지나 새로운 요구로 다시 정치 체계에 투입되는 ㉣은 법원에서 행해진다.

　➡ 법원은 정책 결정 기구에 해당하며, 환류가 법원에서 행해지는 것은 아니다.

04 민주 국가의 정치 체계

자료 분석 | 제시문은 투입과 산출 체계를 바탕으로 이루어지는 정치 체계에 대한 내용이다.

[선택지 분석]

㉠ 행정부는 ㉠의 대표적인 예이다.

　➡ 행정부는 입법부, 사법부와 함께 정책 결정 기구에 해당한다.

㉡ 정치적 효능감이 높은 사회일수록 ㉡이 활발하다.

➡ 정치적 효능감이 높은 사회일수록 정책에 대한 요구와 지지가 활발하다.

✗ 시민 단체가 무리한 정책 시행을 강행한 □□시장에 대해 주민 소환을 추진한 것은 ⓒ에 해당한다.
  ⓔ

ⓔ 정책 집행 결과에 대한 평가가 이루어지고 그에 따른 정책 수정의 필요성이 제기되는 과정은 ⓔ에 해당한다.
  ➡ 산출된 정책은 국민의 평가를 거쳐 재투입되는데, 이것을 환류라고 한다.

05 시민의 정치 참여의 의의

자료 분석 | 갑은 알몬드(Almond, G.)와 버바(Verba, S.)의 주장이다. 갑은 시민이 대표를 신뢰하고 정치적 문제를 대표의 자율적 판단에 맡겨야 한다고 본다. 을은 샤츠슈나이더(Schattschneider, E.)의 주장이다. 을은 시민이 정치 과정에 적극적으로 참여해야 한다고 주장한다.

[선택지 분석]

✗ 갑은 시민이 정치 과정에 적극적으로 참여해야 한다고
  을은   본다.

ⓛ 갑은 시민이 대표를 신뢰하고 정치적 문제를 대표의 자율적 판단에 맡겨야 한다고 본다.

ⓒ 을은 시민이 정치 과정에 적극적으로 참여해야 다양한 의견이 정책에 반영될 수 있다고 본다.

✗ 을은 시민이 모든 정치 과정에 참여하면 오히려 공익
  갑은   을 저해할 수 있다고 본다.

06 정치 참여 방법

자료 분석 | 제시된 입법 청원의 새로운 방법은 국민들이 인터넷을 이용하여 입법안을 제안하고, 일정 수의 지지를 받으면 해당 상임 위원회에 전달되도록 하는 것이다.

[선택지 분석]

① 국회의 입법 기능에 대한 전문성이 강화될 것이다.
  ➡ 국민의 입법 제안이 늘어나는 것과 국회 전문성이 강화되는 것은 거리가 멀다.

② 정부에서 제출하는 입법안에 대한 가결률이 높아질 것이다.
  ➡ 제시된 방법은 국민들의 입법 제안을 늘리는 것이다. 정부 제출 입법안의 가결률 증가와는 관련이 없다.

③ 국민 여론이 특정 분야에 집중되어 사회 통합이 심화될 것이다.
  ➡ 법안을 쉽게 제안할 수 있는 것과 국민 여론이 특정 분야에 집중되는 것은 관계가 없다.

④ 국민의 알 권리를 충족시키며 하향식 의사 결정이 증가할 것이다.
  ➡ 사이트에 제시된 입법 제안을 통해 국민의 알 권리가 충족될 수 있는 여지는 있으나, 하향식 의사 결정이 증가하지는 않는다. 오히려 상향식 의사 결정이 중시되는 방법이라고 볼 수 있다.

✓ 국민의 정치 참여 접근성이 높아지고 투입 기능이 활성화될 것이다.
  ➡ 국민이 법안을 쉽게 제안할 수 있기 때문에 국민의 정치 참여 접근성을 높이고 정책 결정 과정에서 투입 기능이 활성화되는 것을 기대할 수 있다.

07 시민의 정치 참여 사례

자료 분석 | 제시문은 주민의 결산 과정 참여에 대한 내용이다. 시민의 정치 참여에 대한 추론을 분석하여야 한다.

[선택지 분석]

ⓐ ○○시 재무 행정의 투명성이 높아질 것이다.
  ➡ 주민이 참여하여 결산 과정에서 시민 의견을 수렴하므로 ○○시 재무 행정의 투명성이 높아진다.

ⓛ 주민 참여 결산제는 주민들의 정치 사회화에 기여할 것이다.
  ➡ 주민들이 결산에 참여하면서 새로운 지식을 습득하고 가치 및 태도를 함양하게 되기 때문에 정치 참여를 통해 정치 사회화가 이루어진다.

ⓒ 재무 행정 과정에서 주민들의 정치적 효능감이 높아질 것이다.
  ➡ 결산 과정에 참여하면서 정치적 효능감은 높아질 것이다.

✗ 주민 참여 결산제를 통해 ○○시의 지방 재정 자립도가 높아질 것이다.
  ➡ 제시문에 나타난 ○○시의 예산 편성 과정을 통해 지방 재정 자립도가 높아질 것인지는 추론할 수 없다.

08 정치 문화의 이해

자료 분석 | 제시문은 정치 문화에 대한 내용이다. 향리형 정치 문화와 신민형 정치 문화, 참여형 정치 문화에 대한 분석이 필요하다.

[선택지 분석]

① ⓐ은 주로 현대 민주주의 사회에서 나타난다.
  ➡ 향리형 정치 문화는 전근대적 사회에서 지배적인 유형이다. 구성원 다수가 정치와 정부가 하는 일에 관심을 두지 않는다거나, 구성원들이 스스로 정치와 관련이 있다고 생각하지 않는다는 부분에서 현대 민주주의 사회에서 나타나는 것이 아님을 알 수 있다.

② ⓐ에서는 구성원이 적극적으로 정치에 참여한다.
  ➡ 향리형 정치 문화에서는 구성원들이 스스로 정치와 관련이 있다고 생각하지 않으므로 정치 참여에 소극적이다.

③ ⓛ에서는 구성원의 정치적 신뢰감 및 효능감이 높다.
  ➡ 신민형 정치 문화에서는 구성원의 정치적 효능감이 낮다. 정치 과정에 자신들의 요구를 표출하려는 태도가 부족하며, 자신을 스스로 적극적 참여자로 인식하지 않는다는 것을 통해 정치적 신뢰감과 효능감이 높지 않음을 알 수 있다.

④ ⓛ에서는 구성원이 정책 결정의 투입 과정에 적극적이다.
  ➡ 투입은 정치 과정에서 사회의 다양한 요구가 표출되는 것이다. 제시문에 나타난 신민형 정치 문화에서는 정치 과정에 자신들의 요구를 표출하려는 태도가 부족하다고 하였기에 투입 과정에 적극적이지 않음을 알 수 있다.

✓ ⓒ에서는 구성원이 정치 체계에 대해 알고 있고, 관심을 보인다.

➡ 제시문에 나타난 참여형 정치 문화에서 구성원들이 정치 체제의 투입과 산출 과정을 잘 알고 자신들의 역할에 적극적인 태도를 보인다는 것을 통해 알 수 있다.

02 ~ 선거와 선거 제도

콕콕! 개념 확인하기   101쪽

01 ㄷ, ㄹ
02 (1) 다수 대표제 (2) 단순 다수 대표제 (3) 절대 다수 대표제
03 (1) 비례 대표제 (2) 중·대선거구제 (3) 소선거구제
04 (1) ○ (2) ○ (3) ×
05 (1) ⓒ (2) ⓛ (3) ㄱ

01 ㄱ. 선거는 국가의 주요 정책을 결정하는 것이 아니라 국가의 정책을 결정할 대표를 뽑는 행위이다.
ㄴ. 선거는 대의 민주 정치에서 주권을 행사하는 기본적인 행위이다.
04 (3) 특정 정당 후보에게 표가 집중되는 지역주의와 군소 정당의 후보가 당선되기 어려운 문제는 비례 대표 의석수를 확대함으로써 개선할 수 있다.

탄탄! 내신 다지기   102~103쪽

01 ③   02 ①   03 ①   04 ②   05 ③   06 ②   07 ②
08 ②   09 ④   10 해설 참조

01 선거의 기능

[선택지 분석]
① 대표자를 선출한다.
➡ 국민의 의사에 따라 국민을 대신하여 국정을 담당할 대표자를 선출한다.
② 주권 의식을 향상시킨다.
➡ 선거에 국민이 직접 참여함으로써 주권자임을 확인한다.
③ 직접 민주주의를 실현한다.
➡ 선거는 대의제에서 국민 주권을 실현하는 수단이다.
④ 정치권력에 정당성을 부여한다.
➡ 합법적 절차와 국민의 지지를 얻어 구성된 정치권력은 정당성을 가진다.
⑤ 대표자 및 정치권력을 통제한다.
➡ 선거는 국민이 대표를 통제할 수 있는 수단이다. 선거를 통해 대표자를 재신임하거나 책임을 물어 교체함으로써 책임 정치의 보장 수단이 된다.

02 민주 선거의 원칙

자료 분석 | 밑줄 친 '이 원칙'은 보통 선거 원칙이다. 보통 선거 원

칙은 일정한 나이에 달한 모든 국민에게 선거권을 부여하는 원칙이다.

[선택지 분석]
① 보통 선거
② 비밀 선거
➡ 투표자의 투표 내용을 타인이 알 수 없도록 비밀을 보장하는 원칙이다.
③ 자유 선거
➡ 민주 선거 원칙에 해당하지 않는다.
④ 직접 선거
➡ 유권자가 직접 대표를 선출하는 원칙이다.
⑤ 평등 선거
➡ 모든 유권자에게 동등한 투표권을 부여하고, 투표 가치에 차등을 두지 않는 표의 등가성을 실현하는 원칙이다.

03 소선거구제

자료 분석 | 정국의 안정에 기여하고, 사표가 많이 발생한다는 것을 통해 A선거구제가 소선거구제라는 것을 알 수 있다.

[선택지 분석]
① 유권자의 후보자 파악이 용이하다.
➡ 소선거구제에서는 선거구당 후보 수가 적어 유권자들이 후보자와 공약을 파악하기 쉽다.
② 정당별 득표율과 의석률이 비례한다.
➡ 소선거구제는 사표가 많이 발생하기 때문에 정당별 득표율과 의석률이 불일치할 가능성이 크다.
③ 군소 정당의 의회 진출 가능성이 높다.
➡ 소선거구제는 군소 정당의 의회 진출이 어렵다.
④ 동일 선거구 내 투표 가치의 차등 문제가 발생한다.
→ 중·대선거구제
➡ 중·대선거구제에서는 최다 득표자보다 훨씬 적은 표를 얻고도 당선될 수 있으므로 당선자들이 얻은 표의 가치에 차등이 발생할 수 있다.
⑤ 의회의 입법 과정에 다양한 의사의 반영이 용이하다.
→ 중·대선거구제
➡ 중·대선거구제는 소수 정당의 의회 진출 가능성이 소선거구제보다 크기 때문에 소수 집단의 의견 반영 기회가 많아 다양한 의사가 반영될 가능성이 높다.

04 대표 결정 방식

[선택지 분석]
ㄱ ㉠은 각 정당이 획득한 득표 비율에 따라 의석수를 할당하는 방식이다. → 비례 대표제
✗ ㉠은 ㉡에 비해 사표가 많이 발생한다는 단점이 있다.
➡ 비례 대표제는 다수 대표제에 비해 사표를 줄일 수 있다는 장점이 있다.
ㄷ ㉢은 당선자가 유효표의 일정 비율 이상을 얻어야 한다.
→ 절대 다수 대표제
✗ ㉡은 ㉢과 달리 선거구당 과반수 득표자 한 명을 선출한다.
㉢은 ㉡과 달리

05 선거 제도 비교

자료 분석 | 갑국은 100개의 선거구에서 한 선거구당 2명씩 선출하

였으므로 중·대선거구제이고, 비례 대표 의원 선출 시 일정 비율 이상 득표한 정당에게만 의석을 배분하는 봉쇄 조항은 없다. 을국은 200개의 선거구에서 한 선거구당 1명씩 선출하였으므로 소선거구제이고, 비례 대표 의원 선출 시 봉쇄 조항이 있다.

[선택지 분석]

① 갑국의 지역구 의원 선거는 양당제를 촉진한다.

➡ 일반적으로 소선거구제가 거대 정당에 유리하기 때문에 중·대선거구제보다 양당제가 형성될 가능성이 높다.

② 갑국보다 을국의 지역구 의원 선거에서 사표가 적게 발생한다.
  많이

③ 갑국보다 을국의 지역구 의원 선거에서 유권자가 후보를 파악하는 것이 용이하다.

➡ 소선거구제는 선거구당 후보 수가 적어 유권자들이 후보자와 공약을 파악하기 쉽기 때문에 인물 파악에 용이하다는 장점이 있다.

④ 갑국과 달리 을국의 지역구 의원 선거에서는 한 선거구
  을국과 달리 갑국
  내에서 당선자가 얻은 표의 가치에 차등이 발생할 수 있다.

➡ 중·대선거구제에서는 2등 득표자가 최다 득표자보다 훨씬 적은 표를 얻고도 당선될 수 있으므로 당선자들이 얻은 표의 가치에 차등이 발생할 수 있다.

⑤ 갑국과 을국 모두 비례 대표 의석 배분에서 군소 정당의 난립을 방지하기 위한 장치를 두고 있다.

➡ 갑국에는 봉쇄 조항이 없다. 비례 대표 의원 선거에서 봉쇄 조항을 두게 되면 득표율이 낮은 정당은 의석을 배분받지 못하게 되어 군소 정당의 난립을 방지할 수 있다.

06 비례 대표제의 특징

[선택지 분석]

① 사표가 많이 발생한다.
  적게

☑ 군소 정당이 난립할 수 있다.

➡ 비례 대표제는 의회에 군소 정당이 많아질 경우 정국이 불안정해질 우려가 있다는 단점이 있다.

③ 소수당의 의회 진출이 어렵다.
  용이하다.

④ 선호 투표제가 대표적 유형이다.

➡ 선호 투표제는 절대 다수 대표제의 사례이다.

⑤ 의석수 할당 및 당선자 결정 과정이 간단하다.
  상대적으로 복잡하다.

07 선거 결과의 분석

자료 분석 | 갑국은 300개의 선거구에서 300명의 의원을 선출했고, 지역구 의원으로만 구성되어 있다. 이를 통해 갑국은 소선거구제를 채택했다는 것을 알 수 있다.

[선택지 분석]

① 선거구 내 표의 등가성 문제가 발생한다. → 중·대선거구제

☑ A당은 의석률이 득표율에 비해 크게 나타났다.

➡ A당의 득표율은 35%이며 A당의 의석률은 약 36.6%로, 의석률이 득표율에 비해 크게 나타났다.

③ 사표가 적게 발생하는 선거구제를 채택하고 있다.
  많이

④ 군소 정당의 의회 진출 가능성이 큰 선거구제이다.
  작은

⑤ 의회 의원 선거의 대표 결정 방식은 비례 대표제이다.
  다수 대표제

08 우리나라의 선거 제도

[선택지 분석]

• 갑: 지역구 기초 의회 의원 선거는 소선거구제로 운영합니다.
  중선거구제

• 을: 대통령 선거는 전국을 단위로 최다 득표자 1명을 선출하는 다수 대표제로 운영합니다.

• 병: 유권자는 국회 의원 선거 시 1인 1표를 투표합니다.
  1인 2표

• 정: 광역 의회 의원 선거에서는 정당 명부식 비례 대표제를 병행합니다.

09 우리나라 선거 제도의 문제점과 개선 방안

자료 분석 | 제시문은 우리나라 지방 선거에서 주민들이 후보자를 파악하기 어려운 점과 대통령 선거나 국회 의원 선거에서 사표가 많이 발생하는 문제점에 대한 내용이다.

[선택지 분석]

✗ 선거에 대한 관심을 높이기 위해 지역주의적 투표 행태가 필요하다.

➡ 지역적 경향에 따라 특정 정당 후보에게 표가 집중되는 지역주의는 우리나라 선거 제도의 문제점이다.

ⓛ 당선자의 대표성을 높일 수 있게 선거구제를 개편하는 논의가 필요하다.

➡ 단순 다수 대표제는 당선자의 대표성 문제가 발생할 수 있으므로 선거구제를 개편하는 논의가 필요하다.

✗ 금권 선거 등으로 선거의 공정성이 훼손되지 않게 공명선거 문화가 정착되도록 노력해야 한다.

➡ 공명선거 문화가 정착되도록 노력해야 하는 것은 맞지만 제시문에 나타난 문제점의 개선 방안으로 적절하지 않다.

ⓔ 국회 의원 선거에서 비례 대표 의원 정수 증원 및 권역별 비례 대표제 도입 방안을 모색해 볼 수 있다.

➡ 비례 대표 의원의 확대는 사표 발생을 줄일 수 있고, 권역별 비례 대표제는 지역주의와 사표 발생 문제 등의 완화에 기여한다.

10 선거구 법정주의

(1) 게리맨더링

(2) [예시 답안] 게리맨더링을 방지하기 위해 우리나라에서는 선거구를 법률로서 획정하는 선거구 법정주의를 채택하고 있다.

채점기준		
상	선거구 법정주의를 채택했음을 그 의미와 함께 정확하게 서술한 경우
중	선거구 법정주의라는 용어는 없어도 뜻을 풀이해서 서술한 경우
하	공정한 선거를 치르기 위한 제도가 있다고만 서술한 경우

01 ①　**02** ④　**03** ①　**04** ③　**05** ④　**06** ③　**07** ⑤
08 ③

01 민주 선거의 원칙

자료 분석 | 민주 선거의 원칙은 보통·평등·직접·비밀 선거이다. 국내의 주민 등록 여부로 선거권을 제한한 (가)의 사례와 집행 유예자의 선거권을 제한한 (나)의 사례는 모두 **보통 선거 원칙에 어긋난다.**

[선택지 분석]

- 보통 선거
  ➡ 인종, 신분, 교육 수준, 성별, 재산의 정도 등에 따라 차별하지 않고 일정한 연령에 이르면 누구나 선거권을 부여하는 원칙이다.
- 평등 선거
  ➡ 모든 유권자가 동등한 가치를 지닌 표를 행사해야 한다는 원칙이다.
- 직접 선거
  ➡ 유권자가 직접 대표를 선출하는 원칙이다.

02 선거의 기능

자료 분석 | 갑을 통해 선거가 **책임 정치의 보장 수단이며 정치권력의 남용을 방지**하는 기능을 한다는 것을 알 수 있다. 또한 을을 통해 선거가 여론을 반영하여 주권 의식을 향상시키는 기능을 한다는 것을 알 수 있다.

[선택지 분석]

- ㉠ 책임 정치의 보장 수단이다.
  ➡ 국민에 대해 정치적 책임을 지는 것이다.
- ㉡ 여론을 반영하여 주권 의식을 향상시킨다.
  ➡ 선거에 국민이 직접 참여함으로써 주권자임을 확인한다.
- ㉢ 정치권력이 함부로 남용되는 것을 방지할 수 있다.
  ➡ 선거를 통해 대표자를 재신임하거나 책임을 물어 교체할 수 있다.
- ✗ 국가의 주요 정책을 국민이 직접 결정할 수 있게 한다.
  ➡ 직접 민주제에 해당하는 내용으로 선거의 기능으로 보기 어렵다.

03 선거 제도의 유형

자료 분석 | 갑국의 지역구 선거구제는 **지역구 의석의 수와 지역구 수가 총 200개로 동일하므로 소선거구제**이며, 대표 결정 방식은 다수 대표제와 비례 대표제를 함께 활용하고 있다.

[선택지 분석]

- ㉠ 지역구 의원은 다수 대표제로 선출된다.
  ➡ 갑국의 지역구 의원 선거의 대표 결정 방식은 다수 대표제이다.
- ㉡ 소선거구제를 통해 지역구 의원을 선출한다.
  ➡ 갑국의 지역구 선거구제는 소선거구제이다.
- ✗ 비례 대표 의석은 지역구 의석에 비례하여 배분되었다.
  ➡ 갑당의 경우 지역구 의석은 50%가 넘으나 비례 대표 의석은 49%로, 비례 대표 의석은 지역구 의석과 비례하지 않는다.

- ✗ 지역구 의원 선거에서 선거구 내 표의 등가성 문제가 발생한다.
  ➡ 선거구 내 표의 등가성 문제가 발생할 수 있는 것은 중·대선거구제이다.

04 결선 투표제의 결과

자료 분석 | 제시문은 대통령 선거에서 **절대 다수 대표제인 결선 투표제**를 실시한 결과를 설명하고 있다.

[선택지 분석]

① 대표 결정 방식은 ~~단순~~ 다수 대표제이다.
　　　　　　　　　　　절대
② 다수 대표제와 비례 대표제를 함께 활용하고 있다.
　　➡ 혼합제
③ 2차 투표는 당선자의 대표성을 높이는 기능을 하였다.
  ➡ 1차 투표에서 가장 많이 득표한 A 후보자의 득표율은 33%에 불과하지만 2차 투표를 통해 득표율이 54%가 되었으므로 2차 투표는 당선자의 대표성을 높이는 기능을 하였다.
④ 1차 투표의 결과와 상관없이 2차 투표가 실시되었다.
  ➡ 1차 투표에서 과반수 득표를 한 후보가 나오지 않아 2차 투표가 실시된 것이다.
⑤ 다른 후보보다 한 표라도 더 많은 표를 얻은 후보가 당선되는 방식이다. ➡ 단순 다수 대표제

05 대표 결정 방식

자료 분석 | (가)는 단순 다수 대표제, (나)는 절대 다수 대표제 중 결선 투표제이다.

[선택지 분석]

- ✗ (가)는 (나)에 비해 당선자의 대표성이 높다.
  ➡ 당선자의 대표성은 과반수를 획득해야 당선되는 결선 투표제에서 더 높다.
- ㉡ (나)는 (가)에 비해 대표 선출 절차가 복잡하다.
- ✗ (가)보다 (나)가 소수 정당의 의회 진출이 용이하다.
  ➡ 단순 다수 대표제와 결선 투표제 모두 소수 정당의 의회 진출이 어렵다. 거대 정당의 후보자가 당선될 가능성이 높기 때문이다.
- ㉣ (가)는 (나)에 비해 득표율과 의석률의 불일치 가능성이 높다.

06 선거구제의 종류와 특징

자료 분석 | 사표 발생 정도가 A가 B에 비해 많고, 군소 정당의 의회 진출 가능성은 B가 A에 비해 높기 때문에 A는 소선거구제, B는 중·대선거구제이다.

[선택지 분석]

- ✗ A는 한 선거구에서 ~~2인 이상의 대표를 선출한다.~~
  　　　　　　　　　　　1인의 대표
- ㉡ 우리나라의 지역구 국회 의원 선거에는 A가 적용된다.
  ➡ 우리나라 지역구 국회 의원 선거는 소선거구제를 채택하고 있다.
- ㉢ B가 적용된 지역구 의원 선거에서는 선거구 수보다 의석수가 더 많다.
  ➡ 중·대선거구제에서는 한 선거구에서 2명 이상의 대표를 선출하기 때문에 선거구 수보다 의석수가 더 많다.

✗ ~~A는 B에 비해~~ 국민의 다양한 의사가 반영될 가능성이
　B는 A에 비해
높다.

　➡ 중·대선거구제는 소선거구제에 비해 소수 정당의 의회 진출
　　가능성이 크기 때문에 소수 집단의 의견 반영 기회가 많아 다
　　양한 의사가 반영될 가능성이 높다.

07 우리나라의 선거 제도

자료 분석 | 표는 우리나라 선거 제도의 일부이다. 지역구 선거구
수와 의석수의 비교를 통해 ㉠과 ㉢은 소선거구제, ㉣은 중·대선거
구제를 채택하고 있음을 알 수 있다.

[선택지 분석]

✗ ㉠은 ㉢에 비해 정당 득표율과 의석률의 격차가 작은
　　㉢은 ㉠에 비해
대표 선출 방식을 채택하고 있다.

✗ ㉣의 선거구제에서는 동일 선거구 내 투표 가치의 차
등 문제가 발생하지 ~~않는다.~~
　　　　　　　발생할 수 있다.

㉢ ㉣은 ㉠에 비해 유권자의 후보자 선택 폭이 넓은 선거
구제를 채택하고 있다.

　➡ 중·대선거구제는 한 선거구에서 2인 이상의 대표를 선출하기
　　때문에 1인의 대표를 선출하는 소선거구제에 비해 유권자의
　　후보자 선택 폭이 넓다.

㉣ ㉣은 ㉢에 비해 사표 발생 가능성이 더 낮은 선거구제
를 채택하고 있다.

　➡ 중·대선거구제는 당선자가 여러 명이므로 소선거구제에 비
　　해 사표 발생 가능성이 낮다.

08 선거 공영제

자료 분석 | 표는 선거 공영제에 대한 수행 평가지이다. 질문에 옳
게 대답하면 1점을 받고, 틀리게 표시한 경우에는 1점이 감점되어
채점을 해 보면 아래와 같다.

문항	질문	학생 표시	점수
1번	선거 과정을 국가 기관이 관리하고, 선거 비용 일부를 국가나 지방 자치 단체에서 부담합니까?	○	1점
2번	선거 운동에서 균등한 기회를 보장하기 위한 것입니까?	○	1점
3번	공정한 선거를 치르기 위한 것입니까?	✗ ○	1점 감점
4번	국민의 조세 부담을 높이고, 후보자의 난립을 가져올 수 있습니까?	○	1점

[선택지 분석]

1번: 선거 과정을 국가 기관이 관리하고, 선거 비용 일부를
　　국가나 지방 자치 단체에서 부담합니까? → 선거 공영제

2번: 선거 운동에서 균등한 기회를 보장하기 위한 것입니까?
　　　　　　　　→ 선거 공영제의 장점

3번: 공정한 선거를 치르기 위한 것입니까?

　➡ 선거 공영제는 공정한 선거를 치르기 위한 제도이므로 3번 문
　　항은 '○' 표시가 되어야 한다.

4번: 국민의 조세 부담을 높이고, 후보자의 난립을 가져올
수 있습니까? → 선거 공영제의 단점

03 ~ 다양한 정치 주체와 시민 참여

콕콕! 개념 확인하기　　　　　　　　111쪽

01 (1) 정당 (2) 상향식

02 (1) ㉢ (2) ㉡ (3) ㉠

03 ㄱ, ㄹ

04 (1) ○ (2) ✗ (3) ✗ (4) ○

05 (1) 이익 집단 (2) 시민 단체 (3) 비판적

03 ㄴ, ㄷ. 이익 집단에 대한 설명이다.

04 (2) 정권 획득을 목적으로 하는 것은 정당이다.

　(3) 시민은 언론이 전달하는 정보를 비판적으로 평가하여
　　수용해야 한다.

탄탄! 내신 다지기　　　　　　　　112~113쪽

01 ③　**02** ②　**03** ①　**04** ③　**05** ④　**06** ⑤　**07** ②

08 ④　**09** 해설 참조

01 정당의 기능

자료 분석 | 제시문에는 정당의 공약 제시를 통해 유권자들이 정치
문제에 대해 관심을 갖게 되는 정치 사회화가 나타난다. 유권자들
은 정당을 통해 현안과 정책을 이해하며, 이는 사회적 쟁점과 정책
에 대한 교육이 될 수 있다.

[선택지 분석]

① 정부를 구성하여 국정을 운영한다.

　➡ 선거에서 승리한 정당은 정부를 구성하여 국정을 운영하지만,
　　제시문과는 관련이 없다.

② 정부의 책임성을 높이는 기능을 한다.

　➡ 선거에서 패배한 정당은 정부를 비판하고 견제하는 기능을 수
　　행함으로써 정부의 책임성을 높일 수 있지만, 제시문과 관련
　　이 없다.

③ 유권자에 대한 정치 사회화 기능을 한다.

　➡ A당과 B당의 비례 대표 의원 확대 및 축소와 관련된 공약 제시
　　는 유권자들에게 사회적 쟁점과 정책에 대한 교육이 될 수 있
　　으므로 정치 사회화 기능에 해당한다.

④ 정부의 정책을 비판하고 대안을 제시한다.

　➡ 정부의 정책을 비판하고 대안을 제시하는 것은 정당의 기능에
　　해당하지만 제시문과는 관련이 없다.

⑤ 시민 동원 기능을 통해 정치 참여를 활성화한다.

　➡ 정당은 선거에서 승리하기 위해 지지자들의 투표 참여를 독려
　　함으로써 시민 동원 기능을 한다. 이를 통해 정치 참여가 활성
　　화될 수 있지만 제시문과는 관련이 없다.

02 정당과 정당 제도의 유형

자료 분석 | 제시문에서 정권 획득을 목적으로 하는 A는 정당, 세 개 이상의 주요 정당이 존재하며 어느 정당도 독자적으로 통치하기에 충분한 의석을 갖지 못하여 정당 간에 서로 연합하는 경향이 있는 B는 다당제이다.

[선택지 분석]

① A는 <del>사민 단체</del>이다.
　　　　　정당
② A는 정치적 책임을 지는 집단이다.
　➡ 정당은 시민 단체나 이익 집단과는 달리 자신들의 행위에 대한 정치적 책임을 진다.
③ A는 자신들만의 <del>특수한 이익</del>을 추구한다.
　　　　　　　　　　공익
④ B는 <del>일당제</del>이다.
　　　　다당제
⑤ B에서는 통치자 개인의 지배와 사회 통제 수단으로 A
　　일당제
가 활용된다.

03 다당제의 특징

자료 분석 | 제시된 내용은 다당제의 특징에 해당한다.

[선택지 분석]

① 소수파의 이익을 보호한다.
　➡ 다당제는 세 개 이상의 정당이 정치권력의 획득을 위해 경쟁하는 형태로, 활동하는 정당의 수가 많을수록 다양한 의견이 국정에 반영될 수 있으므로 소수파의 이익 보호에 유리하다.
② 강력한 정책 추진이 가능하다. → 양당제의 특징
③ 정치적 책임 소재가 명확하다. → 양당제의 특징
④ 다양한 민의 반영이 곤란하다. → 양당제의 특징
⑤ 정국이 안정적으로 운영될 수 있다. → 양당제의 특징

04 양당제와 다당제의 특징 비교

자료 분석 | (가)는 양당제보다 다당제에서 더 많이 나타나는 특징이고, (나)는 다당제보다 양당제에서 더 많이 나타나는 특징이다.

[선택지 분석]

① (가) 다수당의 횡포 가능성 → 다당제<양당제
　➡ 양당제에서는 두 개의 주요 정당이 권력 획득을 위해 경쟁하며 교대로 집권하므로 다당제에 비해 다수당의 횡포 가능성이 크다.
　(나) 정국 불안정 초래 가능성 → 다당제>양당제
　➡ 다당제는 군소 정당의 난립으로 인해 정국 불안이 나타날 가능성이 높다.
② (가) 다수당의 횡포 가능성 → 다당제<양당제
　(나) 소수 의견 반영 가능성 → 다당제>양당제
　➡ 다당제는 양당제에 비해 군소 정당 후보의 당선 가능성이 크기 때문에 국민의 다양한 의견이 정책 결정 과정에 투입될 가능성이 높다.
③ (가) 유권자의 정당 선택 폭 → 다당제>양당제
　➡ 다당제에서는 다양한 이념을 가진 정당이 경쟁하므로 양당제에 비해 국민들의 정당 선택 폭이 넓다.
　(나) 다수당의 횡포 가능성 → 다당제<양당제

④ (가) 유권자의 정당 선택 폭 → 다당제>양당제
　(나) 정국 불안정 초래 가능성 → 다당제>양당제
⑤ (가) 소수 의견 반영 가능성 → 다당제>양당제
　(나) 유권자의 정당 선택 폭 → 다당제>양당제

05 정당의 역할과 시민의 정치 참여

자료 분석 | A는 법 개정에 노력을 기울이고, 사회 구성원들의 요구를 정치 과정에 반영하고자 하며, 공천 기능을 갖고 있다는 것을 통해 정당이라는 것을 알 수 있다.

[선택지 분석]

① 자신의 활동에 대해 정치적 책임을 진다.
　➡ 정당은 정치적 책임을 지는 집단이다.
② 사익의 실현보다 공익의 실현을 중시한다.
　➡ 정당은 공익을 추구한다.
③ 선거에 후보자를 추천하여 정치적 충원 기능을 한다.
　➡ 정당의 공천 기능에 대한 설명이다.
④ A에 가입하여야만 국민 경선 제도를 통해 후보자 선출이 가능하다.
　➡ 국민 경선 제도는 정당에 가입하지 않은 경우에 할 수 있는 정당을 통한 정치 참여 방법 중 하나이다.
⑤ A를 통한 정치 참여의 사례로는 A에 가입하여 후보자로 선거에 출마하는 것이 있다.
　➡ 정당에 가입하여 후보자로 선거에 출마하는 정치 참여 방법이 있다.

06 시민 단체의 문제점

자료 분석 | 제시문은 시민 단체가 자체적으로 운영 비용을 마련하기 어려워 정부 지원금이나 기업 후원금에 의존하는 비중이 커 재정적 어려움을 겪고 있다는 내용이다.

[선택지 분석]

① 시민 단체가 관료화되어 가는 현상을 보인다.
　➡ 시민 단체의 문제점이지만, 제시문과는 관련이 없다.
② 시민 단체의 특수 이익이 공익과 충돌할 수 있다.
　➡ 시민 단체는 공익을 추구하는 집단이다.
③ 사회적 쟁점에 관한 시민의 의견을 모으기 어렵다.
　➡ 시민 단체는 구성원들이 공통의 인식을 공유하고 정책 결정 과정에 영향을 미치는 집단으로 사회적 쟁점에 관한 시민의 의견을 모으는 역할을 한다. 또한 제시문과는 관련이 없다.
④ 시민 단체 일반 회원이 의사 결정에 참여할 수 있는 기회가 제한된다.
　➡ 제시문과 관련이 없다.
⑤ 정부 지원금에 의존함으로써 시민 단체의 자율성이 훼손되고 정부를 제대로 감시하지 못하는 현상이 나타날 수 있다.

07 시민 단체와 이익 집단의 역할

[선택지 분석]

① 정책 결정 과정에 영향력을 행사한다.

✔ 사회 갈등을 조정하면서 정책을 수립하고 집행한다.
➡ 국가 기관인 입법부, 행정부, 사법부의 역할이다.
③ 사회 문제에 대한 시민들의 관심을 유발하고 이해를 높인다.
④ 정부 정책에 대한 시민들의 관심을 높여 정치 참여를 활성화한다.
⑤ 대중 매체나 집회를 통해 자신들에게 유리한 여론을 조성하기도 한다.

08 정치 참여 집단의 특징

자료 분석ㅣ '공익을 추구하는가?'라는 질문에 A와 C가 구분되지 않지만, B와 C는 구분이 된다는 것은 A, C 둘 다 공익을 추구하거나 둘 다 공익을 추구하지 않아야 하고, B와 C는 둘 중에 하나만 공익을 추구해야 한다. A~C 중 공익을 추구하지 않는 것은 이익 집단뿐이기 때문에 B는 이익 집단이며, A와 C는 정당 혹은 시민 단체이다. '정치적 책임을 지는가?'라는 질문에 B와 C가 구분되지 않는다고 했으므로, 정치적 책임을 지지 않는 이익 집단(B)과 같이 C도 정치적 책임을 지지 않는 집단이라고 짐작할 수 있다. 따라서 C는 시민 단체이고, A는 정당이다.

[선택지 분석]

① A는 정치 사회화 기능을 하지 않는다.
➡ 정당, 시민 단체, 이익 집단은 모두 정치 사회화 기능을 한다.
② A는 B에 비해 관심 영역이 제한적이다.
➡ 이익 집단은 정당에 비해 관심 영역이 제한적이다.
③ B는 C와 달리 대의제의 한계를 보완하는 데 기여한다.
➡ 시민 단체와 이익 집단은 모두 대의제의 한계를 보완하는 데 기여한다.
✔ B는 특수 이익을 실현하기 위해 A를 매개체로 활용하기도 한다.
➡ 이익 집단은 자신들만의 특수 이익을 실현하기 위해 정당을 매개체로 활용하기도 한다.
⑤ C는 A, B와 달리 정책을 결정하는 기능을 수행한다.
➡ 정당, 시민 단체, 이익 집단은 모두 정책을 결정하는 기능을 수행하는 것이 아니라 정책 결정 과정에 영향력을 행사한다.

09 정치 참여 집단의 특성 비교

자료 분석ㅣ 공익 추구를 우선시하는 것은 정당과 시민 단체로, '아니요'라고 답한 (가)는 이익 집단이다. 정치적 책임을 지는 것은 정당만의 특징이므로 (나)는 정당이다. 따라서 (다)는 시민 단체이다. 정치 사회화 기능은 정당, 이익 집단, 시민 단체 모두에 해당하는 기능이다.

(1) ㉠: 예, ㉡: 예, ㉢: 아니요, ㉣: 예
(2) [예시 답안] (가)는 이익 집단, (나)는 정당, (다)는 시민 단체이다. 공익 추구를 우선시하는가에 '아니요'라고 답할 수 있는 것은 이익 집단뿐이다. 정치적 책임을 지는 것은 정당뿐이며, 정치 사회화 기능을 담당하는 것은 세 집단의 공통점이다.

채점기준	
상	(가)~(다)에 해당하는 집단과 그 이유에 대해 세 가지 모두 옳게 서술한 경우
중	(가)~(다)에 해당하는 집단과 그 이유에 대해 두 가지를 옳게 서술한 경우
하	(가)~(다)에 해당하는 집단과 그 이유에 대해 한 가지를 옳게 서술한 경우

도전! 실력 올리기
114~115쪽

01 ③ **02** ① **03** ⑤ **04** ④ **05** ④ **06** ④ **07** ②
08 ④

01 정당의 공천 방식

자료 분석ㅣ 갑당은 당 대표가 구성한 공천 심사 위원회의 결정으로 공천을 하고, 을당은 당원 투표와 일반 국민 투표의 결정으로 공천을 한다. 공천 신청 자격도 갑당의 경우에는 당원이어야만 하고, 을당은 당원이 아닌 일반 국민도 가능하다.

[선택지 분석]

① 정당의 정체성 유지에 유리하다.
→ 갑당 공천 방식의 특징
② 일반 국민은 공천 신청이 불가능하다.
→ 갑당 공천 방식의 특징
✔ 상향식 의사 결정 방식으로 공천을 한다.
➡ 갑당과 비교했을 때 을당의 공천 방식은 상향식 의사 결정 방식으로 일반 국민도 공천 신청이 가능하다.
④ 유권자들의 정치 참여 기회를 축소시킨다.
→ 갑당 공천 방식의 특징
⑤ 능력 있는 외부 인사가 공천을 받기 어렵다.
→ 갑당 공천 방식의 특징

02 정당 제도의 유형

자료 분석ㅣ 민주적인 정권 교체가 어려운 것은 일당제로, B가 이에 해당한다. 군소 정당이 난립할 가능성이 있는 것은 다당제로, A가 이에 해당한다. 따라서 C는 양당제이다.

[선택지 분석]

㉠ A는 B에 비해 다양한 민의의 반영이 용이하다.
➡ 다당제는 국민의 다양한 의견이 정책 결정 과정에 투입될 가능성이 높다.
㉡ 정당 선택의 폭은 B가 A보다 좁다.
➡ 다당제에서는 다양한 이념을 가진 정당이 경쟁하므로 일당제에 비해 국민들의 정당 선택 폭이 넓다.
✘ C는 A에 비해 정치적 책임 소재가 불명확하다.
➡ 양당제는 정권 교체가 가능한 대표적인 두 정당이 존재하기 때문에 다당제에 비해 정치적 책임 소재가 명확하다.
✘ (가)에는 "다원화된 사회에 적합한 정당 제도인가?"가 들어갈 수 있다.
➡ 일당제는 전체주의하에서 독점적인 정치권력을 행사하는 정당 제도이다.

03 정치 참여 집단의 특성 비교

자료 분석 ┃ 공직 선거에서 후보자를 공천하는 A는 정당이다. 특수한 이익 추구를 목적으로 하지 않는 B는 시민 단체이다. 따라서 C는 이익 집단이며, 이익 집단은 정치적 책임을 지지 않는다.

[선택지 분석]

① A의 대표적 사례로는 기업 단체가 있다.
　C

② B는 C와 달리 대의제의 한계를 보완하는 기능을 한다.
　　 B, C 모두

③ C는 정치 체제의 산출 단계에서 주도적인 역할을 한다.
　　　　　　　　　투입

④ A, C는 정권 획득을 목적으로 한다.
　　A는

⑤ A~C는 모두 정치 사회화 기능을 수행한다.
　➡ 정당, 시민 단체, 이익 집단 모두 정치 사회화 기능을 수행한다.

04 시민 단체와 이익 집단

자료 분석 ┃ 국정 감사 모니터링 활동과 노동 문제에 대한 대안을 제시하고 사법부 활동 감시를 위한 시민 연대를 결성하는 ㉠은 시민 단체이다. 성과 연봉제 도입 반대를 위한 파업을 주도하고 해외 금융 회사의 국내 진출 반대 로비 활동을 하며, 조합원의 후생 복지를 위한 시설을 설치 운영하는 ㉡은 이익 집단이다.

[선택지 분석]

① 정치 사회화를 담당하며 정치 과정에서 산출 기능을 수행한다.
　➡ 시민 단체와 이익 집단은 둘 다 정치 사회화를 담당하며, 정치 과정에서 투입 기능을 수행한다.

② 정부의 정책에 대한 비판을 하며 정강에 기본 이념이 규정되어 있다.
　➡ 정부의 정책에 대한 비판을 하며 정강에 기본 이념이 규정되어 있는 정치 참여 집단은 정당이다.

③ 정치권력의 획득에는 관심이 없으며 사회 전체의 공공선을 추구한다.
　➡ 사회 전체의 공공선을 추구하는 것은 시민 단체이다. 이익 집단은 집단의 특수 이익을 추구한다.

④ 정치적으로 책임을 지지 않으며 정부의 정책 결정 과정에 영향력을 행사한다.
　➡ 시민 단체와 이익 집단은 정치적 책임을 지지 않으며, 정부의 정책 결정 과정에서 영향력을 행사하는 정치 참여 주체이다.

⑤ 대의 민주주의의 한계를 보완하기 위해 시민의 여론을 수렴하여 법률안을 발의한다.
　➡ 시민 단체와 이익 집단은 모두 대의 민주주의의 한계를 보완하기 위해 시민의 여론을 수렴하지만, 법률안을 발의하지는 못한다.

05 정치 참여 집단의 특성 비교

자료 분석 ┃ 사익보다 공익을 추구하는 것은 정당과 시민 단체이다. 따라서 '아니요'라고 답한 B는 이익 집단이다. 정권 획득을 목적으로 하는 것은 정당이다. 따라서 C는 정당이고, A는 시민 단체이다.

[선택지 분석]

✘ A는 공천 기능을 수행한다.
　C

㉡ B의 사례로 노동조합을 들 수 있다.
　➡ 노동조합은 이익 집단의 사례이다.

✘ B는 A와 달리 대의 민주주의의 한계를 보완하는 역할
　　　 A, B 모두
을 한다.

㉢ C는 A와 달리 정부와 의회를 매개하는 역할을 한다.
　➡ 정당은 당정 협의회 등을 통해 행정부와 의회를 매개하는 역할을 한다.

06 정치 참여 집단의 특징

자료 분석 ┃ 공익보다 특수 이익을 추구하는 (가)는 이익 집단이고, 선거를 통해 정치적 책임을 지는 (나)는 정당이다. 따라서 (다)는 시민 단체이다.

[선택지 분석]

✘ (가)는 (나)와 달리 의회와 행정부를 매개하는 기능을
　 (나)는 (가)와 달리
수행한다.

㉡ (나)는 다양한 이해관계와 정책의 선호를 집약하고 이를 공약으로 개발한다.
　➡ 정당은 국민의 다양한 이해관계와 정책의 선호를 집약하고, 이를 권력 획득을 위한 공약으로 개발한다.

✘ (다)는 정권 획득이 목적이다.
　 (나)

㉣ (다)는 정부의 한계를 보완하고 참여를 통해 공공 문제를 해결하기 위해 등장하였다.
　➡ 시민 단체는 공공선의 실현을 위해 시민들이 자발적으로 참여하여 구성한 단체로서, 정부의 한계를 보완하고 공공 문제의 해결을 도모한다.

07 언론의 정치 참여 기능

자료 분석 ┃ 제시문에서 갑은 누리 소통망 서비스(SNS)를 통해 객관적이고 중립적인 언론과 뉴스를 접할 수 있을 것이라고 보지만, 을은 검증되지 않은 정보의 확산으로 인해 야기될 혼란을 우려하고 있다.

[선택지 분석]

① 갑은 SNS를 활용하면 여론 조작이 힘들다고 본다.
　➡ 갑은 양방향 매체인 뉴 미디어를 활용하면 여론 조작이 불가능하다고 본다.

② 갑은 언론의 국가 권력 감시 기능을 강조하고 있다.
　➡ 갑은 언론의 국가 권력 감시 기능에 대해 언급하고 있지 않다.

③ 을은 SNS를 통해 왜곡된 사실이 확산될 가능성을 우려하고 있다.
　➡ 을은 SNS에서 사실이 아닌데 사실처럼 보도되는 경우를 사례로 들고 있다.

④ 을은 인터넷과 SNS를 통해 생산되는 정보에 대한 비판적 수용을 강조할 것이다.
　➡ 을은 검증되지 않은 정보가 확산되는 것에 대해 우려하고 있기에 인터넷과 SNS를 통해 생산되는 정보에 대한 비판적 수용을 강조할 것이다.

⑤ 갑과 을은 모두 SNS가 정보 전달 기능을 한다고 본다.
　➡ 갑과 을 모두 SNS가 정보를 전달하고 있다는 것을 말하고 있다.

08 언론의 기능과 역할

자료 분석 | 언론의 기능과 역할과 관련하여 갑은 언론의 국가 권력에 대한 감시·비판 기능을, 을은 언론의 올바른 여론 형성과 사회 발전 주도의 기능을, 병은 언론의 사회적 약자 보호 기능을 각각 강조하고 있다.

[선택지 분석]

ㄱ. 갑은 언론이 정치적 부정부패가 일어날 가능성을 줄여야 한다고 볼 것이다.
➡ 언론은 국가 권력에 대한 감시·비판 기능을 통해 권력의 남용과 부정부패를 막는 기능을 한다.

ㄴ. 을은 언론이 공익을 추구하는 보도를 통해 올바른 여론 형성을 유도해야 한다고 볼 것이다.
➡ 을은 언론의 기능으로서 공익을 추구하는 보도를 통해 사회 문제에 대한 관심과 올바른 여론 형성을 유도할 것을 강조한다.

ㄷ. 병은 언론이 사회적 소외 계층의 권익 증진에 기여해야 한다고 볼 것이다.
➡ 병은 언론이 사회적 약자, 즉 사회적 소외 계층의 권익 증진에 기여해야 한다고 강조하고 있다.

✗ 갑과 을은 언론이 정부 정책을 대중에게 홍보하여 정책에 대한 정당성을 강화해야 한다고 볼 것이다.
➡ 갑은 언론의 감시와 비판 기능을, 을은 언론의 올바른 여론 형성 기능을 강조하므로 갑과 을 모두 정부의 정책을 정당화하는 언론의 기능에 대해서는 부정적인 입장일 것이다.

한번에 끝내는 대단원 문제   118~121쪽 ▶

| 01 ④ | 02 ④ | 03 ② | 04 ③ | 05 ④ | 06 ② | 07 ② |
| 08 ④ | 09 ⑤ | 10 ② | 11 ③ | 12 ⑤ | | |

13~16 해설 참조

---

01 정치 과정

자료 분석 | 제시문은 투입과 산출 체계를 바탕으로 이루어지는 정치 체계에 대한 내용이다.

[선택지 분석]

✗ 정당은 ㉠에 해당한다.
➡ 정당은 정책 결정 기구에 해당하지 않으며, 투입 단계에서 주로 활동한다.

ㄴ. 언론에 의한 여론 형성은 ㉡의 예이다.

✗ 시민들의 입법 청원 활동은 ㉢의 대표적인 예이다.
                                  ㉡

ㄹ. ㉣은 권위주의 국가에서보다 민주주의 국가에서 더 활발하다.

02 이스턴의 정치 체계 모형

자료 분석 | 제시된 자료는 이스턴의 정치 체계 모형이다. ㉠은 투입, ㉡은 정책 결정 기구, ㉢은 산출, ㉣은 환류이다.

[선택지 분석]

① ㉠은 하향식 의사 결정에서 중요시되는 과정이다.
             상향식

② 이익 집단, 언론, 정당 등은 ㉡에 해당한다.
   입법부, 행정부, 사법부

③ 시민 단체가 어떤 정책에 대해 지지나 요구를 하는 활동은 ㉢의 예이다.
                ㉠

✓④ ㉣은 산출된 정책이 국민들의 평가를 받아 다시 정치 체계에 투입되는 과정이다.

⑤ 여론의 형성은 ㉠보다 ㉢에서 이루어진다.
              ㉠과 ㉣에서

03 정치 참여 유형

자료 분석 | (가), (나)는 개별적인 참여이며, 그 구체적인 유형은 참여의 정기성 여부에 따라 구분되고 있다. (다), (라)는 집단을 통한 참여이며, 그 구체적인 유형은 추구하는 활동 목적에 따라 구분되고 있다.

[선택지 분석]

① 노동조합에 가입하여 정책 반대 집회에 참여하는 것은 (가)에 해당한다.
➡ 노동조합은 이익 집단에 해당하므로 이를 통한 집회 참여는 (다)에 해당한다.

✓② 국회 의원 선거에서 투표를 하는 것은 (나)에 해당한다.
➡ 국회 의원 선거는 예외적인 경우를 제외하고는 정기적으로 시행된다.

③ 정치적 책임을 지는 집단을 통한 참여는 (다)에 해당한다.
➡ 정치적 책임을 지는 집단은 정당이므로 (라)에 해당한다.

④ 이익 집단을 통한 활동은 (라)에 해당한다.
➡ 이익 집단은 사적 이익을 추구하므로 이를 통한 참여는 (다)에 해당한다.

⑤ (가), (나)가 (다), (라)보다 참여의 지속성이 강하다.
   (다), (라)   (가), (나)
➡ 정당, 이익 집단, 시민 단체 등 집단을 통한 참여가 개인적인 참여보다 지속성이 강하다.

04 시민의 정치 참여의 의의

자료 분석 | 제시문은 시민들이 정치에 참여하면서 정치 사회화가 이루어지며, 국민 주권을 실현한다는 내용이다.

[선택지 분석]

① 사회의 갈등을 조정한다.
➡ 제시문과는 관련이 없다.

② 정치권력의 합법성을 높인다.
➡ 제시문과는 관련이 없다.

✓③ 정치 사회화의 기회를 제공한다.
➡ 시민들은 정치에 참여하면서 새로운 지식을 습득하고 가치 및 태도를 함양하는 등의 정치 사회화가 이루어진다.

④ 정책 결정이 신속하게 이루어진다.
➡ 시민의 정치 참여가 정책 결정을 신속하게 이루어지게 한다고 단정할 수 없으며, 제시문과는 관련이 없다.

⑤ 합리적 의사 결정을 할 수 있게 한다.
➡ 제시문과는 관련이 없다.

05 평등 선거의 원칙

자료 분석 | 제시문은 수업 중 교사의 질문에 대해 학생들이 민주 선거 원칙 ㉠에 위배되는 사례에 대해 발표한 것이다. 갑과 을은 평등 선거 원칙에 위배된 사례를, 병은 보통 선거 원칙에 대한 설명을 말하고 있다. 옳지 않게 말한 사람이 한 사람이므로 밑줄 친 ㉡은 병이 되며, ㉠은 평등 선거의 원칙이 된다.

[선택지 분석]

㉠ ㉠은 표의 등가성을 실현하고자 한다.
➡ 평등 선거는 모든 유권자에게 동등한 투표권을 부여하고 투표 가치에 차등을 두지 않는 표의 등가성을 실현하고자 한다.

✗ ㉡은 을이다.
➡ 옳지 않게 말한 사람은 병이다.

㉢ 병은 보통 선거의 원칙이 적용된 사례를 발표하고 있다.
➡ 보통 선거의 원칙은 일정한 나이에 달한 모든 국민에게 선거권을 부여하는 원칙이다.

㉣ (가)에는 "모든 유권자에게 동등하게 투표권을 부여하지 않는 경우입니다."가 들어갈 수 있다.
➡ (가)에는 평등 선거의 원칙이 위배되는 사례가 들어가야 한다.

06 대표 결정 방식

자료 분석 | (가)는 단순 다수 대표제, (나)는 절대 다수 대표제이다.

[선택지 분석]

① 선거 운동 비용이 적게 들 것이다.
➡ (나)는 2차 투표를 한 번 더 시행하였으므로 선거 관리와 선거 운동에 비용이 많이 든다.

☑ 당선자의 대표성이 강화될 것이다.
➡ 당선자의 득표율이 (가)에서는 45%, (나)에서는 55%이므로 당선자의 대표성이 높아진다는 장점이 있다.

③ 직접 선거 원칙이 잘 지켜질 것이다.
➡ 절대 다수 대표제를 실시한다고 해서 직접 선거의 원칙이 더 잘 지켜지는 것은 아니다.

④ 유권자의 정당 선택 범위가 넓어질 것이다.
➡ 절대 다수 대표제를 실시한다고 해서 유권자의 정당 선택 범위가 넓어지는 것은 아니다.

⑤ 지역적 경향에 따른 투표 행태인 지역주의가 완화될 것이다.
➡ 절대 다수 대표제를 실시한다고 해서 지역주의가 완화되는 것은 아니다.

07 선거구 제도

자료 분석 | (가)는 200개의 선거구에서 200명의 의회 의원을 선출하기 때문에 소선거구제이다. (나)는 100개의 선거구에서 200명의 의회 의원을 선출하기 때문에 중·대선거구제이다.

[선택지 분석]

① (가)보다 (나)에서 사표 발생 가능성이 높다.
    (나)보다 (가)에서

☑ (가)보다 (나)에서 한 선거구의 지역적 범위가 넓다.
➡ 중·대선거구제는 한 선거구의 지역적 범위가 넓기 때문에 선거 관리가 어렵고 선거 운동 비용이 늘어날 수 있다.

③ (나)보다 (가)에서 정당별 득표율과 의석률이 일치할 가
    (가)보다 (나)에서
능성이 크다.
➡ 소선거구제는 사표가 많이 발생하기 때문에 중·대선거구제보다 정당별 득표율과 의석률이 불일치할 가능성이 크다.

④ (나)보다 (가)에서 선거 운동 비용이 많이 들고, 선거 관
    (가)보다 (나)에서
리가 어렵다.
➡ 중·대선거구제는 선거 관리가 어렵고 선거 운동 비용이 늘어날 수 있다.

⑤ (가), (나) 모두 한 선거구에서 2인을 선출한다.
➡ 소선거구제는 한 선거구에서 1인을 선출하며, 중·대선거구제는 한 선거구에서 2인 이상을 선출한다.

08 선거 공영제의 특징

자료 분석 | 제시문은 공정한 선거를 위한 제도인 선거 공영제에 대한 헌법 규정을 소개하고 있다.

[선택지 분석]

✗ 당선자의 대표성을 높인다.
➡ 선거 공영제를 실시한다고 해서 당선자의 대표성이 강화되는 것은 아니다.

㉡ 국민의 조세 부담을 높일 수 있다. → 선거 공영제의 단점

✗ 유권자가 후보자 파악을 쉽게 할 수 있다.
➡ 선거 공영제로 인해 후보자의 난립을 가져올 수 있다.

㉣ 재력이 부족한 사람에게도 입후보의 기회를 보장한다.
→ 선거 공영제의 장점

09 정당의 특징

자료 분석 | 의원 총회를 통해 당내 의견을 수렴하고, 총선 후보 공천을 위한 당원 투표를 실시하며, 주요 현안에 대한 당정 협의회에 참석하는 활동을 하는 정치 참여 주체는 정당이다.

[선택지 분석]

① 정치적 책임을 지지 않는다.
➡ 정당은 정치적 책임을 지는 집단이다.

② 자신들만의 특수 이익을 추구한다. → 이익 집단
➡ 정당은 공익을 추구한다.

③ 정치 과정에서 정책 결정 기구에 해당한다.
➡ 정책 결정 기구는 입법부, 행정부, 사법부와 같은 국가 기관이다.

④ 당정 협의회를 통해 정당과 의회를 매개한다.
                              정부와
☑ 정치적 충원 및 정치 사회화 기능을 수행한다.
➡ 정당은 정치적 충원 기능을 담당하여 각종 선거에 후보자를 공천하며, 정치 사회화 기능을 수행한다.

10 정당 제도의 유형

자료 분석 | 다양한 민의 반영 가능성은 다당제 > 양당제 순이고, 정치적 책임 소재의 명확성은 다당제 < 양당제 순이다. 따라서 A는 다당제, B는 양당제이다.

[선택지 분석]

㉠ A는 B에 비해 정당 간 대립 시 중재가 용이하다.

➡ 다당제에서는 정당의 수가 많기 때문에, 극단적인 입장 차가 나는 정당 간의 갈등이라도 두 입장 사이에 존재하는 정당들에 의한 중재가 쉬운 편이다.

✘ 민주적 정권 교체 가능성은 A가 B보다 크다.

➡ 양당제와 다당제 모두 민주주의 국가의 정당 제도이므로, 다당제가 양당제보다 민주적 정권 교체 가능성이 크다고 볼 수 없다.

ⓒ A는 군소 정당 난립에 따른 정국 불안이 우려된다.

✘ B는 A에 비해 정치적 책임 소재가 불명확하다.
　　　　　　　　　　　　　　　　명확하다.

11 시민 단체와 이익 집단의 역할

자료 분석ㅣ (가)는 이익 집단, (나)는 시민 단체의 사례이다.

[선택지 분석]

✘ (가)는 비영리성을 바탕으로 공익을 추구한다.
　(나)는

ⓒ (나)는 정치 사회화 기능을 한다.

➡ 시민 단체와 이익 집단 모두 정치 사회화 기능을 한다.

ⓒ (가), (나)는 모두 정책 결정 과정에 영향을 미친다.

➡ 시민 단체와 이익 집단은 정책 결정 과정에 영향을 미친다.

✘ (나)는 (가)와 달리 정치적 책임을 지지 않는다.
　　　　(가), (나) 모두

12 시민 단체의 특징

자료 분석ㅣ 국제 엠네스티와 녹색 소비자 연대는 시민 단체의 사례이다. 이를 통해 A는 시민 단체라는 것을 알 수 있다.

[선택지 분석]

✘ 정치 과정에서 투입보다 산출이 더 중요하다고 본다.

➡ 시민 단체는 투입과 산출 모두 중요하다고 본다.

✘ 자신들의 특수 이익과 관련된 영역에만 관심을 갖는다.
　→ 이익 집단

ⓒ 사회 문제에 대한 논의를 통해 해결 대안을 모색하고 제시한다. → 시민 단체

ⓔ 공공의 문제를 해결하기 위해 시민들이 자발적으로 활동하는 집단이다. → 시민 단체

13 선거 결과의 분석

(1) 평등 선거 원칙

(2) [예시 답안] 후보자와 정당을 분리시키지 않는 '1인 1표제' 방식의 비례 대표제에서는 유권자의 지지 후보와 지지 정당이 다를 경우 유권자의 의사가 제대로 반영되기 어려우며, 무소속 후보를 지지한 표가 비례 대표 의원 선출에 전혀 기여하지 못한다.

채점기준		
상	20대 선거에서 무소속 후보를 지지하는 표의 가치와 특정 정당 소속 후보를 지지하는 표의 가치 크기를 정확히 비교하고, 그 이유에 대해 정확하게 서술한 경우	
중	20대 선거에서 무소속 후보를 지지하는 표의 가치와 특정 정당 소속 후보를 지지하는 표의 가치 크기는 비교하였지만, 그 이유에 대해 미흡하게 서술한 경우	
하	20대 선거에서 무소속 후보를 지지하는 표의 가치와 특정 정당 소속 후보를 지지하는 표의 가치 크기만 비교하여 서술한 경우	

14 정당 제도의 유형

(1) 갑국: 양당제, 을국: 다당제

(2) [예시 답안] 정치적 책임 소재가 불분명해질 수 있다. 군소 정당이 난립할 경우 정국이 불안정해진다.

채점기준		
상	다당제의 단점 두 가지를 모두 정확하게 서술한 경우	
중	다당제의 단점 두 가지를 서술하였으나 내용이 미흡한 경우	
하	다당제의 단점을 한 가지만 서술한 경우	

15 선거구제의 특징

(1) 의회 선거: 중·대선거구제,
　　A지역 광역 의회 선거: 소선거구제

(2) [예시 답안] • 장점: 선거 운동 비용이 적게 든다.
　　　　　　　 • 단점: 1명만 당선되므로 사표가 많이 발생한다.

채점기준		
상	A지역 광역 의회 선거의 선거구제의 장단점을 모두 정확하게 서술한 경우	
중	A지역 광역 의회 선거의 선거구제의 장점 혹은 단점 중 하나에 대해서만 정확하게 서술한 경우	
하	A지역 광역 의회 선거의 선거구제의 장점 또는 단점 하나에 대해 서술하였으나 그 내용이 미흡한 경우	

16 국민 참여 경선 제도

(1) 국민 참여 경선 제도

(2) [예시 답안]

• 장점: 막강한 권력을 가진 정치인에 의해 좌우되는 정당의 폐해를 줄인다. 정치 세력의 영향력을 줄이고 국민의 영향력을 증가시킨다.

• 단점: 당원의 역할이 축소된다. 정당 이념에 부합하지 않는 인물이 후보자로 선출될 수 있다.

채점기준		
상	국민 경선제의 장단점 한 가지씩을 모두 정확하게 서술한 경우	
중	국민 경선제의 장단점을 모두 서술하였으나 그 내용이 미흡한 경우	
하	국민 경선제의 장단점 중 한 가지만 서술한 경우	

IV ≫ 개인 생활과 법

01 ~ 민법의 의의와 기본 원리

콕콕! 개념 확인하기   127쪽

01 (1) ✕ (2) ✕ (3) ○
02 (1) 가 (2) 가 (3) 재 (4) 재
03 (1) 개인주의 (2) 사적 자치의 원칙(계약 자유의 원칙)
　　　(3) 공공복리
04 (1) ㄷ (2) ㄱ (3) ㄹ (4) ㄴ

---

01 (1) 민법은 개인과 개인의 법률관계에서 발생하는 권리와
　　　의무의 종류 및 내용을 다루는 대표적인 사법이다.
　　(2) 민법은 재산 관계, 가족 관계 등을 규율한다.

탄탄! 내신 다지기   128~129쪽

01 ④　**02** ⑤　**03** ⑤　**04** ③　**05** ①　**06** ②　**07** ②
08 ④　**09** 해설 참조

---

01 공법과 사법의 구분

자료 분석 | 법이 규율하는 생활 관계에 따라 법을 분류하면 A법은
사법, B법은 공법이다.

[선택지 분석]

① 민법은 A법에 해당한다.
　➡ 민법은 개인과 개인의 법률관계에서 발생하는 권리와 의무의
　　종류 및 내용을 다루는 법으로 사법에 해당한다.
② 아파트 매매 계약 체결에 관한 것은 A법에 해당하는 법
　의 적용을 받는다.
　➡ 재산과 관련한 권리와 의무 관계는 민법에서 규정하므로 사법
　　에 해당한다.
③ 형법은 B법에 해당하는 대표적인 법이다.
　➡ 형법은 공법에 해당한다.
④ 혼인, 이혼, 상속과 관련한 법은 B법에서 규정한다.
　　　　　　　　　　　　　　A법
⑤ B법을 어겼을 경우 형벌이나 벌금 등의 공적인 제재를
　받을 수 있다.
　➡ 공법을 어겼을 때는 형벌이나 벌금 등의 공적인 제재를 받을
　　수 있다.

02 민법의 규율 대상

자료 분석 | 재산과 관련된 권리와 의무 관계인 A는 재산 관계이며,
부부나 자녀, 상속 등 가족과 관련된 권리와 의무 관계인 B는 가족
관계이다.

[선택지 분석]

ㄱ. 갑이 을과 결혼하였다. → 가족 관계(B)
ㄴ. 병은 아버지의 재산을 상속받았다. → 가족 관계(B)
ㄷ. 정이 노트북 판매점에서 노트북을 구입하였다.
　　→ 재산 관계(A)
ㄹ. 무는 친구로부터 돈을 빌리는 계약을 체결하였다.
　　→ 재산 관계(A)

03 민법의 기능

① 개인 간의 법률관계를 다루는 법이다.
　➡ 개인 간의 법률관계를 다루는 법은 사법으로, 민법은 대표적인
　　사법이다.
② 개인은 자신의 재산과 권리를 보장받을 수 있다.
　➡ 민법의 기능 중 재산 관계 규율로서의 기능이다.
③ 가족 및 친족과 연관된 법률관계를 안정적으로 유지하
　도록 한다.
　➡ 민법의 기능 중 가족 관계 규율로서의 기능이다.
④ 개인의 경제 활동과 경제적 권리를 둘러싼 법률관계를
　합리적으로 조정한다.
　➡ 민법의 기능 중 재산 관계 규율로서의 기능에 대한 설명이다.
⑤ 신의 성실의 원칙과 같이 민법에만 적용되는 법의 일반
　원칙을 규정하고 행위 기준을 제시한다.
　➡ 신의 성실의 원칙은 민법뿐만 아니라 다른 법 전체에 적용되
　　는 법의 일반 원칙이다.

04 민법의 원리

자료 분석 | 민법의 원리 중 A는 사유 재산권 존중의 원칙(소유권
절대의 원칙), B는 소유권 공공복리의 원칙이다.

[선택지 분석]

① A는 공익을 위해 개인 소유 재산에 대한 제한이 가능하다
　　　　　　　　　　　　　　　　　B
　고 본다.
② B는 사유 재산에 대한 개인의 절대적 지배권을 강조한다.
　　　　　　　　　　　　　　　　A
③ 현대 사회에서 A는 B로 수정·보완되었다.
　➡ 사유 재산권 존중의 원칙은 자본주의의 발전 과정에 따라 소유
　　권 공공복리의 원칙으로 수정·보완되었다.
④ A와 달리 B는 개인주의·자유주의를 기본 이념으로 한다.
　　　　　　 A와 B 모두
⑤ A는 '사적 자치의 원칙', B는 '소유권 공공복리의 원칙'
　　　　　 사유 재산권 존중의 원칙
　이다.

05 민법의 원리

[선택지 분석]

㉠ 계약 공정의 원칙은 경제적 약자를 보호하는 것을 목
　적으로 한다.
㉡ 「제조물 책임법」의 제조물 책임은 무과실 책임의 원칙
　에 따라 인정된다.
✕ 계약 공정의 원칙에 따라 개인 간에 자유로운 계약 체
　결 자체가 배제된다.

➡ 계약 공정의 원칙에 따르더라도 계약 자유의 원칙이 배제되는 것은 아니다. 계약 공정의 원칙은 계약 자유의 원칙을 기본으로 계약 내용의 공정성을 추구한다.

✗ 계약 자유의 원칙에 따라 계약 내용이 사회 질서에 위
  (계약 공정의 원칙에 따라)
반되는 경우 효력이 없다.

06 계약 공정의 원칙

자료 분석 | 법원은 아이돌 그룹 A와 대형 기획사 B사 간에 체결한 계약의 내용이 한쪽 당사자에게 불공정하므로 계약 공정의 원칙에 따라 무효로 판결한 것이다.

[선택지 분석]

① 사유 재산권을 상대적 권리로 본다. → 소유권 공공복리의 원칙

☑ 공정하지 못한 계약은 효력을 인정하지 않는다.

③ 국가는 개인의 재산에 대해 제한을 가해서는 안 된다.
  → 소유권 절대의 원칙

④ 법률관계는 당사자의 자유로운 의사 합치로 형성되어야 한다. → 계약 자유의 원칙

⑤ 타인에게 끼친 손해에 대해서는 고의 또는 과실이 있을 경우에만 책임을 진다. → 과실 책임의 원칙

07 근대 민법의 기본 원리

자료 분석 | 근대 민법의 기본 원리 중 (가)는 소유권 절대의 원칙, (나)는 계약 자유의 원칙, (다)는 과실 책임의 원칙이다.

[선택지 분석]

㉠ (가)는 개인의 재산권이 절대적 권리임을 강조한다.

✗ (나)로 인해 계약 내용이 불공정한 경우 효력이 인정되지 않는다. → 계약 공정의 원칙

㉢ (다)는 '자기 책임의 원칙'이라고도 한다.

✗ (가)는 (나), (다)와 달리 개인주의, 자유주의를 기본 이념으로 한다.
  ➡ (가), (나), (다) 모두 개인주의, 자유주의를 기본 이념으로 한다.

08 무과실 책임의 원칙

자료 분석 | 법원은 A 농장 주인이 B 회사의 과실 여부를 입증하지 않아도 B 회사로부터 손해 배상을 받을 수 있다고 판결하였는데, 이는 고의 또는 과실이 없는 경우에도 책임을 질 수 있다는 무과실 책임의 원칙을 적용한 것이다.

[선택지 분석]

① 개인은 자율적인 판단에 기초하여 법률관계를 형성해 나갈 수 있다. → 계약 자유의 원칙

② 개인의 소유권은 공공의 이익을 위해서 경우에 따라 제한될 수 있는 상대적 권리이다. → 소유권 공공복리의 원칙

③ 계약 내용이 사회 질서에 위반되거나 공정하지 못한 경우에는 법적 효력이 발생하지 않는다. → 계약 공정의 원칙

☑ 자신에게 직접적인 고의나 과실이 없는 경우에도 일정한 요건에 따라 손해 배상 책임을 질 수 있다.
  → 무과실 책임의 원칙

⑤ 개인 소유의 재산에 대해 사적 지배를 인정하고 국가나 다른 개인은 함부로 이를 간섭하거나 제한할 수 없다.
  → 소유권 절대의 원칙

09 과실 책임의 원칙

(1) 과실 책임의 원칙

(2) [예시 답안] 과실 책임의 원칙은 자신에게 직접적인 고의나 과실이 없더라도 일정한 요건에 따라 손해 배상 책임을 질 수 있다는 무과실 책임의 원칙으로 수정·보완되었다.

채점기준		
상	무과실 책임의 원칙의 내용을 정확하게 서술한 경우	
하	무과실 책임의 원칙의 내용을 정확하게 서술하지 못한 경우	

도전! 실력 올리기   130~131쪽

01 ④   02 ③   03 ⑤   04 ②   05 ⑤   06 ⑤   07 ①
08 ⑤

01 공법과 사법

자료 분석 | 자신이 입은 손해에 대해 손해 배상을 청구할 수 있도록 한 법은 민법이고, 범죄에 대해 형벌을 부과하도록 하는 것은 형법이다. 민법은 사법, 형법은 공법에 해당한다.

[선택지 분석]

㉠ A법은 개인과 개인 간의 법률관계에서 발생하는 권리와 의무의 종류 및 내용을 다루는 법이다.
  ➡ 개인과 개인 간의 법률관계에서 발생하는 권리와 의무의 종류 및 내용을 다루는 법은 사법으로, 대표적으로 민법이 이에 해당한다.

㉡ B법은 한쪽 당사자를 국가로 하는 법률관계를 규율하는 법이다.
  ➡ 한쪽 당사자를 국가로 하는 법률관계를 규율하고 있는 법은 공법으로, 대표적으로 형법이 이에 해당한다.

✗ A법은 B법과 달리 법 규정 위반에 대해 공적 제재를
  (A법, B법 모두)
한다.

㉣ 상법은 A법, 헌법은 B법과 같은 생활관계를 규율하는 법이다.
  ➡ 사법에는 민법, 상법 등이 있으며 공법에는 헌법, 형법, 소송법 등이 있다.

02 공법과 사법

자료 분석 | 법을 규율하는 생활 관계에 따라 분류할 경우 사적 생활 관계를 규율하는 (가)는 사법, 국가나 공공 단체 간 또는 이들과 개인 간의 공적 생활 관계를 규율하는 (나)는 공법이다.

ㄱ. 갑은 범죄를 저질러 경찰의 수사를 받고 있다.
　　→ 공법 적용 사례(나)

ㄴ. 을은 어머니의 유언에 따라 재산을 상속받았다.
　　→ 사법 적용 사례(가)

ㄷ. 병은 은행에서 자신의 아파트를 담보로 대출을 받았다.
　　→ 사법 적용 사례(가)

ㄹ. 정은 아파트를 매매한 후 관련 세금을 국세청에 납부하였다. → 공법 적용 사례(나)

03 무과실 책임의 원칙

자료 분석 | 「제조물 책임법」과 「환경 정책 기본법」은 모두 무과실 책임의 원칙이 적용된다.

[선택지 분석]

① 자신의 고의 또는 과실이 없다면 책임을 지지 않는다.
　　→ 과실 책임의 원칙

② 계약 내용이 공정하지 못한 경우에는 법적 효력이 발생하지 않는다. → 계약 공정의 원칙

③ 개인의 소유권이라고 하더라도 공공복리에 적합하게 행사되어야 한다. → 소유권 공공복리의 원칙

④ 개인 소유의 재산에 대해 국가나 다른 개인은 간섭하거나 제한하지 못한다. → 소유권 절대의 원칙

✓ 자신에게 직접적인 고의나 과실이 없는 경우에도 일정한 요건에 따라 배상 책임을 질 수 있다.
　　→ 무과실 책임의 원칙

04 민법의 원리

자료 분석 | 계약 공정의 원칙에 따라 당사자 일방에게 불리한 내용의 계약은 효력이 없으며, 소유권 공공복리의 원칙에 따라 자신 소유의 재산이라고 하더라도 공공복리를 위해 제한할 수 있다. 따라서 (가)는 계약 공정의 원칙, (나)는 소유권 공공복리의 원칙이다.

[선택지 분석]

① (가)에 따르면 공정성을 잃은 계약은 법적 효력이 없다.

✓ (나)는 개인 소유 재산에 대한 사적 소유권을 인정하지 않는다.
　　➡ 소유권 공공복리의 원칙에 의한다고 하더라도 개인의 사적 소유권을 인정하지 않는 것은 아니다. 다만 공공복리를 위해 제한할 수 있는 상대적 권리임을 강조하는 것이다.

③ (나)에 따르면 재산권의 행사는 공공복리에 적합하게 해야 한다.

④ (가), (나) 모두 사회적 약자의 보호를 위해 강조된다.

⑤ (가)는 계약 공정의 원칙, (나)는 소유권 공공복리의 원칙이다.

05 근대 민법의 기본 원리와 수정 내용

[선택지 분석]

① ㉠에 따라 양 당사자가 합의하지 않은 내용의 계약이라도 효력이 인정된다.
　　➡ 계약 자유의 원칙은 양 당사자가 합의한 계약의 효력을 인정하

며, 그 내용은 고려하지 않는다.

② ㉡은 ~~고의가 아닌 과실로~~ 인해 타인에게 손해를 준 경우에만 배상 책임을 진다는 원칙이다.
　　고의 또는 과실로

③ 근대 민법의 기본 원리의 수정으로 현재는 ㉠이 아닌 ㉢만 인정된다.
　　➡ 현대 민법에서도 계약 자유의 원칙은 지켜지나 그 내용이 공정하지 않으면 계약 공정의 원칙에 따라 효력이 발생하지 않는다.

④ ㉣은 개인의 재산권이 ~~절대적 권리~~라는 것을 강조한다.
　　상대적 권리

✓ ㉤의 예로 제조물의 결함으로 인한 손해에 대해 사업자에게 인정되는 책임을 들 수 있다.
　　➡ 제조물 책임은 무과실 책임주의가 적용되는 대표적인 사례로, 제조물의 결함으로 인한 생명·신체·재산상의 손해에 대해 사업자에게 배상 책임이 인정된다.

06 근대 민법의 기본 원리

자료 분석 | 근대 민법의 기본 원리 중 (가)는 계약 자유의 원칙, (나)는 소유권 절대의 원칙, (다)는 과실 책임의 원칙이다.

[선택지 분석]

✗ (가)에 의해 당사자 일방에게만 불리한 계약의 효력은 인정되지 않는다. → 계약 공정의 원칙

✗ (나)에 의해 개인 소유의 재산권을 ~~상태적 권리~~로 인정한다.
　　절대적 권리

㉢ (다)에 의해 고의 또는 과실로 상대방에 피해를 준 경우에만 손해 배상 책임을 인정한다. → 과실 책임의 원칙

㉣ (가)~(다) 모두 개인주의, 자유주의를 기본 이념으로 한다.

07 민법의 원리

자료 분석 | 근대 민법의 기본 원리인 소유권 절대의 원칙, 계약 자유의 원칙, 과실 책임의 원칙(C)은 자본주의 발달에 따른 문제점을 보완하고자 각각 소유권 공공복리의 원칙(A), 계약 공정의 원칙(B), 무과실 책임의 원칙(D)으로 수정되었다.

[선택지 분석]

✓ A에 따르면 공공복리를 위해 개인의 재산권에 제한을 가할 수 있다.

② 현대 민법에서 계약 자유의 원칙은 B로 ~~대채되었다~~.
　　수정·보완

③ ~~C에 따르면~~ 공정하지 못한 내용의 계약이라도 양 당사자가 합의만 하면 효력이 인정된다.
　　계약 자유의 원칙에 따르면

④ 현대 사회에서는 원칙적으로 ~~D~~가 적용되고, ~~C~~가 예외적으로 적용된다.
　　　　　　　　　　　　C　　　　　　　D

⑤ ~~A와 달리 B, D는~~ 경제적 약자 보호를 목적으로 한다.
　　A, B, D는 모두

08 무과실 책임의 원칙

자료 분석 | 법원은 무과실 책임의 원칙을 적용하여 공단 내 공장들의 손해 배상 책임을 인정하였다.

[선택지 분석]

① 국가는 개인의 재산에 대해 제한을 가해서는 안 된다.
　　→ 소유권 절대의 원칙

② 공정하지 않은 내용을 포함한 계약의 효력을 인정하지 않는다. → 계약 공정의 원칙

③ 자신의 고의나 과실이 아닌 행위에 대해서는 책임을 지지 않는다. → 과실 책임의 원칙

④ 개인은 자율적인 판단에 기초하여 법률관계를 형성해 나갈 수 있다. → 계약 자유의 원칙

☑ 일정한 상황에서는 고의나 과실이 없을 경우에도 손해 배상 책임을 질 수 있다. → 무과실 책임의 원칙

02 ~ 재산 관계와 법

콕콕! 개념 확인하기　　137쪽

01 (1) 계약 (2) 청약 (3) 승낙
02 (1) ○ (2) ○ (3) × (4) ○
03 (1) ㄴ (2) ㄱ (3) ㄷ
04 (1) × (2) ○ (3) ○ (4) ○ (5) ×

02 (3) 법정 대리인의 동의를 얻지 않은 미성년자의 계약은 미성년자 본인이나 법정 대리인이 취소할 수 있다.

04 (1) 손해는 금전으로 배상하는 것이 원칙이다.
　　(5) 공작물의 소유자는 무과실 책임을 진다.

탄탄! 내신 다지기　　138~139쪽

01 ②　**02** ④　**03** ②　**04** ③　**05** ④　**06** ①　**07** ③
08 ①　**09** 해설 참조

01 계약의 이해

[선택지 분석]

① 계약은 청약과 승낙이 합치된 때 성립한다.

☑ 계약은 계약서를 작성해야만 효력이 발생한다.
　　➡ 계약은 청약과 승낙으로 성립한다. 따라서 계약서를 작성하지 않아도 구두만으로도 계약이 성립할 수 있다.

③ 계약을 체결하면 양 당사자에게 권리와 의무가 발생한다.

④ 계약에 따른 의무를 불이행할 경우 손해 배상 책임 문제가 발생할 수 있다.

⑤ 일정한 법률 효과를 발생시킬 목적으로 사람들 사이에 이루어지는 합의이다.

02 계약의 효력 발생 요건

자료 분석 | (가)의 심신 상실자가 체결한 계약의 효력은 무효이고,

(나)의 협박에 의한 계약의 효력은 취소할 수 있는 계약이다.

[선택지 분석]

㉠ (가)의 계약은 무효이다.
　　➡ 심신 상실자가 체결한 계약의 효력은 무효이다.

✗ (가)의 계약은 일단 유효하게 성립하지만 취소하면 무효가 된다.
　　➡ 무효인 계약은 처음부터 효력이 발생하지 않는다.

㉢ (나)의 계약에 대해 병은 의사 표시를 취소할 수 있다.
　　➡ 협박에 의한 계약은 취소할 수 있다.

㉣ (나) 계약의 효력은 미성년자가 법정 대리인의 동의 없이 체결한 계약의 효력과 같다.
　　➡ 미성년자가 법정 대리인의 동의를 얻지 않은 법률 행위는 미성년자 본인이나 법정 대리인이 취소할 수 있다.

03 미성년자의 법률 행위

[선택지 분석]

㉠ 미성년자는 단독으로 유효한 법률 행위를 할 수 없다.
　　➡ 미성년자는 제한 능력자이므로 단독으로 유효한 법률 행위를 할 수 없다.

✗ 범위를 정한 용돈의 처분은 미성년자가 단독으로 할 수 없다.
　　➡ 법정 대리인이 범위를 정해 처분을 허락한 재산의 처분 행위는 미성년자가 단독으로 할 수 있다.

㉢ 단순히 권리만을 얻는 행위는 미성년자가 단독으로 체결할 수 있다.
　　➡ 단순히 권리만을 얻거나 의무만을 면하는 행위는 미성년자가 단독으로 할 수 있다.

✗ 미성년자가 부모의 동의를 얻지 않고 법률 행위를 한 경우 미성년자는 취소할 수 없다.
　　➡ 미성년자가 부모의 동의를 얻지 않고 법률 행위를 한 경우 미성년자 본인이나 부모가 취소할 수 있다.

04 미성년자의 계약

자료 분석 | 미성년자인 갑은 부모의 동의를 얻어야 고가의 노트북을 구매할 수 있는데, 사례에서는 갑이 부모의 동의를 얻지 않고 고가의 노트북을 구매하였다.

[선택지 분석]

① 갑은 노트북 구매 계약을 취소할 수 있다.
　　➡ 법정 대리인의 동의를 얻지 않은 법률 행위는 미성년자 본인이나 법정 대리인이 취소할 수 있다.

② 갑의 부모는 갑의 동의 없이 노트북 구매 계약을 취소할 수 있다.
　　➡ 갑의 부모가 노트북 구매 계약을 취소할 경우 미성년자인 갑의 동의를 얻어야 하는 것은 아니다.

☑ 을은 갑에게 계약의 취소 여부에 대한 확답을 촉구할 수 있다.
　　　　　갑의 부모에게

④ 을이 판매 당시 갑이 미성년자임을 알았다면 을은 철회권을 행사할 수 없다.

➡️ 을이 판매 당시 갑이 미성년자임을 몰랐을 경우에만 을이 철회권을 행사할 수 있다.

⑤ 갑과 을이 체결한 노트북 구매 계약은 일단 유효하게 성립한다.
➡️ 갑과 을이 체결한 노트북 구매 계약은 일단 유효하게 성립하지만 취소하면 소급하여 무효가 된다.

05 미성년자가 단독으로 할 수 있는 법률 행위

자료 분석 | 미성년자가 단독으로 할 수 있는 법률 행위는 권리만을 얻거나 의무만을 면하는 계약, 영업이 허락된 경우 영업의 범위에 속하는 행위, 처분이 허락된 재산의 처분 행위, 임금의 청구 등이다.

[선택지 분석]

ㄱ 용돈으로 참고서를 샀으며
→ 처분이 허락된 재산의 처분 행위

ㄴ 아르바이트 했던 편의점 사장에게 월급을 달라고 하여
→ 임금의 청구

ㄷ 반값에 오토바이를 샀다.
➡️ 반값에 구입했다고 하더라도 매매는 오토바이 소유라는 권리뿐만 아니라 돈을 지불해야 하는 의무가 발생하므로 미성년자가 단독으로 할 수 없는 법률 행위이다.

ㄹ 컴퓨터를 시가보다 싸게 처분하였다.
→ 처분이 허락된 재산의 처분 행위

06 불법 행위의 성립 요건

[선택지 분석]

ㄱ 불법 행위가 성립하기 위해서는 가해자에게 고의 또는 과실이 있어야 한다.

ㄴ 피해자에게 발생한 손해에는 재산적 손해뿐만 아니라 정신적 손해도 포함된다.

ㄷ 가해 행위와 피해자의 손해 사이에 인과 관계가 없어_{있어야}도 불법 행위가 성립할 수 있다.

ㄹ 불법 행위의 성립 요건 중 책임 능력은 민법에 판단 기준이 되는 연령이 규정되어 있다.
_{연령이 규정되어 있지 않다.}

07 위법성 조각 사유

자료 분석 | 법원은 을이 갑에게 상해를 입힌 행위가 위법성 조각 사유 중 정당방위에 해당한다고 보아 손해 배상 책임을 인정하지 않았다.

[선택지 분석]

① 가해자에게 책임 능력이 없다.
➡️ 책임 능력이 없다고 판단할 수 있는 내용은 제시되어 있지 않다.

② 가해자에게 고의 또는 과실이 없다.
➡️ 갑을 제지하다가 상해를 입힌 것이므로 적어도 과실은 존재한다.

③ 정당방위가 인정되어 위법성이 조각되었다.
➡️ 을은 무단 침입한 갑을 제지하다가 상해를 입혔으므로 위법성이 조각되었다.

④ 가해자가 손해를 발생시키는 행위를 하지 않았다.
➡️ 을은 갑에게 상해를 입혔다.

⑤ 가해자의 행위로 피해자에게 손해가 발생한 것이 아니다.
➡️ 을이 갑을 제지하다가 갑이 상해를 입는 손해가 발생하였다.

08 특수 불법 행위

자료 분석 | 갑은 책임 능력이 없는 자이므로 갑의 행위에 대해 특수 불법 행위 유형 중 책임 무능력자의 감독자 책임이 적용된다. 병의 사례는 특수 불법 행위 유형 중 동물 점유자의 배상 책임이 적용된다.

[선택지 분석]

① 갑의 부모는 갑에 대한 감독상 주의 의무를 다했음을 증명하면 손해 배상 책임을 지지 않는다.
➡️ 책임 능력이 없는 미성년자의 감독자는 감독상 주의 의무를 다했음을 증명하면 특수 불법 행위 책임을 지지 않는다.

② 을은 갑에게 불법 행위 책임을 물을 수 있다.
➡️ 갑은 책임 능력이 없으므로 갑에게는 불법 행위 책임을 물을 수 없다.

③ 을은 갑의 부모에게 일반 불법 행위 책임을 물을 수 있다.
➡️ 을은 갑의 부모에게 특수 불법 행위 중 책임 무능력자의 감독자 책임을 물을 수 있다.

④ 병은 동물의 점유자로서 무과실 책임을 진다.
➡️ 동물의 점유자가 주의 의무를 다했음을 증명하면 면책되므로 무과실 책임을 지는 것은 아니다.

⑤ 정은 반려견의 소유주인 병의 친구에게 특수 불법 행위 책임을 물을 수 있다.
➡️ 동물의 소유자가 아닌 점유자가 특수 불법 행위 책임을 진다.

09 공작물 등의 점유자 · 소유자 배상 책임

(1) 공작물 등의 점유자 · 소유자 배상 책임

(2) [예시 답안] 공작물 등의 점유자 · 소유자 배상 책임에 따라 주택의 점유자인 을이 1차적 책임을 진다. 이때 을이 자신에게 과실이 없음을 증명하면 주택의 소유자인 갑이 무과실 책임을 진다.

채점기준	
상	공작물 점유자의 1차적 책임과 점유자가 면책되는 경우 소유자가 무과실 책임을 진다는 내용을 모두 정확하게 서술한 경우
중	공작물 점유자의 1차적 책임과 점유자가 면책되는 경우 소유자가 책임진다는 내용을 서술한 경우
하	공작물 점유자의 1차적 책임만을 서술한 경우

도전! 실력 올리기 140~141쪽

01 ⑤ **02** ④ **03** ① **04** ② **05** ⑤ **06** ③ **07** ③
08 ⑤

01 계약의 성립

자료 분석 | 갑의 청약과 을의 승낙으로 주택 매매 계약이 성립되었다.

✘ 갑이 을에게 한 제안은 승낙에 해당한다.
　　　　　　　　　　　　　청약

✘ 두 사람 간의 합의에 의해 갑에게는 권리만이, 을에게
　는 의무만이 발생한다.
　　➡ 갑과 을 모두 상대방에 대한 권리와 의무를 동시에 갖게 된다.

ⓒ 갑의 제안에 대한 을의 수락으로 두 사람 간의 주택 매
　매 계약은 성립되었다.
　　➡ 갑이 저렴한 가격에 주택 구입을 제안한 것은 청약에 해당하
　　　고, 이에 대한 을의 수락은 승낙에 해당한다. 계약은 청약과
　　　승낙의 일치로 성립한다.

ⓔ 갑이 주택 소유권을 을에게 이전하지 않으면 채무 불
　이행에 따른 손해 배상 책임이 발생한다.
　　➡ 주택 매매 계약에서 매도인 갑은 매수인 을에게 주택 소유권
　　　을 이전할 의무가 있고, 이 의무를 성실하게 이행하지 않아
　　　을에게 손해가 발생했다면 을은 갑에게 손해 배상을 청구할
　　　수 있다.

02 미성년자의 계약

✘ 갑의 부모는 노트북 구매 계약을 취소할 수 없다.
　　➡ 갑은 부모의 동의 없이 계약을 체결하였으므로 갑과 갑의 부
　　　모는 노트북 구매 계약을 취소할 수 있다.

ⓛ A가 노트북 거래 당시 갑이 미성년자임을 알았다면 A
　는 노트북 구매 계약에 대한 철회권을 행사할 수 없다.
　　➡ 거래 상대방이 철회권을 행사하기 위해서는 거래 당시 갑이
　　　미성년자임을 몰랐어야 한다.

✘ 을과 을의 부모는 노트북 구매 계약을 취소할 수 있다.
　　➡ 을은 부모의 동의를 얻어 계약을 체결하였으므로 노트북 구매
　　　계약은 확정적으로 유효하다. 따라서 계약을 취소할 수 없다.

ⓔ 병과 병의 부모는 노트북 구매 계약을 취소할 수 없다.
　　➡ 병은 동의서를 위조하는 속임수로 계약을 체결하였으므로,
　　　병과 병의 부모는 취소권을 행사할 수 없다.

03 미성년자의 계약

ⓞ 갑의 부모는 갑의 동의 없이 갑이 계약한 컴퓨터 구매
　계약을 취소할 수 있다.
　　➡ 부모 동의 없이 미성년자가 체결한 계약을 부모가 취소할 경
　　　우 미성년자의 동의를 얻지 않아도 된다.

ⓛ 갑이 을과 체결한 컴퓨터 구매 계약은 일단 유효하게
　성립하지만 취소하면 소급하여 무효가 된다.
　　➡ 미성년자가 법정 대리인의 동의를 얻지 않고 체결한 계약은
　　　일단 유효하지만 미성년자 본인이나 법정 대리인이 취소하면
　　　소급하여 무효가 된다.

✘ 갑이 컴퓨터 구매 계약을 취소할 경우 을은 갑에게 채
　무 불이행으로 인한 손해 배상을 청구할 수 있다.
　　➡ 취소가 가능한 계약이므로 갑이 컴퓨터 구매 계약을 취소하
　　　더라도 채무 불이행이 발생하지 않는다.

✘ 컴퓨터 구매 계약 체결 당시 갑이 미성년자임을 을이
　알았다면 을은 갑의 부모에게 확답을 촉구할 권리를

행사할 수 없다.
　　➡ 확답을 촉구할 권리 행사와 계약 당시 을의 미성년자 여부를
　　　알고 있었는지는 관련이 없다.

04 특수 불법 행위

자료 분석 | 갑은 책임 능력이 없고, 을은 책임 능력이 있다. 따라서
갑의 부모는 특수 불법 행위 중 책임 무능력자의 감독자 책임에 따
라 손해 배상 책임을 지고, 을이나 을의 부모는 일반 불법 행위에
대한 책임을 진다. 또한, 병은 일반 불법 행위 책임을 지며, 정은 B
의 손해에 대한 사용자 배상 책임을 질 수 있다.

ⓞ A는 갑에게 손해 배상 책임을 물을 수 없다.
　　➡ 8세인 갑은 책임 능력이 없으므로 A는 갑에게 손해 배상 책
　　　임을 물을 수 없고, 갑의 부모에게 책임을 물을 수 없다.

✘ A는 을의 부모에게 특수 불법 행위 책임을 물을 수 있다.
　　➡ 을은 책임 능력이 있으므로 A가 을의 부모에게 특수 불법 행
　　　위 책임을 물을 수 없다.

ⓒ B는 정에게 사용자 배상 책임을 물을 수 있다.
　　➡ 병이 정의 식당에 고용되어 주차 대행 업무를 하다가 B에게
　　　손해를 입혔기 때문에 정에게 사용자 배상 책임을 물을 수 있다.

✘ B는 병에게 특수 불법 행위 책임을 물을 수 있다.
　　➡ 병은 B의 손해에 대한 직접적인 가해자이므로 B는 병에게 일
　　　반 불법 행위 책임을 물을 수 있다.

05 공동 불법 행위자 책임

자료 분석 | 제시된 사례는 갑, 을, 병이 집단으로 폭행하여 상해를
입힌 것이므로 특수 불법 행위 유형 중 공동 불법 행위자 책임과 관
련이 있다.

✘ 갑은 망을 보았기 때문에 갑에게는 손해 배상을 청구
　할 수 없습니다.
　　➡ 폭행에 직접 가담하지 않고 망을 보았다고 하더라도 불법 행
　　　위 책임을 진다.

✘ 을과 병 중 폭행에 더 많이 가담한 사람에게만 손해 배
　상을 청구할 수 있습니다.
　　➡ 공동 불법 행위자 책임에 따라 갑, 을, 병 모두에게 손해 배상
　　　을 청구할 수 있다.

ⓒ 폭행으로 인해 정신적 손해를 입었다면 그에 대한 손
　해 배상도 청구할 수 있습니다.

ⓔ 공동 불법 행위자 책임에 근거하여 갑, 을, 병 모두에
　게 손해 배상을 청구할 수 있습니다.

06 동물 점유자의 배상 책임

자료 분석 | 을은 개로 인해 상해를 입었으므로 특수 불법 행위 유
형 중 동물 점유자의 배상 책임과 관련된다. 한편, 을의 아버지 병
이 개를 다치게 한 것은 위법성 조각 사유 중 긴급 피난에 해당되어
불법 행위 책임을 지지 않는다.

✘ 갑이 개의 소유자가 아니라면 갑은 손해 배상 책임을

지지 않는다.

➡ 동물의 소유자 여부와 상관없이 점유자이면 손해 배상 책임을 진다.

ⓒ 을이 정신적 손해를 입었다면 병은 갑에게 이에 대한 손해 배상 책임도 물을 수 있다.

➡ 손해에는 재산적 손해뿐만 아니라 정신적 손해도 포함된다.

ⓒ 병이 개를 다치게 한 것은 긴급 피난에 해당한다.

➡ 병이 을에게 달려드는 개를 저지하는 과정에서 개를 다치게 하였으므로 이는 현재의 위난을 피하기 위한 행위로써 긴급 피난에 해당한다.

✗ 병은 개를 다치게 한 것에 대한 손해 배상 책임을 진다.

➡ 병이 개를 다치게 한 것은 긴급 피난에 해당되어 위법성이 조각되므로 병은 손해 배상 책임을 지지 않는다.

07 사용자 배상 책임

자료 분석 | 병의 직원 정의 부주의로 건물의 창문이 떨어지면서 무가 상해를 입었으므로 특수 불법 행위 유형 중 사용자 배상 책임이 적용된다.

[선택지 분석]

① 병은 을에게 채무 불이행으로 인한 손해 배상 책임을 지지 않는다.

➡ 병과 계약을 체결한 사람은 갑이므로 갑에게 채무 불이행으로 인한 손해 배상 책임을 진다.

② 병이 정의 선임 및 그 사무 감독에 상당한 주의를 다하였음을 증명하면 무에게 손해 배상 책임을 지지 않는다.

➡ 병(사용자)이 정(피용자)의 선임 및 사무 감독에 상당한 주의를 다하였음을 증명하면 책임이 면제된다.

③ 정은 갑에게 채무 불이행으로 인한 손해 배상 책임을
　병은
진다.

④ 무는 정에게 손해 배상 책임을 물을 수 있다.

➡ 무는 정에게 일반 불법 행위 책임을 물을 수 있다.

⑤ 무는 병에게 특수 불법 행위 책임을 물을 수 있다.

➡ 무는 병에게 특수 불법 행위 중 사용자 배상 책임을 물을 수 있다.

08 공동 불법 행위자 책임과 긴급 피난

자료 분석 | 갑, 을, 병이 정에게 상해를 입힌 행위는 특수 불법 행위 유형 중 공동 불법 행위자 책임이 적용되고, 정이 C에게 부상을 입힌 것은 위법성 조각 사유 중 긴급 피난에 해당되므로 정은 C에게 손해 배상 책임을 지지 않는다.

[선택지 분석]

✗ 정에 대한 을의 불법 행위 책임이 인정되면, 을의 부모는 특수 불법 행위 책임을 진다.

➡ 정에 대한 을의 불법 행위 책임이 인정된다는 것은 을에게 책임 능력이 있다는 것이다. 따라서 을과 을의 부모는 일반 불법 행위 책임을 진다.

✗ 정에 대한 병의 불법 행위 책임이 인정되지 않으면, 갑과 을은 정에게 불법 행위 책임을 지지 않는다.

➡ 갑과 을의 불법 행위 책임은 병의 불법 행위 책임 여부와 상관이 없다.

ⓒ B가 정에 대한 불법 행위 책임을 지는 경우에만 A가 B에 대한 사용자로서 정에 대해 불법 행위 책임을 진다.

➡ 피용인 B의 행위가 불법 행위 책임을 지는 경우 정은 A에게 사용자 배상 책임을 물을 수 있다.

ⓒ C에 대한 정의 불법 행위 책임은 위법성이 조각되어 인정되지 않는다.

➡ 정이 C에게 부상을 입힌 행위는 위법성 조각 사유 중 긴급 피난에 해당하여 범죄가 성립되지 않는다.

---

03 ～ 가족 관계와 법

콕콕! 개념 확인하기   147쪽

01 (1) 혼인 (2) 혼인 신고 (3) 성년 의제 (4) 재판상
02 (1) ✗ (2) ○ (3) ○ (4) ✗
03 (1) ㉠ (2) ㉡
04 (1) ○ (2) ✗ (3) ○ (4) ○
05 (1) 채무 (2) 사망 (2) 직계 비속, 직계 존속 (4) 50

02 (1) 18세도 부모의 동의를 얻어 혼인할 수 있다.

(4) 협의상 이혼 시 양육할 자녀가 없으면 1개월의 이혼 숙려 기간을 거쳐야 한다.

04 (2) 친양자가 양부모의 성과 본을 따르게 된다.

탄탄! 내신 다지기   148~149쪽

01 ③　**02** ③　**03** ③　**04** ④　**05** ④　**06** ②　**07** ②
08 ④　**09** 해설 참조

01 혼인

[선택지 분석]

① 혼인 후 부부 별산제가 적용된다.

➡ 혼인 후 부부가 각자의 재산을 소유·관리·처분하는 제도인 부부 별산제가 적용된다.

② 혼인의 형식적 요건은 혼인 신고이다.

➡ 혼인은 혼인 신고라는 형식적 요건을 충족해야만 법률혼 관계로 인정받을 수 있다.

③ 19세 이상인 자만 법률혼을 할 수 있다.

➡ 18세도 부모의 동의를 얻어 법률혼을 할 수 있다.

④ 혼인을 통해 인척과 같은 친족 관계가 형성된다.

➡ 혼인을 통해 배우자 및 인척 관계가 형성된다.

⑤ 혼인은 남녀가 부부가 되는 것으로서 일종의 계약이다.

➡ 혼인은 남녀가 부부가 되는 것으로서 일종의 계약에 해당한다.

02 법률혼과 사실혼

[선택지 분석]

① (가) - 친족 관계 형성
➡ 법률혼에서만 친족 관계가 형성된다.

② (가) - 혼인 신고를 함
➡ 사실혼은 혼인 신고를 하지 않은 상태이다.

③ (나) - 배우자 간 상속 문제 발생

④ (나) - 일상 가사에 대한 대리권 발생
➡ 사실혼, 법률혼 모두에서 발생한다.

⑤ (다) - 부부간의 동거, 협조, 부양의 의무 발생
➡ 사실혼, 법률혼 모두에서 발생한다.

03 이혼의 유형

자료 분석ㅣ 이혼의 유형 중 (가)는 협의상 이혼, (나)는 재판상 이혼이다.

[선택지 분석]

① (가)의 이혼 숙려 기간은 양육할 자녀가 있으면 ~~1개월~~이다.
    3개월

② ~~(카)~~를 위해서는 민법상 정해진 이혼 사유에 해당해야
   (나)
한다.

③ (나)의 이혼에 대한 책임이 있는 배우자라도 부부 공유 재산에 대한 분할 청구권을 행사할 수 있다.
➡ 협의상 이혼, 재판상 이혼 모두 이혼에 대한 책임이 있는 배우자라도 부부 공유 재산에 대한 분할 청구권을 행사할 수 있다.

④ ~~(카)와 달리 (나)~~의 경우 혼인에 의해 발생한 친족 관계
   (가), (나) 모두
가 소멸한다.

⑤ ~~(카), (나)~~ 모두 이혼의 효력은 이혼 신고를 한 때에 발
   (가)의
생한다.
➡ (가)는 이혼 신고를 한 때, (나)는 법원의 판결이 확정될 때 이혼의 효력이 발생한다.

04 친양자 제도

[선택지 분석]

㉠ 양부모의 성과 본을 따른다.

✗ 양부모의 재산을 상속받을 수 있다.
➡ 친양자와 일반 입양에 의한 양자 모두 양부모의 재산을 상속받을 수 있다.

㉢ 혼인 중 출생자와 같은 지위를 가진다.

㉣ 친생부모의 재산을 상속받을 수 없다.

05 친권

[선택지 분석]

① 갑: 부모가 미성년인 자녀에 대해 갖는 신분·재산상의 여러 권리와 의무입니다.

② 을: 친권에는 거소 지정권, 징계권, 양육권 등이 있습니다.

③ 병: 부모가 공동으로 행사하는 것이 원칙입니다.

④ 정: 친자 관계에 따른 것으로 친권은 상실될 수 없습니다.

➡ 친권이 남용되거나 친권 행사를 통해 자녀의 복리가 현저히 침해된다고 판단되는 경우 가정 법원의 선고에 의해 친권이 상실되거나 제한될 수 있다.

⑤ 무: 부모가 이혼하는 경우 친권자가 법원에 의해 결정되는 경우도 있습니다.

06 유언 상속

[선택지 분석]

㉠ 유언은 유언자가 사망한 때에 효력이 발생한다.

✗ 유언은 법에 규정된 요건을 갖추지 못해도 유효하다.
➡ 요식주의에 따라 유언은 법에 규정된 요건을 모두 갖춘 유언만 효력이 인정된다.

㉢ 유언이 없을 경우에는 법정 상속 순위에 따라 상속이 이루어진다.

✗ 자필 증서에 의한 유언은 유언자가 직접 컴퓨터로 작성해도 효력이 발생한다.
➡ 자필 증서에 의한 유언은 유언자가 자필로 모든 것을 작성해야 하며 컴퓨터나 다른 사람이 작성하면 무효가 된다.

07 유언에 의한 상속과 유류분

자료 분석ㅣ 갑이 '모든 재산을 ○○ 복지 재단에 물려준다.'라는 취지의 유효한 유언을 작성하였으므로 유언장의 내용대로 상속이 이루어지며, 다만 유류분이 고려될 수 있다.

[선택지 분석]

① 갑의 유언이 유효하려면 갑이 자필로 작성한 유언장이어야 한다.
➡ 유언의 방식은 자필 증서, 공정 증서, 녹음, 비밀 증서, 구수 증서 등이 있다.

② 을은 ○○ 복지 재단에 병보다 많은 유류분의 반환을 청구할 수 있다.
➡ 을은 병의 상속분의 50%를 가산하여 법정 상속을 받으므로 유류분 반환 청구액도 병보다 많다.

③ 병과 정이 ○○ 복지 재단에 청구할 수 있는 유류분액은 다르다.
➡ 병과 정의 법정 상속분이 같으므로 유류분 반환 청구액도 같다.

④ 무는 ○○ 복지 재단에 유류분 반환을 청구할 수 있다.
➡ 법정 상속 1순위인 병과 정이 있으므로 법정 상속 2순위인 무는 법정 상속을 받을 수 없다. 따라서 무는 유류분 반환을 청구할 수 없다.

⑤ 병과 정이 유류분 반환을 청구하더라도 ○○ 복지 재단은 갑의 재산 14억 원을 모두 받는다.
➡ 배우자 및 일정 범위의 친족에게 상속 재산 중 일정 비율을 법적으로 보장해 주는 유류분 제도가 있으므로, ○○ 복지 재단이 14억 원을 모두 받는 것은 아니다.

08 유언과 상속

[선택지 분석]

㉠ ㉠에 따라 피상속인의 재산뿐만 아니라 빚도 상속된다.
➡ 상속은 피상속인이 남긴 재산에 대한 권리와 의무가 상속인에게 승계되는 것으로 재산뿐만 아니라 빚도 상속된다.

ⓒ ⓒ에 따르면 법정 상속 1순위는 피상속인의 직계 비속이다.
➡ 법정 상속 1순위는 직계 비속, 2순위는 직계 존속, 3순위는 형제자매, 4순위는 4촌 이내의 방계 혈족이다.

✗ ⓒ에 따르면 배우자의 상속분은 공동 상속인의 상속분보다 2배 많다.
➡ 배우자의 상속분은 공동 상속인의 상속분에 50%를 가산하여 상속을 받는다.

ⓒ ⓒ은 피상속인의 자의로부터 상속인을 보호하기 위한 것이다.
➡ 유류분 제도는 상속인의 최소한의 권익 보호를 위하여 배우자 및 일정 범위의 친족에게 상속 재산 중 일정 비율을 법적으로 보장해 주는 제도이다.

09 혼인의 실질적 요건과 성년 의제

(1) [예시 답안] 양 당사자의 자유로운 의사에 기초하여 혼인에 대해 동의할 것, 민법에 규정된 혼인할 수 있는 연령에 해당할 것, 법적으로 혼인할 수 없는 친족 관계가 아닐 것, 해당 혼인이 중혼이 아닐 것

채점기준		
상	유효한 법률혼이 성립하기 위한 실질적 요건 4가지를 모두 정확하게 서술한 경우	
중	유효한 법률혼이 성립하기 위한 실질적 요건 중 2~3가지만 정확하게 서술한 경우	
하	유효한 법률혼이 성립하기 위한 실질적 요건 중 1가지 이하로 정확하게 서술한 경우	

(2) 성년 의제

도전! 실력 올리기　　　　150~151쪽

01 ⑤　**02** ③　**03** ②　**04** ①　**05** ③　**06** ②　**07** ④
08 ④

01 혼인의 유형

자료 분석 | 혼인의 유형 중 A는 사실혼, B는 법률혼이다.
[선택지 분석]

✗ A는 B와 달리 친족 관계가 형성된다.
➡ 법률혼은 사실혼과 달리 혼인을 통해 친족 관계가 형성된다.

✗ A는 B와 달리 배우자 간 일상 가사 대리권이 인정되지 않는다.
➡ 법률혼과 사실혼 모두 배우자 간 일상 가사 대리권이 발생한다.

ⓒ B는 A와 달리 배우자에 대한 상속권이 인정된다.

ⓒ A, B 모두 부부간의 동거, 협조, 부양의 의무가 발생한다.

02 혼인과 성년 의제

[선택지 분석]

① ⓒ은 갑과 을이 이혼한다면 재산 분할 대상이 된다.

➡ 3억 원 상당의 주택은 갑이 혼인 전에 가지고 있던 재산이므로 이혼 시 재산 분할의 대상이 되지 않는다.

② ⓒ은 혼인의 실질적 요건이다.
➡ 결혼식은 혼인의 요건이 아니다.

③ ⓒ을 통해 갑은 성년과 같은 행위 능력을 갖게 된다.
➡ 미성년자인 갑이 혼인 신고를 하면 성년 의제되어 민법상 성년과 같은 행위 능력을 갖게 된다.

④ ⓒ은 병과 정이 혼인 신고를 하면 병과 정의 공유 재산으로 된다.
➡ 2억 원 상당의 주택은 병 소유이므로 혼인 신고를 한다고 해서 공유 재산으로 되는 것이 아니다.

⑤ ⓒ에도 불구하고 병과 정 사이에는 상속권이 발생한다.
➡ 병과 정은 혼인 신고를 하지 않았으므로 배우자 간 상속권이 발생하지 않는다.

03 이혼의 유형

자료 분석 | 이혼의 유형 중 ㉠은 협의상 이혼, ㉡은 재판상 이혼이다.
[선택지 분석]

① ㉠에서 갑과 을에게 양육할 자녀가 없다면, 갑과 을은 이혼 숙려 기간을 거치지 않을 것이다.
➡ 양육할 자녀가 없을 경우에는 1개월의 이혼 숙려 기간을 거쳐야 한다.

② ㉠과 달리 ㉡은 민법에 정해진 이혼 사유에 해당해야 이혼이 가능하다.

③ ㉠과 달리 ㉡은 이혼의 책임이 있는 상대방에게 손해
　　　㉠, ㉡은 모두
배상을 청구할 수 있다.

④ ㉡과 달리 ㉠은 혼인 생활 중 취득한 재산에 대한 분할
　　　㉠, ㉡은 모두
청구권이 발생한다.

⑤ ㉠과 ㉡의 효력은 모두 행정 관청에 이혼 신고를 한 때
　　　㉠의 효력은
에 발생한다.
➡ 협의상 이혼은 행정 관청에 이혼 신고를 한 때, 재판상 이혼은 이혼 판결이 확정된 때 효력이 발생한다.

04 이혼의 유형

자료 분석 | 갑과 을은 사실혼 상태이고, 병과 정은 법률혼 상태이다.
[선택지 분석]

ⓒ (가)와 달리 (나)에서는 법원의 절차를 거쳐야 이혼이 진행된다.
➡ 사실혼 상태는 법원의 절차를 거치지 않아도 이혼이 성립하고, 법률혼 상태는 법원의 절차를 거쳐야 한다.

ⓒ (나)의 혼인과 달리 (가)의 혼인은 인척 관계가 형성되지 않는다.
➡ 사실혼은 친족 관계가 발생하지 않는다.

✗ (나)에서 병과 정이 이혼하기 위해서는 민법에 정해진 이혼 사유에 해당해야 한다.
➡ 병과 정은 협의상 이혼과 재판상 이혼이 모두 가능하다. 이중 재판상 이혼의 경우에만 민법에 정해진 이혼 사유에 해당해야 가능하다.

✘ (가)의 갑과 자녀와 달리 (나)의 병과 자녀는 친자 관계가 형성되었다.
➡ 갑은 인지 절차를 통해 갑과 자녀 간에 혼인 외 출생자라는 친자 관계가 형성되었다.

05 친자 관계

자료 분석 | A는 친생자, B는 친양자, C는 일반 입양에 의한 양자이다.

[선택지 분석]

✘ A는 인지 절차를 거쳐야 친자 관계가 인정된다.
➡ 인지 절차를 거쳐야 친자 관계가 인정되는 것은 혼인 외 출생자이다. 친생자에는 혼인 중 출생자, 혼인 외 출생자가 있다.

ⓛ 사실혼 관계에서 태어난 자녀는 A가 될 수 있다.
➡ 친생자는 혼인 중 출생자와 혼인 외 출생자로 구분되며, 혼인 외 출생자는 사실혼과 같이 법률혼이 아닌 관계에서 출생한 자녀를 의미한다.

ⓒ B는 친생부모와의 친족 관계가 단절된다.
➡ 친양자는 양부모의 혼인 중 출생자로 취급되어 양부모의 성과 본을 따르고 입양 전의 친족 관계가 종료된다.

✘ C는 B와 달리 양부모의 재산에 대한 상속권이 있다.
➡ B, C 모두 양부모의 재산에 대한 상속권이 있다.

06 유언과 상속

자료 분석 | A가 남긴 재산은 빚을 제한 21억 원이다. 유언장이 효력이 없다면 법정 상속이 이루어진다. 법정 상속권자는 B, C, D이고 각각 9억 원, 6억 원, 6억 원씩 상속받는다. 유언장이 효력이 있다면 유언의 내용대로 상속이 이루어지며, B와 D가 유류분 반환을 청구할 수 있다.

[선택지 분석]

㉠ 유언장이 효력이 있다면 B와 D는 유류분 반환을 청구할 수 있다.

✘ 유언장이 효력이 있다면 D가 유류분 반환을 청구하더라도 C는 A의 재산 21억 원을 모두 상속받는다.
➡ 배우자 및 일정 범위의 친족에게 상속 재산 중 일정 비율을 법적으로 보장해 주는 유류분 제도가 있으므로, D가 유류분 반환을 청구하면 C가 21억 원을 모두 받을 수 없다.

ⓒ 유언장이 효력이 없다면 C와 D의 법정 상속액의 합보다 B의 법정 상속액이 3억 원 적다.

✘ 유언장이 효력이 없다면 ~~E는~~ C, D와 공동 상속인이 된다.
　　　　　　　　　　　　　 B는

07 유언과 상속

자료 분석 | 유언이 효력이 없으면 법정 상속권자인 을, A, B가 각각 3억 원, 2억 원, 2억 원씩 상속받는다. 유언장이 효력이 있으면 을과 B가 유류분 반환을 청구할 수 있다.

[선택지 분석]

① 입양된 A와 병과의 친자 관계는 종료된다.
➡ A는 일반 입양에 의한 양자이므로 친생부모와의 친자 관계가 종료되지 않는다.

② B는 인지 후 갑의 ~~혼인 중 출생자~~가 된다.
　　　　　　　　　 혼인 외 출생자

③ 유언장이 효력이 있으면 ~~B와~~ 달리 ~~을~~은 유류분 반환을 청구할 수 있다.
　　　　　　　　　　　B와 을은

☑ 유언장이 효력이 없으면 을은 3억 원을 상속받는다.
➡ 배우자와 두 자녀가 1.5 : 1 : 1의 비율로 7억 원을 상속받는다. 각자의 상속 금액은 을은 3억 원, A와 B는 각각 2억 원이다.

⑤ 유언장이 효력이 없으면 A는 법정 상속을 받을 수 ~~없다~~.
　　　　　　　　　　　　　　　　　　　　　　　　　　　　 있다.

08 유언과 상속

자료 분석 | 유언이 효력이 없다면 C, F가 각각 3억 5천만 원씩 상속받는다. 유언이 효력이 있다면 C, F는 유류분 반환을 청구할 수 있다.

[선택지 분석]

✘ A는 F를 친양자로 입양하였다.
➡ F가 상속 자격을 갖춘 이유는 혼인 외 출생자인 F에 대한 인지 절차가 진행되었기 때문이다.

ⓛ A의 사망 당시 B와 E는 모두 A의 친족이 아니다.
➡ 이혼을 한 B, 혼인 신고를 하지 않은 E는 모두 A와 친족 관계가 형성되어 있지 않다.

✘ 유언이 효력이 있다면, ~~D와 E는~~ 유류분 반환을 청구할 수 있다.
　　　　　　　　　　　　 C와 F는

㉣ 유언이 효력이 없다면, C와 F는 각각 3억 5천만 원씩 상속받는다.
➡ A의 재산에 대한 법정 상속권자는 직계 비속인 C와 F이다. 그러므로 유언이 무효일 때 C와 F는 각각 3억 5천만 원을 상속받는다.

한번에 끝내는 대단원 문제	154~157쪽

01 ①	02 ⑤	03 ②	04 ④	05 ⑤	06 ⑤	07 ②
08 ④	09 ④	10 ⑤	11 ②	12 ⑤		

13~16 해설 참조

01 근대 민법의 기본 원리

자료 분석 | 근대 민법의 기본 원리 중 (가)는 소유권 절대의 원칙, (나)는 과실 책임의 원칙이다.

[선택지 분석]

㉠ (가)는 개인의 재산권을 절대적 권리로 본다.

ⓛ (나)는 '자기 책임의 원칙'이라고도 한다.

✘ (나)는 현대 민법에서 ~~무과실 책임의 원칙으로 대체되었다.~~
　　　　　　　　　　　 무과실 책임의 원칙과 병존한다.

✘ ~~(가)는 (나)와~~ 달리 자유주의, 개인주의를 기본 이념으로 한다.
　(가), (나)는 모두

02 무과실 책임의 원칙

자료 분석 | 공작물 등의 설치 또는 보존의 하자로 인해 타인에게 손해를 가한 경우에는 공작물의 점유자가 1차적 책임을 지고, 점유자가 면책되면 공작물의 소유자가 무과실 책임을 진다.

[선택지 분석]

① 개인의 소유권은 공공복리에 적합하도록 행사하여야 한다. → 소유권 공공복리의 원칙

② 개인은 자율적인 판단에 기초하여 법률관계를 형성해 나갈 수 있다. → 계약 자유의 원칙

③ 계약 내용이 사회 질서에 위반되거나 공정하지 못한 경우에는 효력이 없다. → 계약 공정의 원칙

④ 개인 소유의 재산에 대해 사적 지배를 인정하고 국가는 함부로 이를 간섭하거나 제한할 수 없다. → 소유권 절대의 원칙

⑤ 자신에게 직접적인 고의나 과실이 없는 경우에도 일정한 요건에 따라 손해 배상 책임을 질 수 있다. → 무과실 책임의 원칙

03 민법의 원리

자료 분석 | 민법의 원리 중 ㉠은 소유권 공공복리의 원칙, ㉡은 계약 자유의 원칙, ㉢은 무과실 책임의 원칙이다.

[선택지 분석]

① ㉠은 사적 자치의 원칙이다.
➡ ㉠은 소유권 공공복리의 원칙이다.

② ㉠은 개인의 소유권은 경우에 따라 제한될 수 있는 권리라는 것을 강조한다.

③ 현대 민법에서 ㉡은 인정되지 않는다.
➡ 현대 민법에서도 계약 자유의 원칙은 인정된다. 다만 계약의 내용이 불공정한 경우에는 계약 공정의 원칙에 따라 효력이 인정되지 않을 수 있다.

④ ㉢에 따라 사회 질서에 위반되는 내용의 계약은 효력이 없다. 계약 공정의 원칙에 따라

⑤ ㉢은 고의나 과실이 있는 경우에만 손해 배상 책임을 진다는 원칙이다. 과실 책임의 원칙

04 무효와 취소

자료 분석 | 법률 행위의 효과 중 (가)는 무효, (나)는 취소이다.

[선택지 분석]

㉠ 의사 능력이 없는 자의 법률 행위의 효과는 (가)이다.
➡ 의사 능력이 없는 자의 법률 행위는 무효이다.

✕ 협박이나 강요에 의해 의사 표시를 한 경우의 법률 효과는 (카)이다. (나)

㉢ 미성년자가 부모의 동의 없이 체결한 계약의 효력은 (나)이다.
➡ 미성년자가 법정 대리인의 동의를 얻지 않은 법률 행위는 미성년자 본인이나 법정 대리인이 취소할 수 있다.

㉣ (나)는 (가)와 달리 특정인이 주장을 하지 않으면 확정적으로 유효가 될 수 있다.
➡ 특정인의 주장을 기다리지 않고 법률 행위가 성립한 때부터 효력이 없는 것으로 확정된 무효와 달리 취소는 특정인의 주장이 있어야 법률 행위의 효력이 없어진다.

05 미성년자의 법률 행위

[선택지 분석]

✕ 미성년자가 ㉠ 없이 계약을 체결하면 거래 상대방은 미성년자에게 확답을 촉구할 권리를 갖는다. 미성년자의 법정 대리인(부모)에게

㉡ '부담 없는 증여'는 ㉡의 예이다.

㉢ 거래 당시 미성년자임을 알았다면 ㉢은 불가능하다.

㉣ '신분증 위조'는 ㉣의 예이다.

06 미성년자의 법률 행위

[선택지 분석]

① 병의 연령은 18세이다.
➡ 병은 부모의 동의를 얻어 혼인 신고를 한 미성년자이므로 18세이다.

② 갑의 부모와 갑은 노트북 구매 계약을 취소할 수 없다.
➡ 갑은 부모의 동의서를 위조하였기 때문에 갑의 노트북 구매 계약은 확정적으로 유효하다. 따라서 갑과 갑의 부모는 노트북 구매 계약을 취소할 수 없다.

③ 을의 부모와 을은 노트북 구매 계약을 취소할 수 있다.
➡ 을은 부모 동의 없이 노트북 구매 계약을 체결하였으므로, 을의 부모와 을은 노트북 구매 계약을 취소할 수 있다.

④ 병과 병의 부모는 노트북 구매 계약을 취소할 수 없다.
➡ 병은 성년 의제되어 행위 능력을 갖고 있으므로 병이 체결한 계약은 확정적으로 유효하다.

⑤ 정은 을과 체결한 계약에 대해 철회권을 행사할 수 있다.
➡ 정은 거래 당시 을이 미성년자임을 알았기 때문에 철회권을 행사할 수 없다.

07 책임 무능력자의 감독자 책임

[선택지 분석]

㉠ A는 갑에게 손해 배상 책임을 물을 수 없다.
➡ 갑은 책임 능력이 없으므로 A는 갑에게 손해 배상 책임을 물을 수 없다.

✕ A는 갑의 부모에게 일반 불법 행위 책임을 물을 수 있다.
➡ A는 갑의 부모에게 특수 불법 행위 중 책임 무능력자의 감독자 책임을 물을 수 있다.

㉢ B는 을에게 특수 불법 행위 책임을 물을 수 없다.
➡ 을은 책임 능력이 있으므로 B는 을에게 일반 불법 행위 책임을 물을 수 있다.

✕ B는 을의 부모에게 특수 불법 행위 책임을 물을 수 있다.
➡ 을은 책임 능력이 있으므로 을의 부모는 특수 불법 행위 중 책임 무능력자의 감독자 책임을 지지 않는다.

08 사용자 배상 책임

자료 분석 | 피용자 을이 갑의 음식점에서 근무하다가 손님에게 피해를 준 경우이므로 특수 불법 행위 중 사용자 배상 책임이 적용될 수 있다.

[선택지 분석]

① 을의 행위가 불법 행위로 성립하면 을에게 손해 배상을 청구할 수 있습니다.

② 을의 행위가 불법 행위로 성립하면 갑에게 사용자 배상 책임을 물을 수 있습니다.

③ 을의 행위가 불법 행위로 성립하면 정신적 손해에 대한 배상도 요구할 수 있습니다.

✔ 을의 행위가 불법 행위로 성립하지 않아도 갑에게 손해 배상 책임을 물을 수 있습니다.

　➡ 을의 행위가 불법 행위로 성립하지 않으면 특수 불법 행위 중 사용자 배상 책임이 인정되지 않는다. 따라서 갑에게 손해 배상 책임을 물을 수 없다.

⑤ 을의 행위가 불법 행위로 성립하지 않으면 갑에게 특수 불법 행위 책임을 물을 수 없습니다.

09 혼인의 유형

자료 분석 | 갑과 을은 혼인 신고를 하지 않았으므로 사실혼 상태이고, 병과 정은 혼인 신고를 하였으므로 법률혼 상태이다.

[선택지 분석]

㉠ (가)에서 갑이 사망하면 을은 갑의 재산에 대한 상속을 받을 수 없다.

　➡ 사실혼 관계에서는 배우자 간 상속이 발생하지 않는다.

㉡ (가)에서 갑과 을은 혼인의 실질적 요건은 갖추었지만 형식적 요건을 갖추지 못했다.

　➡ 혼인 신고는 혼인의 형식적 요건이다.

✗ (나)에서 병과 정 사이에 자녀가 태어나면 ~~혼인 외 출~~ 생자가 된다.
　　　　　　　　　　　　　혼인 중 출생자

㉣ (나)에서 병과 정 간에는 친족 관계가 형성되지만, (가)에서 갑과 을 간에는 친족 관계가 형성되지 않는다.

　➡ 사실혼 관계에서는 친족 관계가 형성되지 않는다.

10 이혼의 유형

자료 분석 | 이혼의 유형 중 A는 협의상 이혼, B는 재판상 이혼이다.

[선택지 분석]

① (가), (다) 모두에 '행정 관청에 이혼 신고를 한 때'가 들어간다.

　➡ 협의상 이혼의 효력은 '행정 관청에 이혼 신고를 한 때', 재판상 이혼의 효력은 '이혼 판결이 확정된 때' 발생한다.

② (나)의 내용에 '양육할 자녀가 있으면 ~~1개월의~~ 이혼 숙려 기간을 거친다.'가 들어갈 수 있다.
　　　　　　　　　　　3개월

③ (라)의 내용에 '이혼 조정'이 들어갈 수 ~~없다.~~
　　　　　　　　　　　　　　　　　　　있다.

④ ~~A와 달리 B는~~ 인위적으로 혼인 관계를 해소시키는 것
　A와 B 모두

이다.

⑤ B와 달리 A는 민법에 정해진 이혼 사유에 해당하지 않더라도 이혼이 가능하다.

11 친권

자료 분석 | 친권에 대해 갑, 정이 옳게 답하고 을이 틀리게 답했다. 교사가 한 사람을 제외하고 모두 옳게 답했다고 하였으므로 (가)에는 옳은 내용이 들어가야 한다.

[선택지 분석]

㉠ 부모가 미성년인 자녀에 대해 갖는 권리입니다.

✗ 성년으로 의제되더라도 미성년자의 부모가 갖는 친권은 ~~유지됩니다.~~
　　　　　　　　　　　　　유지되지 않습니다.

㉢ 부모가 이혼하는 경우에 법원에서 친권 행사자를 지정하는 경우도 있습니다.

✗ 부모가 자녀에게 가지는 권리와 의무이므로 친권을 ~~남용하더라도 상실되지 않습니다.~~
　　　　　　　　　　　　　남용하면 상실될 수 있습니다.

12 유언과 상속

자료 분석 | 유언이 효력이 없는 경우 을과 A가 각각 6억 원, 4억 원을 상속받는다. 유언이 효력이 있는 경우 을과 A는 유류분 반환을 청구할 수 있다.

[선택지 분석]

① 입양으로 인해 병과 A의 친족 관계는 소멸되지 않는다.

　➡ 일반 입양에 의한 양자이므로 친생부모와의 친족 관계가 단절되지 않는다.

② 유언장이 효력이 없는 경우, 정은 법정 상속을 받을 수 없다.

　➡ 정은 법정 상속 2순위이다. 법정 상속 1순위인 을과 A가 있으므로 정은 상속을 받지 못한다.

③ 유언장이 효력이 없는 경우, 을의 법정 상속액은 A의 법정 상속액보다 2억 원 더 많다.

　➡ 을과 A는 각각 6억 원, 4억 원을 상속받는다.

④ 유언장이 효력이 있는 경우, 정이 최대로 받을 수 있는 재산은 10억 원이다.

　➡ 을과 A가 유류분 반환을 청구하지 않으면 정이 10억 원을 모두 받는다.

✔ 유언장이 효력이 있는 경우, 을과 A가 유류분 반환을 청구할 수 있는 금액은 같다.

　➡ 을과 A의 법정 상속분 비율은 1.5 : 1이므로 을이 A보다 유류분 반환을 청구할 수 있는 금액이 더 많다.

13 민법의 원리

(1) A: 소유권 절대의 원칙, B: 계약 공정의 원칙, C: 무과실 책임의 원칙

(2) [예시 답안] 무과실 책임의 원칙이 적용되는 경우는 환경 오염으로 인한 피해 발생, 제조물의 결함으로 인해 손해 발생 등이 있다.

채점기준		
상	환경 오염 원인자 책임, 제조물 책임 두 가지를 모두 정확하게 서술한 경우	
중	환경 오염 원인자 책임, 제조물 책임 중 한 가지만 정확하게 서술한 경우	
하	환경 오염 원인자 책임, 제조물 책임과 무관한 내용을 서술한 경우	

14 특수 불법 행위

(1) 공동 불법 행위자 책임

(2) [예시 답안] A는 손해 배상을 청구할 수 있다. 공동 불법 행위자 책임에 따라 여러 사람의 행위 중 어느 사람의 행위가 그 손해를 가한 것인지 알 수 없는 경우에도 연대하여 배상 책임을 지기 때문이다.

채점기준		
상	손해 배상을 청구할 수 있음을 적고, A가 갑, 을, 병에게 손해 배상을 청구할 수 있는 이유를 정확하게 서술한 경우	
중	손해 배상을 청구할 수 있음을 적고 A가 갑, 을, 병에게 손해 배상을 청구할 수 있는 이유를 서술하였으나 그 내용이 미흡한 경우	
하	손해 배상을 청구할 수 있음만 서술한 경우	

15 혼인과 이혼

(1) (가): 사실혼, (나): 법률혼

(2) [예시 답안] 을은 특별한 절차가 필요 없으나, 정은 법에 정해진 절차에 따라 협의상 이혼이나 재판상 이혼이 가능하다.

채점기준		
상	을은 특별한 절차가 필요 없으나, 정은 법에 정해진 절차에 따라 협의상 이혼, 재판상 이혼이 가능하다는 내용을 모두 정확하게 서술한 경우	
중	을은 특별한 절차가 필요 없으나, 정은 법에 정해진 절차에 따라 협의상 이혼, 재판상 이혼이 가능하다는 내용을 서술하였으나 그 내용이 미흡한 경우	
하	을은 특별한 절차가 필요 없다는 내용과 정은 법에 정해진 절차에 따라 협의상 이혼, 재판상 이혼이 가능하다는 내용 중 한 가지만 서술한 경우	

16 유언과 상속

(1) A: 7억 원, B: 7억 원

(2) [예시 답안] 유류분 반환을 청구할 수 있는 사람은 없다. 갑의 재산에 대한 법정 상속권자는 A와 B뿐이고, 이들 각각은 재산의 1/2씩 분할받기 때문이다.

채점기준		
상	유류분 반환을 청구할 있는 사람이 없다는 것과 그 이유를 모두 정확하게 서술한 경우	
중	유류분 반환을 청구할 있는 사람이 없다는 것과 그 이유 중 1가지만 정확하게 서술한 경우	
하	유류분 반환을 청구할 있는 사람이 없다고만 서술한 경우	

V ≫ 사회생활과 법

01 ~ 형법의 이해

콕콕! 개념 확인하기   165쪽

01 보장적
02 (1) ㄴ (2) ㄱ (3) ㄷ
03 구성 요건 해당성, 위법성, 책임
04 (1) ○ (2) × (3) ○
05 (1) 징역 (2) 몰수 (3) 보안 처분
06 (1) ㄴ (2) ㄱ

04 (2) 정당방위와 긴급 피난은 범죄의 구성 요건에 해당하지만 위법성이 조각되는 사유들이다.

탄탄! 내신 다지기   166~167쪽

01 ⑤   **02** ③   **03** ①   **04** ⑤   **05** ④   **06** ④   **07** ②
08 ⑤   **09** 해설 참조

01 형법의 이해

[선택지 분석]

① 개인의 생명, 신체, 자유, 안전, 재산 등과 사회의 근본 가치를 보호하는 기능을 한다.
➡ 형법은 법익을 보호하는 기능을 한다.

② 개인의 자의적 보복이나 응징을 금지하고 국가 권력에 의한 처벌만 가능하도록 한다.
➡ 형법이 없다면 복수가 반복되거나 처벌의 근거가 불명확하여 사회적으로 혼란이 발생하고 사회 질서를 유지하기 어렵기 때문에 오늘날에는 형법을 통해 처벌에 대한 권한을 국가가 독점하고 있다.

③ 국가 형벌권의 한계를 규정하여 자의적인 형벌로부터 국민의 자유와 권리를 보장하는 기능을 한다.
➡ 형법의 보장적 기능이다.

④ 범죄를 예방하고 범죄자가 다시 범죄를 저지르지 않도록 교화하여 사회로 복귀하는 데 도움을 준다.
➡ 형법은 국민이 더욱 안전한 생활을 할 수 있도록 범죄를 예방하고 범죄자의 교화와 사회 복귀를 돕는다.

⑤ 법의 형태에 관계없이 범죄와 형벌을 정하고 있는 법률은 모두 ~~형식적~~ 의미의 형법이라고 할 수 있다.
    실질적
➡ 어느 법령에 있는지를 불문하고 일정한 행위를 범죄로 규정하고 그 범죄에 대하여 형벌, 기타 형사 제재를 부과하는 법 규범의 총체를 실질적 의미의 형법이라고 한다.

02 형식적 의미의 형법과 실질적 의미의 형법

자료 분석 | ㉠은 형식적 의미의 형법, ㉡은 실질적 의미의 형법에 해당한다. 형식적 의미의 형법은 형법전을 말하고 실질적 의미의 형법은 범죄와 형벌의 내용을 정하고 있는 법들을 의미한다.

[선택지 분석]

✗ ㉠은 국가의 ~~자의적 형벌권 행사~~를 가능하게 한다.
  자의적인 형벌로부터 국민의 자유와 권리를 보장

Ⓛ ㉡은 실질적 의미의 형법에 해당한다.
  ➡ 실질적 의미의 형법에는 「폭력 행위 등 처벌에 관한 법률」, 「특정 범죄 가중 처벌 등에 관한 법률」 등이 있다.

Ⓒ ㉠, ㉡은 모두 범죄와 형벌을 규정하고 있다.
  ➡ 형식적 의미의 형법과 실질적 의미의 형법 모두 범죄와 형벌의 내용을 규정하고 있다.

✗ ㉠은 보호적 기능만을, ㉡은 보장적 기능만을 수행한다.
  ➡ 형식적 의미의 형법과 실질적 의미의 형법 모두 보호적 기능과 보장적 기능을 수행한다.

03 죄형 법정주의의 이해

[선택지 분석]

☑ 형법의 보장적 기능을 수행하기 위해 필요한 원리이다.
  ➡ 죄형 법정주의는 범죄를 처벌하기 위해서는 미리 성문의 법률로 규정해 두어야 한다는 원칙으로, 형벌권의 한계를 밝혀 국가의 자의적인 형벌로부터 국민의 자유와 권리를 보장하는 보장적 기능과 관련이 깊다.

② 일반 시민에게는 적용되나 범죄인에게는 ~~적용되지 않~~는다.
  도 적용된다.

③ 범죄의 성립 및 처벌의 정도는 ~~법관~~이 결정해야 한다는 원칙이다.
  법률
  ➡ 국민의 대표 기관인 의회가 제정한 법률에 근거해야 한다.

④ 최소한의 인간다운 삶을 보장하는 적극적인 기본권을 실현하기 위한 것이다.
  ➡ 죄형 법정주의는 국민의 자유와 권리를 보장하기 위한 원리로 적극적인 기본권의 실현과는 직접적인 관련이 없다.

⑤ 사회적으로 큰 비난을 받는 행위라면 관습에 의해서라도 처벌할 필요가 있다는 원칙을 포함한다.
  ➡ 죄형 법정주의에 따라 관습에 의한 처벌은 금지된다.

04 죄형 법정주의의 세부 원칙

자료 분석 | 흑염소는 소, 돼지, 말, 양에 해당하지 않기에 흑염소를 도축한 사람을 제시문의 법 규정으로 처벌하려고 하는 것은 유추 해석 금지의 원칙에 위배된다. 유추 해석 금지의 원칙은 법률에 규정이 없는 사항에 대하여 그것과 유사한 성질을 가지는 법 규정을 적용하여 피고인에게 불리하게 처벌해서는 안 된다는 원칙이다.

[선택지 분석]

① 명확성의 원칙
② 적정성의 원칙
③ 소급효 금지의 원칙
④ 관습 형법 금지의 원칙

☑ 유추 해석 금지의 원칙
  ➡ ①, ②, ③, ④는 모두 죄형 법정주의의 내용이지만, 제시문과 관련 없다.

05 범죄의 성립 요건

[선택지 분석]

① 듣지도 말하지도 못하는 사람이 다른 사람의 물건을 훔친 행위는 범죄에 ~~해당하지 않는다.~~
  해당한다.
  ➡ 청각 및 언어 장애인의 행위는 책임 경감의 사유가 되어 범죄는 성립하나 형을 감경한다.

② 술에 취한 사람이 차에 시동을 걸고 운전하려는 것을 말리다 손목을 삐게 한 행인의 행위는 위법성이 ~~있다.~~
  없다.
  ➡ 긴급 피난 또는 정당 행위에 해당하여 위법성이 조각된다.

③ 식사비를 내지 않고 도망간 손님을 길에서 발견하고 붙잡은 음식점 주인의 행위는 구성 요건에 ~~해당하지 않는다.~~
  해당한다.
  ➡ 지구 행위에 해당하여 위법성이 조각된다.

☑ 멧돼지에게 쫓기는 사람이 막다른 골목에서 담을 넘어 다른 사람의 집으로 들어간 행위는 위법성이 조각될 수 있다.
  ➡ 긴급 피난에 해당할 수 있는 사례로 위법성이 조각될 수 있다.

⑤ 점심 식사를 하던 사람이 자신의 지갑을 훔치려는 사람을 막으려다 그에게 경미한 상처를 입힌 행위는 ~~책임~~이 조각된다.
  위법성
  ➡ 정당방위에 해당하여 위법성이 조각된다.

06 범죄의 성립 요건

자료 분석 | (가)는 구성 요건에 해당하지 않아서, (나)는 위법성이 조각되어, (다)는 책임이 조각되어 범죄가 성립하지 않는다. 한편 (라)는 범죄가 성립하는 경우이다.

[선택지 분석]

✗ 종업원이 편의점에서 물건을 훔치고 있는 사람을 붙잡은 행위는 ~~(가)~~에 해당한다.
  (나)
  ➡ (가)는 구성 요건에 해당하지 않는 행위이어야 하는데, 종업원의 행위는 구성 요건에는 해당하나 위법성이 조각되므로 (나)에 해당한다.

Ⓛ (나)와 (다)에 해당하는 행위는 법률로 정해 놓은 범죄 행위의 유형에 해당한다.
  ➡ 위법성이 조각되는 경우나 책임이 조각되는 경우 모두 범죄의 구성 요건에는 해당한다.

✗ 범죄를 저지른 사람이 10세 어린이면 ~~(나)~~에 해당하고,
  (다)
  강요로 범죄를 저지른 사람은 (다)에 해당한다.

ⓔ (가)~(다)는 범죄가 성립하지 않는 경우이고, (라)는 범죄가 성립하는 경우이다.
  ➡ 범죄가 성립하려면 구성 요건 해당성, 위법성, 책임의 요건을 모두 갖추어야 한다. 따라서 (라)는 범죄가 성립하는 경우이다.

07 형벌의 종류

자료 분석 | ⊙은 사형, ⓒ은 징역, ⓒ은 명예형, ⓔ은 자격 상실, ⓜ은 과료이다.

[선택지 분석]

① ⊙은 헌법 재판소의 위헌 판결로 폐지되었다.
➡ 사형은 위헌 판결로 폐지되지는 않았다. 다만 1990년대 후반 이후 형을 집행하지 않고 있다.

✔️ ⓒ은 정역을 부과한다는 점에서 금고와 구분된다.
➡ 징역과 금고는 범죄인을 교도소 내에 가둔다는 점에서 같지만, 징역은 금고와 달리 정역을 부과하게 된다.

③ ⓒ은 행위자의 사회 복귀를 위한 대안적 제재 수단이다.
➡ 명예형은 형벌에 해당한다. 한편 행위자의 사회 복귀를 위한 대안적 제재 수단은 보안 처분이다.

④ ⓔ은 별도의 형 선고가 있어야만 효력이 발생한다.
➡ 자격 상실의 대상은 사형, 무기 징역, 무기 금고를 선고받은 자이며, 형의 효력으로 일정한 자격은 상실된다.

⑤ ⓜ은 과태료 등 행정 질서 의무를 위반했을 때 부과하는 강제금이다.
➡ 과료는 행정 질서를 위반했을 때 받는 벌이 아닌 형벌에 해당한다.

08 보안 처분

자료 분석 | (가)는 보안 처분이다. 보안 처분은 형벌만으로 사회 보호의 목적을 충분히 달성할 수 없거나 형벌 자체를 부과할 수 없는 경우에 내릴 수 있다.

[선택지 분석]

① 형벌과 동시에 선고할 수 있다.

② 대표적으로 보호 관찰과 치료 감호가 있다.
➡ 보안 처분에는 보호 관찰, 치료 감호, 수강 명령, 사회봉사 명령, 성범죄 신상 정보 제도 등이 있다.

③ 법률과 적법한 절차에 의해서만 부과할 수 있다.
➡ 죄형 법정주의 원칙에 따라 법률과 적법한 절차에 의해서만 부과할 수 있다.

④ 위치 추적 전자 장치(이른바 전자 발찌) 부착 명령을 포함한다.

✔️ 행위자에게 범죄 성립 요건인 책임이 인정되어야 부과할 수 있다.
➡ 보안 처분은 행위자에게 책임이 인정되지 않아 범죄가 성립하지 않더라도 부과할 수 있다.

09 죄형 법정주의의 의의

(1) 죄형 법정주의

(2) [예시 답안] 오늘날의 죄형 법정주의는 법률의 내용이 정의에 합치하고 적정할 것을 요구하므로, "적정한 법률이 없으면 범죄도 없고 형벌도 없다."는 의미로 해석된다.

채점 기준	상	"적정한 법률 없으면 범죄 없고 형벌 없다."는 내용을 모두 서술한 경우
	하	죄형 법정주의의 내용을 서술하지 못한 경우

01 형법의 기능

자료 분석 | (가)는 형법의 보호적 기능, (나)는 형법의 보장적 기능이다. 형법은 법익이 범죄에 의해 침해를 당하지 않도록 보호하고, 국가 형벌권의 한계를 규정하여 국민의 자유와 권리를 보장하는 기능을 한다.

[선택지 분석]

✘ (가)의 법익은 개인적 법익을 제외한 사회적 법익만을 의미한다.
➡ 형법의 법익에는 생명, 개인의 신체, 명예, 자유, 재산, 공공의 안전, 신용 등이 있다.

ⓛ (나)는 일반 국민의 인권뿐만 아니라 범죄인의 인권도 보장한다.
➡ 형법은 범죄자에게 형법에 정해진 형사 제재의 범위를 넘는 부당한 처벌을 받지 않도록 보장하므로 '범죄인의 대헌장'이라고 불리기도 한다.

✘ 형법이 범죄 예방을 위해 사법 기관의 재량권을 확대할수록 (나)카 강화된다.
            는 약화된다.

ⓔ 형법이 질서 유지와 사회 안정을 중시할수록 (나)보다 (가)의 기능이 강조된다.
➡ 형법이 질서 유지와 사회 안정을 중시할수록 형법의 보호적 기능이 강조된다.

02 죄형 법정주의의 의의

자료 분석 | 죄형 법정주의는 어떤 행위가 범죄가 되고 그 범죄에 대하여 어떤 처벌을 할 것인가를 의회가 제정한 법률로 미리 규정해 두어야 한다는 원칙이다. 오늘날 실질적 의미의 죄형 법정주의는 범죄의 종류와 형벌의 내용이 미리 성문의 법률에 규정되어 있어야 할뿐 아니라 법률 내용이 정의에 합치하고 적정할 것을 요구한다.

[선택지 분석]

✘ 피고인에게 유리하더라도 유추 해석은 금지되어요.
                                   허용

ⓔ 현대적 의미는 '적정한 법률이 없으면 범죄도 없고 형벌도 없다.'예요.
➡ 현대적 의미의 죄형 법정주의는 실질적 의미의 죄형 법정주의를 의미한다.

병 범죄와 형벌이 미리 성문의 법률에 규정되어 있어야 한다는 원리예요. → 죄형 법정주의

✘ 형벌의 보장적 기능보다는 보호적 기능을 실현하기 위해 필요한 원리예요.
➡ 죄형 법정주의는 형법의 보장적 기능을 위해 필요한 원리이다.

03 죄형 법정주의의 내용

자료 분석 | 제1조는 "형벌 법규의 기본 사상 및 건전한 국민감정에

따라서 형벌에 처할 만한 행위를 범한 자"라는 표현이 모호하므로 **명확성의 원칙**에 어긋난다. 제2조는 법률에 규정이 없는 사항에 대하여 그것과 유사한 성질을 가지는 법 규정을 적용하여 처벌하는 것으로 유추 해석 금지의 원칙에 어긋난다. 부칙은 행위 후에 법률을 제정하여 그 법률로 이전의 행위를 처벌하므로 **소급효 금지의 원칙**에 어긋난다.

[선택지 분석]

㉠ 명확성의 원칙
➡ 제1조는 명확성 원칙에 어긋난다.

㉡ 소급효 금지의 원칙
➡ 부칙은 소급효 금지의 원칙에 어긋난다.

✗ 관습 형법 금지의 원칙
➡ 갑국의 「형법」에서 범죄와 형벌은 국민의 대표 기관인 의회가 제정한 법률에 규정되어야 한다는 관습 형법 금지의 원칙에 어긋나는 조항은 없다.

㉣ 유추 해석 금지의 원칙
➡ 제2조는 유추 해석 금지의 원칙에 어긋난다.

04 범죄의 성립 요건

자료 분석 | 갑의 행위는 긴급 피난, 을의 행위는 정당 행위로 위법성이 조각된다. 이처럼 위법성 조각 사유에 해당하는 행위는 외형적으로 범죄의 구성 요건에 해당한다. 한편 병은 책임이 조각되는 사례이다.

[선택지 분석]

① 갑의 행위는 ~~정당방위~~에 해당한다.
　　　　　　　긴급 피난

② 을의 행위는 ~~자구 행위~~에 해당한다.
　　　　　　　정당 행위

③ 병의 행위는 ~~사회 상규에 어긋나지 않는 행위로 위법성이 조각된다.~~
　　　　　　　　책임이 조각된다.
➡ 형법에서는 14세 미만인 자의 행위, 심신 상실의 상태인 자의 행위, 저항할 수 없는 폭력이나 협박 등에 의하여 강요된 행위 등을 책임 조각 사유로 규정하여 처벌하지 않고 있다.

④ 갑과 을의 행위는 구성 요건에 해당하지만 위법성이 조각된다.
➡ 갑과 을의 행위는 구성 요건에 해당하지만 갑은 긴급 피난, 을은 정당 행위로 위법성이 조각된다.

⑤ 갑, 을과 달리 병의 행위는 범죄의 구성 요건에 해당하지 ~~않는다.~~
　　　　　　　　　　　　　　　　　　　　　　한다.
➡ 갑, 을, 병의 행위는 모두 범죄의 구성 요건에 해당하지만, 갑과 을의 행위는 위법성이 조각되고, 병의 행위는 책임이 조각된다.

05 범죄의 성립 요건

자료 분석 | 어떤 행위가 범죄로 성립하기 위해서는 구성 요건의 해당성, 위법성, 책임의 요건을 갖추어야 한다. 이를 범죄 성립의 3요소라고 하며, 이 중 하나라도 갖추지 못하면 범죄가 성립하지 않는다.

[선택지 분석]

✗ ㉠이 '위법성'이라면, (가)의 사례로는 '심신 상실자가 남의 물건을 훔치는 행위'를 들 수 있다.

➡ '심신 상실자가 남의 물건을 훔치는 행위'는 책임이 조각되는 사례이다.

✗ ㉡이 '책임'이라면, (나)의 사례로는 '자신에게 돌진하는 자동차를 피하는 과정에서 가게 물건을 파손한 행위'를 들 수 있다.

➡ '자신에게 돌진하는 자동차를 피하는 과정에서 가게 물건을 파손한 행위'는 긴급 피난으로 위법성이 조각되는 사례이다.

㉢ 현행 범인을 체포하는 행위가 (가)라면 ㉠은 '위법성'이다.

➡ 현행 범인을 체포하는 행위는 법령에 의한 정당 행위로 위법성이 조각된다. 형사소송법에 '제212조(현행범인의 체포) 현행 범인은 누구든지 영장 없이 체포할 수 있다.'는 규정이 있다.

㉣ 자신의 딸을 인질로 잡고 생명을 위협하는 테러범의 협박에 못 이겨 테러범을 숨겨준 행위가 (나)라면 ㉡은 '책임'이다.

➡ 저항할 수 없는 폭력이나 자신 또는 친족의 생명·신체에 대한 협박으로 강요된 행위는 책임이 조각된다.

06 위법성 조각 사유

자료 분석 | 구성 요건은 위법한 행위를 유형적으로 규정한 것이므로 구성 요건에 해당하는 행위는 원칙적으로 위법하다고 볼 수 있다. 그러나 위법성 조각 사유인 정당방위, 정당 행위, 긴급 피난, 자구 행위, 피해자의 승낙에 해당하거나 형사 미성년자 또는 심신 상실자의 행위, 폭력에 의해 강요된 행위라면, 구성 요건에 해당하는 행위라도 범죄가 성립하지 않는다.

[선택지 분석]

① 8세 어린이가 남의 집에 방화를 한 행위 → 책임 조각

② 아들의 수술비를 마련하고자 은행에서 현금을 훔친 행위
　→ 범죄의 성립

③ 자신의 생명을 위해하는 협박을 받고 법정에서 위증한 행위 → 책임 조각

④ 심적 고통으로 괴로워하던 친구의 간절한 부탁을 받은 후 친구를 안락사시킨 행위 → 범죄의 성립

⑤ 총을 들고 협박하는 은행 강도로부터 자신을 방어하기 위하여 그 강도를 밀쳐 넘어뜨려 상처를 입힌 행위

➡ 자기 또는 타인의 법익에 대한 현재의 부당한 침해를 방위하기 위한 상당한 이유가 있는 행위는 정당방위로 위법성이 조각된다.

07 범죄의 성립 요건

자료 분석 | (가)는 자기 또는 타인의 법익에 대한 현재의 위난을 피하기 위한 상당한 이유가 있는 행위로서 긴급 피난에 해당한다. (나)는 법적 절차에 의하여 청구권을 보전하기 불능한 경우에 그 청구권의 실행 불능 또는 현저한 실행 곤란을 피하기 위한 상당한 이유 있는 행위로 자구 행위에 해당한다. (다)는 자기 또는 타인의 법익에 대한 현재의 부당한 침해를 방지하기 위한 상당한 이유가 있는 행위로 정당방위에 해당한다.

[선택지 분석]

✗ (가)는 현재의 부당한 침해를 방위하기 위한 행위로 ~~정당방위~~에 해당한다.
　　　　　　　　　　　　　　　　　　　긴급 피난

✗ (나)는 현재의 위난을 ~~피하기 위한 상당한 이유가 있는~~
　　　　　　　　　　　자구 행위

행위에 해당한다.

ㄷ (가)와 (다)는 자기뿐만 아니라 타인의 법익을 보호하기 위해서도 가능하다.

ㄹ (가)~(다) 모두 행위의 위법성을 배제하기 위해서는 상당한 이유를 필요로 한다.

08 형벌과 보안 처분

자료 분석 | (가)는 형벌, (나)는 보안 처분이다. 보안 처분 제도는 범죄자의 재범 가능성을 낮추어 범죄로부터 사회를 보호하고, 범죄자를 재사회화하여 사회 복귀를 돕기 위한 대안적 제재 수단이다.

[선택지 분석]

① (카)의 종류로는 치료 감호와 보호 관찰을 들 수 있다.
 (나)
➡ 형벌의 종류로는 생명형(사형), 자유형(징역, 금고, 구류), 명예형(자격 상실, 자격 정지), 재산형(벌금, 과료, 몰수)이 있다. 치료 감호와 보호 관찰은 보안 처분의 종류이다.

② (나)의 종류로는 자격 상실과 과료를 들 수 있다.
 (가)
➡ 보안 처분의 종류로는 보호 관찰, 사회봉사 명령, 치료 감호 등이 있다. 자격 상실과 과료는 형벌의 종류이다.

③ (가)와 달리 (나)는 소급효 금지의 원칙이 적용되지 않는다. ✓
➡ 보안 처분은 형벌이 아니므로 범죄 행위 이후에 범죄자에게 불리하게 제정되거나 개정된 보안 처분 관련 법률을 적용할 수 있으며, 이미 확정 판결을 받은 사람에게도 다시 부과할 수 있다.

④ (가)와 달리 (나)는 법률과 적법한 절차에 의하지 않고도 부과될 수 있다.
 없다.
➡ 형벌뿐만 아니라 보안 처분을 부과할 때에도 법률과 적법한 절차를 거쳐야 한다.

⑤ 법원은 (가)와 (나)를 동시에 선고할 수 없다.
 있다.
➡ 형벌과 보안 처분을 함께 부과할 수 있다.

---

02 형사 절차와 인권 보장

콕콕! 개념 확인하기 175쪽

01 (1) × (2) × (3) × (4) ○ (5) ○
02 (1) 판사 (2) 피의자와 피고인 (3) 피의자와 피고인 (4) 검사
03 (1) 피의자 (2) 보석 (3) 진술 거부권 (4) 무죄, 변호인
04 (1) ㉡ (2) ㉠ (3) ㉢

01 (1) 공소가 제기되어 형사 재판에 회부되면 피의자는 피고인이 된다.
(2) 법원 판결로 형이 확정될 경우 검사의 지휘에 따라 형을 집행한다.
(3) 현행범에게도 무죄 추정의 원칙이 적용된다.

탄탄! 내신 다지기 176~177쪽

01 ③ **02** ④ **03** ④ **04** ③ **05** ④ **06** ⑤ **07** ②
08 ④ **09** ② **10** 해설 참조

01 형사 절차의 이해

[선택지 분석]

① 재판 결과 확정된 형은 판사의 지휘에 따라 집행된다.
 검사

② 공판 과정에서 피고인은 가석방 제도를 통해 구속 상태에서 벗어날 수 있다.
➡ 가석방 제도는 형 집행 단계의 수형자에게 적용된다.

③ 현행 범인이거나 긴급 체포가 필요할 때는 예외적으로 ✓ 영장 없이 체포할 수 있다.
➡ 이 경우에도 사후 영장은 필요하다.

④ 코소는 고소권자 이외의 사람이, 코발은 범죄의 피해자
 고발   고소
가 수사 기관에 대해 범인의 처벌을 구하는 것이다.

⑤ 집행 유예는 형 선고를 미루고 유예를 받은 날로부터 2
 선고 유예
년을 경과한 때에는 면소된 것으로 간주하는 제도이다.

02 국민 참여 재판의 이해

자료 분석 | 제시된 그림은 국민 참여 재판을 나타내고 있다. 국민 참여 재판 제도는 국민이 배심원으로 재판에 참여하는 형사 재판 제도이다. 배심원이 된 국민이 법정 공방을 지켜본 후 피고인의 유무죄에 관한 평결을 내리고 적정한 형을 토의하면, 재판부가 이를 참고하여 판결을 내린다.

[선택지 분석]

① 1심과 2심에서 실시한다.
 1심에서

② 형사 재판과 민사 재판에서 실시한다.
 형사 재판

③ 변호사, 경찰관 등도 배심원이 될 수 있다.
➡ 변호사, 경찰관 등과 같은 일정한 직업을 가진 사람은 배심원이 될 수 없다.

④ 판사는 배심원의 평결과 다르게 판결할 수 있다 ✓

⑤ 19세 이상 대한민국 국민이라면 배심원이 될 수 있다.
 20

03 소년 사건의 이해

자료 분석 | 갑은 10세 미만으로 형사 미성년자가 되어 어떠한 형사적 제재도 받을 수 없다.

[선택지 분석]

① 갑은 소년법상 보호 처분의 대상이다.
➡ 갑은 9세이므로 어떠한 처분도 부과할 수 없다.

② 을은 병과 달라 보호 처분을 받을 수 있다.
 마찬가지로

③ 을과 병은 형사 재판의 피고인이 될 수 있다.
➡ 을은 형벌 법령에 저촉되는 행위를 한 10세 이상 14세 미만의 소년으로 보호 처분만 부과할 수 있다.

☑ 갑, 을과 달리 병에게는 선도 조건부 기소 유예 처분을 내릴 수 있다.

➡ 병은 14세 소년이므로 선도 조건부 기소 유예 처분을 내릴 수 있다. 이 처분은 검사가 기소 유예 결정을 할 때 계속 선도할 필요가 있다고 판단되는 14세 이상 19세 미만인 소년에 대하여 선도 위원회의 선도 등을 조건으로 기소 유예를 결정하는 제도이다.

⑤ 갑~병은 경찰서장이 직접 가정(지방) 법원 소년부에 송_을치한다.

➡ 10세 이상 14세 미만인 을에 대해서만 경찰서장이 직접 관할 법원 소년부에 송치한다.

04 형사 절차의 이해

자료 분석 | (가)는 선고 유예, (나)는 기소 유예, (다)는 집행 유예이다. 선고 유예는 가벼운 범죄를 저지른 초범에 대하여 형의 선고 자체를 미루고 2년 동안 범죄를 저지르지 않으면 면소된 것으로 간주하는 제도이다. 기소 유예는 수사 결과 유죄 판결을 받을 가능성이 크지만, 범인의 연령, 환경, 여러 정황 등을 고려하여 **피의자에 대해 공소를 제기하지 않는 처분**을 말한다. 집행 유예는 형을 선고하면서 일정한 기간 형의 집행을 유예하고, 그 기간 동안 범죄를 저지르지 않으면 **형 선고의 효력을 잃게 하는 제도**이다.

[선택지 분석]

✕ (가)는 (나)와 달리 대상자가 구금되지 않는다.

➡ (가)와 (나) 모두 대상자는 구금되지 않는다.

ⓛ (나)는 검사, (가)와 (다)는 판사에 의해 이루어진다.

➡ 기소 유예는 검사의 처분이고, 선고 유예와 집행 유예는 판사가 내리는 판결이다.

ⓒ (나)와 달리 (가)와 (다)에 대해서는 상소 제도를 활용할 수 있다.

➡ 선고 유예와 집행 유예는 유죄 선고에 해당하며 검사나 피고인은 상소 제도를 활용할 수 있다.

✕ (가)~(다) 모두 피고인이 유죄 판결일 경우 선고한다.

➡ (가)와 (다) 피고인이 유죄 판결일 경우 선고하지만, (나)는 검사가 내리는 처분이다.

05 형사 절차에서의 인권 보장 원칙

자료 분석 | 헌법 제12조 제1항에는 적법 절차의 원칙이 나타나 있고, 제27조 제4항에는 무죄 추정의 원칙이 나타나 있다.

[선택지 분석]

✕ 적법 절차의 원칙에 따라 체포·구속 절차를 위해서는 검사가 발부한 영장이 필요해.
판사

➡ 검사는 판사에게 영장을 청구한다.

ⓛ 적법 절차의 원칙은 죄형 법정주의와 함께 국가의 형벌권 남용을 견제하는 역할을 해.

➡ 형사 절차의 실행은 영장주의와 같은 적절한 법정 절차를 따라야 하며 국가 형벌권을 남용해서는 안 된다.

✕ 1심에서 유죄 판결을 받은 피고인은 2심에서 무죄로 ~~추정되지 않아.~~
추정돼.

➡ 무죄 추정의 원칙은 판결이 확정될 때까지 적용된다.

ⓔ 무죄 추정의 원칙에 따라 수사 기관은 원칙적으로 불구속 수사와 불구속 재판을 해야 해.

06 형사 절차의 이해

자료 분석 | 그림은 갑이 수사 단계에서 겪을 수 있는 경우를 제시한 것이다. 불구속 수사가 원칙이지만 수사상 필요하여 갑을 구속하려면, 검사는 판사에게 구속 영장을 청구하고 판사는 피의자를 직접 심문하여 구속 사유를 판단하며, 이를 구속 영장 실질 심사 제도라고 한다.

[선택지 분석]

① 갑에 대한 수사는 구속 수사가 원칙이다.
불구속

② 갑은 ~~파고안~~ 신분에서 수사를 받고 있다.
피의자

③ 갑이 구속되어야만 검사는 갑을 기소할 수 있다.
구속되지 않아도

④ 갑이 구속되면 구속 적부 심사를 신청할 수 ~~없다.~~
있다.

☑ 갑은 구속되지 않더라도 변호인의 조력을 받을 수 있다.

➡ 구속 여부와 관계없이 피의자와 피고인 모두에게 변호인의 조력을 받을 권리가 있다.

07 형사 절차의 이해

자료 분석 | (가)는 피의자, (나)는 피고인이다. 피의자와 피고인 모두에게 적법 절차의 원칙, 무죄 추정의 원칙, 진술 거부권, 변호인의 조력을 받을 권리가 적용된다.

[선택지 분석]

① 무죄 추정의 원칙은 (가)에만 적용된다.
(가)와 (나) 모두에게

☑ 영장 실질 심사 제도는 (가)에만 적용된다.

➡ 영장 실질 심사 제도는 법관이 피의자를 직접 심문하여 구속 사유가 인정되는지를 판단하는 과정이다.

③ 진술 거부권은 (나)만 행사할 수 있다.
(가)와 (나) 모두

④ 변호인의 조력을 받을 권리는 (나)만 행사할 수 있다.
(가)와 (나) 모두

⑤ 가석방 제도는 (가)와 (나) 모두 활용할 수 ~~있다.~~
없다.

➡ 가석방 제도는 형 집행 단계에서 활용한다.

08 형사 절차의 이해

자료 분석 | 형사 절차는 크게 수사, 공판, 형의 집행 절차로 구분할 수 있다. 수사란 범인을 찾고 증거를 수집하는 수사 기관의 활동을 의미한다. 공소가 제기되면 피의자는 피고인이 되고 공판 절차가 시작된다. 사건에 대하여 피고인의 죄가 인정되면 판사는 유죄 판결을 하고 형을 선고한다.

[선택지 분석]

① (가)로 인해 피고인은 무죄로 추정되지 않는다.

➡ 무죄 추정의 원칙은 수사부터 판결이 확정될 때까지 적용된다.

② (나) 단계에서 피고인은 ~~구속 적부 심사~~를 청구할 수 있다.
보석을

➡ 구속 적부 심사 제도는 기소 전에 피의자가 활용할 수 있는 제도이다.

③ (다)에서 유죄 판결이 나오면 <s>피고인만</s> 상소할 수 있다.
  피고인과 검사는

✔ (가) 이전의 피의자와 (나)에서의 피고인은 모두 진술 거부권을 행사할 수 있다.
  ➡ 진술 거부권은 피의자와 피고인 모두에게 인정되는 권리이다.

⑤ (가)와 <s>(다)</s>는 검사에 의해 이루어진다.
  (가)
  ➡ 판사가 판결을 선고한다.

09 범죄 피해자 보호와 형사 보상

자료 분석 | 갑은 범죄 피해자 구조 제도 또는 배상 명령 제도를 활용할 수 있다. 을은 명예 회복 제도와 형사 보상 제도를 활용할 수 있다.

[선택지 분석]

㉠ 갑은 범죄 피해자 구조 제도를 이용할 수 있다.
  ➡ 타인의 범죄 행위로 피해를 본 사람과 그 가족 등이 범죄 피해의 전부 또는 일부를 배상받지 못하는 경우 범죄 피해자 구조 제도를 통해 국가로부터 피해 구조금을 지원받을 수 있다.

✗ 갑은 형사 보상 제도를 통해 보상받을 수 있다.
  ➡ 형사 보상 제도는 형사 피의자 또는 형사 피고인으로서 구금되었던 사람이 불기소 처분을 받거나 무죄 판결을 받은 때에 국가에 보상을 청구하는 제도이다.

㉢ 을은 명예 회복 제도를 이용할 수 있다.
  ➡ 피고인이 무죄 판결로 재판이 확정된 때에는 본인의 무죄 재판서를 법무부 인터넷 누리집에 게재할 수 있는 명예 회복 제도를 이용할 수도 있다.

✗ 을은 배상 명령 제도를 통해 손해 배상을 받을 수 있다.
  ➡ 배상 명령 제도는 일정한 형사 사건의 피해자가 민사 재판을 거치지 않고도 형사 재판 과정에서 민사적인 손해 배상까지 받을 수 있도록 하는 제도이다.

10 구속 전 피의자 심문 제도

(1) (가): 검사, (나): 판사
(2) [예시 답안] 수사 기관이 개인의 자유를 제한할 때 수사 기관의 판단에 맡기지 않고, 법관의 판단에 따르도록 하여 국민의 인권을 보장하기 위한 것이다.

채점 기준		
상	수사 기관에 대한 사법적인 통제와 국민의 인권 보장 목적을 모두 서술한 경우
중	수사 기관에 대한 사법적인 통제와 국민의 인권 보장 목적 중 한 가지만 서술한 경우
하	수사 기관에 대한 사법적인 통제와 국민의 인권 보장 목적을 모두 서술하지 못한 경우

도전! 실력 올리기   178~179쪽

01 ⑤   **02** ③   **03** ②   **04** ②   **05** ⑤   **06** ③   **07** ②
08 ②

---

01 형사 절차의 이해

자료 분석 | 갑은 수사 단계에서 구속 상태에서 벗어나기 위해 **구속 적부 심사 제도**를 활용할 수 있다. 을은 재판 진행 중이므로 구속 상태에서 벗어나기 위해 **보석 제도**를 활용할 수 있다. 병은 1심에서 무죄 판결을 받아 석방되었고 **일정 기간 내에 항소가 없다면 무죄 판결이 확정**된다.

[선택지 분석]

✗ 갑이 한 자백은 진술 거부권을 고지받지 못한 상태에서 했어도 증거로서 효력이 <s>있다.</s>
  없다.

✗ 법원은 을의 범죄가 경미하다는 이유로 불기소 처분을 선고할 수 <s>있다.</s> → 불기소 처분은 검사의 권한
  없다.

㉢ 병의 형사 재판에서 피해자는 소송의 당사자가 될 수 없다.
  ➡ 형사 재판에서 소송의 당사자는 검사와 피고인이다.

㉣ 갑은 을과 달리 구속 적부 심사 청구를 할 수 있다.
  ➡ 구속 적부 심사는 피의자 단계에서 청구할 수 있다.

02 형사 절차에서의 인권 보장 제도

자료 분석 | A는 구속 전 피의자 심문, B는 구속 적부 심사이다. 구속 전 피의자 심문 제도는 검사로부터 구속 영장의 청구를 받은 판사가 피의자를 직접 심문하여 구속 사유를 판단하는 것으로 구속 영장 실질 심사 제도라고도 한다. 한편, 구속 영장이 발부되어 피의자가 구속되더라도 피의자는 구속 절차의 적법성과 필요성을 심사하여 자신을 석방해 줄 것을 법원에 신청할 수 있는데, 이를 구속 적부 심사 제도라고 한다.

[선택지 분석]

① A는 고소 또는 고발이 있어야만 실시된다.
  ➡ 구속 전 피의자 심문 제도와 고소 및 고발은 관련 없다.

② A는 검사, B는 판사가 심사한다.
  ➡ 구속 전 피의자 심문 제도와 구속 적부 심사 제도 모두 판사가 심사한다.

③ ✔ B의 청구가 인용되면 피의자는 ㉡ 상태로 수사를 받게 된다.
  ➡ 구속 적부 심사 청구에서 피의자의 청구가 인용되면 피의자는 석방된다.

④ ㉡ 상태였던 피의자가 ㉢을 받으면 형사 보상을 청구할 수 있다.
  ➡ 미결 구금된 형사 피의자가 불기소 처분을 받거나, 미결 구금되었던 피고인이 무죄 판결을 받은 경우 형사 보상을 청구할 수 있다.

⑤ 범죄가 경미하면 법원은 ㉢을 선고할 수 있다.
  ➡ 불기소 처분은 검사의 권한이다.

03 소년 사건의 이해

자료 분석 | 갑은 일반 법원에 공소가 제기될 수도 있고 가정 법원 소년부에 송치될 수도 있다는 점에서 **14세 이상 19세 미만 소년**임

을 알 수 있다. 검사가 14세 이상 19세 미만 소년을 수사하여 벌금 이하의 형에 해당하는 범죄를 행했거나 보호 처분에 해당하는 사유가 인정되면 그 소년을 가정(지방) 법원 소년부로 송치한다. 그렇지 않으면 선도 조건부 기소 유예 처분을 내리거나 기소하여 일반 법원에서 성인과 같은 재판을 받게 한다.

[선택지 분석]

① 갑은 ~~14세 미만~~의 소년이다.
14세 이상 19세 미만

✅ (가) 이후에도 갑은 진술 거부권, 변호인의 조력을 받을 권리를 가진다.

➡ 미성년자도 성인과 마찬가지로 기소되더라도 진술 거부권, 변호인의 조력을 받을 권리가 있다.

③ (나)에서 갑이 소년원 송치 처분을 받으면 전과로 기록된다.

➡ 보호 처분에는 보호자인 부모가 소년을 돌보도록 하는 것부터 보호 관찰, 소년원에 보내는 것 등이 있으며 보호 처분을 받게 되더라도 전과로 기록되지 않는다.

④ (다) 이후 갑은 형사 보상을 청구할 수 ~~있다~~.
없다.

➡ 선도 조건부 기소 유예 처분은 무죄 취지의 불기소 처분이 아니므로 갑은 형사 보상을 청구할 수 없다. 또한 갑이 구속되었는지 여부도 알 수 없다.

⑤ (가)와 (나)에서 갑이 무죄 판결을 받을 경우 검사는 항소할 수 있다.

➡ 가정 법원 소년부는 형사 재판을 담당하는 곳이 아니므로 무죄 판결을 선고하지 않는다.

04 형사 절차의 이해

자료 분석 | 갑은 유죄가 인정되어 징역 8개월을 선고받았으나 형 집행을 2년간 유예받았으므로 그 기간 동안 별도의 범죄를 저지르지 않으면 형 선고의 효력이 상실된다. 또한 사회봉사와 수강 명령 등 보안 처분도 함께 부과받았다.

[선택지 분석]

① 갑은 형사 보상을 청구할 수 ~~있다~~.
없다.

➡ 갑은 유죄 판결을 받았으므로 형사 보상을 청구할 수 없다.

✅ 검사는 갑의 범죄 사실을 재판에서 입증하였다.

➡ 재판 과정에서 검사는 국가를 대표하여 피고인의 범죄를 증명하는 자료와 논거를 제시하고, 피고인은 자신의 처지에서 검사의 주장을 반박하게 된다. 검사는 갑의 범죄 사실을 재판에서 입증하여 갑은 유죄 판결을 받게 되었다.

③ 갑에게는 책임이 인정되지 않아 보안 처분이 부과되었다.

➡ 갑은 유죄 판결과 함께 보안 처분이 부과되었다.

④ 갑이 ~~16개월~~ 동안 범죄를 저지르지 않으면 형 선고의
2년

효력이 상실된다.

⑤ 법원은 갑에게 유예 기간 동안 죄를 짓지 않으면 면소된 것으로 간주하는 제도를 선고하였다.

➡ 유예 기간 동안 죄를 짓지 않으면 면소된 것으로 간주되는 제도는 선고 유예이다. 갑은 형을 선고를 받았으므로 선고 유예와는 무관하다.

05 구속 적부 심사 제도의 이해

자료 분석 | 갑은 구속 적부 심사를 청구하고 있다. 이 신청을 받은 법원은 구금 조치가 온당한지 판단하여 부당하다면 피의자를 석방하고, 타당하다면 피의자의 청구를 기각한다.

[선택지 분석]

① 기소 이후에 활용할 수 ~~있다~~.
없다.

➡ 구속 적부 심사는 피의자 단계에서 활용할 수 있다.

② ~~수사 기관~~에 제출하는 문서이다.
법원

③ 갑이 석방되면 형사 보상을 받는다.

➡ 제시된 문서로는 알 수 없는 내용이다.

④ ~~영장 실질 심사~~를 요청하는 문서이다.
구속 적부 심사

✅ 구금 조치가 온당하다고 여겨지면 갑의 청구는 기각된다.

➡ 구속 적부 심사 신청을 받은 법원은 구금 조치가 온당한지 판단하여 결정을 내린다. 만약 부당하다면 피의자를 석방하고, 타당하다면 피의자의 청구를 기각한다.

06 형사 절차의 이해

자료 분석 | 갑은 구속 수사를 받은 후 기소 전에 석방되었으므로 구속 적부 심사 제도를 활용해 석방된 것을 추론할 수 있다. 국민 참여 재판이란 국민이 배심원으로서 참여하는 형사 재판을 말한다.

[선택지 분석]

① (가) 단계에서 갑은 ~~검사~~가 발부한 영장에 의해 구속되
판사

었다.

② (나) 단계에서 갑은 ~~가석방~~ 제도를 활용하였다.
구속 적부 심사

✅ (다) 이후 검사와 갑은 형사 재판의 당사자가 된다.

➡ 형사 재판의 당사자는 검사와 피고인이다.

④ (라)에서 배심원들이 만장일치로 결정을 내리면 법원은 이와 반대되는 판결을 선고할 수 ~~없다~~.
있다.

➡ 국민 참여 재판에서 배심원의 평결과 양형에 관한 의견은 법원의 판결을 기속하지 못한다.

⑤ (마) 단계 이후 판결이 확정되었다면 ~~판사~~의 지휘에 따
검사

라 형이 집행된다.

07 형사 절차에서의 인권 보장 원칙

자료 분석 | 갑은 불구속 상태에서 수사를 받았고 불기소 처분을 받았다. 을은 구속 상태에서 수사를 받았고 불기소 처분을 받았다. 병은 불구속 상태에서 수사를 받고 기소되었지만 무죄 판결을 받았다. 정은 구속 상태에서 수사를 받고 기소되었지만 유죄 판결을 받았다.

[선택지 분석]

ㄱ 정의 유죄 판결이 확정되면 검사 지휘에 따라 형이 집행된다.

➡ 유죄 판결의 집행은 검사의 지휘에 따라 행해진다.

✗ 을과 정은 법원에 형사 보상을 청구할 수 있다.

➡ 정은 유죄 판결을 받았기 때문에 형사 보상을 청구할 수 없다.

ⓒ 병과 정의 판결에 대해서 검사는 항소할 수 있다.

➡ 병은 무죄 판결을, 정은 유죄 판결을 받았다. 유·무죄 판결에 상관없이 검사는 1심 판결에 대해 상급 법원에 항소할 수 있다.

✗ 을, 정과 달리 갑, 병에게는 무죄 추정의 원칙이 적용
　　　　　　　　　갑~정 모두에게
되었다.

08 범죄 피해자 보호와 형사 보상

자료 분석 | 갑은 배상 명령 제도를 활용할 수 있다. 이는 범죄 피해자가 형사 재판에서 간편하게 민사상 손해 배상까지 받을 수 있도록 하는 제도로 일정한 사건의 형사 재판에서 인정된다.

[선택지 분석]

ⓒ 특정 형사 사건의 피해자만 활용할 수 있다.

✗ 재판 과정에서 훼손된 본인의 명예를 회복하기 위한 제도이다. → 명예 회복 제도

ⓒ 법원이 민사적 손해 배상 명령까지 내릴 수 있도록 한 제도이다.

➡ 배상 명령 제도는 피해자가 신속하고 간편하게 피해 보상을 받을 수 있도록 하는 것으로 일정한 사건의 형사 재판에서 인정된다. 배상 명령을 신청할 수 있는 형사 사건은 상해, 과실 치상, 절도나 강도, 사기·공갈, 횡령·배임, 손괴, 강간·추행 등에 한정된다.

✗ 국가로부터 일정한 한도의 구조금을 지급 받을 수 있는 제도이다. → 범죄 피해자 구조 제도

03 ～ 근로자의 권리 보호

콕콕! 개념 확인하기
185쪽

01 (1) 근로 기준법 (2) 최저 임금
02 (1) ✗ (2) ✗ (3) ○ (4) ✗
03 (1) 부당 해고 (2) 부당 노동 행위 (3) 민사 (4) 노동조합
　　 (5) 지방 노동 위원회, 중앙 노동 위원회, 행정
04 (1) 15 (2) 적용된다. (3) 본인 (4) 7, 35, 5

02 (1) 근로 시간이 8시간인 경우에는 1시간 이상의 휴게 시간이 있어야 한다.
　(2) 사용자는 근로자에게 최저 임금 이상의 임금을 지급하여야 한다.
　(4) 성인 근로자가 합의한다면 1주일에 최대 12시간까지 근로 시간을 연장할 수 있다.

탄탄! 내신 다지기
186~187쪽

01 ③　**02** ③　**03** ③　**04** ①　**05** ③　**06** ④　**07** ③
08 해설 참조

01 근로 3권의 이해

[선택지 분석]

① 단결권은 사용자에게도 인정되는 권리이다.
　　　　　　　근로자에게

② 회사 경영에 관여할 목적으로 단체 행동권을 행사하는 것은 정당하다.
　　　　　　　정당하지 않다.

③ 단체 행동권을 행사할 때 폭력 행위와 같은 단체 행동은 금지된다. → 폭력 또는 파괴 행위와 같은 형태의 쟁의 행위는 금지됨

④ 노동조합의 정당한 쟁의 행위에 대해서는 민형사상 책임을 질 수 있다.
　　　　책임이 면제된다.

⑤ 사용자는 경영상의 이유가 있다면 정당한 사유 없이 단체 교섭을 거부할 수 있다.
　　　　　　　　　　　　　　　　없다.

➡ 노동조합과 사용자에게는 단체 교섭에 성실하게 임할 의무가 부여된다.

02 근로자의 권리

자료 분석 | 근로 계약을 체결할 때에는 임금, 근로 시간, 휴일, 연차 유급 휴가 기타 근로 조건(장소와 업무, 취업 규칙 중에 꼭 필요한 기재 사항 등)이 명시되어야 한다.

[선택지 분석]

✗ ㉠의 내용 중 ㉤의 기준에 미치지 못하는 부분이 있다면 ㉠ 전체는 무효가 된다.

➡ 근로 계약서의 내용 중 근로 기준법의 기준에 미치지 못하는 부분이 있다면 그 부분만 무효가 된다.

ⓒ ㉡은 성인의 경우 1주일에 40시간을 초과할 수 없으나 당사자 간에 합의하면 1주일에 12시간까지 연장할 수 있다.

ⓒ ㉢은 통화(通貨)로 매월 1회 이상 일정한 날짜에 직접 근로자에게 전액을 지급해야 한다.

✗ ㉣은 근로 시간이 4시간인 경우에는 10분 이상, 8시간
　　　　　　　　　　　　　　　　　　　　　　30분
인 경우에는 30분 이상을 제공해야 한다.
　　　　　　1시간

03 근로자의 권리

자료 분석 | 갑은 하루에 8시간 이상 근무하므로 1시간 이상의 휴게 시간이 있어야 하는데, 30분밖에 받지 못하고 있다. 을은 최저 시급 이상의 임금을 매월 일정한 날짜에 지급 받아야 하는데, 최저 시급 이하의 임금을 3개월에 한 번씩 받고 있다.

[선택지 분석]

✗ 갑의 근로 시간이 근로 기준법에 위반되어 근로 계약 전체가 무효이다.
　　중 그 부분만

ⓒ 갑은 사용자에게 근로 시간 도중에 30분의 휴게 시간을 추가로 요구할 수 있다.

➡ 8시간 이상 근로 시 최소 1시간 휴게 시간 보장

ⓒ 을에 대한 임금 지급 방법은 근로 기준법의 내용에 위배된다.

➡ 임금은 매월 일정한 날짜에 통화 형태로 근로자에게 직접 전액을 지불해야 한다.

✘ 을은 최저 임금보다 낮은 임금을 받고 있지만 계약서를 체결하였으므로 계약은 유효하다.

➡ 최저 임금 이상을 지급해야 한다는 근로 기준법에 위반되므로 계약서의 임금 관련 조항은 무효하다.

04 근로자의 권리 침해와 구제

[선택지 분석]

✔ 부당 해고와 부당 노동 행위는 「근로 기준법」에서 규제
　　　　　　　　　　　　　　노동조합 및 노동관계 조정법
하고 있다.

➡ 「노동조합 및 노동관계 조정법」은 근로 3권을 구체적으로 보장하고 있다. 특히 근로자의 노동조합 가입, 조직, 활동 등을 이유로 근로자를 해고하거나 근로자에게 불이익을 주는 행위 등 근로 3권의 행사를 방해하는 사용자의 행위를 부당 노동 행위로 규정하여 금지하고 있다.

② 사용자가 근로자를 해고하려면 적어도 30일 전에 예고해야 한다.

➡ 30일 전에 예고하지 아니하였을 때는 30일분 이상의 통상 임금을 지급해야 한다.

③ 근로자에 대한 해고는 해고 사유와 해고 시기를 서면으로 통지해야 효력이 있다.

④ 근로 3권의 행사를 방해하는 사용자의 행위는 부당 노동 행위에 해당하고 법으로 금지하고 있다.

⑤ 근로자의 노동조합 가입, 조직, 활동 등을 이유로 근로자를 해고하거나 근로자에게 불이익을 주는 행위는 부당 노동 행위이다.

05 근로관계 종료의 이해

자료 분석ㅣ A는 퇴직, B는 해고이다. 근로관계의 종료 사유는 크게 퇴직과 해고로 구분된다. 퇴직은 근로자의 의사로 자유롭게 할 수 있으나, 해고는 사용자의 일방적인 의사로 근로관계를 종료하는 것이어서 엄격한 제한이 뒤따른다. 즉, 사용자는 정당한 사유 없이 근로자를 해고할 수 없고, 해고가 불가피한 경우라면 합리적이고 공정한 기준으로 해고 대상자를 정해야 한다. 이와 같은 요건과 절차를 하나라도 갖추지 못한 사용자의 해고는 부당 해고가 된다.

[선택지 분석]

✘ A와 B는 사용자와 근로자가 합의해야만 효력이 발생
　　　　　　　　　　　　　　　합의가 없어도
한다.

➡ 퇴직은 근로자의 자유로운 의사로 이루어지며, 해고는 사용자의 일방적인 의사로 이루어진다.

ㄴ ㉠을 위반하면 근로자는 노동 위원회에 구제를 신청할 수 있다.

➡ 정당한 해고의 요건을 하나라도 갖추지 못하면 부당 해고에 해당한다. 부당 해고를 당한 근로자는 노동 위원회에 구제를 신청할 수 있다.

ㄷ ㉠에는 사유와 시기를 서면으로 통지해야 한다는 내용이 있다.

➡ 해고의 사유와 시기를 근로자에게 서면으로 통지하지 않으면 그 해고는 효력이 없다.

✘ 근로자의 중대한 잘못은 A의 사유에는 해당하나 B의 사유에는 해당하지 않는다.

➡ 근로자의 중대한 잘못은 정당한 해고의 사유가 될 수 있다.

06 근로자의 권리 침해와 구제

자료 분석ㅣ (가)에는 부당 해고와 부당 노동 행위가 들어갈 수 있다. 사용자로부터 부당 해고를 당한 근로자나 사용자의 부당 노동 행위로 권리를 침해당한 근로자 또는 노동조합은 노동 위원회를 통해 구제를 받을 수 있다. 지방 노동 위원회에 구제 신청을 하였으나 구제를 받지 못한 경우에는 중앙 노동 위원회에 재심을 신청할 수 있다. 중앙 노동 위원회의 재심 판정에 불복하는 경우에는 법원에 행정 소송을 제기할 수 있다.

[선택지 분석]

✘ (가)에는 '부당 노동 행위'만 들어갈 수 있다.
　　　　　　　부당 해고와 부당 노동 행위가

ㄴ (가)가 '부당 노동 행위'이면 노동조합도 피해에 대한 구제를 신청할 수 있다.

➡ 부당 노동 행위에 대해서는 노동조합도 노동 위원회에 구제 신청을 할 수 있다.

✘ 근로자는 노동 위원회를 거치지 않고 행정 법원에 바로 소송을 제기할 수 있다.
　　　　　　　　　　　　　　　　　없다.

➡ 행정 소송은 행정청의 처분이 있어야만 가능하다.

ㄹ 중앙 노동 위원회의 재심 결정에 대해서는 근로자와 사용자 모두 불복할 수 있다. → 행정 소송 제기 가능

07 청소년 근로자의 권리 보호

자료 분석ㅣ 근로 기준법상 연소 근로자는 15세 이상 18세 미만의 미성년자를 말한다. 연소 근로자는 근로자 중에서도 보호를 받아야 하는 약자이므로 이들의 근로는 헌법과 근로 기준법으로 특별히 보호한다.

[선택지 분석]

① 휴게 시간은 근로 시간 도중에 주어야 해요.

➡ 휴일, 휴식 시간, 최저 임금 등은 성인 근로자에게 적용되는 기준이 연소 근로자에게도 똑같이 적용된다. 따라서 휴게 시간은 근로 시간 중에 확보되어야 하며, 근로 시간이 4시간일 때에는 30분 이상, 8시간일 때에는 1시간 이상 주어져야 한다.

② 성인과 동등한 지위에서 계약을 체결할 수 있어요.

➡ 근로 조건은 근로자와 사용자가 자유의사에 따라 결정해야 하며 청소년도 성인과 동등한 지위에서 계약을 체결한다.

③ 합의해도 일주일에 35시간을 초과하여 일할 수 없어요.

➡ 연소 근로자는 사용자와 합의할 경우 일주일에 5시간을 연장 근로할 수 있으므로 일주일에 총 40시간 이내에서 일할 수 있다.

④ 임금을 받지 못하는 경우에는 지방 고용 노동 관서 또는 근로 감독관에게 신고할 수 있어요.

➡ 고용과 관련하여 부당한 일을 당했을 때에는 고용 노동부나 지방 노동 사무소 또는 청소년 보호 단체 등의 기관을 통해서 보호 및 구제를 받을 수 있다.

⑤ 근로 계약을 체결할 때에는 근로 조건을 근로 계약서에 서면으로 명시하여 교부받아야 해요.

➡ 사용자는 근로 계약을 체결할 때 임금, 근로 시간, 휴일 등의 사항을 명시하여 서면으로 작성하고 교부해야 한다.

08 근로자 권리의 침해와 구제

(1) 노동 위원회

(2) [예시 답안] 부당 해고에 대해서는 노동 위원회를 통한 구제와 별도로 민사 소송을 제기하여 해고의 무효를 확인하고 구제받을 수 있다. 또 부당 해고의 경우 해고 당사자인 근로자만이 노동 위원회에 구제 신청을 할 수 있지만, 부당 노동 행위에 대해서는 노동조합도 노동 위원회에 구제 신청을 할 수 있다

채점기준		
상	부당 해고의 구제 절차와 부당 노동 행위의 차이점, 부당 노동 행위의 구제 절차와 부당 해고의 차이점을 모두 서술한 경우	
중	부당 해고의 구제 절차와 부당 노동 행위의 차이점, 부당 노동 행위의 구제 절차와 부당 해고의 차이점 중 하나만 서술한 경우	
하	부당 해고의 구제 절차와 부당 노동 행위의 차이점, 부당 노동 행위의 구제 절차와 부당 해고의 차이점을 모두 서술하지 못한 경우	

도전! 실력 올리기
188~189쪽

01 ③ **02** ① **03** ③ **04** ④ **05** ① **06** ② **07** ⑤
08 ④

01 노동법의 이해

자료 분석 | 노동법은 사회법의 한 종류로, 근로관계를 규율하는 법이다. 근대 시민 사회에서 등장한 시민법이 자유주의, 개인주의, 형식적 평등을 강조한 것에 비해 사회법은 실질적 평등을 추구하며 적극 국가 실현을 주요 원리로 한다.

[선택지 분석]

① 단체권, 단체 교섭권, 단체 행동권을 포함한다.
➡ 노동조합 및 노동관계 조정법에 있는 근로 3권(단체권, 단체 교섭권, 단체 행동권)이다.

② 근로 기준법, 노동조합 및 노동관계 조정법 등이 있다.
➡ 대표적인 노동법으로는 근로 기준법, 최저 임금법, 노동조합 및 노동관계 조정법이 있다.

③ 자유주의, 개인주의, 형식적 평등을 추구하는 법 영역
   적극 국가, 실질적 평등
이다. → 시민법에 대한 설명

④ 개인 간의 노동 계약에 국가가 개입하여 계약 자유의 원칙을 수정 또는 제한한다.

⑤ 사회법의 한 종류로 근대 자본주의 발전 과정에서 나타난 문제점을 해결하고자 한다.

➡ 노동법은 빈익빈 부익부 현상, 노사 간 대립 등을 해결하고자 등장하였다.

02 근로자의 권리

자료 분석 | 근로 계약은 임금, 근로 시간, 휴일, 휴가, 퇴직, 수당 등 각종 근로 조건을 그 내용으로 한다. 근로 기준법은 법으로 정한 기준에 따라 근로 조건을 정하도록 하고, 법에 정한 기준에 못 미치는 근로 조건은 무효로 하고 있다.

[선택지 분석]

㉠ ㉠에는 휴게 시간 1시간이 포함되어야 한다.
➡ 근로 시간이 4시간인 경우에는 30분 이상, 8시간인 경우에는 1시간 이상의 휴게 시간이 있어야 한다.

㉡ ㉡에 매월 1회 이상 일정한 날짜에 통화의 형태로 지급한다는 내용이 추가되어야 한다.
➡ 임금은 법정 최저 임금 이상이어야 하며, 근로자에게 직접 매월 1회 이상 일정한 날짜를 지정하여 지급하여야 한다.

✗ 갑과 을이 합의하면 1주 8시간 이내에서만 연장 근로
                          12시간
가 가능하다.

✗ 근로 계약서에는 노동조합 가입과 관련한 내용이 반드시 포함되어야 한다.
                              포함되지 않아도 된다.
➡ 노동조합 가입과 관련한 내용은 근로 계약서의 필수 기재 내용이 아니다.

03 근로자의 권리

자료 분석 | 사업주와 종업원의 근로 계약과 관련된 내용이다. 사용자는 임금, 근로 시간, 휴일, 연차 유급 휴가, 업무에 관한 사항 등을 서면으로 작성하여 근로 계약을 맺어야 한다.

[선택지 분석]

✗ ㉠은 1일에 7시간, 1주일에 35시간을 초과할 수 없다.
➡ 근로 시간은 원칙적으로 1일 8시간, 1주 40시간을 초과할 수 없다. 단, 당사자 간에 합의하면 1주일에 12시간까지 연장할 수 있다.

㉡ ㉡은 사용자가 근로자에게 직접 통화(通貨)로 지급해야 한다.
➡ 임금은 통화(通貨)로 매월 1회 이상 일정한 날짜에 직접 근로자에게 전액을 지급해야 한다.

㉢ 근로 계약서에 부당 노동 행위에 해당하는 내용이 있다.
➡ 근로자가 노동조합에 가입하지 않을 것 또는 노동조합에서 탈퇴할 것을 고용 조건으로 하는 근로 계약은 황견 계약으로 부당 노동 행위에 해당한다.

✗ 근로자는 계약서상 명시된 금액보다 많은 임금을 사용자에게 요구할 수 없다.
                                      있다.
➡ 사용자는 최저 임금 이상으로 지급해야 한다.

04 근로자 권리의 침해와 구제

자료 분석 | 갑의 사례는 정당한 해고의 요건을 갖추지 못한 부당 해고에 해당하는 사례이다. 을의 사례는 근로자의 노동조합 가입, 조직, 활동 등을 이유로 근로자를 해고하였으므로 부당 노동 행위

와 부당 해고에 모두 해당한다.

[선택지 분석]

✗ 갑은 부당 노동 행위로 인해 근로 3권을 침해당했다.
　　　　　　　　　부당 해고를 당하였다.

ⓛ 갑은 노동 위원회를 거치지 않고 법원에 해고 무효 확인 소송을 제기할 수 있다.

➡ 부당 해고에 대해서는 노동 위원회를 통한 구제와 별도로 민사 소송을 제기하여 해고의 무효를 확인받아 구제받을 수도 있다.

✗ 을 회사의 노동조합은 노동 위원회에 을에 대한 구제 신청을 할 수 없다.
　　　　　　　　　　　　　　　　　있다.

➡ 부당 노동 행위에 대해서는 당사자인 근로자뿐 아니라 노동조합도 노동 위원회에 구제 신청을 할 수 있다.

㉣ 을이 노동 위원회의 구제 절차를 거친 후 제기한 행정 소송은 3심제가 적용된다.

➡ 중앙 노동 위원회의 재심 판정에 불복하는 경우에는 법원에 행정 소송을 제기할 수 있고 행정 소송은 3심제가 적용된다.

05 근로자 권리의 침해와 구제

자료 분석 | 사용자로부터 부당 해고를 당한 근로자나 사용자의 부당 노동 행위로 권리의 침해를 당한 근로자 또는 노동조합은 노동 위원회를 통해 구제를 받을 수 있다. 지방 노동 위원회에 구제 신청을 하였으나 구제를 받지 못한 경우에는 중앙 노동 위원회에 재심을 신청할 수 있다. 중앙 노동 위원회의 재심 판정에 불복하는 경우에는 법원에 행정 소송을 제기할 수 있다.

[선택지 분석]

㉠ 노동조합에 가입했다는 이유로 근로자에게 불이익을 주는 행위는 ㉠의 사례에 해당한다.

➡ 근로자의 노동조합 가입, 조직, 활동 등을 이유로 근로자를 해고하거나 근로자에게 불이익을 주는 행위, 근로자가 노동조합에 가입하지 아니할 것 또는 탈퇴할 것을 고용 조건으로 하거나 특정한 노동조합의 조합원이 될 것을 고용 조건으로 하는 행위, 노동조합과의 단체 교섭을 정당한 이유 없이 거부하는 행위 등은 부당 노동 행위에 해당한다.

㉡ ㉡의 경우 ㉠과 달리 노동조합은 ㉢에 구제 신청을 할 수 있다.

➡ 부당 해고의 경우 해고 당사자인 근로자만이 노동 위원회에 구제 신청을 할 수 있지만, 부당 노동 행위에 대해서는 노동조합도 노동 위원회에 구제 신청을 할 수 있다.

✗ ㉢과 ㉣을 거쳐야 근로자는 해고 무효 확인 소송을 청
　　　　　거치지 않아도
구할 수 있다.

➡ 해고 무효 확인 소송은 민사 소송이다.

✗ ㉤은 3심제가 적용되는 민사 소송으로, 재심 결정 후
　　　　　　　　　　　　행정 소송
15일 이내에 제기할 수 있다.

06 근로자 권리의 침해와 구제

자료 분석 | A 회사의 사용자는 갑에게 부당 노동 행위를 행하였고, 갑은 이에 대해 구제 절차를 신청하려 한다. B 회사의 사용자는 을

을 해고하였으나 을은 이를 부당 해고라고 여겨 구제 절차를 진행하려 하고 있다.

[선택지 분석]

㉠ A 회사의 노동조합도 노동 위원회에 갑에 대한 구제 신청을 할 수 있다.

➡ 부당 노동 행위에 대해서는 노동조합도 노동 위원회에 구제 신청을 할 수 있다.

✗ 위의 구제 절차와 별도로 A 회사의 노동조합은 갑에 대한 해고 무효 확인 소송을 제기할 수 있다.

➡ 갑의 경우 해고를 당한 사례가 아니다.

㉢ 을은 중앙 노동 위원회를 거쳐야만 법원에 행정 소송을 제기할 수 있다.

➡ 중앙 노동 위원회의 재심 판정에 불복하는 경우에 법원에 행정 소송을 제기할 수 있다.

✗ 갑과 을은 모두 사용자의 부당 노동 행위로 인한 피해를 구제받고자 한다.

➡ 갑은 부당 노동 행위, 을은 부당 해고로 인한 피해를 구제받고자 한다.

07 청소년 근로자의 권리 보호

자료 분석 | 근로 기준법상 연소 근로자는 15세 이상 18세 미만의 미성년자를 말한다. 연소 근로자는 근로자 중에서도 보호를 받아야 하는 약자이므로 이들의 근로는 성인과 구별하여 헌법과 근로 기준법에 따라 특별히 보호한다.

[선택지 분석]

① 근로 기준법이 적용된다.

➡ 성인과 연소 근로자 모두 근로 기준법이 적용된다.

② 최저 임금 제도가 적용된다.

➡ 성인과 연소 근로자 모두 최저 임금 제도가 적용된다.

③ 임금을 직접 청구할 수 있다.

➡ 성인과 연소 근로자 모두 임금을 직접 청구할 수 있다.

④ 근로 계약을 법정 대리인이 체결할 수 있다.

➡ 연소 근로자 본인이 직접 근로 계약을 체결해야 한다.

⑤ 도덕상 또는 보건상 유해하거나 위험한 사업에 근무할 수 없다.

➡ 청소년은 청소년 유해 업소나 청소년 고용 금지 업소에서 일할 수 없다.

08 청소년 근로자의 권리 보호

자료 분석 | 사용자는 18세 미만인 청소년을 고용하는 경우 청소년의 나이를 증명하는 가족 관계 증명 서류와 부모(친권자 또는 후견인)의 동의서를 받아 사업장에 갖추어 두어야 한다. 취직 인허증이란 취직이 금지된 13세 이상 15세 미만인 사람의 취직을 고용 노동부 장관이 인정하고 허가해 주는 증명서이다.

[선택지 분석]

① A는 B의 근로 계약을 대리하여 체결할 수 없다.

➡ 연소 근로자의 근로 계약은 법정 대리인의 동의를 받아 본인이 직접 체결하여야 한다.

② B는 18세 미만일 것이다.

➡ 취업 동의서는 15세 이상 18세 미만의 미성년자인 연소 근로자가 근로 계약을 체결할 때 필요한 서류이다.

③ 근로 계약을 체결한 후 B는 A의 동의가 없어도 C에게 임금을 청구할 수 있다.

➡ 연소 근로자는 독자적으로 임금을 청구할 수 있다.

✔ B가 ○○ 대형 마트에서 일하기 위해서는 고용 노동부 장관이 발급한 취직 인허증이 별도로 필요하다.

➡ 취직 인허증은 취업이 금지된 15세 미만의 청소년에게 고용 노동부 장관이 인정해주는 증명서지만, B가 15세 미만인지 여부는 알 수 없다.

⑤ C는 ⊙을 사업장에 비치하여야 한다.

➡ 연소 근로자를 고용하는 사업장에서는 취업 동의서와 연령을 증명하는 증빙 서류를 사업장에 비치해 두어야 한다.

한번에 끝내는 대단원 문제   192~195쪽

01 ⑤   02 ②   03 ⑤   04 ②   05 ④   06 ⑤   07 ②
08 ①   09 ⑤   10 ④   11 ④   12 ③
13 ~ 16 해설 참조

---

01 죄형 법정주의의 이해

자료 분석 | 죄형 법정주의는 어떤 행위가 범죄가 되고 그 범죄에 대해 어떤 처벌을 할 것인지가 성문의 법률에 미리 규정되어 있어야 한다는 원칙이다. ⓒ은 유추 해석 금지의 원칙이다.

[선택지 분석]

✘ ⊙은 범죄와 달리 형벌의 내용은 명확하게 규정되어야 함을 강조한다.

✘ ⓒ은 행위자에게 유리한 경우에도 예외 없이 적용된다.
  _{적용의 예외가 허용된다.}

➡ 행위자에게 유리한 경우 소급 적용이 가능하다.

ⓒ ⓒ은 행위자에게 유리한 경우에는 적용에 예외가 허용된다.

➡ 행위자에게 유리한 유추 해석은 허용된다.

ⓔ ⊙~ⓒ은 모두 형법의 보장적 기능을 수행한다.

➡ 죄형 법정주의는 형벌권의 남용을 방지하여 국민의 자유와 권리를 보장한다.

02 범죄의 성립 요건

자료 분석 | 어떤 행위가 범죄로 성립하기 위해서는 구성 요건 해당성, 위법성, 책임의 요건을 갖추어야 한다. 이를 범죄 성립의 3요소라고 하며, 이 중 하나라도 갖추지 못하면 범죄가 성립하지 않는다.

[선택지 분석]

① (가): 길을 가던 중 멧돼지가 갑자기 달려들자 이를 피할 방법이 없어 남의 집으로 뛰어든 경우

➡ 긴급 피난으로 위법성이 조각되므로 (나)에 해당한다.

✔ (나): 자신을 향해 돌진하던 자동차를 피하려다 가게의 유리창을 파손한 경우

➡ 긴급 피난으로 위법성이 조각된다.

③ (나): 재판에서 위증하지 않으면 납치된 아들을 죽이겠다는 협박을 받은 사람이 위증한 경우

➡ 강요된 행위로 책임성이 조각되므로 (다)에 해당한다.

④ (다): 은행 앞에서 여자를 폭행하고 가방을 탈취하려는 남자를 때려 경미한 상처를 입힌 경우

➡ 정당방위로 위법성이 조각되므로 (나)에 해당한다.

⑤ (다): 만 14세의 학생이 다른 사람의 물건을 훔친 행위

➡ 만 14세의 학생은 형사 미성년자가 아니므로 범죄가 성립한다.

03 형벌의 종류

자료 분석 | 국가는 범죄를 저지른 사람에게 공권력을 행사하여 형벌이라는 제재를 가한다. 형벌은 범죄인의 기본적인 생명, 자유, 명예, 재산 등을 박탈하는 것을 그 내용으로 한다. 형법이 규정하고 있는 형벌에는 사형, 징역, 금고, 구류, 자격 상실, 자격 정지, 벌금, 과료, 몰수의 9가지가 있다.

[선택지 분석]

✘ ⊙은 금고와 달리 30일 이상 구금한다.
  _{마찬가지로}

✘ ⓒ은 보안 처분이다.
  _{형벌이다.}

ⓒ (가)~(다)에는 모두 자유형이 나타난다.

➡ (가)에는 징역형, (나)에는 구류형, (다)에는 징역형이 나타나 있다

ⓔ (가)에서는 (나), (다)와 달리 명예형이 나타난다.

➡ (가)에만 자격 정지가 나타나 있다.

04 보안 처분

자료 분석 | A는 보안 처분, B는 소급효 금지의 원칙이다. 보안 처분은 범죄 행위자의 장래 위험성을 예방하기 위하여 부과하는 것이므로 형벌에 관한 죄형 법정주의나 소급효 금지의 원칙이 원칙적으로 적용되지 않는다.

[선택지 분석]

① A의 종류에는 치료 감호, 수강 명령, 과료 등이 있다.
  _{보호 관찰, 사회봉사 명령 등}

✔ A는 심신 장애로 인해 무죄 판결을 선고받은 자에게 부과할 수 있다.

➡ 보안 처분은 예방적 성격의 제재로 형벌과 함께 부과할 수 있으므로, 심신 장애 상태에서 죄를 범해 무죄 판결을 받더라도 치료 감호를 부과할 수 있다.

③ A는 행정 단속 법규의 위반 행위 등에 대하여 부과하는 행정 질서벌이다.

➡ 행정 질서벌로는 과태료, 범칙금 등이 있는데, 이것은 보안 처분이 아니다.

④ B는 범죄로 규정되는 행위와 이에 대한 형벌 간에 적정한 균형이 이루어져야 한다는 원칙이다. → 형사 보상 제도

⑤ B는 법률에 규정이 없는 사항에 유사한 내용을 가지는 법률을 적용해서는 안 된다는 원칙이다.
  → 유추 해석 금지의 원칙

05 선고 유예와 집행 유예

자료 분석 | (가)는 선고 유예, (나)는 집행 유예이다. 선고 유예는 1

년 이하의 징역이나 금고, 자격 정지 또는 벌금형과 같이 죄가 가벼운 범죄자에 대해 형의 선고를 2년간 미루는 것을 말한다. 집행 유예는 3년 이하의 징역이나 금고 또는 500만 원 이하의 벌금형을 선고할 경우 정상을 참작하여 일정 기간 형의 집행을 미루는 것을 말한다.

[선택지 분석]

① (가)는 검사가 선고한다.
　　　　　　판사

② (나)의 유예 기간 중에는 교도소에서 정역(定役)을 부과
　　　　　　　　　　　　　　　　　　　석방된다.
받게 된다.

③ 불기소 처분 시 (가)와 (나)를 부과할 수 있다.
　　　　　　　　　　　　　　　　　　　없다.

④ (나)와 달리 (가)의 유예 기간은 일률적으로 정해져 있다.

　➡ 집행 유예는 선고하는 형에 따라 유예 기간이 달라지나, 선고 유예는 유예 기간이 2년이다.

⑤ (가)와 (나)의 유예 기간이 지나면 피고인은 형사 보상을 청구할 수 있다.
　　　　　　　　　　　　　　　　　없다.

　➡ 불기소 처분을 받은 구금된 피의자나 무죄 판결을 받은 구금된 피고인이 형사 보상을 청구할 수 있다.

06 배상 명령 제도

자료 분석ㅣ ㉠은 배상 명령 제도이다. 범죄 피해자가 손해 배상을 받기 위해서는 민사 소송을 제기하는 것이 원칙이지만, 우리나라에서는 범죄 피해자가 형사 재판에서 간편하게 민사상 손해 배상까지 받을 수 있도록 하는 배상 명령 제도를 두고 있다. 이는 피해자가 신속하고 간편하게 피해 보상을 받을 수 있도록 하는 것으로 일정한 사건의 형사 재판에서 인정된다.

[선택지 분석]

① 국가로부터 피해 구조금을 지원받는 제도이다.
　　　　➜ 범죄 피해자 구조

② 갑을 기소한 검사가 속한 검찰청에 형사 보상을 청구하는 제도이다. ➜ 형사 보상 제도

③ 갑의 재판에서 을이 직접 갑의 재산을 몰수할 수 있도록 하는 제도이다.

　➡ 피해자가 직접 가해자의 재산을 몰수할 수는 없다.

④ 본인의 무고함을 법무부 인터넷 누리집에 게재하여 명예를 회복시켜주는 제도이다. ➜ 명예 회복 제도

⑤ 을의 신청이 없어도 갑의 재판을 담당하는 법원이 직권으로 피해 배상을 명령할 수 있는 제도이다.

　➡ 배상 명령 제도는 법원이 직권 또는 피해자 등의 신청으로 범죄로 인해 발생한 직접적인 물적 피해, 치료비 및 위자료의 배상을 명령할 수 있는 제도이다.

07 형사 절차의 이해

자료 분석ㅣ 범죄가 발생하였을 때 이를 수사·심판하고 선고된 형을 집행하는 과정을 형사 절차라고 한다. 형사 절차는 크게 수사 절차, 공판 절차, 형 집행 절차로 구분된다. (가)는 수사 절차, (나)는 공판 절차, (다)는 형 집행 절차이다.

[선택지 분석]

㉠ (가) 단계에서 피의자는 구속 적부 심사를 청구할 수 있다.

　➡ 구속된 피의자와 그의 변호인 등은 구속 적부 심사 제도를 활용할 수 있다.

✘ (다) 단계에서 법원은 수형자에게 보석을 허가할 수 있다.
　　　　　　　　　　　　　　　　　　　　　　없다.

　➡ 보석은 (나) 단계의 피고인에게 허가해 줄 수 있고, (다) 단계에서 형의 집행을 받고 있는 수형자는 가석방될 수 있다.

㉢ (가) 단계의 피의자와 (나) 단계의 피고인에게 진술 거부권을 고지하는 주체는 다르다.

　➡ 수사 단계에서의 진술 거부권 고지 의무의 주체는 검사 등이고 재판 단계에서의 진술 거부권 고지 의무의 주체는 판사이다.

✘ (가) 단계와 달리 (나) 단계에서는 피고인에게 변호인의 조력을 받을 권리가 인정된다.

　➡ 변호인의 조력을 받을 권리는 피의자에게도 인정된다.

08 국민 참여 재판의 이해

자료 분석ㅣ 갑에게는 국민 참여 재판을 통해 배심원들이 만장일치로 유죄를 평결하였다. 법원은 배심원의 평결에 구속되지 않지만, 사례에서는 그대로 받아들였고 형의 집행을 유예하였다.

[선택지 분석]

① 갑은 판결 선고 직후 석방된다.

　➡ 구속 상태의 갑은 집행 유예로 석방된다.

② ○○법원의 판결에 검사는 상고할 수 있다.
　　　　　　　　　　　　　　　항소

　➡ 국민 참여 재판은 1심에서만 열리므로 검사는 항소할 수 있다.

③ 아내의 행동은 위법성 조각 사유 중 긴급 피난에 해당한다.
하지 않는다.

　➡ 아내의 행동은 범죄의 구성 요건에도 해당하지 않는다.

④ 갑의 의사에 반하더라도 갑의 재판에 배심원이 참여할 수 있다.
　　　　　　　　　　　　　　　　　　없다.

　➡ 국민 참여 재판은 피고인의 신청으로 열린다.

⑤ 배심원들이 만장일치로 결정을 내리면 법원은 이와 반대되는 판결을 선고할 수 없다.
　　　　　　　　　　　　　　　　　있다.

　➡ 법관은 배심원의 평결에 구속되지 않는다.

09 근로자의 권리

자료 분석ㅣ 헌법에서는 "근로자는 근로 조건의 향상을 위하여 자주적인 단결권·단체 교섭권 및 단체 행동권을 가진다."고 규정하여 근로 3권을 보장하고 사용자보다 경제적으로 약한 지위에 있는 근로자를 보호하고 있다. (가)는 단결권, (나)는 단체 교섭권, (다)는 단체 행동권이다.

[선택지 분석]

✘ 사용자에게도 (가)가 인정된다.
　　　　　　　　　인정되지 않는다.

✘ 노동조합이 정치적 목적 또는 경영에 관여할 것을 목적으로 (나)를 행사하는 것은 허용된다.
　　　　　　　　　　　　　　　　　허용되지 않는다.

ⓒ 파업, 태업은 근로자의 (다) 행사 방식에 해당하고, 근로자가 ㉠을 하면 이에 대응하여 사용자는 직장폐쇄를 할 수 있다.

➡ 근로자가 할 수 있는 단체 행동에는 파업, 태업 등이 있으며, 근로자가 쟁의 행위를 하면 사용자는 이에 대응하여 직장폐쇄를 할 수 있다.

ⓔ 근로자의 정당한 ㉠에 대해서는 민형사상 책임이 면제된다.

10 근로자 권리의 침해와 구제

자료 분석 | 사용자로부터 부당 해고를 당한 근로자나 사용자의 부당 노동 행위로 권리를 침해당한 근로자 또는 노동조합은 노동 위원회를 통해 구제를 받을 수 있다. 지방 노동 위원회에 구제 신청을 하였으나 구제를 받지 못한 경우에는 중앙 노동 위원회에 재심을 신청할 수 있다. 중앙 노동 위원회의 재심 판정에 불복하는 경우에는 법원에 행정 소송을 제기할 수 있다.

[선택지 분석]

ⓞ 갑은 이 결정에 불복하여 행정 소송을 제기할 수 있다.

➡ 중앙 노동 위원회의 재심 판정에 불복하는 당사자는 법원에 행정 소송을 제기할 수 있다.

✗ ㉠은 피해 당사자에 대한 ~~해고의 무효~~를 확인하였다.
　　　　　　　　　　　부당 노동 행위

ⓒ ⓛ 내의 노동조합도 (가) 발생 시 ㉠에 구제를 신청할 수 있다.

➡ 부당 노동 행위에 대해서는 노동조합도 노동 위원회에 구제 신청을 할 수 있다.

ⓔ 근로자의 노동조합 가입, 조직, 활동 등을 이유로 근로자를 해고하거나 근로자에게 불이익을 주는 행위는 (가)에 해당한다.

➡ 근로자가 노동조합에 가입하지 아니할 것 또는 탈퇴할 것을 고용 조건으로 하거나 특정한 노동조합의 조합원이 될 것을 고용 조건으로 하는 행위, 노동조합과의 단체 교섭을 정당한 이유 없이 거부하는 행위 등도 부당 노동 행위에 해당한다.

11 근로자 권리의 침해와 구제

자료 분석 | 갑을 해고한 버스 회사가 중앙 노동 위원회의 장을 상대로 소송을 제기하였으므로 중앙 노동 위원회에서는 갑에 대한 해고가 부당 해고라고 결정하였을 것이다. 버스 회사가 제기한 소송은 행정 소송으로 3심제가 적용되며 2심인 고등 법원이 원심인 1심 법원과 동일하게 버스 회사가 승소하였다고 판결하였으므로 법원은 해고가 정당하다고 보았다.

[선택지 분석]

① 버스 회사 측은 ~~민사~~ 소송을 제기하였다.
　　　　　　　　　행정

② 사용자의 ~~부당 노동 행위~~ 여부가 재판의 쟁점이 되었다.
　　　　　　부당 해고

③ 고등 법원의 판결로 갑에 대한 모든 구제 절차는 ~~종료~~
　　　　　　　　　　　　　　　　　　　　　　　　　　되지 않는다.
된다.

➡ 행정 소송은 3심제이다.

④ 해고 처분의 정당성에 대해 중앙 노동 위원회와 재판부는 다르게 판단하였다.

➡ 중앙 노동 위원회는 갑에 대한 해고를 부당 해고라고 판단하였

고, 이에 불복한 버스 회사는 행정 소송을 제기하여 승소하였다.

⑤ 노동 위원회의 구제 절차를 ~~거쳐야만~~ 갑은 해고 무효
　　　　　　　　　　　　　　거치지 않아도
확인 소송을 청구할 수 있다.

➡ 해고 무효 확인 소송은 민사 소송이다.

12 청소년 근로자의 권리

자료 분석 | 원칙적으로 15세가 되어야 근로할 수 있다. 청소년이 근로 계약을 맺을 때에는 법정 대리인의 동의를 얻어 본인이 근로 계약을 체결해야 하므로 법정 대리인이 근로 계약을 대신 체결할 수 없다. 한편, 근로 계약의 체결과 달리 임금은 법정 대리인의 동의 없이도 미성년자가 독자적으로 청구할 수 있다. 청소년 중 18세 미만인 연소자는 도덕상 또는 보건상 유해하거나 위험한 사업에 근무할 수 없다. 근로 시간은 1일에 7시간, 1주일에 35시간을 초과하지 못하며, 당사자 사이의 합의에 따라 1일에 1시간, 1주일에 5시간을 한도로 연장할 수 있다.

[선택지 분석]

① 을의 근무일은 근로 기준법을 ~~준수하였다.~~
　　　　　　　　　　　　　　　위반하였다.

➡ 사용자는 1주에 1회 이상의 유급 휴일을 보장하여야 한다.

② 을의 1일 근로 시간은 근로 기준법에서 정한 근로 시간을 ~~초과하였다.~~
　　초과하지 않았다.

➡ 휴게 시간을 제외하면 1일 7시간까지 근로가 가능하다.

④ 임금 지급 방법은 근로 기준법을 준수하였다.

④ 을의 법정 대리인은 근로 계약을 대신 체결할 수 ~~있다.~~
　　　　　　　　　　　　　　　　　　　　　　　　　없다.

⑤ 근로 계약서의 업무 내용 부분은 근로 기준법을 ~~준수하~~
　　　　　　　　　　　　　　　　　　　　　　　위배하였다.
였다.

➡ 업무의 내용은 근로 계약서에 명확하게 기재되어야 한다.

13 범죄의 성립

(1) (가), (나), (다)

(2) [예시 답안] (가)에서 갑의 행위는 범죄의 구성 요건에 해당하지 않아 범죄가 성립하지 않는다. (나)에서 을의 행위는 범죄의 구성 요건에 해당하지만 위법성이 조각되어 범죄가 성립하지 않는다. (다)에서 병의 행위는 구성 요건에 해당하고 위법하지만 책임이 조각되어 범죄가 성립하지 않는다.

채점기준	
상	(가)의 행위가 구성 요건에 해당하지 않고, (나)가 위법성이 조각되며, (다)가 책임이 조각된다는 것을 모두 서술한 경우
중	(가)~(다) 중 두 가지에 대해서만 범죄가 성립하지 않는 이유를 서술한 경우
하	(가)~(다) 중 한 가지에 대해서만 범죄가 성립하지 않는 이유를 서술한 경우

14 국민 참여 재판

(1) (라)

(2) [예시 답안] (가) 피고인이 신청하는 경우에 실시한다.

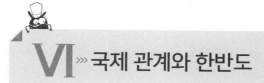

(나) 형사 재판에서만 활용된다 (다) 전과자와 특정 직업을 제외한 20세 이상의 대한민국 국민은 배심원이 될 수 있다.

채점기준		
상	(가)~(다)를 모두 바르게 고친 경우	
중	(가)~(다) 중 두 가지만 바르게 고친 경우	
하	(가)~(다) 중 한 가지만 바르게 고친 경우	

15 소년 사건의 처리

(1) 갑

(2) [예시 답안] 갑은 14세 이상 19세 미만 소년으로 가정(지방) 법원 소년부에서 보호 처분을 받거나 형사 재판에서 형벌을 부과받을 수 있다. 을은 10세 이상 14세 미만 소년으로 가정(지방) 법원 소년부에서 보호 처분을 받을 수 있다. 병은 10세 미만으로 어떠한 형사 조치도 받지 않는다.

채점기준		
상	갑~병에 대한 형사 조치를 모두 정확하게 서술한 경우	
중	갑~병 중 두 사람에 대한 형사 조치를 정확하게 서술한 경우	
하	갑~병 중 한 사람에 대한 형사 조치를 정확하게 서술한 경우	

16 청소년 근로의 보호

(1) ㉠: 7, ㉡: 35, ㉢: 1, ㉣: 5

(2) [예시 답안] 야간 근로와 휴일 근로는 원칙적으로 금지된다. 도덕상 또는 보건상 유해하거나 위험한 사업에 고용되지 못한다. 근로 계약을 맺을 때는 법정 대리인의 동의를 얻어 본인이 근로 계약을 체결해야 한다. 연소자의 부모님 동의서와 가족 관계 증명서를 사업장에 비치해야 한다. 원칙적으로 15세 이상만 근로할 수 있다. 등

채점기준		
상	연소 근로자의 보호 내용을 두 가지 이상 서술한 경우	
하	연소 근로자의 보호 내용을 한 가지만 서술한 경우	

VI ≫ 국제 관계와 한반도

01 ~ 국제 관계와 국제법

콕콕! 개념 확인하기
203쪽

01 (1) ○ (2) ✕ (3) ○
02 (1) ㄱ (2) ㄷ (3) ㄴ (4) ㄹ
03 A: 조약, B: 국제 관습법
04 (1) 조약 (2) 법의 일반 원칙 (3) 국제 관습법 (4) 국내법 (5) 대통령

01 (2) 국제 사회의 질서가 힘에 의해 이루어진다고 보는 것은 현실주의적 관점이다.

탄탄! 내신 다지기
204~205쪽

01 ④ **02** ⑤ **03** ② **04** ④ **05** ③ **06** ③ **07** ②
08 ⑤ **09** 해설 참조

01 국제 사회의 특성

자료 분석 | 제시문은 중국과 미국 간 벌어지고 있는 무역 전쟁을 나타낸 신문 기사이다. 미국이 중국산 수입품에 관세를 부과하여 수입을 규제하자 중국이 이에 맞대응하면서 미국산 수입품에 보복 관세를 부과하기로 하였다. 이는 국제 무역에서 자국의 이익을 추구하겠다는 의도이며, 이처럼 국제 사회에서 각국은 본질적으로 자국의 이익을 추구한다.

[선택지 분석]

① 개별 국가의 주권은 동등하게 취급된다.
➡ 제시문에서는 주권 평등의 원칙을 강조하고 있지 않다.

② 국가 간 분쟁은 제3국이 개입해야 해결된다.
➡ 제3국의 개입에 대한 내용이 없다.

③ 모든 국가가 동의하는 국제 규범이 존재한다.
➡ 국가는 국제 규범보다 자국의 이익을 우선 추구한다.

④ 각국은 본질적으로 자국의 이익을 우선 추구한다.
➡ 자국의 무역 적자 해소라는 이익을 우선 추구한다.

⑤ 국제기구를 통해 국가 간 이해관계의 조정이 이루어진다.
➡ 국제기구에 대한 언급은 없다.

02 국제 사회의 변화 과정

자료 분석 | 제2차 세계 대전 이후 국제 사회는 미국과 소련을 중심으로 한 자본주의와 공산주의 진영의 이념이 대립하면서 냉전을 맞이하게 되었다. 1960년대 말에는 냉전이 완화되다가 1980년대 후반에 들어서 몰타 선언으로 냉전이 종식되었다. 한편 오늘날에는 민족, 영토, 자원 등 다양한 이유로 분쟁이 증가하고 있다.

✗ (가)는 국제 사회에서 비정부 기구의 역할이 중시되던 시기이다.

➡ (가)는 미국 중심의 자유 진영과 구소련 중심의 공산 진영으로 대립하던 시기이다.

✗ (나)에 영향을 준 사건으로는 ~~트루먼~~ 독트린을 들 수 있다.
　　　　　　　　　　　　　닉슨

➡ 트루먼 독트린은 냉전기 시작에 영향을 주었다. 냉전 완화에 영향을 준 것은 1969년의 닉슨 독트린이다.

ⓒ (다)는 몰타 선언, 독일 통일, 구소련의 붕괴 등이 그 배경이다.

➡ 몰타 선언으로 냉전 체제가 공식 종료되었고, 이후 독일 통일, 구소련의 붕괴 등으로 사실상 냉전 체제가 종료되었다.

ⓔ (라)에서는 민족, 영토, 자원 등 다양한 이유로 분쟁이 발생하고 있다.

➡ 이스라엘과 팔레스타인의 분쟁이 민족, 종교, 영토, 자원이 복합적으로 얽힌 분쟁이며, 미국과 중국 간의 무역 분쟁은 최근에 나타나는 새로운 형태의 분쟁이다.

03 국제 사회의 변화 과정

자료 분석 | 국가 중심의 국제 질서는 1648년 30년 전쟁을 끝내기 위해 체결된 베스트팔렌 조약을 계기로 형성되었다. 이후 유럽에서 주권 국가 체제가 일반화되었으며, 근대적 형태의 국제 질서 체제가 구축되었다. 제2차 세계 대전 이후에는 미국 중심의 자유 진영과 소련 중심의 공산 진영이 대립하는 양극 체제가 자리 잡으면서, 이념과 체제를 중심으로 국제 관계가 형성되기도 하였다. 하지만 1989년 몰타 선언으로 이념 대립이 공식적으로 종식되었고, 국제 사회는 양극 체제에서 다극 체제로 재편되었다. 이와 함께 국제 관계를 형성하는 축도 다변화하였다.

[선택지 분석]

① A 시기에 주권 국가 중심의 국제 사회가 성립하였다.

➡ 1648년 베스트팔렌 조약을 계기로 종교에 대한 국가의 우위와 주권 국가 중심의 국제 질서가 형성되었다.

② B 시기에 강대국 주도로 국제 연합이 창설되었다.

➡ 제1차 세계 대전 직후에는 국제 연맹이 창설되었으나 강대국의 불참으로 효과를 거두지 못하였다. 국제 연합은 제2차 세계 대전 이후에 창설되었다.

③ C 시기에 미국과 소련을 중심으로 한 냉전 체제가 시작되었다.

➡ 제2차 세계 대전 이후에는 미국과 소련을 중심으로 한 자본주의와 공산주의 진영의 이념 대립으로 냉전을 맞이하게 되었다.

④ D 시기에 국제 사회는 양극 체제에서 다극 체제로 전환되었다.

➡ 1960년대에 자유 진영과 공산 진영 어느 쪽에도 속하지 않는 제3 세계 국가들이 부상하면서 국제 사회는 양극 체제에서 다극 체제로 전환되었다.

⑤ E 시기에 이념적 가치보다 경제적 실리가 더욱 중시되었다.

➡ 1989년 몰타 선언으로 냉전 체제가 종식되면서 이념 대립은 사라지고 각국은 자국의 경제적 실리를 중시하게 되었다.

04 국제 사회를 보는 현실주의적 관점

자료 분석 | 제시문은 국제 사회를 보는 현실주의적 관점이다. 현실주의적 관점은 국제 사회는 홉스가 가정한 자연 상태인 만인의 만인에 대한 투쟁 상태와 비슷하므로 각국은 힘을 길러 힘의 균형 상태를 유지해야 국제 평화가 유지된다고 본다.

[선택지 분석]

① 인간의 본성은 선하고 신뢰할 수 있다.
　→ 자유주의적 관점

② 국가 이익보다도 이념 문제가 중시되고 있다.
　➡ 제시문과 관련이 없다.

③ 국제기구의 중재를 통해 분쟁을 해결할 수 있다.
　→ 자유주의적 관점

④ 국제 사회는 홉스가 가정한 자연 상태와 유사하다.
　→ 현실주의적 관점

⑤ 대화와 타협을 통해 국가 간의 문제를 해결할 수 있다.
　→ 자유주의적 관점

05 세계화 현상

자료 분석 | A는 세계화이다. 오늘날 세계 여러 국가가 정치, 경제, 사회, 문화 등 다양한 분야에서 서로 영향을 주고받으면서 국제 사회는 국경을 초월하여 하나의 지구촌으로 통합되는 세계화 현상이 촉진되었다.

[선택지 분석]

✗ 국내 정치와 국제 정치의 구별이 명확해지고 있다.

➡ 국가 간의 경계와 장벽이 낮아지면서 국내 정치와 국제 정치의 구별이 약화되고 있다.

ⓛ 국제법으로 표준화된 기준을 적용하는 일이 많아졌다.

➡ 세계화로 국가 간의 교류가 활발해짐에 따라 표준화된 기준을 적용하는 경우가 많아지면서 국제법의 중요성이 커졌다.

ⓒ 지구적 문제에 대해 국가들이 협력하는 일이 늘어났다.

➡ 각국은 환경 오염, 안보, 무역 분쟁 등 지구적 문제에 대해 협력하는 경우가 많아졌다.

✗ 국제 사회의 주요한 행위 주체가 국가로 일원화되고 있다.

➡ 국제 사회의 행위 주체가 국가뿐만 아니라 다국적 기업, 국제기구, 시민 단체, 개인 등으로 다양화되고 있다.

06 국제법의 의의

[선택지 분석]

① 세계 시민의 일상생활에 편리함을 제공한다.

➡ 국제법은 국제적인 기준을 표준화하므로 우리나라에서 취득한 자동차 운전면허로 다른 나라에서 자동차를 운전할 수 있고, 우리나라에서 만든 저작물에 대한 권리를 외국에서도 보호받을 수 있다.

② 국제 분쟁 당사자에게 분쟁 해결 수단이 된다.

➡ 국가 간에 영토, 무역, 자원 등과 관련한 분쟁이 발생하는 경우 국제법을 활용하면 보다 평화적으로 분쟁을 해결할 수 있다.

☑ 강제력 행사를 통해 주권 평등의 원칙을 확립한다.

➡ 국제 사회의 주체에 대한 국제법의 구속력과 실효성은 약하므로 국제법 제정 시 주권 평등의 원칙이 확립되기는 어렵다.

④ 지구적 문제를 해결하기 위한 국제 협력을 유도한다.

➡ 인권이나 환경 문제의 해결과 같이 국제 사회의 공동 노력이 필요한 경우, 국제법은 공동의 행위 기준을 세우고 여러 국가의 참여를 이끌어 내는 역할을 한다.

⑤ 국가 간의 관계를 합리적으로 조정하기 위한 판단 기준이다.

➡ 국제법은 국가 간의 접촉이 빈번한 국제 사회에서 서로 다른 법과 문화를 지닌 행위 주체들의 공통 규범으로서 행동과 판단 기준의 역할을 한다.

07 국제법의 법원

자료 분석ㅣ A는 국제 관습법이다. 국제 관습법은 원칙적으로 모든 국가에 포괄적인 구속력을 가진다. 국내 문제 불간섭의 원칙, 외국인의 면책 특권, 포로에 관한 인도적 대우 등이 그 사례이다.

[선택지 분석]

㉮ 포로에 관한 인도적 대우, 국내 문제 불간섭의 원칙이 해당합니다.

✗ 국내에 적용하기 위해서는 국회의 동의 절차가 필요합니다.

➡ 국제 관습법은 국회의 동의 절차 없이 국내에 적용된다.

㉯ 원칙적으로 모든 국가에 대해 법적 구속력을 가지고 있습니다.

✗ 국제 사법 재판소에서는 조약에 우선하여 재판 규범으로 적용합니다.

➡ 국제 사법 재판소에서는 조약을 우선 재판 규범으로 적용하고, 조약이 없는 경우 국제 관습법을 적용한다.

08 조약의 성격

자료 분석ㅣ 제시된 자료는 한국과 A국이 맺은 항공 업무 관련 조약이다. 조약과 같은 국제법의 적용과 집행은 개별 국제 주체의 자발적 의지와 협력에 의존하고 있으며, 국제법 위반 행위에 대한 실질적인 제재에도 어려움이 따른다. 이러한 이유로 국제법의 구속력과 실효성은 제한적일 수밖에 없다. 즉, 조약 체결 국가가 조약을 위반한다고 해서 국내법처럼 제재를 가하기는 어렵다.

[선택지 분석]

① 국내법보다 우월한 지위를 가진다.

➡ 헌법에 의해 체결·공포된 조약은 국내법과 동등한 효력을 가진다.

② 관련 국가들의 이해관계를 초월하여 존재한다.

➡ 조약은 국가 간의 협의를 거쳐 만들어지기 때문에 관련 국가들의 이해관계가 반영된다.

③ 개인이나 기업에게는 구속력을 발휘하지 못한다.

➡ 조약은 그 내용에 따라 개인이나 기업에게도 구속력을 발휘한다.

④ 주무 부서의 장관이 서명함으로써 효력이 발생한다.

➡ 우리나라에서 조약 체결권자는 대통령이므로 대통령이 서명해야 효력이 발생한다.

☑ 미준수 시 따르는 제재 수단이 국내법에 비해 미약하다.

➡ 조약과 같은 국제법은 집행 기관이 존재하지 않으므로 당사국이 조약을 준수하지 않더라도 제재하기가 힘들다.

09 국제 사회의 변화 과정

(1) (가): 트루먼 독트린, (나): 닉슨 독트린

(2) [예시 답안] 트루먼 독트린은 냉전 체제의 시작을 알렸고, 닉슨 독트린은 냉전 체제가 완화되는 계기를 마련하였다.

채점기준		
상	트루먼 독트린은 냉전 체제의 시작, 닉슨 독트린은 냉전 체제의 완화 계기를 마련했다고 서술한 경우	
중	트루먼 독트린과 닉슨 독트린의 정치적 의의 중 하나만 바르게 서술한 경우	
하	트루먼 독트린과 닉슨 독트린의 정치적 의의와 무관하게 서술한 경우	

도전! 실력 올리기
206~207쪽

01 ③　**02** ⑤　**03** ③　**04** ①　**05** ①　**06** ④　**07** ⑤
08 ④

01 국제 사회의 특징

자료 분석ㅣ 갑국의 수출 규제 강화는 자국의 이익을 위한 것이고, 국제법에 따른 민간 교류 보장은 국제 규범을 준수하는 것이다. 을국의 미세 먼지 피해 배상 요구는 자국의 이익을 위한 것이고, 환경 협약 체결은 국제 규범을 준수하는 것이다. 병국이 C국과 전쟁을 벌이는 것은 영토를 찾기 위한 자국 이익 추구 행위이지만, C국 국민의 보호 조치를 취하는 것은 국제 규범을 준수하는 행위이다. 이를 통해 국제 사회는 자국의 이익을 추구하면서도 국제 규범을 준수하는 모습을 보인다는 점을 알 수 있다.

[선택지 분석]

① 국가는 도덕적 규범에 따라 외교 정책을 수립한다.

➡ 제시문에는 자국의 이익 추구 모습도 나타나 있다.

② 국내의 정치 상황에 따라 국가 간 협력이 무시된다.

➡ 국내 정치 상황은 제시되어 있지 않으며, 국가 간 상호 협력이 나타나 있다.

☑ 자국의 이익 추구와 국제 규범의 준수가 공존한다.

➡ 국가들은 자국의 이익을 추구하는 동시에 보편적인 국제 규범을 준수한다.

④ 개별 국가의 이익과 국제 사회 전체의 이익은 일치한다.

➡ 자국의 이익 추구 행위는 국제 사회 전체의 이익보다 개별 국가의 이익을 더 크게 한다.

⑤ 개별 국가의 행위에는 현실주의보다 자유주의가 강하게 나타난다.

➡ 자국의 이익 추구 행위는 현실주의로 볼 수 있으나, 국제 규범의 준수는 자유주의로 볼 수 있다.

02 국제 사회의 형성과 변천 과정

자료 분석 | 30년 전쟁(1618~1648)을 끝내기 위해 체결된 베스트팔렌 조약(1648)과 함께 주권 국가가 국제 사회의 구성원으로 등장하면서 근대 국제 사회가 시작되었다. 이 조약에 참가한 국가들은 주권 평등, 영토 존중, 국내 문제 불간섭 등의 원칙에 합의하였고, 이로써 주권과 영토를 가진 국민 국가가 국제 사회의 주체로 등장하였다. 이후 국제 사회는 제국주의 시대, 제1·2차 세계 대전 이후의 냉전 시대, 1960년대~1990년대에 걸쳐 냉전 완화 시대와 탈냉전의 시대 등을 거쳐 왔다.

[선택지 분석]

갑 1648년에 체결된 베스트팔렌 조약을 계기로 민족 단위의 주권 국가가 등장하였습니다.
➡ 베스트팔렌 조약 이후 유럽에서 주권 국가 체제가 일반화되었으며, 근대적 형태의 국제 질서 체제가 구축되었다.

을 19세기 후반 유럽 열강들이 식민지 쟁탈전을 벌이면서 국제 사회의 무대가 전 세계로 확산되었습니다.
➡ 제국주의 시대로 유럽 국가들이 세계를 지배하면서 배타적이고 독점적인 주권을 행사하는 유럽의 주권 국가 체제가 전 세계로 확산되었다.

병 제1차 세계 대전 이후 국제 사회의 평화를 위해 국제 연맹이 창설되었으나 강대국의 불참으로 실질적인 영향력을 행사하지 못했습니다.
➡ 국제 연맹에서 이사회의 결의는 권고적 수준에 불과하였으며, 강대국의 불참과 탈퇴가 이어지면서 실질적인 영향력을 행사하지 못하였다.

정 1940년대 후반에는 미국 중심의 자유 진영과 구소련 중심의 공산 진영으로 나뉘어 서로 대립하는 냉전 체제로 들어서게 되었습니다.
➡ 미국의 트루먼 독트린은 냉전 체제의 시작을 알렸다.

무 1960년대의 제3 세계 국가들이 등장하고 1969년에 닉슨 독트린으로 냉전 체제가 공식적으로 종식되면서 각 국가는 자국의 실리를 추구하는 경향으로 바뀌었습니다.
➡ 1960년대 제3 세계 국가의 등장과 1969년 닉슨 독트린으로 냉전 체제가 완화되었다. 냉전 체제가 공식적으로 종식된 것은 1989년 몰타 선언에 의해서였다.

03 국제 사회를 보는 관점

자료 분석 | 갑은 국제 사회를 보는 **현실주의적 관점**, 을은 자유주의적 관점이다. 자유주의적 관점은 인간은 이성을 가진 존재이므로 이기적인 욕망을 제어하고 공동의 이익을 추구할 수 있다고 전제한다. 따라서 국제법이 강화되고 각국 간의 교류가 활발해지면 국가 간 협력이 가능하다고 본다. 또한 국제 사회가 평화를 실현하기 위해서는 어느 한 국가가 공격을 받을 때 국제 사회가 이에 함께 저항하는 '집단 안보' 체제가 필요하다고 주장한다. 그러나 국제 사회에서의 경쟁과 대립, 힘의 논리가 지배하는 **현실을 간과한다**는 비판을 받는다.

[선택지 분석]

① 국제기구와 국제법을 통한 문제 해결을 부인하고 있다.
➡ 현실주의적 관점

② 국제 사회에 다양한 협력과 공존이 존재함을 무시하고 있다. ➡ 현실주의적 관점

③ 경쟁과 대립이 상존하는 국제 관계를 설명하지 못하고 있다. ➡ 자유주의적 관점

④ 인간의 선한 본성으로 이성적 대화가 가능함을 간과하고 있다. ➡ 현실주의적 관점

⑤ 국제 분쟁의 해결을 위해 힘의 논리만을 지나치게 강조하고 있다. ➡ 현실주의적 관점

04 국제 사회를 보는 관점

자료 분석 | A는 자유주의적 관점, B는 현실주의적 관점이다. 자유주의적 관점은 국제법과 국제기구의 역할을 중시하면서 국제 평화 유지를 위해 **집단 안보 전략**을 강조한다. 현실주의적 관점은 힘의 논리가 지배하는 국제 현실에서 평화 유지를 위해서는 적대 세력과 대등한 힘의 균형을 유지해야 한다는 **세력 균형 전략**을 강조한다.

[선택지 분석]

○ A는 국제법과 국제기구의 역할을 중시하는가?
➡ 자유주의적 관점은 인간은 이성을 가진 존재이므로 국가도 이러한 이성을 바탕으로 국제적인 합의인 국제법을 만들었고, 협의체인 국제기구를 만들었으므로 국제 관계의 평화 실현을 위한 방안으로 국제법, 국제기구 등의 국제 제도가 필요하다고 본다.

✗ B는 힘의 논리가 지배하는 국제 사회의 현실을 간과하는가?
➡ 현실주의적 관점은 인간은 이기적이고 국가는 무정부 상태이므로 국제 평화를 위해서는 힘을 길러야 하고 국가 간에 힘의 균형이 이루어져야 한다고 주장한다.

✗ B와 달리 A는 국가 간의 상호 의존 관계를 경시한다는 비판을 받는가?
➡ 자유주의적 관점은 국가 간의 상호 의존과 협력 관계를 중시한다. 국가는 안보를 추구하고 서로 경쟁하는 존재라기보다는 국민의 복지를 추구하고 서로 협력하는 존재라고 인식한다.

○ 국제 평화 유지를 위해 A는 집단 안보를, B는 세력 균형을 강조하는가?
➡ 자유주의적 관점은 국제 사회가 평화를 실현하기 위해서는 어느 한 국가가 공격을 받을 때 국제 사회가 이에 함께 저항하는 '집단 안보' 체제가 필요하다고 본다. 현실주의적 관점은 국제 사회의 여러 세력 간에 힘의 균형이 이루어지는 '세력 균형' 전략이 필요하다고 본다.

05 국제법의 법원

자료 분석 | (가)는 조약, (나)는 국제 관습법, (다)는 법의 일반 원칙이다. 우리나라에서 조약 등 국제법은 국내의 법률과 동등한 효력이 있으므로 조례보다 상위의 법이다. 따라서 조약에 어긋나는 조례의 규정은 무효이다.

[선택지 분석]

✓ 우리나라의 경우 (가)에 어긋나는 조례의 규정은 무효이다.

② 재판소가 당사자의 신의 성실을 기준으로 사용하였다

면 (나)를 적용한 것이다.

➡ 신의 성실 원칙은 법의 일반 원칙에 해당한다.

③ (다)가 국내에 적용되려면 별도의 입법 절차를 거쳐야 한다.

➡ 법의 일반 원칙은 이미 국내에서 적용되고 있으므로 별도로 입법 절차를 거칠 필요가 없다.

④ 법적 안정성을 위해 (가)를 (나)의 형태로 변화시키는 경우가 늘고 있다.

➡ 최근 국제 관습법을 조약의 형태로 성문화하는 경우가 늘고 있다.

⑤ (가)와 (나)는 (다)와 달리 모든 국가에 포괄적인 구속력을 갖는다.

➡ 조약은 체결 당사국에게만 구속력을 갖는다. 모든 국가에 포괄적인 구속력을 갖는 것은 국제 관습법과 법의 일반 원칙이다.

06 국제법의 법원

자료 분석 | 합의의 내용이 명시적 문서로 작성된 것은 조약이다. 국제 관행이 국가 간에 법적으로 승인된 것은 국제 관습법이다. 따라서 A는 조약, B는 국제 관습법, C는 법의 일반 원칙이다. 국제 사법 재판소는 조약, 국제 관습법, 법의 일반 원칙을 모두 재판 준거로 활용한다.

[선택지 분석]

① A는 국가와 국제기구 간 체결이 불가능하다.

                    가능
② B와 달리 C는 모든 국가에 대해 포괄적 구속력을 가진다.
   B와 C는 모두

③ B의 예로 신의 성실의 원칙, C의 예로 국내 문제 불간섭의 원칙을 들 수 있다.

➡ 신의 성실의 원칙은 법의 일반 원칙, 국내 문제 불간섭의 원칙은 국제 관습법의 예이다.

④ (가)에 '국제 사법 재판소의 재판 준거로 활용되는가?' 가 들어갈 수 있다.

⑤ ㉠에는 '아니요', ㉡에는 '예'가 들어간다.

➡ 법의 일반 원칙은 명시적 문서 형태가 아니며, 조약과 국제 관습법은 다르므로 ㉠과 ㉡에는 모두 '아니요'가 들어간다.

07 국내법과 국제법의 관계

자료 분석 | (가)는 조약으로 협약한 국제법, (나)는 법률인 국내법이다. 국제법도 우리나라에서는 국내의 법률과 동등한 효력을 가지므로 위헌 법률 심판의 대상이 된다.

[선택지 분석]

① 우리나라에서 (가)에 대한 비준 권한은 국회에 있다.

                            대통령
➡ 우리나라에서 조약에 대한 비준권은 대통령에게 있다. 국회는 비준에 대한 동의권을 가진다.

② (가)는 (나)와 달리 우리나라에서 헌법과 동등한 지위를 가진다.

                                    법률
➡ 우리나라에서 국제법은 국내의 법률과 동등한 지위를 가지므로 헌법보다는 하위의 지위에 있다.

③ (가)는 (나)의 방식으로 변경되어야 국내에 적용될 수 있다.

➡ 우리나라에서 조약과 같은 국제법은 국내법과 동등한 효력을 가지므로 반드시 국내법의 형태로 변경될 필요는 없다.

④ (나)는 (가)와 달리 강제적으로 집행할 기관이 없다.
   (가)는 (나)

➡ 국내법은 집행하는 기관이 있지만, 국제법은 강제적으로 집행하는 기관이 없다.

⑤ (가)와 (나)는 모두 위헌 법률 심판의 대상이 된다.

08 국제법의 법원

자료 분석 | A는 국제 관습법, B는 조약이다. 외교관의 면책 특권과 같은 국제 관습법은 오늘날에 보다 확실하게 명시할 필요가 커지면서 조약으로 바뀌고 있다는 내용이다.

[선택지 분석]

㉠ A의 사례로 국내 문제 불간섭의 원칙을 들 수 있다.

➡ 국제 관습법의 사례로는 국내 문제 불간섭의 원칙, 외교관의 면책 특권, 포로에 대한 인도적 대우 등이 있다.

㉡ B는 국가와 국제기구 간에는 체결할 수 없다.

➡ 조약은 국가와 국가 간뿐만 아니라 국가와 국제기구 간에도 체결할 수 있다.

㉢ A와 달리 B는 체결 당사국에만 법적 구속력이 있다.

➡ 조약은 체결 당사국에만 법적 구속력이 있지만, 국제 관습법은 모든 국가에 포괄적인 구속력을 가진다.

㉣ A와 B는 모두 국제 사법 재판소의 재판 준거가 된다.

➡ 국제 사법 재판소에서는 재판에서 조약을 우선 적용하고, 조약이 없을 경우 국제 관습법을 적용한다. 따라서 국제 관습법과 조약 모두 국제 사법 재판소의 재판 준거가 된다.

02 ~ 국제 문제와 국제기구, 우리나라의 국제 관계

콕콕! 개념 확인하기
213쪽

01 (1) ○ (2) ✕ (3) ○

02 (1) ㄷ (2) ㄱ (3) ㄹ (4) ㄴ

03 A: 총회, B: 안전 보장 이사회, C: 국제 사법 재판소

04 (1) 받는다. (2) 중국 (3) 북방 외교 (4) 공공 외교

1 (2) 국제 문제는 어느 한 국가의 노력만으로는 해결이 어려우므로 국제 사회의 많은 국가가 힘을 합쳐야 한다.

탄탄! 내신 다지기
214~215쪽

01 ① **02** ④ **03** ① **04** ⑤ **05** ④ **06** ② **07** ③

08 ② **09** 해설 참조

01 국제 문제의 특징

자료 분석 | 환경 오염 문제, 난민 문제, 아동 노동 문제는 모두 오

늘날 국제 사회에 심각한 영향을 끼치는 국제 문제이다. 국제 문제는 국경을 초월하여 발생하고 한 국가가 해결하기 곤란하며 다수의 국가에 영향을 미친다. 따라서 국제 문제를 해결하기 위해서는 국가 간의 협력이 필수적이다.

[선택지 분석]

✔ 어느 한 국가의 노력만으로는 해결이 어렵다.
→ 국가 간의 협력이 필수적이다.

② 한정된 자원을 서로 차지하려는 국가 간 경쟁이다.
→ 제시된 자료는 자원 갈등과 관련 없다.

③ 국제 비정부 기구를 통해서만 해결이 가능한 문제이다.
→ 국제 문제 해결에는 국제 비정부 기구뿐만 아니라 정부 간 국제기구, 개별 국가, 다국적 기업, 개인 등 다양한 행위 주체가 관여한다.

④ 사법적 해결 방식에 따르면 신속하게 해결할 수 있다.
→ 사법적 해결 방식은 국제법을 적용하여 재판 등을 통해 이루어지므로 신속한 해결되기 어렵다.

⑤ 종교적 신념의 차이가 극단적인 충돌로 이어진 것이다.
→ 제시된 자료는 종교적 신념과 관련 없다.

02 국제 문제의 해결 방안

자료 분석 | 프랑스와 러시아의 관계 장관들이 모여 안보 문제를 가지고 타협점을 찾으려는 것으로 외교 활동을 통해 해결하는 사례이다. 외교적 해결은 분쟁 당사국이 충분한 논의와 이견 조율을 거쳐 분쟁 해결의 원칙이나 절차에 합의하고, 협상을 통해 해결책을 마련하는 방식이다. 이는 당사국이 직접적인 양보와 타협을 통해 원만한 합의를 이끌어 내는 방식으로 우선적인 국제 분쟁의 해결 방식이라고 할 수 있다.

[선택지 분석]

① 사법적인 해결
→ 제시문에서 국제적인 사법 기관에 문제의 해결을 의뢰했다는 내용은 없다.

② 국제기구를 통한 해결
→ 제시문에는 국제기구가 언급되지 않았으며 당사국의 관계 장관들만 모여 해결책을 논의하고자 한다.

③ 국제 여론을 통한 해결
→ 제시문에서 국제 여론에 호소했다는 내용은 없다.

✔ 외교 활동을 통한 해결
→ 당사국의 관계 장관들이 모여 외교적인 협상을 하려고 한다.

⑤ 제3국의 중재를 통한 해결
→ 제시문에 당사국 이외의 제3국은 나타나 있지 않다.

03 국제 문제의 종류

자료 분석 | 제시문은 선진국과 후진국의 경제적 격차를 해결하는 방법에 대해 말하고 있다.

[선택지 분석]

✔ 남북문제
→ 선진국과 후진국 간의 경제적 격차로 나타나는 문제이다.

② 안보 문제
→ 대량 살상 무기가 나타나고 종교, 인종, 자원 등으로 국지적 전쟁이 증가하면서 나타난 문제이다.

③ 인구 문제
→ 저출산, 고령화 등의 인구와 관련하여 발생하는 전반적인 문제를 의미한다. 일반적으로 국제 문제보다는 각 국가가 해결해야 하는 과제로 본다.

④ 인권 문제
→ 여성, 아동, 난민 등 사회적 약자의 인권이 보장되지 않아 발생하는 문제이다.

⑤ 환경 문제
→ 각국이 경제 발전을 추구하는 과정에서 공유 자원이 고갈되면서 발생하는 문제이다.

04 국제 연합의 주요 기관

자료 분석 | A는 총회, B는 국제 사법 재판소이다. 국제 사법 재판소는 조약을 준거로 재판하나, 조약이 없을 경우 국제 관습법, 법의 일반 원칙, 판례, 학설 등을 준거로 재판할 수 있다.

[선택지 분석]

① A의 의결 과정에서 각국은 거부권을 행사할 수 있다.
→ 거부권은 안전 보장 이사회 상임 이사국만 행사할 수 있다.

② A는 국제 평화를 위해 군사적 제재를 할 수 있다.
→ 군사적 제재 조치는 안전 보장 이사회만 가할 수 있다.

③ B는 국제 연합 회원국의 분쟁만 다룬다.
→ 국제 연합 회원국이 아니라도 재판의 대상이 될 수 있다.

④ B는 당사국 일방의 신청으로 재판이 시작된다.
→ 당사국의 합의로 제소해야 재판이 시작된다.

✔ B는 재판 시 조약, 국제 관습법, 법의 일반 원칙 등을 적용할 수 있다.

05 안전 보장 이사회의 권한과 역할

자료 분석 | A는 국제 연합의 안전 보장 이사회이다. 15개 이사국 중 5개 상임 이사국은 고정되어 있고, 10개 비상임 이사국만 총회에서 투표로 선출된다. 국제 연합의 경제적, 사회적, 인도적 활동을 지휘·관리하는 것은 경제 사회 이사회이다.

[선택지 분석]

✗ 투표로 선출된 15개 이사국으로 구성된다.
→ 5개 상임 이사국은 고정되어 있고, 10개 비상임 이사국만 투표로 선출된다.

ㄴ 국제법 위반 국가에 대한 군사적 조치를 취할 수 있다.
→ 국제 분쟁이나 침략이 발생하면 해당 국가에 대해 평화적인 해결 방안을 권고하거나 경제·외교적 제재 조치를 취할 수 있다.

✗ 국제 연합의 경제적·사회적·인도적 활동을 지휘·관리한다. → 경제 사회 이사회

ㄹ 이사국 3/5 이상의 찬성으로 의결하고 상임 이사국에게 거부권을 부여한다.
→ 15개국 중 9개국 이상이 찬성으로 의결하며, 절차 사항이 아닌 실질 사항의 경우 상임 이사국에게 거부권을 부여한다.

06 국제 사법 재판소의 한계

자료 분석 | A는 국제 사법 재판소이다. 국제 사법 재판소가 일본에

고래잡이를 금지하라는 판결을 내렸지만, 일본은 판결을 따르지 않고 있다. 이러한 상황이지만 국제 사법 재판소가 제재를 가할 수 있는 수단이 없는 것이 현실이다. 이처럼 **국제 사법 재판소의 판결은 법적 구속력이 있으나 집행에는 한계가 있다.** 판결을 이행하지 않을 경우 분쟁 상대국이 안전 보장 이사회에 제소할 수 있으나, 판결에 불복하는 국가를 국제 사법 재판소가 제재할 수 있는 수단은 현실적으로 마땅치가 않다.

[선택지 분석]

① 판결에 적용할 조약이나 국제 관습법이 부족하다.
➡ 일본의 고래잡이 금지를 판결한 근거는 국제 포경 규제 협약이므로, 판결에 적용할 조약이나 국제 관습법이 부족하다고 보기 어렵다.

✔ 판결을 이행하지 않는 국가에 대한 제재 수단이 없다.
➡ 일본이 판결을 이행하지 않고 있지만 어느 기관도 제재를 가하지 못하고 있다.

③ 한 국가만의 제소로 재판이 시작되어 재판이 남발되고 있다.
➡ 국제 사법 재판소의 재판은 당사국의 합의에 의한 제소로 시작된다.

④ 판결에 대한 강대국의 영향력이 커서 판결에 대한 신뢰가 떨어진다.
➡ 제시문에 판결이 강대국에 영향을 끼친다는 내용은 없다.

⑤ 국제법이 아닌 국제 비정부 기구의 영향력에 의해 판결이 이루어진다.
➡ 제시문에서 국제 비정부 기구는 언급되어 있지 않다.

07 우리나라 국제 관계의 변화

[선택지 분석]

① 조선 시대에는 중국과의 관계를 중시하며 주변 나라와 관계를 맺었다.
➡ 근대 이전에는 중국이 동아시아의 중심 국가였으므로 우리나라는 중국과의 관계를 중시하였다.

② 19세기 말부터 제국주의 열강이 동아시아에 진출하면서 일본에 의해 식민지 지배를 겪었다.
➡ 19세기 말부터 제국주의 열강이 동아시아에 진출하면서 중국의 영향력이 약화되었고, 20세기 초에는 비교적 빠르게 서양 문물을 받아들여 힘을 키운 일본이 우리나라의 국권을 빼앗고 식민지로 만들었다.

✔ 1950년대에는 자원 확보를 위해 제3 세계의 여러 국가와 수교하였다.
➡ 1950년대에 우리 정부는 냉전 체제 속에서 국가 안보를 최우선시 하는 외교 전략을 추진하였다. 공산 진영 국가를 배제한 채 미국을 중심으로 하는 자유 진영 국가와 우호 관계를 맺었다.

④ 1970년대에는 냉전이 완화되고 실리를 추구하는 경향 속에서 차츰 공산 진영 국가들과 관계를 맺기 시작했다.
➡ 1970년대 냉전이 완화되고 중국과 미국 등 강대국들이 이념보다 실리를 추구하는 외교 전략을 펼치자, 우리 정부는 차츰 공산 진영 국가들과 관계를 맺기 시작하였다.

⑤ 1980년대 후반에는 적극적인 북방 외교 정책으로 구소련, 중국 등 공산권 국가와 수교하였다.

➡ 1980년대 후반 사회주의 국가들이 붕괴 조짐을 보이며 국제 정세가 급변하자 우리 정부는 적극적으로 북방 외교 정책을 펼쳐 구소련, 중국 등 공산권 국가와 수교하였고, 제3 세계의 여러 국가와도 수교하였다.

08 공공 외교

자료 분석 | A는 공공 외교이다. **공공 외교는 외국 국민과의 직접적인 소통을 통해 우리나라에 대한 공감대를 형성하는 것이므로 강제적 힘에 해당하는 하드 파워보다는 자발적 동의를 의미하는 소프트 파워를 중시한다.**

[선택지 분석]

① 민간 부문의 교류를 활성화한다.
➡ 외국 국민과 직접적인 소통을 하는 행위 주체는 전문적인 외교관보다는 개인, 기업, 민간 단체 등으로 민간 부문에 해당한다.

✔ 소프트 파워보다는 하드 파워를 중시한다.
➡ 외국 국민들의 자발적 동의를 얻는 방식이므로 하드 파워보다는 소프트 파워를 중시한다.

③ 상대 국가의 행위자와 네트워크를 형성한다.
➡ 국민 개개인, 비정부 기구, 기업, 지방 자치 단체, 각급 정부 기관 등 다양한 형태의 행위자가 상대 국가의 행위자와 네트워크를 형성하고 유지하며 서로에 대한 이해를 높일 수 있다.

④ 문화, 예술, 지식, 미디어 등 다양한 수단을 활용한다.
➡ 정부 간 소통과 협상의 방식을 넘어서 다양한 수단과 교류를 통해 공감대를 형성하는 방식이다.

⑤ 외국 대중에게 직접 다가가 그들의 마음을 사로잡는다.
➡ 공감대를 형성하고 감동을 주어 긍정적인 국가 이미지를 가지도록 한다.

09 외교 방식의 유형

(1) 국제 사법 재판소

(2) [예시 답안] 국제 사법 재판소는 강제적 관할권이 없으므로 원칙적으로 분쟁 당사국 중 한 나라의 제소만으로는 재판이 열리지 않기 때문이다.

채점기준		
상	국제 사법 재판소는 강제적 관할권이 없음과 논쟁 당사국 간의 합의하에 재판이 열림을 논리적으로 서술한 경우	
중	국제 사법 재판소의 재판은 논쟁 당사국 간의 합의가 필요하다고만 서술한 경우	
하	논쟁 당사국 간의 합의가 필요하다는 표현 없이 추상적으로 서술한 경우	

도전! 실력 올리기 216~217쪽

01 ⑤ **02** ① **03** ② **04** ③ **05** ① **06** ⑤ **07** ④
08 ②

01 국제 연합의 주요 기관

자료 분석 | A는 안전 보장 이사회, B는 총회, C는 국제 사법 재판소이다. 국제 사법 재판소의 재판관은 총회와 안전 보장 이사회에서 선출한다.

① A에서 반대한 한 회원국은 ~~비상임~~ 이사국이었을 것이다.
　　　　　　　　　　　　　상임 이사국
　➡ 한 회원국의 반대로 결의안이 무산되었으므로 반대한 회원국
　　은 거부권을 행사할 수 있는 상임 이사국이었을 것이다.

② B에서 채택된 결의안은 국제 사회에서 법적 구속력을
　갖는다.
　➡ 총회에서 채택될 결의안은 국제 사회에서 법적 구속력을 갖지
　　않으며, 권고적 효력만 가질 뿐이다.

③ C는 국가 간, 국가와 개인 간 법적 분쟁을 다룬다.
　➡ 국제 사법 재판소는 국가 간 법적 분쟁을 다룬다. 국가와 개인
　　간 법적 분쟁은 다루지 않는다.

④ C는 당사국을 직접 제재하여 판결을 강제로 이행할 수
　있다.
　➡ 국제 사법 재판소는 판결의 강제 이행을 위해 당사국을 직접
　　제재할 수 없다.

✅ A와 B는 C의 재판관 선출에 관한 권한을 가진다.

02 국제 문제의 특징

자료 분석 | 지구 온난화로 인한 환경 오염 문제, 무차별 테러 등은 국제 사회에 큰 영향을 끼치는 국제 문제이다. 국제 사회는 세계화 흐름에 따라 국가 간의 시간적·공간적 거리가 좁혀지고 사람들의 활동 영역은 전 세계로 넓혀졌다. 이 과정에서 국제 문제는 더욱 다양해지고 있으며, 해당 국가뿐 아니라 우리 삶에 미치는 영향력도 커지고 있다. 국제 문제는 문제를 관리하고 규제할 강제성을 가진 기구가 없어 문제 해결을 위한 국가 간의 합의를 도출하기 어렵다는 특징이 있다.

[선택지 분석]

✅ 문제를 관리하는 국제기구가 많아 서로 충돌한다.
　➡ 국제 문제를 관리하는 국제기구가 없어 국가 간의 협의에 의할
　　수밖에 없으며 이 과정에서 이해관계가 달라 문제 해결이 쉽지
　　않다.

② 제대로 해결되지 않으면 전 지구적인 위기를 초래할 수
　있다.
　➡ 국제 문제인 테러나 환경 오염 등을 제대로 해결하지 못하면
　　평화롭고 안정적인 삶이 파괴될 가능성이 크다.

③ 국경을 초월하여 발생하므로 특정 국가만의 문제로 볼
　수 없다.
　➡ 국제 문제는 국경을 초월하여 발생하고 한 국가가 해결하기 곤
　　란하며 다수의 국가에 영향을 미치므로 문제 해결을 위해서는
　　국가 간의 협력이 필수적이다.

④ 책임 소재가 불분명한 경우가 많아 사법적인 판단을 내
　리기가 어렵다.
　➡ 국제 문제는 문제의 발생 원인이 복합적이어서 책임 소재를 규
　　명하기가 어렵다.

⑤ 자국의 이해관계를 앞세우는 경우가 많아 해결 방안을
　합의하기가 어렵다.
　➡ 예를 들어 환경 문제를 해결하기 위해서는 각 국은 경제 개발
　　을 자제해야 하는데 자국의 경제 성장과 환경 보호라는 상충된
　　이해관계 때문에 회피하려고 한다.

03 국제기구의 유형

자료 분석 | A는 정부 간 국제기구, B와 C는 국제 비정부 기구이다. B는 한정된 지역을 대상으로 하고, C는 제한된 기능을 수행한다. 국제 연합은 전 세계를 대상으로 다양한 기능을 수행하는 정부 간 국제기구이다. 국제 사면 위원회는 제한된 기능을 수행하는 국제 비정부 기구이다.

[선택지 분석]

① A는 B와 달리 현실주의적인 국제 질서를 반영한다.
　➡ 국제기구를 중시하는 것은 모두 자유주의적 관점에 해당한다.

✅ 국제 연합은 A에 해당하며, 국제 사면 위원회는 C에 해당한다.
　➡ 국제 연합은 국가가 회원국인 정부 간 국제기구, 국제 사면 위
　　원회는 인권 보호를 목적으로 하는 국제 비정부 기구이다.

③ 세계화가 확대될수록 A와 B의 영향력은 커지고 C의 영향력은 줄어든다.
　➡ 세계화가 확대될수록 국가 간 상품, 노동, 자본의 교류가 활발
　　해지면서 이와 관련된 국제 분쟁도 늘어난다. 또 이러한 분쟁
　　을 해결하기 위한 각종 국제기구의 영향력도 커진다.

④ 한국과 중국의 인권 단체가 협의체를 구성하여 북한의 인권 문제 개선을 요구하는 것은 A에 해당한다.
　➡ 각국의 인권 단체가 협의체를 구성한다면 한정된 목적을 수행
　　하는 국제 비정부 기구이므로 C에 해당한다.

⑤ 한국에 본사를 두고 세계 각국에 공장을 가진 다국적 기업은 B에는 해당하지만 C에는 해당하지 않는다.
　➡ 다국적 기업은 국제 사회에 영향을 미치는 행위 주체이지만 국
　　제기구는 아니다.

04 국제 연합의 주요 기관

자료 분석 | (가)는 총회, (나)는 안전 보장 이사회, (다)는 국제 사법 재판소이다. 안전 보장 이사회는 15개 이사국 중 9개국 이상의 찬성으로 의결하며, 실질 사항의 경우에는 상임 이사국이 모두 찬성해야 한다.

[선택지 분석]

① ㉠이 가지는 거부권에는 힘의 논리가 반영되어 있다.
　➡ 안전 보장 이사회의 상임 이사국은 거부권을 행사함으로써 안
　　건을 부결시킬 수 있다.

② (가)의 표결 방식은 주권 평등의 원칙에 기초한다.
　➡ 총회의 표결 방식은 1국 1표주의로 주권 평등의 원칙에 기초한다.

✅ (나)는 모든 의사 결정에서 ㉠의 거부권 행사를 적용한다.
　➡ 안전 보장 이사회에서는 절차 사항이 아닌 실질 사항의 경우에
　　만 상임 이사국의 거부권 행사가 적용된다.

④ (다)는 원칙적으로 분쟁 당사국이 합의해야 재판을 시작할 수 있다.
　➡ 국제 사법 재판소는 원칙적으로 당사국 간의 동의가 있는 때에
　　만 재판할 권리를 가진다.

⑤ (다)는 (가)와 (나)에서 선출한 서로 다른 국적의 재판관으로 구성된다.
　➡ 재판관들은 특정 국가나 지역의 이익에 치우치지 않고 공정한

재판을 실현해야 하므로 서로 다른 국적을 가진 사람들로 구성되어야 한다.

05 우리나라의 국제 관계

자료 분석 | 일본의 한국 침략 역사 부정에 대해 외교 관계를 단절한다는 것은 지나치게 감정적으로 접근하는 방식이다. 외교 관계를 단절하면 양국은 모두 회복하기 어려운 상처를 입을 것이다.

[선택지 분석]

☑ 일본 정부와 외교 관계를 단절한다.
　➡ 감정적인 대응 방안이다.
② 역사 자료에서 정확한 근거를 찾는다.
　➡ 사법적 해결이나 국제기구를 통한 해결을 위해서도 가장 필요한 일이다.
③ 일본 정부에 공식 문서를 보내 항의한다.
　➡ 외교적인 해결 방안이다.
④ 국제 사회에 정확한 사실을 적극 홍보한다.
　➡ 국제 사회의 여론에 호소하는 방법이다.
⑤ 피해 국가와 연대하여 사실 관계를 조사한다.
　➡ 국제 사회의 협력을 필요로 하는 방법이다.

06 공공 외교

자료 분석 | 반크와 네티즌의 독도 정보 시정 활동은 정부 간 협상이 아니라 민간 차원의 공공 외교 활동이다. 공공 외교(Public Diplomacy)란 외국 국민과의 직접적인 소통을 통해 우리나라의 역사, 전통, 문화, 예술, 가치, 정책, 비전 등에 대한 공감대를 확산하고 국가 이미지를 높여 국제 사회에서 우리나라의 영향력을 높이는 외교 활동을 말한다.

[선택지 분석]

① 민간 차원의 공공 외교 활동이다.
　➡ 반크는 시민들이 자발적으로 만든 사이버 외교 사절단이다.
② 소프트 파워를 주요 내용으로 한다.
　➡ 사실 관계를 적극 홍보하면서 세계인의 관심을 얻게 되었다.
③ 설득과 활동을 통해 원하는 것을 얻어 낸다.
　➡ 독도와 관련된 정보를 알기 쉽게 다양한 방법으로 세계인에게 알려 잘못된 정보의 시정을 얻어 낸 것이다.
④ 다양한 주체들의 자발적 참여로 이루어진다.
　➡ 개인, 민간단체 등 다양한 주체들이 참여한 것이다.
☑ 정부 간 협상으로 상대국의 양보를 이끌어낸다.
　➡ 정부가 협상하여 얻어낸 결과가 아니라 민간 차원의 공공 외교 활동으로 얻은 결과이다.

07 외교의 의의

자료 분석 | 국가 간 외교는 협상을 통해 이루어지며 이 과정에서 타협하며 국가 간의 이해관계를 조정하거나 상대를 설득하기도 하고 때에 따라 국가적 영향력을 이용하여 압력을 가하기도 한다.

[선택지 분석]

✘ 명분이나 실리보다는 이념을 추구하는 외교로 변화하고 있다.

➡ 오늘날에는 명분이나 이념보다는 국가의 실리를 추구하는 외교로 변화하고 있다.
ⓒ 설득, 위협, 타협 등 가능한 모든 외교 수단이 사용되고 있다.
　➡ 국가 간 외교는 주로 협상을 통해 이루어지며 이 과정에서 설득이나 타협, 군사적·정치적 위협 등이 나타나기도 한다.
✘ 민간 외교에 의한 혼란이 높아지면서 전문가에 의한 공식 외교가 중시되고 있다.
　➡ 많은 국제 문제는 각국 정부뿐만 아니라 시민 단체, 다국적 기업, 지방 자치 단체 등이 함께 힘을 모을 때 효과적으로 해결할 수 있다. 따라서 공식 외교뿐만 아니라 민간 외교의 중요성도 높아지고 있다.
ⓔ 외교의 범위가 안보 문제에 한정되지 않고 경제 및 문화 영역 등으로 확대되고 있다.
　➡ 세계화·정보화의 흐름에 따라 외교 범위가 안보뿐 아니라, 경제, 환경, 문화, 스포츠 등 다양한 영역으로 확대되고 있다.

08 우리나라 외교 정책의 변화

자료 분석 | 우리나라의 외교 정책은 우방국과의 협력 관계 강화(냉전 시기) → 제3 세계 국가와 외교(1960년대) → 일부 사회주의 국가에 문호 개방(1970년대) → 실리 추구(1990년대 이후)로 변화하였다.

[선택지 분석]

(가) 국가 안보를 최우선으로 미국 등 우방국과의 협력을 강화하였다.
　➡ 냉전 체제가 심화되었던 1950년대에는 국가 안보를 최우선하는 외교 전략으로, 국가 안보를 위해 미국 등 우방국과의 협력 관계를 강화하고자 하였다.
(나) 안보 외교를 유지하는 동시에 실리를 중시하는 외교를 전개하였다.
　➡ 1990년대 이후의 외교 전략으로 세계 무역 기구(WTO) 가입, 세계 여러 국가와의 자유 무역 협정(FTA) 체결 등을 통해 알 수 있다.
(다) 일부 사회주의 국가에 문호를 개방하고 공산권 외교를 강화하였다.
　➡ 1970년대에는 냉전 체제가 완화되는 국제 질서 흐름에 맞게 일부 사회주의 국가들에 문호를 개방하였다.
(라) 제3 세계 비동맹 국가가 성장하는 것에 맞추어 이들에 대한 외교를 강화하였다.
　➡ 1960년대에는 제3 세계 비동맹 국가들이 성장하면서 우리나라는 이들에 대한 외교를 강화하였다.

┌───┐
│ 한번에 끝내는 대단원 문제　　　　　　220~223쪽 │
├───┤
│ 01 ④　02 ③　03 ②　04 ⑤　05 ②　06 ⑤　07 ③ │
│ 08 ③　09 ①　10 ②　11 ⑤　12 ③ │
│ 13~16 해설 참조 │
└───┘

01 국제 사회의 변화 과정

자료 분석 | (가)는 제2차 세계 대전이 끝나고 냉전 체제가 시작되던 1950년대의 상황이고, (나)는 냉전 체제가 완화되기 시작하는 1960년대 후반과 1970년대의 상황이다. (다)는 냉전 체제가 종식된 1990년대의 상황이다.

[선택지 분석]

① (가) 시기에는 미소 간에 힘의 균형이 형성되어 있었다.
　➡ 냉전 체제가 시작되던 1950년대에는 미국을 중심으로 한 자유주의 진영과 소련을 중심으로 한 공산주의 진영 간에 힘의 균형이 유지되고 있었다.

② (나) 시기와 같은 변화를 통해 양극 체제가 약화되었다.
　➡ 1960년대와 1970년대에는 중국과 프랑스, 일본 등의 부상으로 양극 체제가 다극 체제로 변화되고, 제3 세계 국가들이 국제 연합에서 영향력을 행사하면서 양극 체제가 약화되었다.

③ (다) 시기에 미소 정상이 만난 몰타 회담이 있었다.
　➡ 1989년 몰타 선언을 통해 냉전 체제가 공식적으로 종식되었다.

✅ (가)에서 (나) 시기로 넘어갈 때 우리나라는 문화 외교를 강화하였다.
　➡ 우리나라는 2010년대 이후 즈음에 문화 외교를 강화하였다. (가)에서 (나) 시기로 넘어갈 때는 반공 외교가 중시되었다.

⑤ (다) 시기 이후에 각국은 정치적 이념보다는 경제적 실리를 강조하였다.
　➡ 냉전 체제가 종식되면서 각국은 자국의 경제적 이익을 추구하게 되었다.

02 국제 관계의 특징

자료 분석 | 유럽 연합의 회원국들끼리는 휴대 전화의 로밍 수수료를 폐지함으로써 국경을 초월하여 휴대 전화를 자유롭게 사용할 수 있도록 하여 국가 간 긴밀한 협력 관계를 유지하고 있음을 알 수 있다.

[선택지 분석]

① 제3 세계 국가의 영향력이 확대되고 있다.
　➡ 제3 세계 국가는 언급되어 있지 않다.

② 자국의 이익 추구로 분쟁이 증가하고 있다.
　➡ 국가 간의 협력 관계를 나타낸다.

✅ 국경을 초월하여 서로 긴밀하게 협력하고 있다.
　➡ 회원국 간 로밍 수수료를 폐지하여 국경을 넘더라도 휴대 전화를 자유롭게 사용할 수 있도록 하고 있다.

④ 분쟁 해결에 국제 비정부 기구가 개입하고 있다.
　➡ 유럽 연합은 정부 간 국제기구이다.

⑤ 표준화된 국제 규범을 준수하려는 경향이 나타난다.
　➡ 표준화된 국제 규범에 대한 언급은 없다.

03 국제 사회를 보는 관점

자료 분석 | 갑은 국제 사회를 보는 자유주의적 관점, 을은 현실주의적 관점이다. 자유주의적 관점은 국제법과 같은 국제 규범을 통해 국제 평화가 달성된다고 본다. 현실주의적 관점은 힘의 논리를 강조하여 힘이 강한 국가가 패권적 국제 질서를 형성한다고 본다.

[선택지 분석]

ㄱ 갑은 국제 규범에 의한 국가 간 이익 조화가 가능하다고 본다. ➡ 자유주의적 관점

✗ 을은 국제 질서가 집단 안보 전략에 의해서 유지된다고 본다.
　갑은

✗ 갑은 을에 비해 개별 국가가 이익을 추구할 것을 강조하고 있다.
　을은 갑에

ㄹ 을은 갑에 비해 패권적 국제 질서의 확장을 중시하고 있다. ➡ 현실주의적 관점

04 국제 문제의 해결 방안

자료 분석 | 제시문은 자원이나 영토 문제 등으로 인한 갈등이 발생한 사례이다. 국가 간의 갈등은 당사국 간 외교적 협상으로 해결하는 것이 가장 바람직하다.

[선택지 분석]

① 국제간 이념의 차이로 나타나는 분쟁이다.
　➡ 이념 차이로 나타나는 분쟁은 1950년 한국 전쟁을 들 수 있다.

② 다양한 국제 문제 중 인권 문제에 해당한다.
　➡ 영토 분쟁이지 인권 문제가 아니다.

③ 국제 사법 재판소에 제소하는 것이 가장 신속한 해결책이다.
　➡ 사법적 해결은 해결에 많은 시간이 걸린다.

④ 국제기구의 조정이나 중재를 먼저 거쳐야 외교적 해결이 가능하다.
　➡ 당사자 간 협상과 대화를 통하면 국제기구의 조정이나 중재를 거칠 필요가 없다.

✅ 분쟁 당사국끼리 원칙이나 절차에 합의하는 것이 가장 바람직하다. ➡ 외교적 해결 방식

05 국제법의 법원

자료 분석 | ㉠은 조약, ㉡은 국제 관습법이다. 조약은 국제법 주체들이 국제법의 규율 아래 일정한 법률 효과를 발생시키기 위하여 체결한 국제적 합의이다. 국제 관습법은 오랜 기간 반복되어 온 관행을 국제 사회에서 암묵적으로 따라야 할 규범으로 인정하여 성립된 국제법이다. 조약은 체결 당사국만 구속하지만, 국제 관습법은 모든 국가에 포괄적으로 구속력을 가진다.

[선택지 분석]

ㄱ ㉠은 체결 당사국만 구속한다.

✗ ㉡은 문명국에 의하여 인정된 법의 일반 원칙이다.
　➡ 국제 관습법은 오랜 기간 반복되어 온 관행이 국제 사회에서 법적 인식을 얻은 것이다.

✗ ㉠은 ㉡과 달리 국내에서 법률의 효력을 가진다.
　㉠과 ㉡은 모두

ㄹ ㉠과 ㉡은 모두 국제 사법 재판소의 재판 규범으로 작용한다.

06 국내법과 국제법의 관계

자료 분석 | (가)는 법률로 국내법에, (나)는 조약으로 국제법에 해당한다. 국내법은 법 집행 기관이 있기 때문에 국제법에 비해 법 위반

행위에 대한 제재가 강한 편이다. 이에 비해 **국제법**은 위반 행위에 대해 제재할 수 있는 기관이 없기 때문에 **위반국에 대해 제재를 가하기가 어렵다.**

[선택지 분석]

① (가)의 이행을 담당하는 집행 기구는 ~~존재하지 않는다.~~
　　　　　　　　　　　　　　　　　　　존재한다.

② (나)는 국제 사회에서 ~~관행적으로 인정되어 온 규범이다.~~
　　　　　　　명시적인 문서로 된 조약

③ ~~(가)~~는 (나)와 달리 위헌 법률 심판의 대상이다.
　 (가)와 (나)는 모두

④ ~~(가)와 달리 (나)~~는 헌법의 하위 법규로 인정된다.
　 (가)와 (나)는 모두

☑ (가)는 (나)에 비해 위반 행위에 대한 제재가 엄격한 편이다.
　➡ 국내법은 국제법과 달리 법 집행 기구가 있기 때문이다.

07 국제 문제의 특징

자료 분석 | 제시문에서 미국이 환경 보호를 위한 국제법인 파리 기후 변화 협약에서 탈퇴하려는 것은 미국의 이해관계에 맞지 않기 때문이다. 이처럼 국제 문제는 각국의 이해관계로 합의하여 이행하기 어렵다.

[선택지 분석]

① 문제의 책임 소재가 분명하지 않다.
　➡ 국제 문제의 특징은 맞지만 제시된 사례와는 거리가 멀다.

② 다수에게 무차별적으로 영향을 미친다.
　➡ 국제 문제의 특징은 맞지만 제시된 사례와는 거리가 멀다.

☑ 각국의 이해관계로 합의 이행이 어렵다.
　➡ 미국의 이익 추구에 맞지 않기 때문에 합의 이행하지 않으려 한다.

④ 국제 비정부 기구가 문제 해결을 주도한다.
　➡ 제시문에 국제 비정부 기구는 언급되어 있지 않다.

⑤ 이해 당사국을 배제한 제3자의 중재가 최선이다.
　➡ 제시문에 제3자의 중재는 언급되어 있지 않다.

08 국제 연합의 주요 기관

자료 분석 | (가)는 국제 연합 총회, (나)는 국제 사법 재판소이다. 국제 사법 재판소는 조약, 국제 관습법, 법의 일반 원칙 등을 적용하여 재판한다.

[선택지 분석]

① (가)는 강대국이 지니는 힘의 우위를 인정하고 있다.
　→ 안전 보장 이사회 상임 이사국의 거부권 행사

② (가)의 의사 결정 방식은 특정 국가에 유리할 수 있다.
　➡ 총회의 의사 결정은 1국 1표주의를 기본으로 주권 평등의 원칙이 적용되므로 특정 국가에 유리하지 않다.

☑ (나)는 국제 관습법을 적용하여 재판할 수 있다.
　➡ 조약이 없을 경우 국제 관습법을 적용하여 재판할 수 있다.

④ (나)는 국제 평화 유지를 위해 군사적 제재를 가할 수 있다. → 안전 보장 이사회

⑤ (나)의 판결에 불복할 경우 당사국은 (가)에 상소할 수 있다.

➡ 국제 사법 재판소의 판결에 불복하여 상소하는 절차는 없다.

09 국제 문제의 해결 방안

자료 분석 | 분쟁 지역에의 군대 파견, 인권 증진을 위한 국제 연합 인권 이사회 활동, 개발 도상국에 대한 기술 지원 등은 모두 국가 차원의 국제 평화 실현을 위한 노력이다.

[선택지 분석]

☑ 국제 사회의 평화를 위한 국가 차원의 노력이다.

② 지구촌 구성원으로서 ~~캐안어~~ 가져야 할 노력이다.
　　　　　　　　　　　정부가

③ 모든 사회 구성원은 세계 시민 의식을 가져야 한다.
　➡ 개인 차원의 국제 평화 실현 노력이다.

④ 국가 간 이해관계로 인한 분쟁은 해결하기가 쉽지 않다.
　➡ 국가 간 이해관계가 제시되어 있지 않다.

⑤ 개별 국가의 이익을 우선적인 가치로 두고 생각해야 한다.
　➡ 개별 국가의 이익보다 국제 평화의 이익을 우선시해야 한다.

10 우리나라를 둘러싼 국제 관계

자료 분석 | 우리나라를 둘러싸고 한국과 중국, 한국과 미국, 미국과 북한, 한국과 일본이 겪고 있는 국제 문제를 나타내고 있다. 동북 공정의 역사 문제로 인한 무역 갈등은 우리나라와 중국 간 갈등 상황이다.

[선택지 분석]

① ㉠ - 서해상 불법 조업 문제
　➡ 중국 어민들의 불법 조업 문제에 대해 중국 정부가 강력한 대처를 하지 않아 갈등이 끊이지 않고 있다.

☑ ㉡ - 동북 공정의 역사 문제
　➡ 중국이 발해가 중국의 지방 정권이었다는 왜곡된 역사 주장을 펼치어 양국 간에 갈등이 발생하고 있다.

③ ㉢ - 핵 폐기 문제를 둘러싼 갈등
　➡ 미국은 북한에 완전한 핵 폐기를 요구하고 있지만, 북한은 체제 보장을 요구하며 맞서고 있다.

④ ㉣ - 경제 규제와 영유권 분쟁
　➡ 일본은 한국에 대해 반도체 부품의 수출을 규제하고 독도의 영유권을 주장하면서 갈등을 증폭시키고 있다.

⑤ ㉤ - 위안부 배상 문제
　➡ 위안부와 관련해 겪는 물질적·정신적 갈등은 우리나라와 일본이 겪고 있는 갈등이다.

11 외교 활동의 유형

자료 분석 | (가)는 정부의 공식적인 외교 활동, (나)는 민간 차원의 공공 외교 활동이다.

[선택지 분석]

① (가)는 국가의 주권 행사와 관련된다.
　➡ 조약 체결은 주권 국가와의 외교적 활동이다.

② (나)는 소프트 파워의 영향력이 크다.
　➡ 민간단체에 의해 자발적으로 이루어지는 봉사 활동으로 상대국 국민의 마음을 사로잡는 소프트 파워의 영향력을 알 수 있다.

③ (가)는 (나)와 달리 외교관이 중심이 되어 활동한다.
　➡ 조약 체결은 공식적인 외교관이 주도한다.

④ (나)는 (가)에 비해 민간 차원의 공감대를 형성한다.

➡ 민간 차원에서 이루어지는 공공 외교는 상대국 국민의 마음을 사로잡아 공감대를 형성한다.

✓ (가)는 국제 평화 유지, (나)는 이윤 추구가 목적이다.

➡ (가)와 (나)는 모두 국제 평화 유지에 기여한다. 민간 차원에서 이루어지는 봉사 활동의 목적은 이윤 추구가 아니다.

12 외교 정책의 교훈

자료 분석 | 독일과 폴란드가 과거의 적대적 관계에서 우호 관계로 발전할 수 있었던 것은 독일 정부의 진정성 있는 사과가 폴란드 국민의 마음을 얻었기 때문이다.

[선택지 분석]

① 끈질긴 협상을 통해 상대국의 양보를 이끌어 내야 한다.

➡ 독일은 폴란드에 진정성 있게 먼저 사과함으로써 상대국 국민의 마음을 얻었다.

② 민간 외교보다 공식적인 외교 활동이 훨씬 효율적이다.

➡ 제시문에는 국가의 공식적인 외교 활동이 나와 있지만, 그렇다고 민간 외교보다 공식적인 외교 활동이 효율적이라고 판단할 근거가 제시되어 있지는 않다.

✓ 상대국 국민의 마음을 얻는 일에서부터 출발해야 한다.

➡ 진정성 있는 사과가 상대국 국민의 마음을 움직였다.

④ 상대국과 협상하기에 앞서 주변 국가에 도움을 요청해야 한다.

➡ 주변 국가에 도움을 요청했다는 내용은 언급되어 있지 않다.

⑤ 외교 협상에서 자국의 이익만을 고려할 때 성공할 가능성이 높다.

➡ 자국의 이익보다는 진정성 있는 사과와 화해 조치를 통해 협력을 이끌어 냈다.

13 국제 사회를 보는 관점

(1) A: 자유주의적 관점, B: 현실주의적 관점

(2) [예시 답안] A는 힘의 논리가 지배하는 국제 사회의 현실을, B는 국가 간의 상호 의존적 관계를 간과한다.

채점기준		
상	A, B의 문제점을 모두 정확하게 서술한 경우	
중	A, B 중 하나의 문제점만 서술한 경우	
하	A, B의 문제점과 무관하게 서술한 경우	

14 국제 연합의 주요 기관

(1) A: 총회, B: 안전 보장 이사회

(2) [예시 답안] 일반적인 의사 결정은 15개 이사국 중 9개국 이상의 찬성으로 의결해야 하고, 실질 사항은 상임 이사국 모두가 찬성해야 한다.

채점기준		
상	일반적인 의사 결정 방식과 실질 사항에서의 의사 결정 방식을 정확하게 서술한 경우	
중	일반적인 의사 결정 방식이나 실질 사항에서의 의사 결정 중 하나만 정확하게 서술한 경우	
하	안전 보장 이사회의 의사 결정 방식과 무관한 내용을 서술한 경우	

15 우리나라 외교의 변화

(1) 북방 외교

(2) [예시 답안] 우리나라는 북방 외교를 통해 평화 통일 기반을 조성하고 한반도의 평화를 안정적으로 관리하고자 하였다.

채점기준		
상	북방 외교의 목표를 평화 통일 기반 조성과 한반도 평화의 안정적 관리라고 구체적으로 모두 서술한 경우	
중	북방 외교의 목표를 평화 통일 기반 조성과 한반도 평화의 안정적 관리 중 하나만 서술한 경우	
하	북방 외교의 목표를 평화 통일과 한반도 평화와 무관한 내용을 서술한 경우	

16 국제 문제

(1) 남북문제

(2) [예시 답안] 세계화로 자유 무역이 확대되면서 선진국은 높은 기술력과 충분한 자본으로 고부가 가치 상품을 만들어 이익을 얻었지만, 개발 도상국은 값싼 노동력을 토대로 저부가 가치 상품을 생산하여 국가 간 빈부 격차가 커졌다.

채점기준		
상	세계화, 자유 무역 확대, 선진국의 산업 발달, 개발 도상국의 상품 생산력을 연결하여 정확하게 서술한 경우	
중	세계화로 인해 선진국과 개발 도상국의 격차가 커졌다고만 결과적으로 서술한 경우	
하	세계화에 대한 언급 없이 선진국과 개발 도상국 간의 격차만 서술한 경우	

개념 학습과 정리가 한번에 끝나는 기본서

개념풀

정치와 법

사과탐 성적 향상 전략

개념 학습은?

개념풀

사과탐 실력의 기본은 개념,
개념을 알기 쉽게 풀어 이해가 쉬운
개념풀 기본서로 개념을 완성하세요.

사회	과학
통합사회	통합과학
한국사	물리학 I
생활과 윤리	화학 I
윤리와 사상	생명과학 I
한국지리	지구과학 I
세계지리	화학 II
정치와 법	생명과학 II
사회·문화	

시험 대비는?

개념풀 문제편

빠르게 내신 실력을 올리는 전략,
내신기출문제를 철저히 분석하여 구성한
개념풀 문제편으로 내신 만점에 도전하세요.

사회	과학
통합사회	통합과학
생활과 윤리	물리학 I
한국지리	화학 I
정치와 법	생명과학 I
사회·문화	지구과학 I

지학사 서포터즈 모집안내

상기 모집 내용 및 일정은 사정에 따라 변동될 수 있습니다. 자세한 사항은 지학사 홈페이지 (www.jihak.co.kr)를 통해 공지됩니다.

모집 분야

개념 학습과 정리가 한번에 끝나는 기본서
개념풀

- **대상** 고등학생(1~2학년)
- **모집 시기** 매년 3월, 12월

수학을 쉽게 만들어 주는 자
풍산자

- **대상** 중·고등학생(1~3학년)
- **모집 시기** 매년 2월, 8월

활동 내용

❶ 교재 리뷰 작성 ❷ 홍보 미션 수행

혜택

❶ 해당 시리즈 교재 중 1권 증정 ❷ 미션 수행자에게 푸짐한 선물 증정

개념 학습과 정리가 한번에 끝나는 기본서

개념풀

정치와 법

발 행 인 권준구
발 행 처 (주)지학사 (등록번호 : 1957.3.18 제 13-11호) 04056 서울시 마포구 신촌로6길 5
발 행 일 2019년 12월 20일 [초판 1쇄]   2024년 2월 29일 [2판 3쇄]
구입 문의 TEL 02-330-5300 | FAX 02-325-8010 구입 후에는 철회되지 않으며, 잘못된 제품은 구입처에서 교환해 드립니다.
내용 문의 www.jihak.co.kr 전화번호는 홈페이지 〈고객센터 → 담당자 안내〉에 있습니다.

학습한 개념을
스스로 정리해 보는
개념책 1:1 맞춤

정리
노트

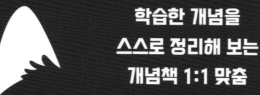

정치와 법

의 노트

개념과 정리가 한번에 끝나는 기본서

개념풀
— 정치와 법 —

개념책 1:1맞춤

정리노트
c o n t e n t s

Ⅰ.	민주주의와 헌법	04
Ⅱ.	민주 국가와 정부	16
Ⅲ.	정치 과정과 참여	28
Ⅳ.	개인 생활과 법	40
Ⅴ.	사회생활과 법	52
Ⅵ.	국제 관계와 한반도	64

학습한 개념을 단권화 할 수 있는
개념풀 정리노트 사용법

정리노트를 작성하기 전 대단원의 흐름을 살펴보면서 워밍업을 해 보세요.

❶ 대단원의 흐름을 한번에 훑어 보세요. 공부했던 내용들의 흐름이 기억날 거예요.

기억이 잘 안난다구요?
기억이 나지 않아도 걱정 마세요.
이제부터 시작이니까요.

중단원별 중요 내용의 구조를 보고, 개념을 정리하세요.

❷ 선배들이 개념책을 보고 중단원 전체의 내용 구조를 정리했어요.

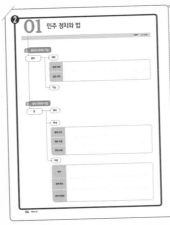
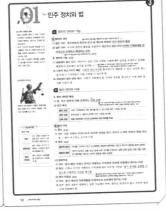

❸ 어디서부터 어떻게 정리해야 할지 모른다구요? 개념책을 펴 보세요. 흐름이 같지요? 개념책의 내용을 나만의 스타일로 정리해 보세요.

무엇이 중요하고 무엇을 꼭 정리해 놓고 공부해야 하는지 알 수 있어요.

대단원별 개념 정리하기와 마인드맵으로 단원의 내용을 확실하게 정리하세요.

❹ 대단원별 중요한 개념을 다시 적어 보세요. 단원의 핵심 개념을 확실하게 정리할 수 있어요.

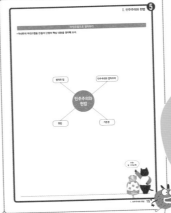

❺ 자신만의 마인드맵을 만들어 보세요. 단원의 핵심 내용이 머릿속에 쏙!

정리노트 사용하는 2가지 방법
1. 개념책이나 교과서를 펴 놓고 중요 자료를 보면서 써 보기!
2. 외웠던 것을 스스로 확인하는 차원에서 정리해 보기!

수능 1등급 받은
선배들의 정리노트 이야기

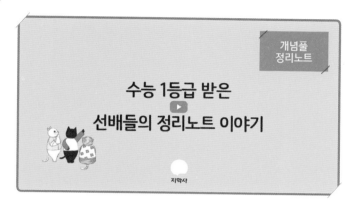

선배들이 직접 들려주는 정리노트 노하우!

"개념풀 정리노트는 단원의 전체 흐름과 중요한 세부 내용까지 모두 볼 수 있도록 구성되어 있어. 그동안 공부했던 걸 시험 전날 정리노트에 채워 보고 가면 그 시험은 만점 예약!"

◀ 동영상 바로보기

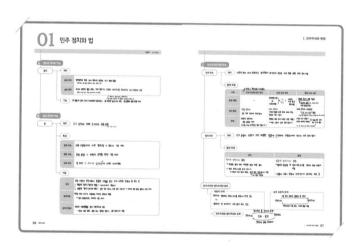

류수연 고려대 재학생

"개념풀 정리노트는 단원의 전체 흐름은 어떤지, 어떤 개념이 중요한지 한눈에 알 수 있도록 구성되어 있어. 헷갈리는 개념을 나만의 스타일로 정리할 수 있어서 너무 좋아!"

◀ 류수연 학생의 노트 바로가기

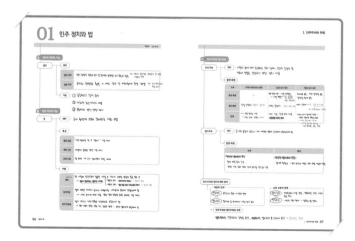

조동휘 고려대 재학생

"시험 기간에 노트 정리를 하며 공부하려고 하면 막상 빈 노트에 무엇부터 써야 하는지 막막하잖아. 개념풀 정리노트는 빈 노트에 정리하기 두려운 친구들에게 조금이나마 도움이 될 거야!"

◀ 조동휘 학생의 노트 바로가기

» 선배들이 작성한 정리노트 바로가기

I

민주주의와
헌법

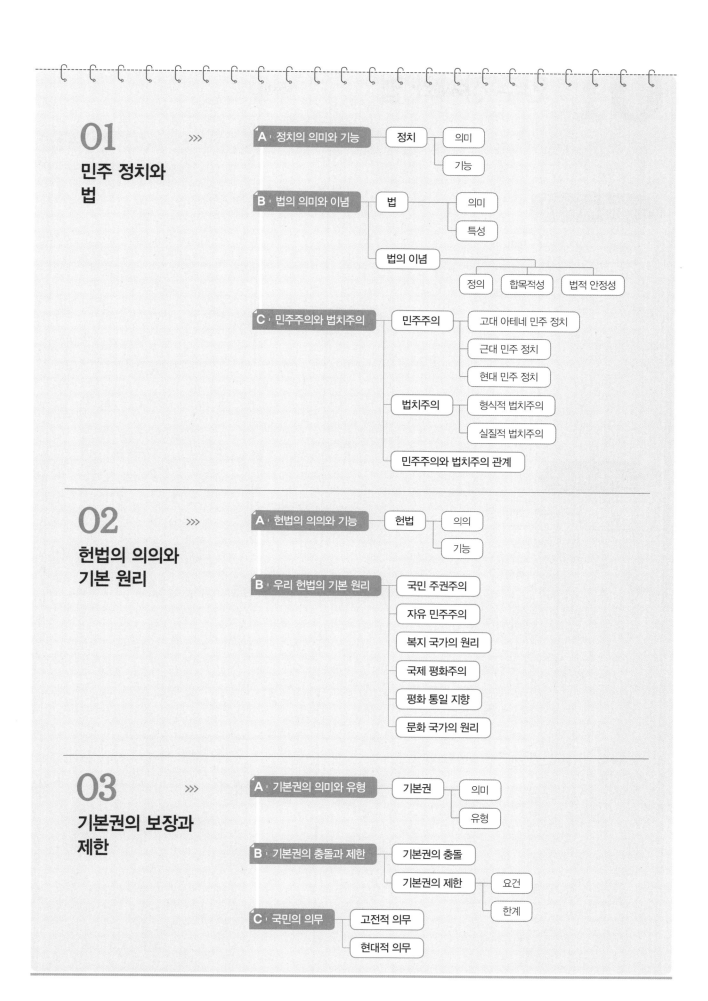

01

>>>

**민주 정치와
법**

A · 정치의 의미와 기능 ─ 정치 ─ 의미
                              └ 기능

B · 법의 의미와 이념 ─ 법 ─ 의미
                         └ 특성
                    └ 법의 이념 ─ 정의 ─ 합목적성 ─ 법적 안정성

C · 민주주의와 법치주의 ─ 민주주의 ─ 고대 아테네 민주 정치
                                 ─ 근대 민주 정치
                                 └ 현대 민주 정치
                       ─ 법치주의 ─ 형식적 법치주의
                                 └ 실질적 법치주의
                       └ 민주주의와 법치주의 관계

02

>>>

**헌법의 의의와
기본 원리**

A · 헌법의 의의와 기능 ─ 헌법 ─ 의의
                             └ 기능

B · 우리 헌법의 기본 원리 ─ 국민 주권주의
                        ─ 자유 민주주의
                        ─ 복지 국가의 원리
                        ─ 국제 평화주의
                        ─ 평화 통일 지향
                        └ 문화 국가의 원리

03

>>>

**기본권의 보장과
제한**

A · 기본권의 의미와 유형 ─ 기본권 ─ 의미
                               └ 유형

B · 기본권의 충돌과 제한 ─ 기본권의 충돌
                       └ 기본권의 제한 ─ 요건
                                    └ 한계

C · 국민의 의무 ─ 고전적 의무
              └ 현대적 의무

01 민주 정치와 법

개념책 12~15 쪽

A 정치의 의미와 기능

정치 ── 의미

좁은 의미	
넓은 의미	

── 기능 :

B 법의 의미와 이념

법 ── 의미 :

── 특성

행위 규범	
재판 규범	
강제 규범	

── 이념

정의	
합목적성	
법적 안정성	

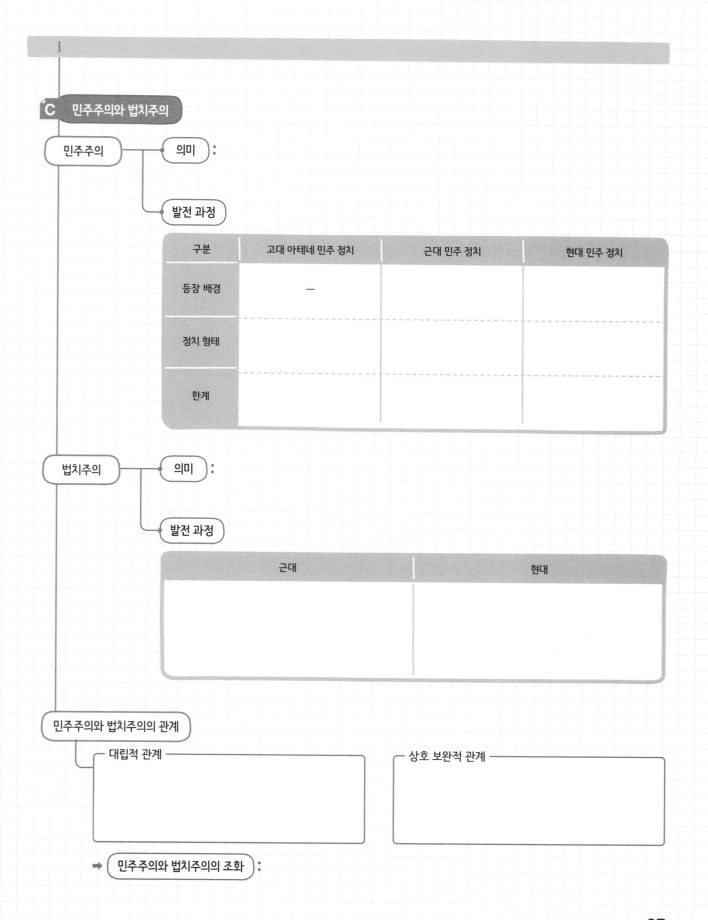

C 민주주의와 법치주의

민주주의 ── 의미 :

── 발전 과정

구분	고대 아테네 민주 정치	근대 민주 정치	현대 민주 정치
등장 배경	—		
정치 형태			
한계			

법치주의 ── 의미 :

── 발전 과정

근대	현대

민주주의와 법치주의의 관계

── 대립적 관계 ──

── 상호 보완적 관계 ──

➡ 민주주의와 법치주의의 조화 :

 헌법의 의의와 기본 원리

개념책 22~25 쪽

A 헌법의 의의와 기능

헌법

- 의미 :

- 의의 :

- 입헌주의 :

- 헌법의 의미 변천

고유한 의미의 헌법	
근대 입헌주의 헌법	
현대 복지 국가 헌법	

- 기능 :

B 우리 헌법의 기본 원리

헌법의 기본 원리

- 의미 :

- 의의 :

우리 헌법의 기본 원리

구분	의미	관련 규정	실현 방안
국민 주권주의			
자유 민주주의			
복지 국가의 원리			
국제 평화주의			
평화 통일 지향			
문화 국가의 원리			

03 기본권의 보장과 제한

개념책 32~35 쪽

A 기본권의 의미와 유형

기본권 :

기본권의 성격 :

기본권의 유형

인간으로서의 존엄과 가치 및 행복 추구권

인간으로서의 존엄과 가치	
행복 추구권	

평등권

의미	
성격	
종류	

자유권

의미	
성격	
종류	

참정권

의미	
성격	
종류	

사회권

의미	
성격	
종류	

청구권

의미	
성격	
종류	

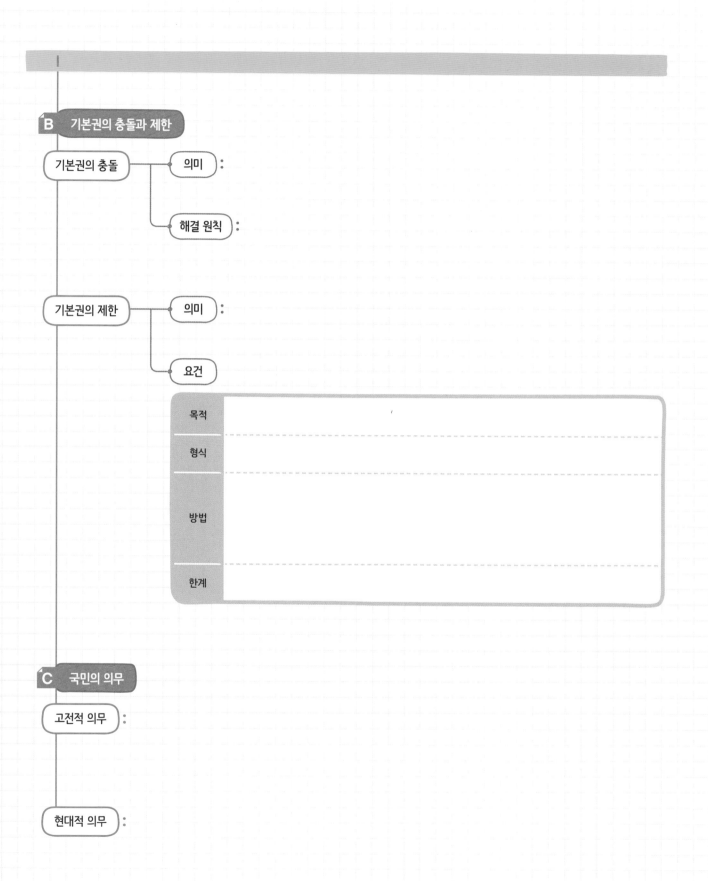

B 기본권의 충돌과 제한

기본권의 충돌 ── 의미 :

── 해결 원칙 :

기본권의 제한 ── 의미 :

── 요건

목적	
형식	
방법	
한계	

C 국민의 의무

고전적 의무 :

현대적 의무 :

단원 정리하기

● 단원의 핵심 개념을 정리해 보자.

01 민주 정치와 법

| 넓은 의미의 정치)

| 좁은 의미의 정치)

| 법)

| 사회 규범)

| 평균적 정의)

| 배분적 정의)

| 합목적성)

| 법적 안정성)

| 민주주의)

| 직접 민주제)

| 대의 민주제)

| 사회 계약설)

| 보통 선거 제도)

| 법치주의)

개념 정리하기

02 헌법의 의의와 기본 원리

| 헌법 |

| 입헌주의 |

| 국민 주권주의 |

| 자유 민주주의 |

| 복지 국가의 원리 |

| 국제 평화주의 |

| 평화 통일 지향 |

| 문화 국가의 원리 |

03 기본권의 보장과 제한

| 기본권 |

| 자연법상 권리 |

| 실정법상 권리 |

| 인간으로서의 존엄과 가치 |

| 행복 추구권 |

평등권

자유권

참정권

사회권

청구권

법익 형량의 원칙

규범 조화적 해석의 원칙

과잉 금지의 원칙

기본권의 제한

국방의 의무

납세의 의무

교육의 의무

근로의 의무

환경 보전의 의무

재산권 행사의 공공복리 적합 의무

마인드맵으로 정리하기

◉ 자신만의 마인드맵을 만들어 단원의 핵심 내용을 정리해 보자.

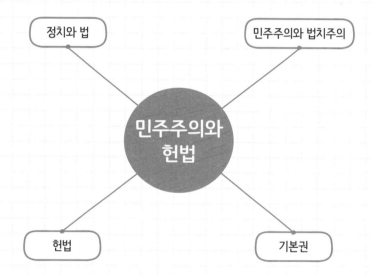

오옷!
잘 그리는데!

» 선배들이 작성한 정리노트 바로가기

II

민주 국가와
정부

01
민주 국가와 우리나라의 정부 형태

>>>

A 민주 국가의 정부 형태 ── 정부 형태
- 의원 내각제
- 대통령제
- 이원 집정부제

B 우리나라의 정부 형태
- 변천 과정
- 특징

02
국가 기관의 구성과 역할

>>>

A 국회
- 지위
- 역할

B 대통령과 행정부 ── 대통령
- 지위
- 역할

행정부
- 국무총리
- 국무 회의
- 행정 각부
- 감사원

C 법원과 헌법 재판소 ── 공정한 재판을 위한 제도
- 사법권의 독립
- 심급 제도
- 공개 재판주의
- 증거 재판주의

법원
- 대법원
- 고등 법원
- 지방 법원
- 기타 법원

헌법 재판소

03
지방 자치의 의의와 과제

>>>

A 지방 자치와 지방 자치 제도 ── 지방 자치
- 의미
- 의의

우리나라의 지방 자치 단체 ── 광역 자치 단체

우리나라의 주민 참여 제도 ── 기초 자치 단체

B 우리나라 지방 자치의 현실과 과제
- 우리나라 지방 자치의 문제점
- 우리나라 지방 자치의 발전 방안

01 민주 국가와 우리나라의 정부 형태

개념책 50~53 쪽

A 민주 국가의 정부 형태

정부 형태 :

의원 내각제

의미	
성립 배경	
구성 방식	
특징	
장점	
단점	

대통령제

의미	
성립 배경	
구성 방식	
특징	
장점	
단점	

이원 집정부제

의미	
구성 방식	
특징	

B 우리나라의 정부 형태

변천 과정

정부 수립 당시	
4·19 혁명 (1960년)	
5·16 군사 정변 (1961년)	
유신 헌법 (1972년)	
6월 민주 항쟁 (1987년)	

우리나라의 정부 형태 :

특징

대통령제 원칙	의원 내각제적 요소

02 국가 기관의 구성과 역할

개념책 60~63쪽

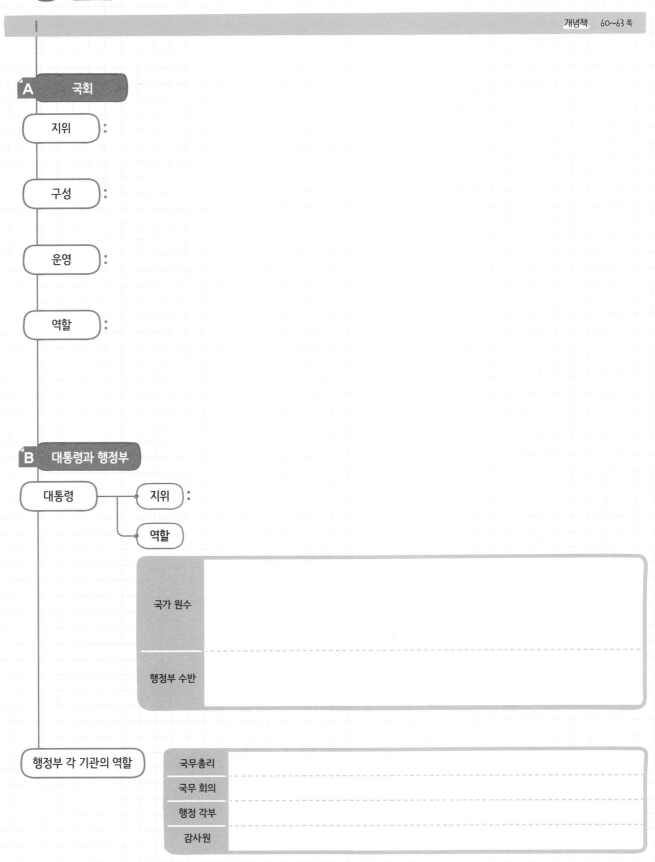

A 국회

지위 :

구성 :

운영 :

역할 :

B 대통령과 행정부

대통령 ─ 지위 :

└ 역할

국가 원수	
행정부 수반	

행정부 각 기관의 역할

국무총리	
국무 회의	
행정 각부	
감사원	

C 법원과 헌법 재판소

사법(司法) :

공정한 재판을 위한 제도

사법권의 독립	
심급 제도	
공개 재판주의	
증거 재판주의	

법원

대법원	
고등 법원	
지방 법원	
기타 법원	

헌법 재판소 —— 구성 :

—— 역할

위헌 법률 심판	
헌법 소원 심판	
탄핵 심판	
정당 해산 심판	
권한 쟁의 심판	

03 지방 자치의 의의와 과제

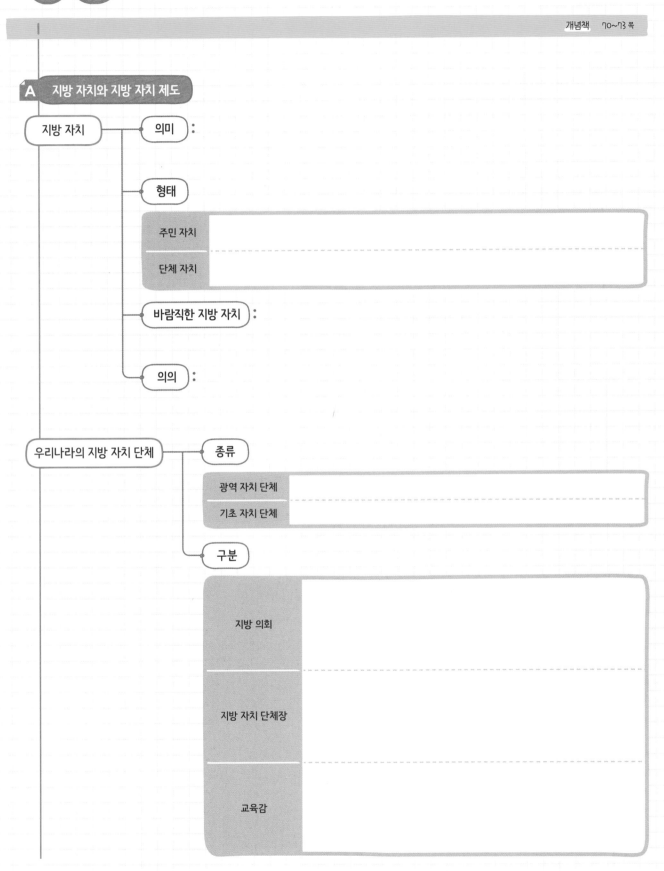

A 지방 자치와 지방 자치 제도

지방 자치 — 의미 :

— 형태

주민 자치	
단체 자치	

— 바람직한 지방 자치 :

— 의의 :

우리나라의 지방 자치 단체 — 종류

광역 자치 단체	
기초 자치 단체	

— 구분

지방 의회	
지방 자치 단체장	
교육감	

우리나라의 주민 참여 제도

주민 투표 제도	
주민 발안 제도	
주민 소환 제도	
주민 감사 청구 제도	
주민 소송 제도	
주민 참여 예산 제도	
청원 제도	

B 우리나라 지방 자치의 현실과 과제

역사

도입	
시련	
본격적 시행	

문제점 :

발전 방안 :

단원 정리하기

● 단원의 핵심 개념을 정리해 보자.

01 민주 국가와 우리나라의 정부 형태

(의원 내각제)

(내각)

(내각 불신임권)

(대통령제)

(법률안 거부권)

(탄핵)

(이원 집정부제)

(간선제)

(직선제)

02 국가 기관의 구성과 역할

(국회 의원)

(교섭 단체)

(국가 원수)

(국무총리)

(국무 회의)

개념 정리하기

| 감사원 |

| 사법(司法) |

| 사법권의 독립 |

| 심급 제도 |

| 3심제 |

| 상소 |

| 공개 재판주의 |

| 증거 재판주의 |

| 헌법 재판소 |

| 위헌 법률 심판 |

| 헌법 소원 심판 |

| 탄핵 심판 |

| 정당 해산 심판 |

| 권한 쟁의 심판 |

03 지방 자치의 의의와 과제

지방 자치

주민 자치

단체 자치

광역 자치 단체

기초 자치 단체

지방 의회

지방 자치 단체장

교육감

조례

규칙

주민 투표 제도

주민 발안 제도

주민 소환 제도

주민 감사 청구 제도

주민 소송 제도

주민 참여 예산 제도

청원 제도

마인드맵으로 정리하기

◎ 자신만의 마인드맵을 만들어 단원의 핵심 내용을 정리해 보자.

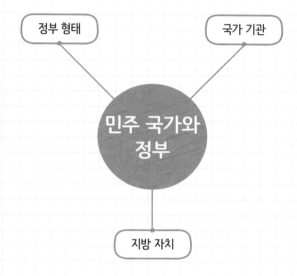

오옷!
잘 그리는데!

» 선배들이 작성한 정리노트 바로가기

III
정치 과정과
참여

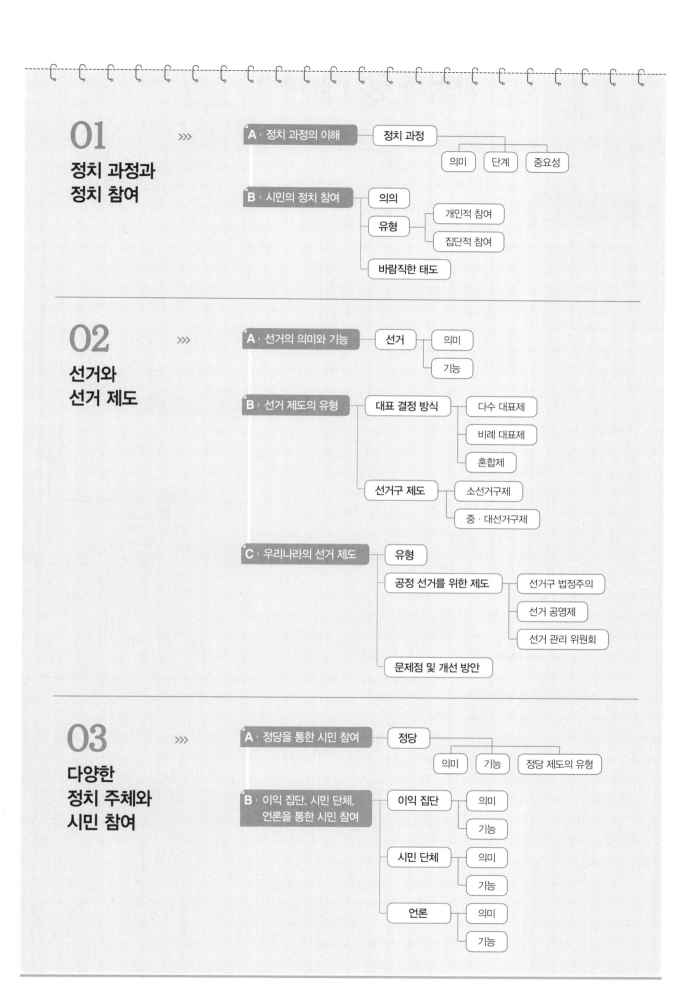

01

정치 과정과 정치 참여

» A · 정치 과정의 이해 ── 정치 과정 ─┬─ 의미
　　　　　　　　　　　　　　　　　├─ 단계
　　　　　　　　　　　　　　　　　└─ 중요성

B · 시민의 정치 참여 ─┬─ 의의
　　　　　　　　　　　├─ 유형 ─┬─ 개인적 참여
　　　　　　　　　　　　　　　 └─ 집단적 참여
　　　　　　　　　　　└─ 바람직한 태도

02

선거와 선거 제도

» A · 선거의 의미와 기능 ── 선거 ─┬─ 의미
　　　　　　　　　　　　　　　　　└─ 기능

B · 선거 제도의 유형 ─┬─ 대표 결정 방식 ─┬─ 다수 대표제
　　　　　　　　　　　　　　　　　　　　　├─ 비례 대표제
　　　　　　　　　　　　　　　　　　　　　└─ 혼합제
　　　　　　　　　　　└─ 선거구 제도 ─┬─ 소선거구제
　　　　　　　　　　　　　　　　　　　 └─ 중 · 대선거구제

C · 우리나라의 선거 제도 ─┬─ 유형
　　　　　　　　　　　　　　├─ 공정 선거를 위한 제도 ─┬─ 선거구 법정주의
　　　　　　　　　　　　　　　　　　　　　　　　　　　├─ 선거 공영제
　　　　　　　　　　　　　　　　　　　　　　　　　　　└─ 선거 관리 위원회
　　　　　　　　　　　　　　└─ 문제점 및 개선 방안

03

다양한 정치 주체와 시민 참여

» A · 정당을 통한 시민 참여 ── 정당 ─┬─ 의미
　　　　　　　　　　　　　　　　　　├─ 기능
　　　　　　　　　　　　　　　　　　└─ 정당 제도의 유형

B · 이익 집단, 시민 단체, 언론을 통한 시민 참여 ─┬─ 이익 집단 ─┬─ 의미
　　　　　　　　　　　　　　　　　　　　　　　　　　　　　　　 └─ 기능
　　　　　　　　　　　　　　　　　　　　　　　　　├─ 시민 단체 ─┬─ 의미
　　　　　　　　　　　　　　　　　　　　　　　　　　　　　　　　└─ 기능
　　　　　　　　　　　　　　　　　　　　　　　　　└─ 언론 ─┬─ 의미
　　　　　　　　　　　　　　　　　　　　　　　　　　　　　　└─ 기능

01 정치 과정과 정치 참여

개념책 88~89 쪽

A 정치 과정의 이해

정치 과정 ── 의미 :

── 단계

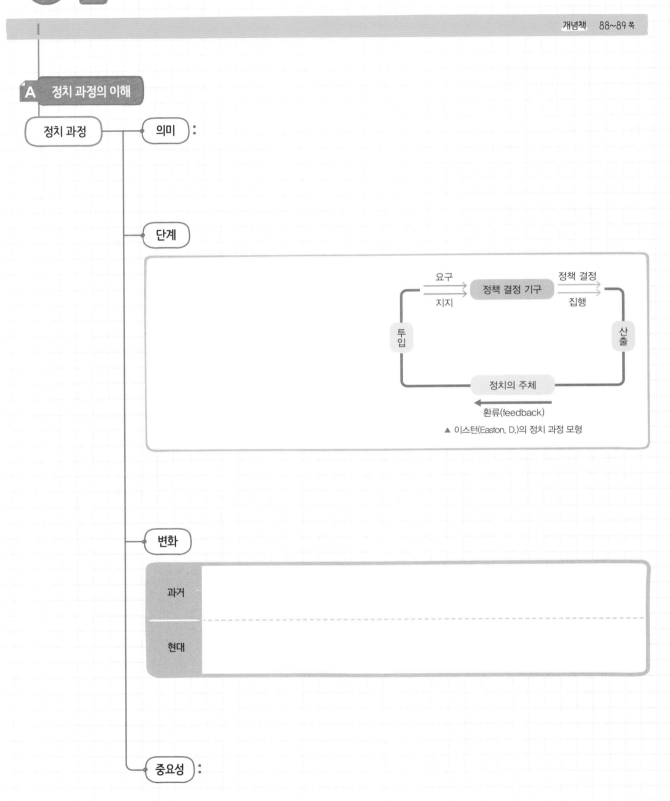

요구

지지

정책 결정 기구

정책 결정

집행

투입

산출

정치의 주체

환류(feedback)

▲ 이스턴(Easton, D.)의 정치 과정 모형

── 변화

과거	
현대	

── 중요성 :

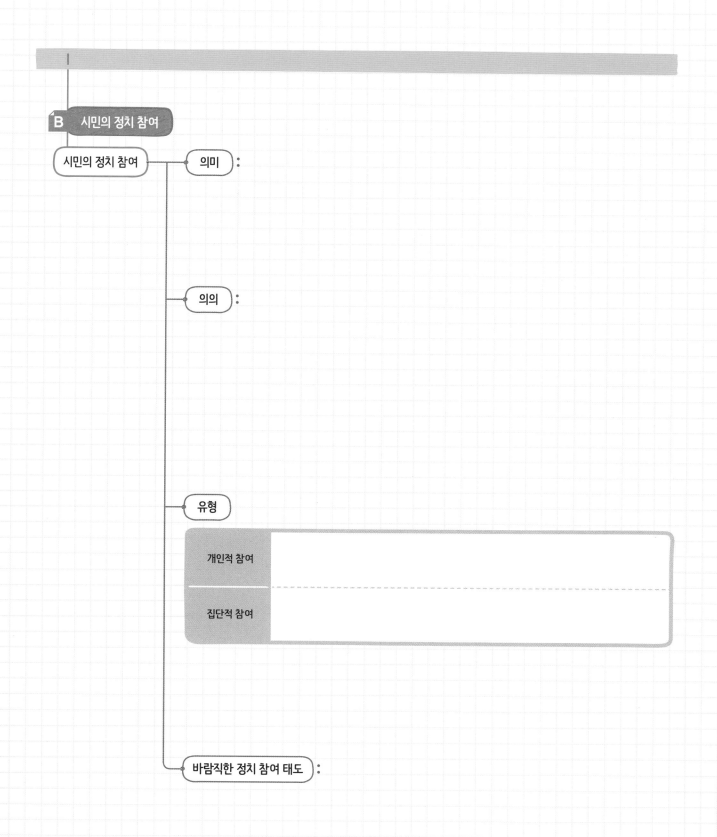

B 시민의 정치 참여

시민의 정치 참여 ── 의미 :

── 의의 :

── 유형

| 개인적 참여 | |
| 집단적 참여 | |

── 바람직한 정치 참여 태도 :

02 선거와 선거 제도

개념책 96~99 쪽

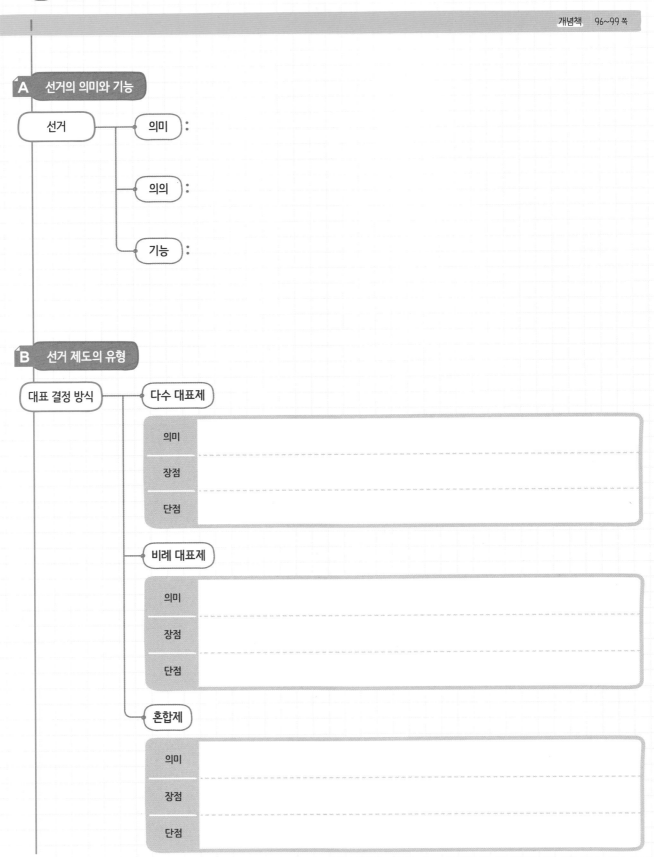

A 선거의 의미와 기능

선거 ── 의미 :

── 의의 :

── 기능 :

B 선거 제도의 유형

대표 결정 방식 ── 다수 대표제

의미	
장점	
단점	

── 비례 대표제

의미	
장점	
단점	

── 혼합제

의미	
장점	
단점	

선거구 제도 ── 소선거구제

의미	
장점	
단점	

중·대선거구제

의미	
장점	
단점	

C 우리나라의 선거 제도

유형 :

공정한 선거를 위한 제도

선거구 법정주의	
선거 공영제	
선거 관리 위원회	

문제점 :

개선 방안 :

03 다양한 정치 주체와 시민 참여

개념책 106~109 쪽

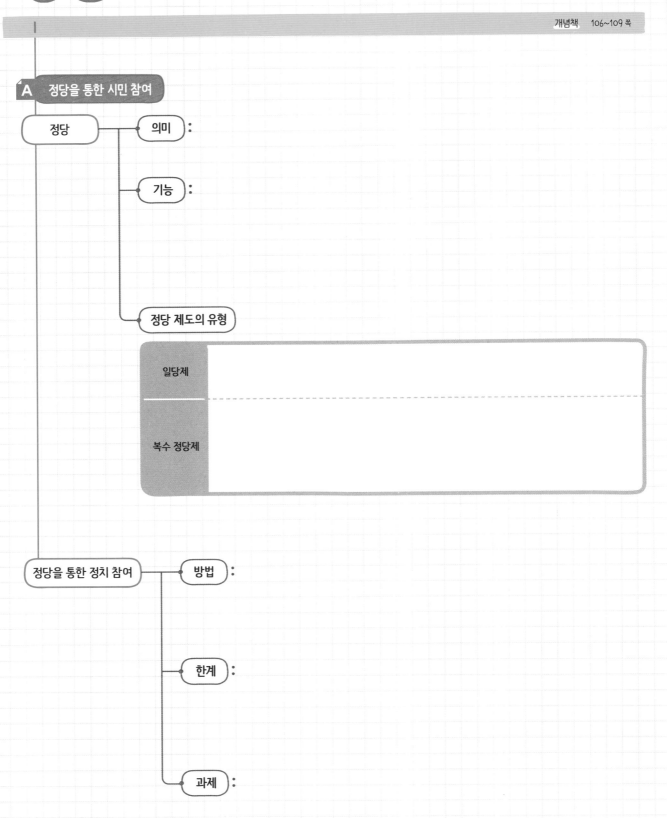

A 정당을 통한 시민 참여

정당 ─┬─ 의미 :

├─ 기능 :

└─ 정당 제도의 유형

일당제	
복수 정당제	

정당을 통한 정치 참여 ─┬─ 방법 :

├─ 한계 :

└─ 과제 :

B 이익 집단, 시민 단체, 언론을 통한 시민 참여

이익 집단

의미	
기능	
시민 참여 방법	
한계	
개선 방향	

시민 단체

의미	
기능	
시민 참여 방법	
한계	
개선 방향	

언론

의미	
기능	
시민 참여 방법	
한계	
개선 방향	

단원 정리하기

● 단원의 핵심 개념을 정리해 보자.

01 정치 과정과 정치 참여

| 정치 과정 |

| 투입 |

| 산출 |

| 환류 |

| 시민의 정치 참여 |

| 정치적 효능감 |

02 선거와 선거 제도

| 선거 |

| 대의 민주 정치 |

| 보통 선거 |

| 평등 선거 |

| 직접 선거 |

| 비밀 선거 |

개념 정리하기

¦ 다수 대표제

¦ 단순 다수 대표제

¦ 절대 다수 대표제

¦ 결선 투표제

¦ 선호 투표제

¦ 비례 대표제

¦ 혼합제

¦ 소선거구제

¦ 중·대선거구제

¦ 선거구 법정주의

¦ 선거 공영제

¦ 선거 관리 위원회

03 다양한 정치 주체와 시민 참여

| 정당 |

| 일당제 |

| 복수 정당제 |

| 양당제 |

| 다당제 |

| 공천 |

| 국민 참여 경선 제도 |

| 이익 집단 |

| 시민 단체 |

| 언론 |

마인드맵으로 정리하기

◎자신만의 마인드맵을 만들어 단원의 핵심 내용을 정리해 보자.

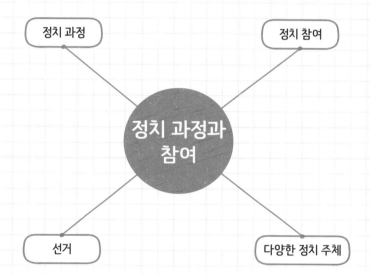

정치 과정

정치 참여

정치 과정과 참여

선거

다양한 정치 주체

오옷!
잘 그리는데!

IV
개인 생활과
법

01
민법의 의의와 기본 원리

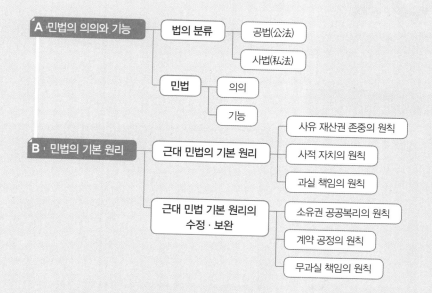

A · 민법의 의의와 기능
- 법의 분류
  - 공법(公法)
  - 사법(私法)
- 민법
  - 의의
  - 기능

B · 민법의 기본 원리
- 근대 민법의 기본 원리
  - 사유 재산권 존중의 원칙
  - 사적 자치의 원칙
  - 과실 책임의 원칙
- 근대 민법 기본 원리의 수정 · 보완
  - 소유권 공공복리의 원칙
  - 계약 공정의 원칙
  - 무과실 책임의 원칙

02
재산 관계와 법

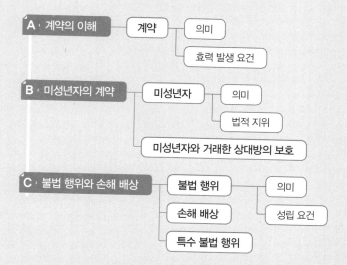

A · 계약의 이해
- 계약
  - 의미
  - 효력 발생 요건

B · 미성년자의 계약
- 미성년자
  - 의미
  - 법적 지위
- 미성년자와 거래한 상대방의 보호

C · 불법 행위와 손해 배상
- 불법 행위
  - 의미
  - 성립 요건
- 손해 배상
- 특수 불법 행위

03
가족 관계와 법

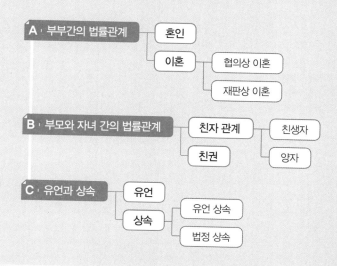

A · 부부간의 법률관계
- 혼인
- 이혼
  - 협의상 이혼
  - 재판상 이혼

B · 부모와 자녀 간의 법률관계
- 친자 관계
  - 친생자
  - 양자
- 친권

C · 유언과 상속
- 유언
- 상속
  - 유언 상속
  - 법정 상속

01 민법의 의의와 기본 원리

개념책 124~125 쪽

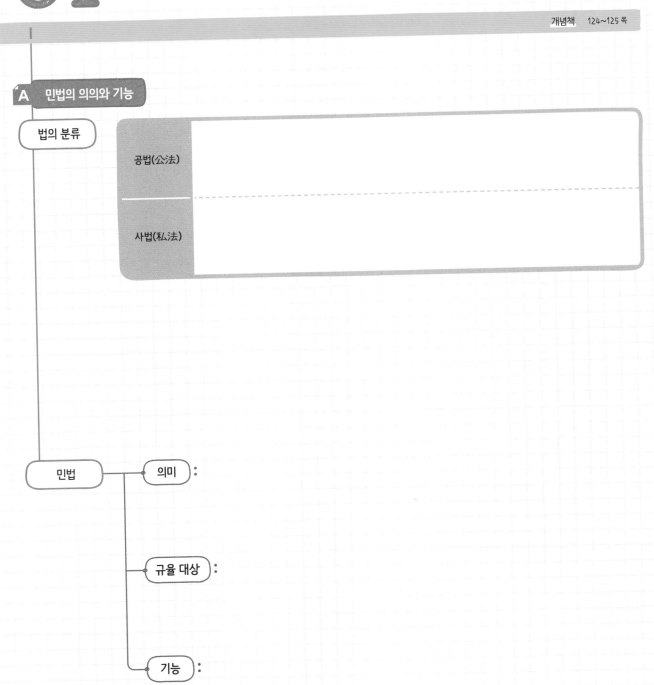

A 민법의 의의와 기능

법의 분류

공법(公法)

사법(私法)

민법 ─ 의미 :

규율 대상 :

기능 :

B 민법의 기본 원리

근대 민법의 기본 원리

사유 재산권 존중의 원칙	
사적 자치의 원칙	
과실 책임의 원칙	

근대 민법의 기본 원리에 대한 수정·보완

수정·보완 배경 :

수정·보완된 원리

소유권 공공복리의 원칙	
계약 공정의 원칙	
무과실 책임의 원칙	

02 재산 관계와 법

개념책 132~135 쪽

A 계약의 이해

계약
- 의미 :
- 성립 :
- 효력 :
- 효력 발생 요건

계약 당사자	
계약 내용	
의사 표시	

B 미성년자의 계약

미성년자
- 의미 :
- 법적 지위 :
- 단독으로 할 수 있는 법률 행위 :

미성년자와 거래한 상대방의 보호

확답을 촉구할 권리	
철회권	
취소권 행사의 배제	

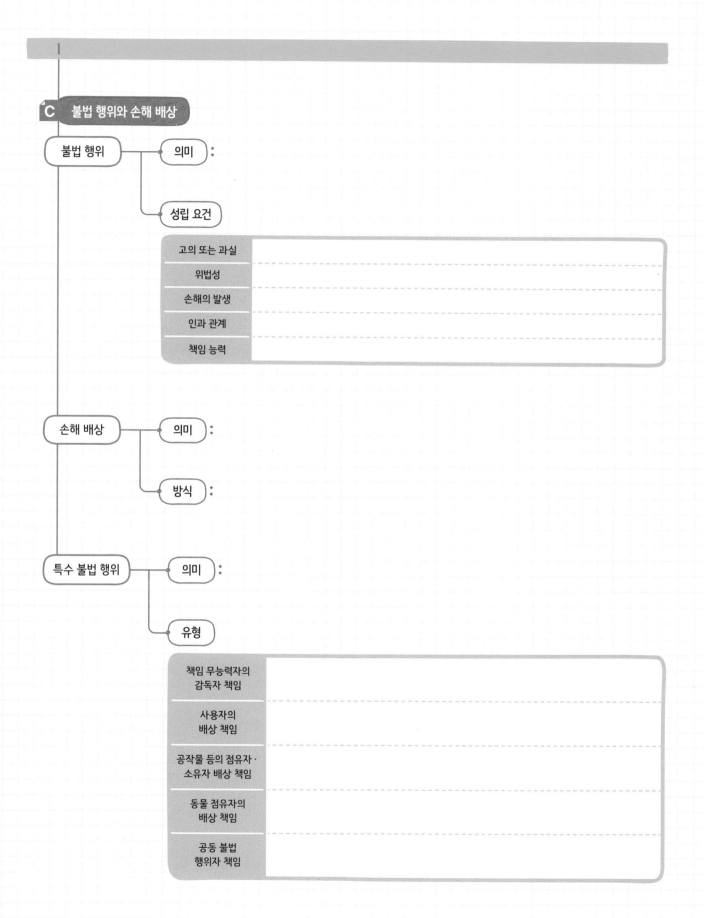

C 불법 행위와 손해 배상

불법 행위
- 의미 :
- 성립 요건

고의 또는 과실	
위법성	
손해의 발생	
인과 관계	
책임 능력	

손해 배상
- 의미 :
- 방식 :

특수 불법 행위
- 의미 :
- 유형

책임 무능력자의 감독자 책임	
사용자의 배상 책임	
공작물 등의 점유자·소유자 배상 책임	
동물 점유자의 배상 책임	
공동 불법 행위자 책임	

03 가족 관계와 법

개념책 142~145 쪽

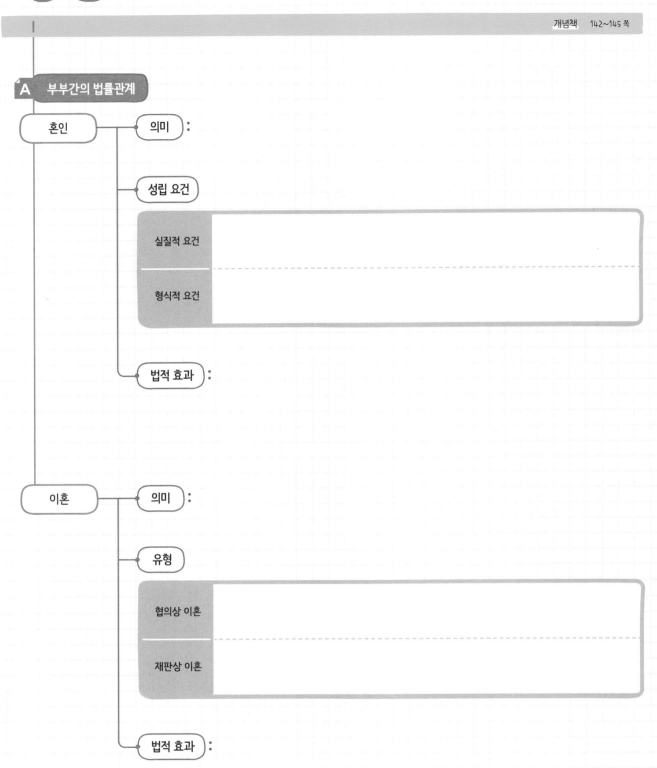

A 부부간의 법률관계

혼인 ── 의미 :

── 성립 요건

실질적 요건	
형식적 요건	

── 법적 효과 :

이혼 ── 의미 :

── 유형

협의상 이혼	
재판상 이혼	

── 법적 효과 :

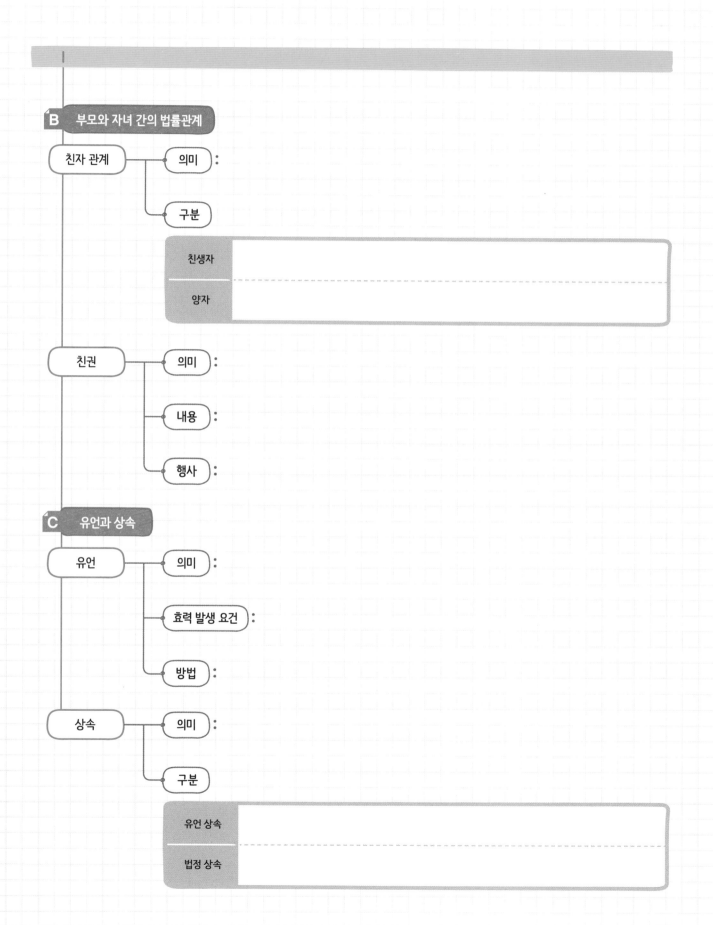

B 부모와 자녀 간의 법률관계

친자 관계 ── 의미 :

── 구분

친생자	
양자	

친권 ── 의미 :

── 내용 :

── 행사 :

C 유언과 상속

유언 ── 의미 :

── 효력 발생 요건 :

── 방법 :

상속 ── 의미 :

── 구분

유언 상속	
법정 상속	

단원 정리하기

● 단원의 핵심 개념을 정리해 보자.

01 민법의 의의와 기본 원리

| 공법(公法) |

| 사법(私法) |

| 민법 |

| 신의 성실의 원칙 |

| 공공복리 |

| 사유 재산권 존중의 원칙 |

| 사적 자치의 원칙 |

| 과실 책임의 원칙 |

| 소유권 공공복리의 원칙 |

| 계약 공정의 원칙 |

| 무과실 책임의 원칙 |

02 재산 관계와 법

- 계약

- 의사 능력

- 행위 능력

- 무효

- 취소

- 미성년자

- 추인

- 고의

- 과실

- 불법 행위

- 책임 능력

- 손해 배상

- 특수 불법 행위

03 가족 관계와 법

| 혼인 |

| 부부 별산제 |

| 일상 가사 대리권 |

| 성년 의제 |

| 이혼 |

| 협의상 이혼 |

| 재판상 이혼 |

| 친자 관계 |

| 친양자 제도 |

| 친생자 |

| 양자 |

| 친권 |

| 유언 |

| 요식주의 |

| 상속 |

| 유류분 제도 |

마인드맵으로 정리하기

● 자신만의 마인드맵을 만들어 단원의 핵심 내용을 정리해 보자.

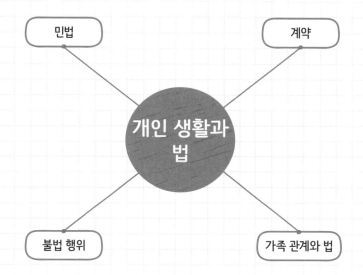

민법　　　　계약

개인 생활과
법

불법 행위　　　가족 관계와 법

오옷!
잘 그리는데!

V

사회생활과 법

01
형법의 이해

A 형법의 의의와 기능 ── 형법 ┬ 의의
                                └ 기능

B 죄형 법정주의의 의미와 내용 ── 죄형 법정주의 ┬ 관습 형법 금지의 원칙
                                              ├ 명확성의 원칙
                                              ├ 적정성의 원칙
                                              ├ 소급효 금지의 원칙
                                              └ 유추 해석 금지의 원칙

C 범죄의 의미와 성립 요건 ── 범죄 ┬ 의미
                                    └ 성립 요건

D 형벌과 보안 처분 ── 형벌 ┬ 의미
                              └ 종류
                           보안 처분 ┬ 의미
                                     └ 종류

02
형사 절차와 인권 보장

A 형사 절차의 이해 ── 형사 절차 ┬ 수사 절차
                                  ├ 공판 절차
                                  └ 형의 선고와 집행

B 형사 절차에서의 인권 보장 원칙과 제도 ── 형사 절차에서의 인권 보장 원칙
                                          수사 · 재판 절차에서의 인권 보장 제도

C 범죄 피해자 보호와 형사 구제 제도 ── 범죄 피해자 보호 제도
                                        형사 구제 제도

03
근로자의 권리 보호

A 노동법과 근로자의 권리 ── 노동법 ┬ 의미
                                     └ 종류
                                  근로자의 권리 ┬ 개인으로서의 권리
                                               └ 단체로서의 권리

B 근로자의 권리 침해와 구제 ── 부당 해고
                                 부당 노동 행위

C 청소년 근로자의 권리 보호

01 형법의 이해

개념책 160~163 쪽

A 형법의 의의와 기능

형법 ─ 의미 :

 ├ 의의 :

 └ 기능 :

B 죄형 법정주의의 의미와 내용

죄형 법정주의 ─ 의미 :

형식적 의미	
실질적 의미	

 └ 내용

관습 형법 금지의 원칙	
명확성의 원칙	
적정성의 원칙	
소급효 금지의 원칙	
유추 해석 금지의 원칙	

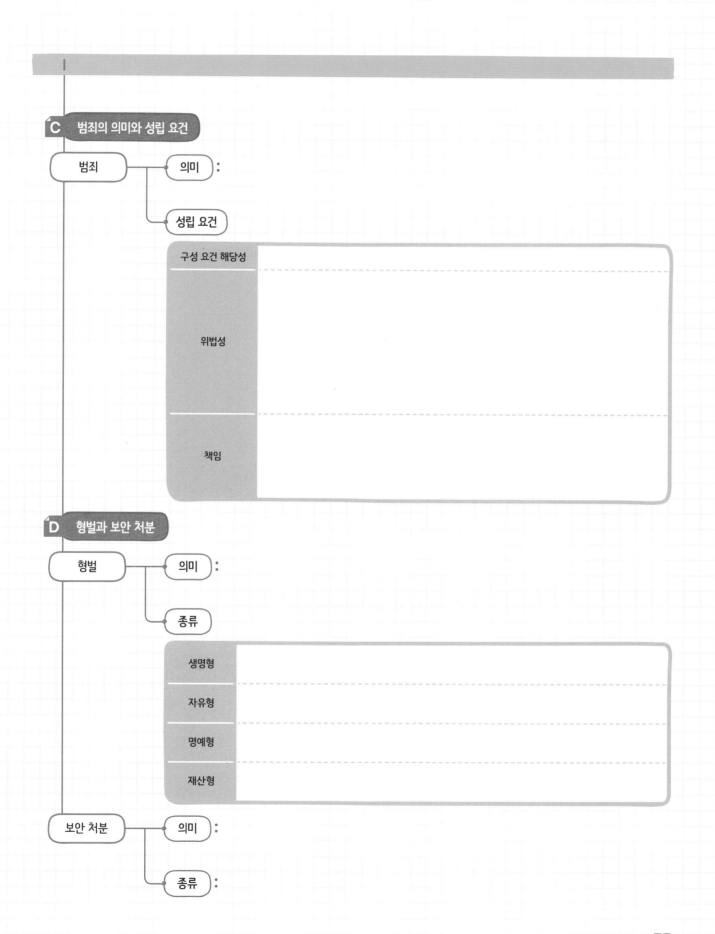

C 범죄의 의미와 성립 요건

범죄 ─ 의미 :

─ 성립 요건

구성 요건 해당성	
위법성	
책임	

D 형벌과 보안 처분

형벌 ─ 의미 :

─ 종류

생명형	
자유형	
명예형	
재산형	

보안 처분 ─ 의미 :

─ 종류 :

02 형사 절차와 인권 보장

개념책 170~173 쪽

A 형사 절차의 이해

수사 절차 :

공판 절차 :

형의 선고

실형	
집행 유예	
선고 유예	

➡ 불복 방법 :

형의 집행 :

B 형사 절차에서의 인권 보장 원칙과 제도

형사 절차에서의 인권 보장 원칙

적법 절차의 원칙	
무죄 추정의 원칙	
진술 거부권	
변호인의 조력을 받을 권리	

수사·재판 절차에서의 인권 보장 제도

영장 제도	
구속 전 피의자 심문 제도	
구속 적부 심사 제도	
보석 제도	

C 범죄 피해자 보호와 형사 구제 제도

범죄 피해자 보호 제도

범죄 피해자 구조 제도	
배상 명령 제도	

형사 구제 제도

형사 보상 제도	
명예 회복 제도	

03 근로자의 권리 보호

개념책 180~183쪽

A 노동법과 근로자의 권리

노동법 ─┬─ 의미 :

├─ 등장 배경 :

└─ 종류 :

법에 보장된 근로자의 권리 ─┬─ 개인으로서 근로자의 권리

근로 계약	
임금	
근로 시간	
휴일	

└─ 단체로서 근로자의 권리

근로 3권		

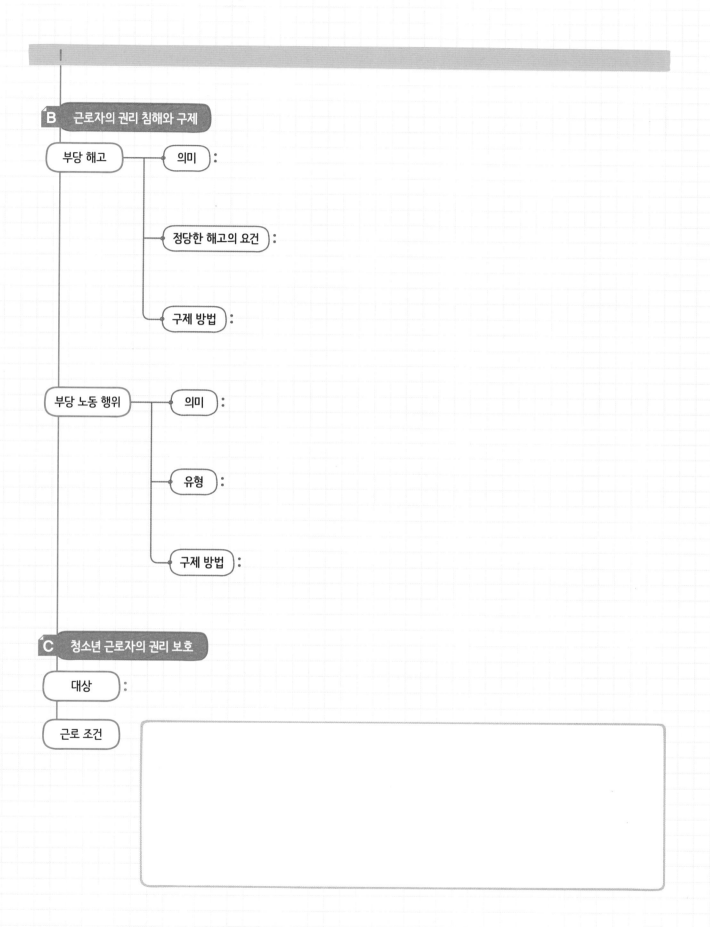

B 근로자의 권리 침해와 구제

부당 해고
- 의미 :
- 정당한 해고의 요건 :
- 구제 방법 :

부당 노동 행위
- 의미 :
- 유형 :
- 구제 방법 :

C 청소년 근로자의 권리 보호

대상 :

근로 조건

개념 정리하기

● 단원의 핵심 개념을 정리해 보자.

01 형법의 이해

| 형법)

| 성문법)

| 관습법)

| 죄형 법정주의)

| 관습 형법 금지의 원칙)

| 명확성의 원칙)

| 적정성의 원칙)

| 소급효 금지의 원칙)

| 유추 해석 금지의 원칙)

| 범죄)

| 구성 요건 해당성)

| 위법성)

| 정당 행위)

| 정당방위)

| 긴급 피난)

| 자구 행위)

개념 정리하기

| 피해자의 승낙

| 책임

| 형벌

| 보안 처분

02 형사 절차와 인권 보장

| 수사 절차

| 공판 절차

| 실형

| 집행 유예

| 선고 유예

| 적법 절차의 원칙

| 무죄 추정의 원칙

| 진술 거부권

| 변호인의 조력을 받을 권리

| 영장 제도

| 구속 전 피의자 심문 제도

| 구속 적부 심사 제도

| 보석 제도 |

| 범죄 피해자 구조 제도 |

| 배상 명령 제도 |

| 형사 보상 제도 |

| 명예 회복 제도 |

03 근로자의 권리 보호

| 노동법 |

| 근로 기준법 |

| 최저 임금법 |

| 노동조합 및 노동관계 조정법 |

| 단결권 |

| 단체 교섭권 |

| 단체 행동권 |

| 쟁의 행위 |

| 부당 해고 |

| 부당 노동 행위 |

| 노동 위원회 |

마인드맵으로 정리하기

◉ 자신만의 마인드맵을 만들어 단원의 핵심 내용을 정리해 보자.

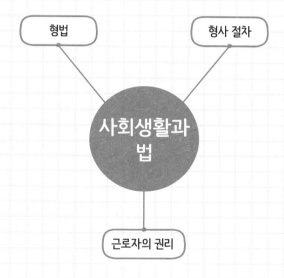

형법

형사 절차

사회생활과
법

근로자의 권리

오옷!
잘 그리는데!

VI
국제 관계와
한반도

01

국제 관계와 국제법

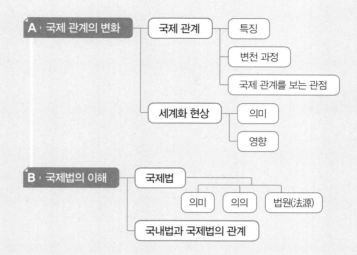

- **A** 국제 관계의 변화
  - 국제 관계
    - 특징
    - 변천 과정
    - 국제 관계를 보는 관점
  - 세계화 현상
    - 의미
    - 영향
- **B** 국제법의 이해
  - 국제법
    - 의미
    - 의의
    - 법원(法源)
  - 국내법과 국제법의 관계

02

국제 문제와 국제기구, 우리나라의 국제 관계

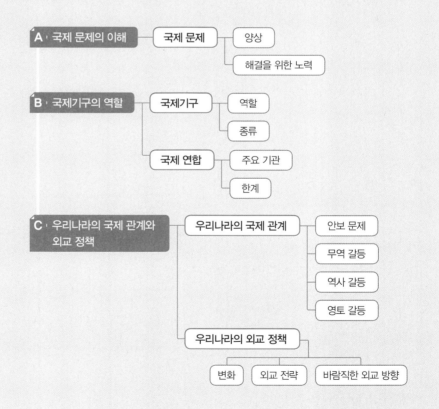

- **A** 국제 문제의 이해
  - 국제 문제
    - 양상
    - 해결을 위한 노력
- **B** 국제기구의 역할
  - 국제기구
    - 역할
    - 종류
  - 국제 연합
    - 주요 기관
    - 한계
- **C** 우리나라의 국제 관계와 외교 정책
  - 우리나라의 국제 관계
    - 안보 문제
    - 무역 갈등
    - 역사 갈등
    - 영토 갈등
  - 우리나라의 외교 정책
    - 변화
    - 외교 전략
    - 바람직한 외교 방향

01 국제 관계와 국제법

개념책 198~201 쪽

A 국제 관계의 변화

국제 관계 ── 의미 :

── 특징 :

── 변천 과정

베스트팔렌 조약 (1648년)	
제국주의 시대 (19세기 후반)	
국제 연맹 창설 (1920년)	
국제 연합 창설 (1945년)	
냉전 체제의 형성 (1940년대 중반 이후)	
냉전 체제의 완화와 종식 (1970~1990년대)	
오늘날의 국제 관계	

국제 관계를 보는 관점

현실주의적 관점	
자유주의적 관점	

세계화 현상 ── 의미 :

── 영향 :

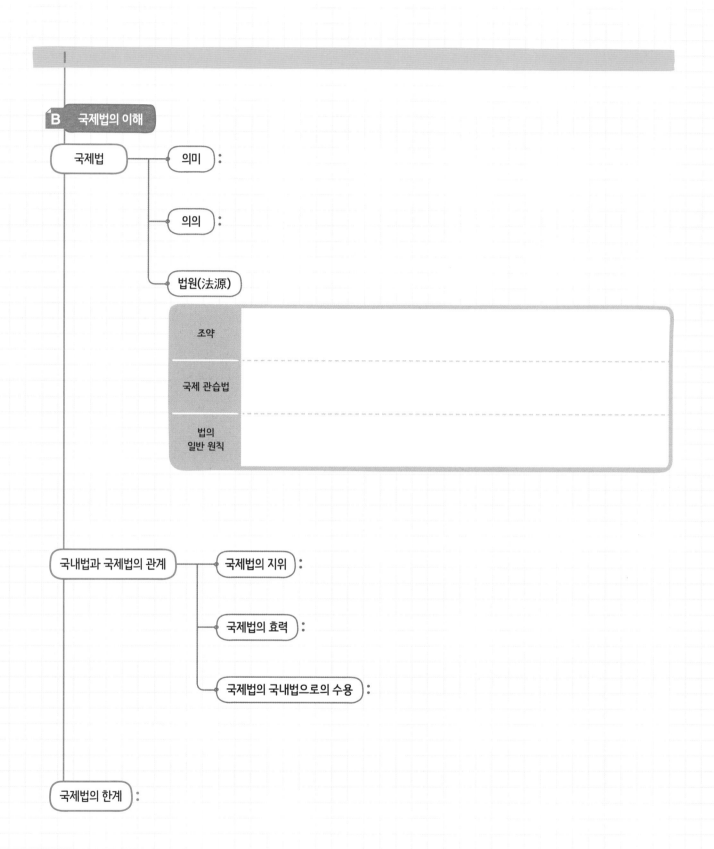

B 국제법의 이해

국제법 ── 의미 :

── 의의 :

── 법원(法源)

조약	
국제 관습법	
법의 일반 원칙	

국내법과 국제법의 관계 ── 국제법의 지위 :

── 국제법의 효력 :

── 국제법의 국내법으로의 수용 :

국제법의 한계 :

02 국제 문제와 국제기구, 우리나라의 국제 관계

개념책   208~211 쪽

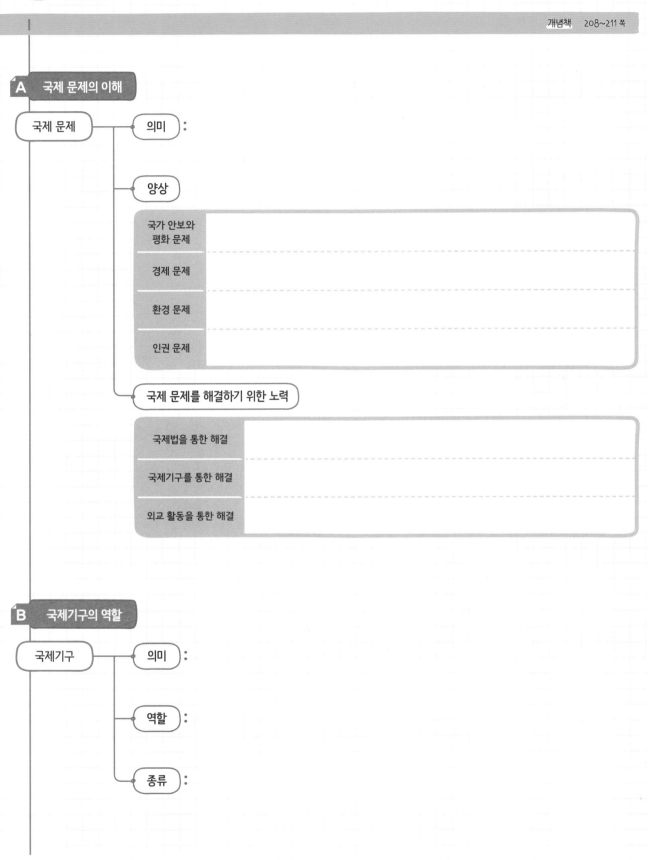

A 국제 문제의 이해

국제 문제 ─── 의미 :

─── 양상

국가 안보와 평화 문제	
경제 문제	
환경 문제	
인권 문제	

─── 국제 문제를 해결하기 위한 노력

국제법을 통한 해결	
국제기구를 통한 해결	
외교 활동을 통한 해결	

B 국제기구의 역할

국제기구 ─── 의미 :

─── 역할 :

─── 종류 :

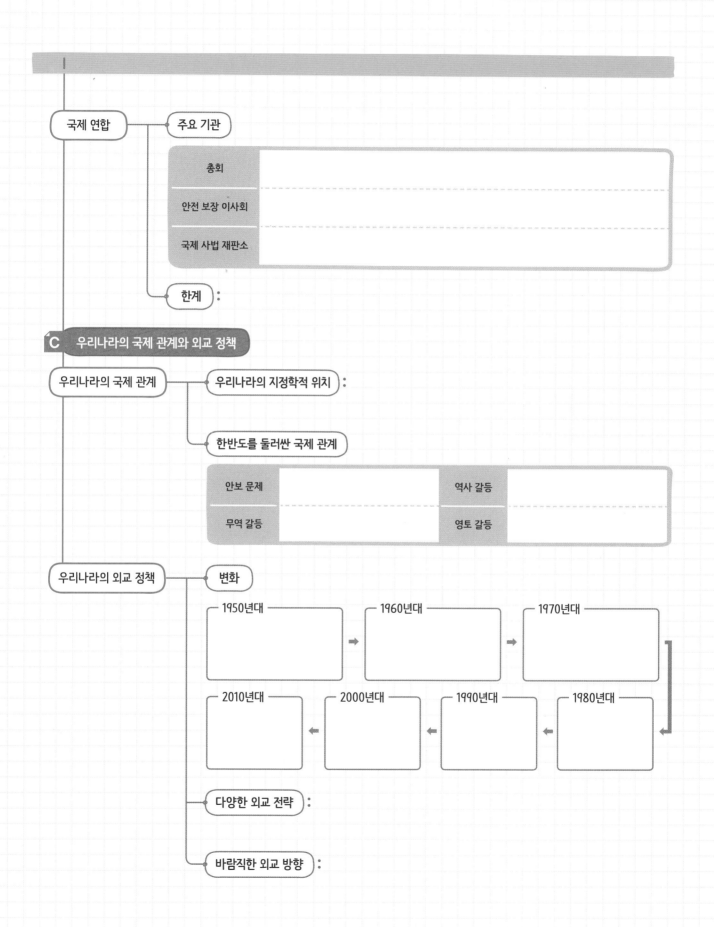

국제 연합 ── 주요 기관

총회	
안전 보장 이사회	
국제 사법 재판소	

── 한계 :

C 우리나라의 국제 관계와 외교 정책

우리나라의 국제 관계 ── 우리나라의 지정학적 위치 :

── 한반도를 둘러싼 국제 관계

안보 문제		역사 갈등	
무역 갈등		영토 갈등	

우리나라의 외교 정책 ── 변화

1950년대 → 1960년대 → 1970년대

2010년대 ← 2000년대 ← 1990년대 ← 1980년대

── 다양한 외교 전략 :

── 바람직한 외교 방향 :

단원 정리하기

● 단원의 핵심 개념을 정리해 보자.

01 국제 관계와 국제법

| 국제 관계 |

| 세력 균형 전략 |

| 집단 안보 전략 |

| 세계화 |

| 국제법 |

| 조약 |

| 협약 |

| 협정 |

| 국제 관습법 |

| 법의 일반 원칙 |

02 국제 문제와 국제기구, 우리나라의 국제 관계

| 국제 문제 |

| 국제기구 |

| 국제 연합 |

| 안전 보장 이사회 |

| 국제 사법 재판소 |

| 공공 외교 |

| 기여 외교 |

◉ 자신만의 마인드맵을 만들어 단원의 핵심 내용을 정리해 보자.

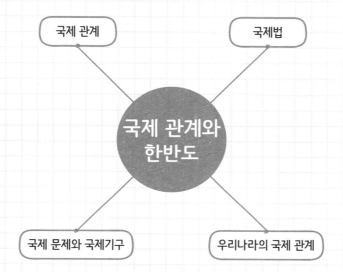

국제 관계

국제법

국제 관계와 한반도

국제 문제와 국제기구

우리나라의 국제 관계

오옷!
잘 그리는데!

집중력을 높이는 미로 Game

두방보조 몬스터!
냥냡에게 요리 재료를 무사히 전달하라!